李达全集

汪信砚 主编

第十五卷

人民出版社

国家社会科学基金重大招标项目

"李达全集整理与研究"（批准号：10ZD&062）最终成果

国家出版基金项目

"《李达全集》（1—20卷）的整理、编纂与出版"最终成果

目　　录

法理学大纲（1947）

第一篇　绪　论

货币学概论（1949.7）

动的逻辑[*]

（1936.1）

动的逻辑,就是唯物辩证法,这种学问,详细地讲起来,绝非短时间内所能讲完,这儿所讲的,不过是大纲而已。唯物辩证法,可以分两种方法来讲。一种是从历史的发展详详细细地讲,一种是从科学方法方面讲。现在就是用后一种方法来讲。

研究唯物辩证法,可以分三点来看。第一,唯物辩证法的对象;第二,唯物辩证法的法则;第三,唯物辩证法认识论的思维方法。

第一,唯物辩证法的对象。

凡是一种科学,都有它研究的对象,把它的对象暴露出来就是它的使命。哲学也是一种科学,所以哲学也应当把它的对象暴露出来。哲学的对象是什么? 首要的,便是发展的法则,辩证法可以说是研究世界一切事物发展法则的。要说明世界发展的法则,必须先要知道世界是什么。大家都知道世界是宇宙,但不能算是解释。

一、世界是物质统一体的发展过程

世界是由无数行星构成的,是许多行星的统一体,这许多行星是物质,即世界是物质构成的。例如地球,最初是星云状态,经过高度热力后,冷缩起来,到了一定的冷度,成了化学状态,由于进化而有了植物。再进化而有了生物和人类,有人类以来,不过才有 50 万年的历史。人是有意识的动物,是有精神

---

[*] 本文原标题为“动的逻辑(上)”,但未见有下篇。——编者注

1

的,以前的世界,没有精神,只有物质,物质世界发展以后,才有了精神,所以精神是物质发展后的一个机能,换言之,精神是最高物质的作用,是物质发展到一定阶段时才产生出来的东西。精神由物质的发展而来,同时又能认识物质世界,这是认识论上物质与精神的区别。

现在再来解释物质是什么。有人说物质是有颜色的,有轻重的,可以看得见的,但这是自然科学家对于物质的解释,哲学上所说的物质不是如此。哲学并不是研究物质的构造,在哲学的解释之下,不管世界上的物体千差万别,不管它是什么样子的,我们都可以把物质看作离开人类意识而独立存在的东西,这是一切物质共同的发源,共同的属性。当我们五官与它们接触的时候,在我们的头脑中,有一点印象,所以可以说它又是主观所反映的客观实在。但这一种说法,也有错误,因为不能认识的,则不成为物质,故须加上"能认识"。总说起来,物质是离开人类意识而独立存在又为意识所反映的而能认识的东西。

这是在哲学上的范畴,与自然科学以分子、原子、电子来解释物质的见解不同。自然科学家,以为物质是分子构成的,分子是原子构成的,原子又是电子构成的,电子呢,消灭了,于是电子把物质否定了。有许多的唯心论者拿这一个例子来攻击唯物论,他们以为物质不存在了,只有精神了。这一种错误,是把自然科学的物质概念,和哲学上的物质概念混为一谈。不但唯心论学者有此错误,就是机械唯物论者也不免发生这种错误。

他们——唯心论者和机械唯物论者——不了解在自然科学上,分析物质的能力,是有一定界限的。这叫做分析物质的界限,就是我们的能力只能把物质分析到这一个阶段,不能再进一步地分析了。以前我们的能力只能分析到物质是由分子构成的,科学进步了,又知道分子是由原子构成的,现在又知道了原子是由电子构成的,电子呢,消灭了,其实并不是消灭了,是我们尚不能把分析物质的界限打破,使我们再进一步的分析。以后我们科学进步了,仍能把电子再加分析,而知道它并不是消灭的。

世界上一切的东西,都是运动的物质;世界上一切的东西,都是物质的运动。物质是运动的形式,没有运动,即没有物质;没有物质,即没有运动。唯心论者所研究的对象,只是空想的世界,研究看不见的、没有科学根据的东西。他说,物质是精神的反映,世界的一切东西是没有运动的,一切是上帝创造出来的。他又说现在的学问和从前一样,他否认物质,否认运动,否认发展。

但也有一派,他否认物质,只承认运动,然而这种运动,他说是鬼的运动,上帝的运动,他并不承认是物质的运动。

物质运动的种类很多,物质运动的形态也很复杂。物质运动的形态,最初是"力"量的运动,是机械的运动,进化到一定程度的时期,或为物理学的运动,到了第三步就成为化学的运动。因为产生生命的形态,就是说世界到了这一个时期,才有了生命运动,而后造成精神的社会现象,由简单而复杂,我们要把这种由简而繁的运动分别出来。我们不能拿一种动的形态代替一切,这是机械唯物论的大错误。因为,他拿物理现象来解释一切运动,我们要认定他们中间是有许多复杂的关系的。我们研究这一项,再研究其他各项,应先明了他们彼此间的关系。

时间和空间是什么?

有人说时间是空虚的长度,是没有物质的狭隘,空间是没有东西的,是空的,但在哲学上,却不是这样解释。哲学上的解释是:时间与空间是物质运动的存在形态,物质的运动就是时间;物质的延长就是空间。时间与空间是客观的。康德以为时间与空间是主观的模式,实为错误的见解。

现在,总括的来说:物质是运动于时间与空间之中,离开人类意识而独立存在,又为意识所反映而能认识的东西。

二、世界发展的一般法则——认识

这里有一个物质的世界——我们怎样认识它呢?利用我们的五官,就有一种直视的印象,但是要了解它们相互间的联系、关系,和它们之间的运动,是不能用直视所能认识的。必有赖于分析,一部分一部分地分析。所以自然科学和社会科学便分为许多个别的部门,由别个的部门来研究别个现象的发展法则。物理学,即把物理学的现象的发展法则暴露出来,化学即把化学的现象的发展法则暴露出来。社会科学亦然。所以我们要认识这一个整个的世界,不能不把它分为许多许多的部门,把它的别个的特殊点暴露出来。哲学的任务,就是把它们综合起来,由力学的、物理学的、化学的、生物学的,社会学的各种发展法则综合起来,得到整个世界的发展法则,这就叫做由分析到综合而成的各种世界观。所以说:唯物辩证法是人类知识史的总计,综合式结论。

哲学不但是科学的世界观,而且是科学的方法论。这两种东西是不可分开的。唯物辩证法的原理与范畴,都是一切科学的领域,都是合乎一切科学的现象。由一切个别科学认识的结果,得到一种普遍的概念,例如"世界的一切东西,都是发展的,运动的"这一句话,是能施于一切东西的。

各种科学可以说是相对分析的科学,哲学是相对综合的科学,例如发生了一件事,我们来个别地分析它,而得出一种综合的原理。

方法论有两种意义,一是认识的,一是实践的,我们认识必须要实践的。哲学不但要解释世界,而且要改变世界。实践是认识的基础,由认识而实践,由实践而认识。没有认识而实践,是盲目的。没有实践而认识,是盲从的。唯物论辩证法是以实践为基础的。

(原载 1936 年《社会生活》第 1 卷第 1 期,署名李达)

辩证法的逻辑

（1936.5）

辩证法的逻辑,就是唯物辩证法。这种学问,详细地讲起来,绝非短时间内,所能讲完,这次所讲的,不过是大纲而已。唯物辩证法,可以分两种方法来讲,一种是从历史的发展,详详细细地讲;一种是从科学方法方面讲,现在就是用后一种方法来讲。

研究唯物辩证法,可以分三点来看,第一,唯物辩证法的对象;第二,唯物辩证法的法则;第三,唯物辩证法认识论的思维方法。

一、唯物辩证法的对象

凡是一种科学,都有它研究的对象,把它的对象暴露出来就是它的使命;哲学也是一种科学,所以哲学也应当把它的对象暴露出来。哲学的对象是什么? 首要的,便是发展的法则,辩证法可以说是研究世界一切事物发展法则的。要说明世界发展的法则,必须先要知道世界是什么,大家都知道世界是宇宙,但这不能算是解释。

（一）世界是物质统一体的发展过程

世界是由无数行星构成的,是许多行星的统一体,这许多行星是物质,即世界是物质构成的。例如地球,最初是星云状态,经过高度热力后,冷缩起来,到了一定的冷度,成了化学状态,由于进化而有了植物,再进化而有了生物和人类,有人类以来,不过才有 50 万年的历史。人是有意识的动物,是有精神的,以前的世界,没有精神,只有物质,物质世界发展以后,才有了精神是物质发展后的一个机能,换言之,精神是最高物质的作用,是物质发展到一定阶段时才产生出来的东西。精神由物质的发展而来,同时又能认识物质世界,这是认识论上物质与精神的区别。

现在再来解释物质是什么。有人说物质是有颜色的,有轻重的,可以看得见的,但这是自然科学家对于物质的解释,哲学上所说的物质不是如此。哲学并不是研究物质的构造,在哲学的解释之下,不管世界上的物体千差万别,不管它是什么样子的,我们都可以把物质看作离开人类意识而独立存在的东西,这是一切物质共同的发源,共同的属性。当我们五官与它们接触的时候,在我们的头脑中,有一点印象,所以可以说它又是主观所反映的客观实在,但这一种说法,也有错误,因为不能认识的,则不成为物质,故须加上"能认识"。总起来说,物质是离开人类意识而独立存在又为意识所反映的而能认识的东西。

这是在哲学上的范畴,与自然科学以分子、原子、电子来解释物质的见解不同。自然科学家,以为物质是分子构成的,分子是原子构成的,原子又是电子构成的,电子呢,消灭了,于是电子把物质否定了。有许多的唯心论者拿这一个例子来攻击唯物论,他们以为物质不存在了,只有精神了。这一种错误,是把自然科学的物质概念,和哲学上的物质概念混为一谈,不但唯心论学者有此错误,就是机械唯物论者也不免发生这种错误。

他们——唯心论者和机械唯物论者——不了解在自然科学上,分析物质的能力,是有一定界限的。这叫做分析物质的界限,就是我们的能力只能把物质分析到这一个阶段,不能再进一步的分析了。以前我们的能力只能分析到物质是由分子构成的。科学进步了,又知道分子是由原子构成的,现在又知道了原子是由电子构成的。电子呢,消灭了,其实并不是消灭了,是我们尚不能把分析物质的界限打破,使我们再进一步的分析。以后我们科学进步了,仍能把电子再加分析,而知道它并不是消灭的。

世界上一切的东西,都是运动的物质;世界上一切的东西,都是物质的运动。物质是运动的形式,没有运动,即没有物质;没有物质,即没有运动。唯心论者所研究的对象,只是空想的世界,研究看不见的、没有科学根据的东西。他说,物质是精神的反映,世界的一切东西是没有运动的,一切是上帝创造出来的。他又说现在的学问和从前一样,他否认物质,否认运动,否认发展。

但也有一派,他否认物质,只承认运动,然而这种运动,他说是鬼的运动、上帝的运动,他并不承认是物质的运动。

物质运动的种类很多,物质运动的形态也愈复杂。物质运动的形态,最初是"力"量的运动,是机械的运动,进化到一定程度的时期,成为物理学的运动,到了第三步就成为化学的运动。因而产生生命的形态,就是说世界到了这一个时期,才有了生命运动,而后造成精神的社会现象,由简单而复杂。我们要把这种由简而繁的运动分别出来。我们不能拿一种运动的形态代替一切,这是机械唯物论的大错误。因为,他拿物理现象来解释一切运动,我们要认定它们中间是有许多复杂的关系的。我们研究这一项,再研究其他各项,应先明了它们彼此间的关系。

时间和空间是什么?

有人说时间是空虚的长度,是没有物质的狭隘,空间是没有东西的,是空的。但在哲学上,却不是这样解释。哲学上的解释是:时间与空间是物质运动的存在形态,物质的运动就是时间,物质的延长就是空间。时间与空间是客观的。康德以为时间与空间是主观的模式,实为错误的见解。

现在,总括地说:物质是运动于时间与空间之中,离开人类意识而独立存在,又为意识所反映而能认识的东西。

(二)世界发展的一般法则——认识

这里有一个物质的世界——我们怎样认识它呢?利用我们的五官,就有一种直视的印象,但是要了解它们相互间的联系、关系和它们之间的运动,是不能用直视所能认识的,必有赖于分析,一部分一部分地分析。所以自然科学和社会科学便分为许多个别的部门,由个别的部门来研究个别现象的发展法则。物理学,即把物理学的现象的发展法则暴露出来,化学即把化学的现象的发展法则暴露出来。社会科学亦然。所以我们要认识这一个整个的世界,不能不把它分为许多许多的部门,把它的个别的特殊点暴露出来。哲学的任务,就是把它们综合起来,由力学的、物理学的、化学的、生物学的、社会学的各种发展法则综合起来,得到整个世界的发展法则,这就是叫做由分析到综合而成的一种世界观。所以说:唯物辩证法是人类知识史的总计、综合式结论。

哲学不但是科学的世界观，而且是科学的方法论。这两种东西是不可分开的，唯物辩证法的原理与范畴，都是一切科学的领域，都是合乎一切科学的现象，由一切个别科学认识的结果，得到一种普遍的概括。例如："世界的一切东西，都是发展的、运动的"这一句话，是能施于一切东西的。

各种科学可以说是相对分析的科学，哲学是相对综合的科学，例如发生了一件事，我们来个别地分析它，而得出一种综合的原理。

方法论有两种意义，一是认识的，一是实践的。我们认识必须要实践的，哲学不但要解释世界，而且要改变世界。实践是认识的基础，由认识而实践，由实践而认识。没有认识而实践，是盲目的。没有实践而认识，是盲从的。唯物论辩证法是以实践为基础的。

（三）唯物辩证法、认识论和论理学的同一性

唯物辩证法、认识论和论理学是有同一性的，因为他们：（1）同是知识的总计、总和与结论；（2）同以外界及思维发展法则为对象。

唯物辩证法是研究世界发展法则的。所谓世界，包括些什么呢？即：

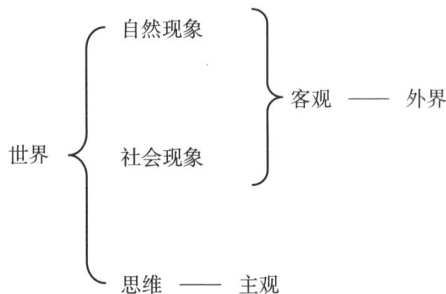

唯物辩证法是研究世界发展法则的，即外界和思维发展法则的。外界的发展法则和思维的发展法则，有什么不同呢？思维的发展法则，是世界发展法则的反映，即外界的发展法则，反映到思维发展法则。换言之，主观是客观的反映，即存在规定意识。客观的发展法则，通过我们的感官，在我们的头脑中反映出来，构成思维发展法则。但全部把客观事实反映出来，也是不能够的，不过在一般的大纲上把客观环境反映出来。此外偶然的事，是不能反映出来的。客观的事实和反映出来的，虽然形式不同，而其内容则相同。

认识论是研究认识的发展法则的。认识论是唯物辩证法的认识论。所谓认识,是外界在意识上的反映,即存在规定意识,意识反映存在。先有客观存在,而后再有意识。意识是存在的印象。所以说唯物辩证法的认识论是研究认识的客观发展法则。研究认识的客观发展法则,须先研究客观的发展法则。客观的发展法则,反映为思维发展法则。因此认识论研究的对象,可能说是外界和思维的发展法则。它的对象,是与唯物辩证法的对象相同的。

论理学是研究思维发展法则的。思维的发展法则,是外界发展法则所反映的。所以论理学所研究的对象,是和唯物辩证法、唯物辩证法的认识论是相同的。

三种东西同是由整个世界发展的法则,分析到综合得到一种世界观。换言之,三种东西,同是人类知识史的总计、总和与结论。

二、唯物辩证法的法则

(这一个小题目,李先生没有讲,诸位可参阅《中山文化教育季刊》第 3 卷第 1 期李先生之《逻辑的根本原理》。——笔者)

三、唯物辩证法认识论的思维方法

(一)由物质到感觉的过程——认识过程考察的根据

在前面已经讲过,唯物辩证法、认识论和论理学是有同一性的。因为:(1)同是人类知识史的总计、总和与结论;(2)同以外界及思维发展法则为对象。

反映外界的论理(法则,范畴)要在认识史的发展上、两者的关联上去考察。为要完成这一工作,必须根据近代科学及先进的实践,把知识史作普遍化的概括,即认识史必须有实践作根据,这样得来的论理东西,才与历史的东西相一致。

哲学不但有认识普遍化的见地,考察反映外界的思维及两者的关联,同时还要站在历史主义的立场,研究反映的过程,及其固有的法则。人类的本身,是有历史的。人类在世界的过程中,所遇到的许多东西,在人类的思维中,反映出来。所以要研究认识发展的过程,必须先研究认识本身。

认识,是论理反映历史的,是由实践出发的,由实践到实践。在实践的过程中,才遇到实践的东西。外界的东西,通过我们的感官,于是有了感觉,由感觉而构成思维。思维中的东西,是不是真的呢?必须再由实践来证明。所以说认识是由实践到实践,包括着由物质、感觉到思维的过程。

认识是主体与客体的统一,现在先把主体来分析。"人",是社会的动物。特定发展阶段社会的人,或是原始社会的人,或是封建社会的人,或是资本主义社会的人……他是生产的,劳力的,实践的。此处所说的人,是社会学上的人,并不是生活上的人,如以耳目口鼻与其他动物相区别者。这里所说的人,是抽象的,社会的,生产的,实践的。

认识的客体,是离开人类意识而独立存在的。主体与客体是对立的,但怎样能统一起来?在什么条件和基础上统一起来?只有在实践的基础上统一起来。例如人类的生活,需要生活资料。采取生活资料,这一种生活的需要,反映到我们的头脑中,构成了意识。反映意识的对象,是意识了的东西。自然界的东西,与人类是对立的。但若把它做成生活资料,这就成为认识与实践统一起来。

(二)认识源泉——感觉

感觉,就是外界的东西,通过我们的感官,发生一个印象。这个印象,就是感觉。这就是感官与神经系的作用,由许多感觉,构成了经验;许多感觉,合流而成知觉。知觉直译,就是表现,就是记忆。

现在再谈感觉的发展。

人与其他动物不同,在哲学上,人是生产的动物,人是制造生产工具的动物。人从会做工具起,感觉和认识就不同了。因为人类是实践的动物,虽然感觉不及其他动物锐敏,但比其他动物感觉进步了,即人类在生产实践的过程中进步了。现在人类能看天上的星和微生物细菌,这都是人类生活实践的结果。

感觉依存于感官而来的。由于各人的感官不同,各人的感觉亦因之不同。有特殊的感官,即有特殊的感觉,往往形成个人的特殊技能。如拉提琴、吹口琴……这一种技能,能造就成一个专门家。但是否真能,尚须看社会关系怎样。假若是一个没有饭吃的人,顾生活而犹不足,哪能再去练习提琴?……所以感觉的发展,尚须依靠社会关系。如听戏,常听的会听,能领略其中音调的深妙,这是社会关系训练出来的。又如有一块宝石,化学家见之,则研究它是什么原素构成的;古董商人见之,则只注意它值多少钱。

感觉是外物客观的印象,是表现客观的真理。它绝不欺骗我们。但有时有假象,如太阳比地球大,但肉眼看着比地球小。感觉的错误,由实践来订正。

感觉并不能全把外界事物反映出来,不过近乎正确而已。

我们的认识,由感觉出发,再由感觉到思维。这一段是理论的认识。思维所有的东西,是感觉所有的。所以说感觉是认识的源泉。这是第一个前提。第二个前提,外物是感觉的源泉。没有外物,便没有感觉。这两个前提,都很重要,如否定了第一个,便成了机械论的直观;如否定了第二个,则成了主观的唯我论。所以两个前提,任何一个都不能否定。

(未完①)

(原载 1936 年《燕大周刊》第 7 卷第 2、4 期,署名李达先生讲、杨明章记录,文首有记录整理者杨明章的说明:"本文是李先生在本校社会科学研究会讲演的记录,因为许多人要我拿去发表,只得急促整理成篇送出来应付。未经李先生亲自修改,其中的错误,想是很多的,希李先生和读者原谅。"——笔者)

---

① 本文未见有续篇。——编者注

《宋元明思想史纲》序[①]

（1936.9）

十年以前，我和几个朋友，曾经计划过编纂中国社会发展史的工作，并曾利用一个出版机关，用重酬征求这类的著作。但当时绝无应征之人，我们也因为工作忙碌，对这方面的研究，没有什么成就。实在说来，用科学方法改编中国历史，是极重要而又极繁难的工作。这种工作，要靠有多数人分别就中国史的各时期和各部门，先做分析的研究，日积月累，然后才能进行到综合的研究的阶段。

最近几年来，研究中国史的人逐渐增多，他们所发表的著作也不少，这种现象，比较十年前是进步得多了。虽说中国史的研究，目前还在搜集材料作分析的研究的阶段，而上述那些著作中，确实有一些良好的东西，值得我注意。

谭君丕模，近年来在民国大学讲授《宋元明学术思想》一科目，积多日之研究，写成了《宋元明思想史纲》一书。这是值得我们注意的著作。

这劳作的特征，约有以下四点：

一、从严正的科学的立场，就宋元明时代漫无条理的思想、范畴及流派，重新作科学的划分，理出一个整然的体系。

二、根据"思想是实际生活反映"的原则，探求宋元明时代思想之最后根源——经济生活，阐明思想所以产生的必然性。

三、从哲学的观点，指出宋元明时代思想家的哲学的派别，如周敦颐之观念论、李觏之实用主义、朱熹之二元论等。

四、从阶段的立场，说明王安石变法和司马光反对变法的两大政治运动，

---

① 本文原标题为"李鹤鸣先生序"。——编者注

重新估评这两大运动的历史意义。

照以下几点说来,谭君这部劳作,确实有很多的新收获,所以特在这里写几句话,向读者们介绍。

民国廿四年七月卅日

(原载 1936 年 9 月由上海开明书店出版的谭丕模著《宋元明思想史纲》,署名李达)

经济科学研究的程序

（1937.1）

近年来有很多青年朋友写信问我怎样研究经济科学和社会科学，我特在这里提出"经济科学研究的程序"这个题目，做一个总答复。

研究经济科学或社会科学，首先须有哲学的素养。哲学是世界观、宇宙观，是研究世界发展的一般法则的科学。世界发展的一般法则，是各种自然科学、社会科学的诸结论之普遍化的概括，它是站在实践历史基础之上的认识的历史的综合，因而它是人类知识的全部历史的总计、综合与结论。

世界发展的一般法则，"包括着自然社会及思维的一般发展的法则"。自然与社会的发展法则，是客观的实在的发展法则，思维的发展法则，是自然与社会的发展法则在人类头脑上的反映。世界发展的一般法则，主要的是对立融合的法则，质量间的转变的法则，否定之否定的法则，以及本质与现象，根据与条件，内容与形式，必然与偶然，可能性与现实性等的法则。我们理解了世界发展的这些一般的法则，就能够理解世界发展及其统一的原理，即是说：我们有了科学的世界观＝宇宙观。但这种哲学是世界观，同时又是方法；是认识论，同时又是论理学。我们理解了世界发展的原理和统一的原理，就可以依据这些原理去认识一切自然与社会的现象，换句话说，就是得到了一般科学的方法，可以依据这个方法去研究各种自然现象与社会现象。我们就能站在实践的基础之上接触于外物，于外的现象，从外的现象出发，把外物反映于我们的意识之中。这种认识的过程，是由感觉进到表象再由表象进到概念的过程。换句话说，我们从感性的认识，逐渐达到论理的认识，我们就能在论理的构成上，再现出具体的对象即认识对象的发展法则。于是，我们能够依据对象的发展法则去作用于对象，并改造对象。这是由实践到认识，又由认识到实践的认识的发展过程。所以我们研究专门学问——无论是自然科学或社会科学——的时候都有一种科学的世界观与科学的方法，才能正确的认识自然现象与社会现象（所以说我们开始研究经济学时，必须有哲学的素养）。

我们有了科学的世界观与科学的方法以后，就必须把这种世界观与方法论应用于历史、社会的领域，建立科学的历史观与社会观。科学的历史观＝社会观是科学的世界观在历史、社会的领域中的应用和扩张，科学的历史观、社会观，是以暴露历史、社会的特殊及一般发展法则为任务的社会科学。也就是说明社会的存在规定社会的意识这个论纲的社会科学。科学的历史观＝社会观，是把处于特定的经济构造以及在它上面建立的特定政治建筑与特定意识形态的系统之下的社会，作为研究的对象，即是把特定的历史发展阶段上的社会构成作为研究对象，阐明历史上各种发展阶段——原始社会，古代社会，封建社会，现代社会，过渡期社会——的特殊发展法则。换句话说，就是在最一般的大纲上，说明人类社会之历史的客观的发展过程及其发展法则，阐明各种社会构成形态的特殊发展法则及其由一种构成形态到他种高级构成形态的特殊转变法则。

这样一种历史观，是社会的理论与社会的实践的统一。它是历史的理论，同时又是历史的方法。它指示给我们由社会的存在去说明社会的意识，由经济现象去说明政治现象和意识形态，并在其发展、运动与联系上去研究各种社会现象，阐明它们的发展法则，并依据这些法则以从事于社会的实践。"所以这样一种历史观＝社会观，是以社会的实践"为基础的社会的认识的方法论。

这样一种历史观，要求我们在研究社会现象时必须建立普遍与特殊的正确关系。各种各色的社会现象虽然存有一般发展法则，而这一般发展法则在各种社会现象的具体化，却显现出特殊的姿态和特殊的特征。所以当我们研究历史上各个发展阶段的社会，认识了世界史的一般原理以后，必须进一步去分析某一特定的、尤其是中国的社会（因为我们是中国人）去认识中国社会。"中国社会"，虽是世界社会的一部分却是具有特殊性，并不是世界史的一般原理之单纯的例证。中国的社会不是资本主义社会，也不是封建社会，而是殖民地化过程中的社会。在殖民地化的过程中，中国的社会存有着与封建社会、资本主义社会或社会主义社会不同的诸特征。所以当我们应用科学的历史观来研究中国的社会时,必然能够发现中国社会的特殊发展法则,必然能够理解中国民族的历史使命。这个历史的使命,就是要迅速的完成国家之民主的统一,准备民族斗争,使中国从殖民地化过程中解放出来,以求得中国之自由平等,这是中国民族的第一目的。

目前国际帝国主义,为了要重新分割世界,正在狂热的准备着第二次世界大战。这个大战的爆发只是时间的问题。可是落后民族的中国,是国际帝国主义所要重新宰割的对象,中国民族为要从帝国主义的刀俎下脱逃而出,只有迅速一致团结起来,实现民族解放的目的,才能有昭苏的希望。

所以,在中国民族生死存亡间不容发的关头,凡是中国人都必须一致为这一目的而奋斗,无论是研究社会科学或自然科学的人,都必须认清目前世界的现状与中国的现状,明了中国民族的严重的危机,把求得的一切自然科学与社会科学的知识,拿在实际上应用起来,以达民族解放的目的。

但是中国由民主统一以实现民族解放的物质的基础,必然是中国国民经济的发展。而对于国民经济发展能够作积极的贡献的人们,必然是经济科学的专门人才。所以凡属研究经济科学的人们,必须要使研究经济科学的目的与民族解放的目的相一致。这样一个大前提,规定了我们研究经济科学的目的和使命。换句话说,我们要在民族解放与经济建设的大前提之下去进行经济科学的研究。

我们理解了社会的理论与社会的方法,就可以开始研究经济科学了。研究经济科学时,当然先研究经济学,经济学是关于社会经济构造的理论,是研究特定经济构造发展法则的科学。社会的经济构造在历史上经过了原始的、古代的、封建的、现代的与过渡期的各种不同的阶段,所以我们应当站在综合的广义的经济学的立场去研究各个发展阶段的经济构造,阐明各种经济构造的特殊发展法则,然后才能抽象这些经济构造的特殊法则,以获得经济发展的一般法则。但单只研究历史上各个顺次的发展阶段的经济构造,我们还没有完成广义经济学的研究。我们必须进一步地根据历史的经济理论,进行研究中国的经济,以构成关于中国经济的理论。为什么广义经济学必须研究中国经济呢?关于这个问题拙著《经济学大纲》的《绪论》中有下述一段的说明:

为什么要研究中国现代的经济呢？要答复这个问题，先说明我们为什么研究经济学的问题。我们不是为了研究经济学才研究经济学，而是为要促进中国经济的发展才研究经济学。但研究经济学的我们，是现代的中国人。我们不仅生活于现代的资本主义世界，并且生活于资本主义世界中的现代的中国。我们研究经济学，能够只知道注意于世界经济，反而忽视了中国的经济么？我们能够说中国现代的经济，和欧美各资本主义国家的经济一样，因而认为没有研究的必要么？这种谬误，在稍有现代常识的人们都是知道的。

"经济学，对于一切国民，对于一切历史的时代，都不能是同一的东西。"这个理由，我们在前面已经说明了。谁都知道，目前的中国是国际帝国主义的殖民地，是资本主义列强的附庸。单就这一点来说，已经可以理解中国经济的特殊性。

中国现代的经济，不是原始的或奴隶制的经济，不是社会主义的经济，也不单纯的是封建的或资本主义的经济。中国现代的经济，虽然处在前面所说的经济形态的历史的发展过程中，却不能成为一个阶段上的独立的经济形态。大体上说来，中国现代的经济，还停滞在由封建经济到资本主义经济的过渡状态中，但是深深的烙上了国际帝国主义殖民地的火印。

中国经济，在五口通商以前、即大约在 1840 年以前，还是封建的经济。自从五口通商以后，资本主义一步一步地侵入中国经济的领域，撼动了两千年来根深蒂固的旧社会的基础。从那个时期起，中国开始变为各帝国主义者销售商品、采集原料及投出资本的场所了。中国旧有手工业及农业经济，就以加速度的步伐崩溃下去。大约从前世纪末叶以来，帝国主义者利用一切不平等条约，在中国境内陆续设立资本主义的工场及银行，直接剥削中国的劳苦群众，宰制中国的金融命脉，于是大规模的、直接和间接的、经济的和政治的侵略中国的过程，更很快的发展了。另一方面，中国的民族资本，也在这过程中形成，而民族资本主义工业也开始成立了。民族资本的工业，在满清末年到民国初年之间，由于技术的落后与资本的薄弱，不能与国内的帝国主义国家的工业相竞争，直到第一次世界大战发生以后，才稍有一点起色。因为当时欧洲各帝国主义国家卷入了战争的漩涡,没有东顾余暇,对于中国经济的压力稍见松懈,国内的市场,除了日美等帝国主义的商品以外,还有民族资本主义商品扩大的地盘,所以民族工业能够成就了空前的发展。但是这种繁荣终不能长久保持,大战终结以后,欧洲各帝国主义挟着极大的威力,猛烈地榨取东方殖民地与落后民族,以期医好在大战期中所受的创伤。结果民族工业受到莫大的打击,首屈一指的纺织工业逐渐衰落下去,其他各工业更不待说了。尤其是从这次世界大恐慌发生以后,中国不久也被卷入于漩涡之中,而帝国主义列强又用尽种种可能的方法向中国加强榨取,使中国工农业陷于总破产的状态。更其厉害的事情,某帝国主义者,希图独吞中国,猛烈的经济侵略与凶狠的领土的侵略,双管齐下,中国北部都处于它的控制之下。整个中国的生存,都有朝不保夕的危险。中国的殖民化的程度已经日益加深了,处在现状之下的中国人民,究竟应当怎样去图存呢?

就中国经济的现状稍微观察一下,就可以看出三个互相交错的过程:帝国主义侵略的过程、民族资本萎缩的过程和封建农业崩溃的过程。这三个过程中,第一过程占居统制的地位,这是不待多言的,第二过程已是第一过程的附属物,第三过程虽然被第一、第二过程所统制着,却仍然表现顽强抵抗的力量,仍在困苦状态中挣扎着。换句话说,封建的手工农业虽被压榨着,而占全人口总数70%以上的中国农民,却仍依靠这种农业的生产而生活。这种状况是现代各帝国主义国家所没有的。所以现在的中国经济,是处于帝国主义宰割之下的、工农业陷于破产状态的经济。这种经济,可以说是国际资本主义殖民地化的经济。在这种特殊的经济状况下挣扎着的中国国民,研究应当怎样寻求自己的生路呢? 这不仅是一个经济问题,而是整个中国自求生存、自求解放的最严重的政治问题。要解决这个问题,必须有正确的客观的理论做实践的指导,才能成立民族解放的战线,才能进行民族解放的工作,才能提起中国经济改造的问题。

从来中国所研究的经济学,或者只是研究资本主义经济,或者并行的研究资本主义经济和社会主义经济,但对于中国经济却从不曾加以研究。这些经济学专门研究外国经济,却把中国经济忽略了。我认为这是一个严重的错误,是极大的缺点。因此,我主张广义经济学,除了研究历史上各种顺序发展的经济形态以外,还必须研究中国经济。只有这样的研究,才能理解经济进化的一般原理在具体的中国经济状况中所显现的特殊的姿态、特殊的特征,才能得到具体的经济理论,才能知道中国经济的来踪和去迹。这是我之所以主张我们所研究的广义经济学必须研究中国经济的理由。

其次,为要充实经济学的知识,还要研究各种经济学说,或经济思想,并要研究经济史。各种经济学说,都在某种程度上反映当时的经济生活的状况。现代经济学说都以先行的经济学说为源泉,并影响于后续的经济学说。但经济学说的创造者都与其所属的社会集团有关系。就现代各派的经济学说来看,大概不外乎两大派,一派是拥护现代资本主义秩序的,一派是批判现代资本主义秩序的。这两大派之中,又分为许多小派,各有其不同的姿态与不同的经济生活的背景。我们必须站在科学的历史观的立场,对这些经济学说作比较的批判的研究,指出其正确性与谬误。当我们研究各派的经济学说,认识了某种学说的科学性与正确性以后,我们应当体会这种学说对于具体的中国经济的发展究竟应当如何应用,如何适合于中国的国情才不致有削足适履的弊病。譬如说,中国的经济原是殖民地化过程中的经济。既然是这样,中国的经济当然就没有资本主义的前途了。于是要想谋中国经济的发展而开拓非资本主义的前途,就非得先使中国民族从殖民地化过程中解放出来不可。这种见解,当然是正确的。可是我们要问在中国民族解放没有实现以前或者说在我们准备着实行民族解放的过程中,我们是不是要进行国民经济的建设呢?我们难道要等到中国民族解放实现以后,才开始发展中国经济么?当然是不对的。中国经济虽然没有资本主义的前途却不能说中国经济已经绝对的没有发展的余地。前面说过我们为要实现民族的解放,必须迅速的准备这个解放运动的物质基础,即发展国民经济。只要全国人民一致团结起来,实现民主统一的局面,以准备民族解放的战争,国家的力量就能够强化起来,在这准备过程中,集合国家的力量与私人的力量,并酌量利用外资按照准战时的经济体制,组织交通网,建设重工业,扩大轻工业,并实行复兴农村,——照这样,民族解放战争的物质基础,就可以树立起来,一旦战争开始,就能够在某种程度上自给自足,与敌人作持久战,并进而克服他们,一举而实现民族的解放。

为要充实经济学的理论,我们还得要研究经济史。经济史包括世界经济史及中国经济史诸部门。广义经济学是历史上各种发展阶段的社会经济的理论。而这些经济理论，原是从各阶段的经济发达的历史事实抽象出来的东西，我们必须依据经济学的原理去分别考察经济发达的现实历史事实及其发达的倾向，才能具体地理解各种经济构造的发展的倾向，才能理解现代各种经济体系的来踪与去迹，理解先进各国现行经济制度与经济施设的沿革。这不但可以充实经济学的理论并且还可以供作中国经济建设的参考。

关于经济史的研究除了世界经济史以外，还要研究中国经济史（至少限度要研究现代中国经济史）。广义经济学之中包括的中国经济的理论是从中国经济发达的历史事实抽象得来的结论，我们必须研究中国经济所以陷入于殖民地化过程中的历史的经过，才能更具体的、透彻的理解中国经济的特殊性。

为要充实经济史的知识，不单要研究过去的经济的历史，并且要研究世界经济及中国经济的现状，考察逐日变迁的世界经济的动向以及成为世界经济一部分的中国经济动向的特殊性。

关于经济学方面的诸科目的研究程序，上面已经说过了，现在我们更进而说明货币、银行与财政学方面的诸科目的研究程序。

关于货币学与银行学的研究，首先当然要研究货币与银行的原理。但关于一般原理的部分，主要的是从资本主义各国的货币流通与金融状况抽取出来的理论，对于资本主义经济虽是完全适合的却不能无条件的应用于中国的货币现象与金融现象。中国的货币与金融，自有其固有的特殊性。中国的货币与金融的特殊性，是中国经济一般的特殊性中的一部分。中国的金融操纵在国际金融资本之手，成为国际金融资本的附庸，这正和中国经济成为殖民地化的经济是一样的。在这样的状况之下，中国固然要发展工农业的生产力，挽回贸易入超的逆势，使金融呈现活泼的气象，但现阶段的中国如果能够利用新币制统一全国的币制，采用应付得宜的通货政策与金融政策，也能促进工农商业的发展。要达到这个目的，就要对于中国的货币流通与金融状况做一番科学的研究。

其次，关于财政学方面的诸科目的研究，也首先是研究财政学的一般原理，然后有条件的应用一般原理，来研究中国现代的财政状况。财政首先是政治团体的经济,是国家及其他公共团体为要取得必要的物质手段并使用它而实行的有计划有秩序的经济。关于政治团体需要物质手段本身的最高目的,这里无须讨论。我们在这里所要说明的就是政治团体的财政上的收支的意义。财政上的收入的主要来源,当然是租税,是对于工农商业及其他社会方面的课税。租税方面的收入的多寡,与本国工农商业的发展状况,甚为密切,这是不待多说的。可是中国的工农商业的状况和先进国家比较起来,实在太落后了。因而中国财政上的课税方针,必然和先进国家不同。中国的财政状况活画出中国经济的特殊性即不自由不自主的而又落后的种种特征。中国的财政政策,就不能适应于发展国民经济的方针。就关税说,关税不能自主,谈不到保护关税,并且现在没有关税壁垒的税率,帝国主义国家还回避纳税,盛行走私。在这种状况下,要依靠关税壁垒来扶持国民经济的发展,是不可能的。至于其他工商业方面的课税,因为有不平等条约和所谓最惠国条款的存在,也不能贯彻扶助民族工业的方针。因为国内的实业的不发展,国家的财政收入很少,常是入不敷出,赤字预算常是靠发行公债来弥补,当然更谈不到在财政支出方面去扶助国民经济的发展了。所以中国财政的现象,也表明着殖民地化的特殊性。

基于上述的理由,我们研究财政学时,不要只是研究那些仅适合于先进国家的财政现象的原理原则,最重要的适合参考那些原理原则,对于中国的现实的财政现象,做一番彻底的科学的研究,才能够建立适合于中国国情的财政政策与方针。

还有,关于经济科学的技术方面的科目,如会计学与统计学等,也是很重要的部门,这是不待赘说的。

以上我们就经济科学方面的几个基本部门的研究程序,做了一个简要的说明,我的中心主张,就是认为凡属研究经济科学的中国人都应当集中注意于中国经济的研究。说到这里,我有一点感想要说一说。

近来国内有些大学的经济学系课程,大都是从外国大学翻译过来的,甚至于课程内容的说明,也是一样。课程中既没有列入关于研究中国经济的科目,而所授基本诸科目如经济学、货币学、银行学、财政学等,又都采用外国文书籍做教本,甚至在讲授之时,也有完全用外国话讲解的。像这样的教学方法,对于外国文书翻阅能力的养成,当然是很有效的,但对于经济科学知识的养成,未免太不充分。因为各种外国文经济科学,主要的是以资本主义先进国家的经济现象作研究的对象,那些原理原则,对于资本主义经济是很适合的,而对于中国的特殊经济,却有些格格不入了。这个理由,前面已经分别说过,这里不再重复。总之,在这样的大学经济学系毕业的学生,一旦接触于现实的中国经济现象,就未免有些茫然自失。固然他们在大学里已经学懂了一些原理原则,尽可以拿到现实经济界去经验,去应用。并且,事实上,固然也很有一些学士们经过了多年的历练,而成就为理解现实经济的科学专家,但这只是很少数的人。至于多数的学士们,却未必都能对中国经济建设有何具体的贡献,至多只是靠着一些纯技术科目(如会计学等)的知识,走到银行或私人企业方面去服务。

为什么最高学府的经济学系不提倡研究中国经济,不注意养成能够贡献与中国经济发展的专门人才,而只是以研究一些外国经济的原理原则为满足呢?

我希望中国经济科学界,应提倡关于中国经济的研究,如中国的工业、农业、商业、货币、金融与财政等,都应当分别作专门的具体的研究。只有根据这种的专门研究,才能对国民经济的发展,作种种具体的贡献。

目前资本主义各国,正在加紧的实行着准战时的经济政策,目前已经出现了世界准战时经济体制。我们处在危急存亡的关头,为要争取民族的生存,就必须准备求生存的物质基础,即努力的建设国民经济。所以中国研究经济科学的人们,必须向着民族解放的目的,努力进行我们的研究,以期资助国民经济的发展。

附注:天津知识书店办了一个《国际知识》杂志,请沈志远先生担任主编。沈先生约我写一点稿子我也答应了。可是某报载称我和沈先生等合办了一个杂志,交由天津知识书店出版。这未免颠覆了事实。所以我在这里说明一下。(达)

(原载《国际知识》1937年第1卷第1期,署名李达)

通货膨胀讲话

（1937.1）

一、纸币运动法则

（一）纸币的流通法则

通货膨胀是资本主义国家破坏货币运动法则而滥发通货所引起的通货混乱的现象。通货膨胀,采取三种形态,即纸币的通货膨胀,汇兑的通货膨胀与信用的通货膨胀。这三种形态之中,纸币的通货膨胀,是本来意义上的通货膨胀,对其他两种形态来说,可说是狭义的通货膨胀,而汇兑的通货膨胀与信用的通货膨胀,可说是广义的通货膨胀。这三种形态的通货膨胀,是同一的又是有差别的,我们要分别地研究了它们之后,才能得到通货膨胀的一般概念。本节先研究纸币的通货膨胀。

当研究纸币的通货膨胀时,应先理解纸币的运动法则。纸币是从货币的流通手段的机能发生的,只在发挥流通手段的机能时,才代理金银货币。所以纸币是金银的表章,是当作金银表章看的价值表章。纸币之成为金银表章而发挥流通手段的机能,最初是因为它当作金银之象征的存在,由商品生产者的一般承认所保证,即因为它得到国家法律的承认而取得强制通用力。

"具有强制通用力的国家纸币,是价值表章的完成形态,是从金属流通以及商品流通本身直接生长而来的纸币的唯一形态。"所以国家的这种任务,并不能创造出纸币出现的可能性。因为价值表章或货币表章的机能及其成立的可能性,是从流通手段的本质发生的,是从金银货币发挥机能时的流通过程发生的。

因为货币表章是从货币自身的本质发生,不是从国家的法律本身发生的,所以国家的活动,至多也只能在一定经济条件之下去利用纸币发行的可能性,却绝不能创造出纸币代表金银发挥流通手段的机能的可能性,这一层是必须特别加以注意的。

纸币原是没有价值的纸片,只有在它于流通过程中代表金银货币时,才有交换价值。纸币之相对的价值,由流通所必要的同名金银铸币量所规定。而流通所必要的金子(或银)的分量,由流通的商品价格总额与同位铸币流通速度所决定。所以纸币代表基于一定商品价格总额而应当流通的金币分量。

如果纸币量比较流通所必要的金币量增加了几倍,纸币的价值就低落,每一单位的纸币就只能代表每一单位金币的几分之一。例如流通所必要的金币量为 1 亿金镑,现在如果发行 2 亿镑的纸币,每镑纸币就只能代表每镑金币的二分之一的价值;如果发行 3 亿镑纸币,每镑纸币就只能代表每镑金币的三分之一的价值。所以纸币的价值并不是直接的由纸币数量所决定,而是由它所代表的同名金币的金量所决定。

所以纸币没有固有的价值,也不直接的代表商品价值,而是代表一定的金量,是金子的表章。纸币不能成为价值尺度。就是在纸币流通的场合,金子仍是价值尺度。在这种场合,金子现实的流通与否,都不成问题。就是在纸币流通发生的场合,金子仍旧通过由金子所表现的商品价格而起作用。即是说,金子在其生产的源泉(或贸易)上,通过它与其他商品的经常交换,而起作用。一般的等价物,一般的财富的具体物,仍然是金子。纸币本身,原没有任何价值,它当然不能充当一般等价物。纸币在其机能上,只成为一般等价物的代用品,只代表一般等价物。

正因为纸币没有固有的价值而只是代表一定金量的价值,所以发行纸币的国家机关在纸币运动法则上所起的作用,是很受限制的。"国家是可以把任意的纸币数量加上任意的名称而投入于流通的。但这种的机械行为一完结,共支配也随着完结。不论是价值表章或是纸币,在被拘束于流通之时,就受自身的内在法则所支配。"

纸币的名称与其现实所代表的金子价值的乖离,反映于商品价格的变动之中。当一定的纸片不代表它上面所记载的一金镑而只代表半金镑之时,商品的价格就会随着发生变动,即从前与一镑金币等价的商品,现在有两镑纸币的价格了。商品经济中价格的变动,是强硬的贯彻货币运动法则的本源的行为,是使纸币的名目结合于其现实的金量的行为。就前例说,当2亿镑纸币代替1亿镑金币而流通之时,价格必随着增加为两倍。所以国家虽然可以把任意的纸币量投入于流通,但在其他条件不变之时,纸币量仅能代表必要的金子同一分量。纸币的增加,只能使商品的价格适应于它而腾贵。

金子是因为具有价值而流通的,而纸币是因为流通了的缘故,因为它在流通中代表金子的缘故才具有价值的。当纸币现实的代表同名金币的流通必要量而流通之时,纸币的现实的运动法则,人们还不会感觉到,每一纸币单位是会代表那名目的金量的。但到了纸币量与流通所必要的同名的金币量不相一致之时,纸币的运动法则,就被人们所感觉到了。

在纸币的流通量不超过现实的金币流通的必要量的范围以内,纸币的发行还是健全的。照这样发行的纸币,确是国家收入的源泉。例如世界大战以前,德国有少量的国家纸币与有准备金的银行券一同流通着,这时的纸币的发行,并不会发生问题。一般地说来,在世界大战以前,即在资本主义的一般危机时代以前,资本主义国家的纯粹的纸币流通是异常稀少的。当时所谓正常的生产,正常的商业,要求着确实的货币。生产与商业上的国际关系的发展与国际信用的增大,要求着确实的货币。所以从前许多资本主义国家的工商业,是很顺利的发展着,而这种顺利的发展,与向着确实的金本位币的推移相结合。这正是所谓自由的资本主义时代与战前帝国主义阶段的各国所以在极有限制的范围内发行纸币的理由。当时的纸币是与金子一同流通着,一同发生作用,并与金子相兑换。只有偶然在激烈的危机(如战争)发生时,布尔乔亚才实行纸币流通。并且也只有贫穷的国家才完全实行纸币流通(例如奥国)。

关于纸币的运动法则,上面已经详细地说明过了。再简括地说来,纸币的数量在不超过它所代表的同名金币的流通必要量的场合,纸币能够代表它票面所记载的同名金币的价值——这就是纸币的运动法则。所以纸币运动法则,只是金银货币运动法则的反映。

(二)纸币运动法则的破坏与通货膨胀

纸币是由国家在一定商品经济的条件之下发行,给以强制通用力而投入于流通中的东西。但资本主义的国家,是布尔乔亚的国家,布尔乔亚国家所发行的纸币,必然具有一种阶级性。在发行的纸币量不超过它所代表的金币流通必要量的场合,纸币能代表同名金币的价值,这时纸币发行的利益,归结于布尔乔亚国家,这是很明白的。在这种场合,纸币与金币一同流通,一同发生作用,有时还能与金币相兑换,所以纸币的阶级性还是隐藏着。但到了完全的不兑换纸币流通出现时,纸币的阶级性就明白的在表面上暴露了。

超过了限度的纸币的发行,是恶性的强制借款,是非常的课税手段,是无需偿还的借用证书,是大众生活的恶化与财政紊乱的祸根。像这样超出限度的纸币的发行,大都是在恐慌、战争或其他非常时期的现象。因为现代布尔乔亚国家遇到财政的极端穷乏而无法课征赋税时,总是要利用纸币发行的可能性。纸币流通的广泛的利用的可能性,包含于独占资本的发达过程中。少数独占资本家,在各国都占着枢要的政治地位,所以更能够现实的广泛的利用纸币的流通。

超过了限度的纸币的发行,能够提高一切商品的价格,促进资本家的投机,减少劳动力的价值以增加剩余价值。所以各国布尔乔亚,在所谓自由资本主义时代和战前帝国主义时代,每逢遇到非常时期,常利用这种方法以减低劳动力的价值以增加剩余价值。在 19 世纪初期,首先实行纸币流通的是英国,其次是美国。至于奥地利却是特别,常常流通了纸币。但到了资本主义的一般危机的时代,大战当时及战后时代,布尔乔亚国家却在空前的规模上利用纸币的发行,作为再分配收入的手段,作为恐慌及战争时的筹款手段,以资本的再分配及筹集大资本为目的而加强大众的剥削了。

英国的纸币流通,是在 1797—1821 年之间实行的。纸币最跌价的时期,是 1812—1815 年,其减价率低到 25%—30%。纸币的分量,在 1814—1815 年达到最大限,较以前增加为三倍。其次英国的纸币流通期,是在 1914—1925 年,这时期纸币的分量很大。1920 年,纸币流通的发展,达到最高点,这一年纸币的分量增加到战前银行券的 16 倍,物价指数涨到三倍以上。1931 年,英国实行了停止兑现,镑价低落 25%。

法国在大战当时,把货币流通量增加到六倍以上,物价指数涨到三倍以上。其后大战虽然终熄,而法国却从 1924 年起实行通货膨胀,通货数量由战前的 60 亿法郎增加到 510 亿法郎。物价指数比较战前涨到 5.4 倍。

德国在战时及战后的流通量,达到令人非常可惊的数字。列表如下。

单位:百万马克

	中央银行财政部证券保存额	中央银行券流通额
1914 年	未详	3500
1920 年	60634	66805
1921 年	32630	23639
1922 年	1184464	1280094
1923 年	6578650938818	2496823909038

如上表,德国纸币马克,在 1914 年为 35 亿,到战后 1923 年 11 月,竟达到 2496823909038 百万马克的天文学的数字,与战前比较,增加了 7 亿倍,每一美元合 4 兆 2000 万亿马克。在这里,我们可以看到德国布尔乔亚政府利用纸币印刷机的阴谋,可以想见无数印刷机昼夜不停留地在印刷着新马克。可是这种阴谋的结果,使得一个纸马克的价值仅等于一个金马克的几百千万分之一,即等于废纸。这就是所谓纸币通货膨胀的现象。

在达到世界恐慌顶点的今日,布尔乔亚差不多到处都向着纸币的通货膨胀的途径前进着。

二、纸币通货膨胀的法则

(一)纸币减量的物价腾贵

当纸币流通量超过它所代表的同名金币的必要流通量之时,纸币的运动法则就明白的为人们所感觉到,在这种场合纸币名与它现实的所代表着的金币价值的不一致,首先反映于商品价格变动之中,例如就德国说,流通所必要的金马克之量,假定为 35 亿,这时发行 35 亿马克纸币,每一马克纸币恰恰代表着一马克金币的价值,如果发行 70 亿马克纸币投入于流通时,每一纸马克只代表半个金马克,于是从前与一个金马克的价值相当的商品必然的取得两个纸马克的价格,即价格提高为二倍了。

这样的物价腾贵,是对于多余分量的纸币流通的事实的反动。所以物价腾贵表现纸币的减价,并不是商品的金价格的腾贵,而是纸币减价的现象形态。这种现象,并不是商品真正的增加了价值,而实是纸币价值的低落。

纸币本身原是没有价值的纸片,它只有在流通中代表金币时才具有价值。所谓纸币的减价,实是它所代表的金量的价值的减少。这就是说,纸币比较从前只代表着少量金子的价值。所以纸币的价值,并不直接的由纸币本身的分量所决定,而是由它所代表的若干金量所决定。就前例说,两个纸马克代表一个金马克时,一切与一金马克价值相等的商品,必然有两个纸马克的价格。物价腾贵虽是必然的,却也只是名目的。

但是,物价腾贵的过程,在现实上并不是正确的适应于多余的流通纸币量而腾贵的过程。现实上物价腾贵的过程,大致可以看出下述四个倾向。

第一,商品价格的高低,不单由货币方面的原因所左右,并且还由商品方面的原因所左右。譬如有少数的生产部门,如果劳动生产性增高了,每一单位商品所体现的劳动量就减少,因而它本身的价值减低了。在这种场合,即令纸币的流通量增加为二倍。而这些部门的商品的价格比较的当不至腾贵到二倍。

第二,物价腾贵的过程,常是不平衡的。当多余的纸币量流通时,常是直接的需要比较迫切的商品首先涨价,以后才逐渐波及于一般商品的世界。而需要最大的商品,常是很快的大涨价。

第三,纸币的发行虽然不断地增加着,但物价腾贵的趋势,有时偏重于某些部门的商品群,有时偏重于另一些部门的商品群。一般地说来,独占的商品比较非独占的商品更快的涨价,工业品比较农业品更快的涨价。劳动力这种商品比较其他一切商品涨价的步骤要迟缓得多。这些事实更加促进物价腾贵的不平衡。

第四,发行纸币的过程越是迅速,物价的腾贵,就越是不平衡。

所以物价腾贵的倾向,原则上虽然由纸币代表金币单位的若干分量的事实所决定,但这种倾向,现实上常与其他许多倾向相对立,因而全商品世界的价格腾贵,现实上并不直接的正确的适应于多余纸币流通量。

如上所述,物价腾贵,由于纸币的减价,即由于纸币的通货膨胀。随着纸币的通货膨胀的成长,物价就不断的高涨。在这种情形之下,"有纸币的人,谁都想赶快的把纸币换成商品;有商品的人,谁都想看着商品价格的高涨,想努力延长一点时候去保存自己的商品。前途暗淡,物价疯狂似的高涨。谁都想把跌价的纸币推到别人手里,因而形成了投机家牺牲别人以摄攫取不劳而获的财货的地盘"。在这种时候,物价究竟怎样变动,纸币所代表的价值究竟怎样变动,都是不能预测的,所以资本主义的一切经济生活,都陷入于不可名状的混乱。我们试追溯德国在战时及战后的通货膨胀的经过,就可以明白当时德国经济大混乱的情形。

(二)纸币通货膨胀本身的发展过程

现在我们研究纸币通货膨胀的过程及其法则。我们已经知道,所谓纸币通货膨胀,就是纸币流通量超过流通必要量之时所引起的纸币减价及物价腾贵的现象。

这里我们首先要问:纸币流通量究竟是怎样的超过流通必要量呢? 我们已经知道,货币的流通必要量,是由流通的商品价格总额与同位货币的平均流通速度的诸契机所决定的,即是由商品的生产及流通诸条件所决定的。所以货币流通必要量,不由人们的意志所决定,国家的任务,至多也只是估计商品的流通所必需的货币量,大体上适应于这种状态而发行纸币。不过这种估计,是很困难的事情。在无政府状态的商品经济中,商品的流通额,今天和昨天不同,明天和今天不同,本月与下月不同,这一季节和另一季节又不同,因而流通所必要的货币量,就不易估计,国家所发行的纸币量与流通必要量,总难期其一致。

发行纸币与发行银行券不同。银行券发行过多时,多余的银行券自然的退出流通界,银行券的发行太少时,货币就从流通的贮水池流入于流通界。至于纸币的发行,却缺乏这种调剂作用。纸币如果发行过多,那多余的纸币不会退出流通界,因为它只有在流通界才代表现实的金币的价值,它不能兑现而归还于纸币的发行机关(国家),也很少被人们储藏。所以国家要维持纸币的价值,就只有使发行量不超过流通必要量。但要使纸币发行量不超过流通必要量,如上面所述,在平日也是困难的事情。例如在特定的季节,农产物大量的流通于市场,农民们大量的卖出农产品买进工业品之时,流通的必要货币量,比较平时是显然增加的。国家为适应这种必要,便可以多发行一些纸币,去代替现实的货币而流通。但等到这种特殊季节过去以后,流通的必要货币量虽然较前减少,而从前已经发出的多余的纸币,仍旧停留于流通界。所以超过必要量的纸币流通量,在寻常时期也是有可能的。

不过我们要说明的,不是那种寻常的场合,而是国家当着恐慌或战争的非常时期而滥发纸币的场合。在这种场合,国家因为财政困难,又不能另开财源,其唯一的方法就只有不断的增发纸币,作为课税的手段,借以应付财政上的需要。在这种场合,纸币流通量必然超过必要量,必然引起纸币的减价与商品的涨价。纸币的过剩发行越是增多,纸币在流通中所代表的金量的价值就比例于纸币过剩的程度而减少,物价也适应于纸币减价的程度而腾高。纸币的洪水一经奔腾于流通界,物价的腾贵就漫无限制。

例如德国在 1914 年当时流通着的纸马克是 35 亿。姑且假定这时纸马克未曾超过流通的必要货币量,即一纸马克现实的代表一金马克的价值。往后因为战费的无着,在一定期间发行了 17.5 亿纸马克,于是流通必要的 35 亿金马克,由 52.5 亿纸马克所代表,即一纸马克只代表 0.666 金马克的价值,物价因而涨高 50%。因而德国政府增发 17.5 亿纸币的结果,取得了与 11.66 亿金马克相等的价值。往后如再要取得与 11.66 亿金马克相等的价值,就非再增发 26.25 亿纸马克不可。于是流通中的纸币量就膨胀为 78.75 亿纸马克,每一纸马克只代表 0.444 金马克的价值。物价因而涨高为 22.5% 了。照这样的步骤,去增发纸币,只要实行几十次,就会达到天文学的数字。于是纸币信用完全丧失,物价自然随着涨高几百千万倍。

以上只是就单纯的抽象的形态说明纸币通货膨胀本身的发展过程。在现实上,纸币通货膨胀不一定是政府机关(如财政部)本身滥发纸币的结果。当政府通过发行银行而不断的发行银行券,以致银行券丧失信用而转变为纸币之时,也同样发生纸币化的银行券减价与物价腾贵的现象,即纸币通货膨胀的现象。关于这一层,后面考察信用的通货膨胀时,还有详细的说明。

（三）纸币通货膨胀的法则

总之，纸币通货膨胀，是国家在恐慌或战争等非常时期中基于财政上的目的而滥发纸币的结果。当政府凭借纸币印刷机筹款时，纸币通货膨胀就采取加速度而发展，第一，因为政府从前依靠征税等方法以取得收入的事实，就更趋困难，国家的总支出，就越发不能不利用纸币。战后德国的通货膨胀，从1919年起变得更为厉害，到了1923年，国家财政支出的80%—90%，都依靠纸币印刷机去筹措，即是一例。第二，纸币减价，比较纸币增发的速度更快。因为纸币减价，很敏感的影响于汇价，使纸币的对外汇价低落到纸币的时价以下。并且，减了价的纸币，由于负担的转嫁，很迅速地从这手移到那手，使纸币流通速度加快，而纸币就更加迅速的减价，物价就随着很迅速的高涨。

以上所述纸币通货膨胀过程，在现实上常受许多人工的或自然的诸作用所影响，不一定采取上述单纯的步骤。例如纸币流通量虽然超过流通必要量一倍，而少数生产部门劳动生产性增加的结果，却能够相对的阻止物价的高涨，因而物价不一定涨高一倍。又如，政府在一定时期增发了若干纸币以后，实行增加课税或卖出公债以收回一部分纸币时，也能减小纸币减价及物价腾贵的速度。所以纸币通货膨胀这种特殊规则的纸币运动在现实上常受人工的自然的作用，而变更其运动形态。

纸币通货膨胀的过程，是人工的破坏纸币运动法则而不断的滥发纸币投入流通的过程。在这个过程中的纸币之有规则的运动，形成纸币通货膨胀的法则。纸币通货膨胀的法则，即是因破坏纸币运动法则以后的纸币流通法则。换句话说，纸币通货膨胀，由于破坏纸币运动法则以后而发生发展，到最后终于破裂。这种发生发展及破裂的倾向，即是纸币通货膨胀的法则。

所以纸币通货膨胀的过程，可以分为三个阶段。第一阶段，是纸币通货膨胀发生的阶段，也可以说是"潜伏的通货膨胀"的阶段。在这个阶段上，纸币流通量已经超过流通必要量，纸币的减价和物价的腾贵已经开始。但多数的人们还以为物价腾贵是起伏不定的暂时的现象，还以为通货价值不会减低的异常的现象，因而对于纸币的信用还不会丧失，还愿意照旧的把纸币暂时储藏着，但大布尔乔亚及银行，基于过去的恐慌或战争的经验，感到自己的财产的价值,将因信用恐慌或银行恐慌的爆发的危机而受损失,就开始变卖自己的股票、土地等,用现金形态保持财富。在这种时候,纸币之退出流通界而转变为储藏手段的部分,反而异常的增加起来。

第二个阶段,是通货膨胀发展的阶段,也可以说是通货膨胀的假繁荣的阶段。因为,随着纸币流通量的增加,物价的腾贵与汇价的低落,就达到显著的程度。于是情势大变,布尔乔亚首先把所储藏的大宗纸币投入于流通,其后小布尔乔亚大众也照样投出所储藏的纸币。于是“潜伏的通货膨胀”就突然地在表面上暴露,在这种时候,通货的安定完全丧失,物价继续上涨。人们都实行“纸币的实物化”的运动,都出现为购买者,形成通货膨胀的虚伪的繁荣。于是投机特别流行,生产也有增大的倾向,消费也随着增加。在这投机的过程中,产生了许多通货膨胀的富翁。可是在另一方面,大众的生活水准逐渐降低,小布尔乔亚层大部分必然的没落下去。于是大众被掠夺被吞没的过程,就在这个阶段中发展下去,终于要进到最后的阶段。

第三个阶段,是通货膨胀破裂的阶段。因为大众被掠夺被吞并的过程,在纸币洪水横流的时候,就遇到了最后的障碍。通货膨胀的虚伪繁荣已经衰落下去,因而以通货膨胀为利益的大布尔乔亚,到这时也感到通货膨胀失其意义。于是纸币的价值几等于零。商品的生产和流通,虽然还在可怜的状态下继续着,而等于废纸的纸币不能发挥流通手段的机能。这时供给社会必需品的小商品生产者大众,对于无价值的纸币深恶痛绝,宁肯回到自给自足的物物交换的状态。大布尔乔亚虽能日食几千万马克一杯的咖啡,而一般大众却得不到一点生活资料。社会的生产与资本家的占有的矛盾,必然会发展为阶段拒抗。于是由于货币膨胀的破裂,就会引起经济的政治的总危机。

(原载 1937 年《国际知识》第 1 卷第 2 期,署名李达)

经济问题之处理方法

（1937.3）

一、处理方法

（一）经济问题处理的重要性

大家知道，一切国际问题，都根源于国际经济问题。同样，远东关系的一切国际问题，都根源于远东关系的经济问题。所以经济问题的处理，在研究远东关系的诸问题中，占据很重要的地位。

我们目前所生活着的世界，存有着两种经济体系，即资本主义的经济体系与社会主义的经济体系。这两种经济体系的本质之理解，在国际经济问题的处理上，是一个重要的前提。同样，在远东的国际领域中，这两种经济体系也成立了一定的关系，所以我们研究远东关系的经济问题时，也必须理解它们两者的本质上的差别及其相互的关联。

但是，我们又生活在资本主义占据优势的远东，尤其是生活在国际帝国主义宰割之下的中国，我们不但要理解上述两种经济体系的差别，还须理解远东关系的资本主义的方面。所谓远东关系的经济问题，主要的是由这一方面发生的东西。所以，我们当处理远东关系的经济问题之时，必先理解在远东的国际规模上所显现的资本主义的生产诸关系。

我们知道，资本主义流通的公式是：

$$G\text{——}W\cdots\cdots W'\text{——}G'$$

资本主义的生产诸关系及交换诸关系，可说是由上述的公式中的生产过程及交换过程发生的。这些关系，是资本主义社会之经济的构造，而资本主义的上层建筑如国家、法制及其他精神文化，都是建立于那个基础之上并与它相适应的东西,换句话说,就是拥护、保障、并助长 G——W……W′——G′ 的东西。

随着 G——W……W′——G′ 的发展,一国民的 G——W……W′——G′ 和其他诸国民的 G——W……W′——G′ 相接触,于是诸国民之间,成立了资本主义国际经济关系,因而发生了国际经济问题。这些经济问题,主要的是争夺商品市场、原料产地、投资场所的问题。由于商品市场、原料产地,投资场所的争夺,落后的民族便变成帝国主义的殖民地或半殖民地,一方面形成了落后民族与帝国主义的对立,一方面又形成了帝国主义相互间的对立。由于这些对立,产生了许多的国际政治问题及其他各种国际问题。

随着社会主义苏联的出现,而社会主义与资本主义的对立,就变为一切国际问题的根干了。

远东关系的政治经济诸问题,是国际政治经济的诸问题中的一部分或一方面。在远东关系的领域中,日本所代表的资本主义势力与苏联社会主义势力的对立,是基本的对立。但在远东方面,除了资本主义的日本和社会主义的苏联以外,其他各民族都处在国际帝国主义的支配之下。在这一方面的对立,是落后民族与帝国主义的对立以及各帝国主义相互间的对立。

所以远东关系的一切国际问题,归着于资本主义与社会主义在远东方面的冲突的问题。各国资本主义在远东互相冲突的问题、资本主义在远东与殖民地化的资本主义相冲突的问题。

远东关系的经济问题之理解,是远东关系的一切问题的理解的关键。

(二)经济关系的客观性之认识

现在我们就经济问题的处理方法本身的原理,做一个简单的说明。在处理经济问题时,我们首先要知道经济关系的物质性。所谓经济关系的物质性,并不是单单指着物质生活生产过程中的生产过程那种物质性,而是指着经济关系是离开人们意志、意识而独立的客观的实在。经济关系虽是有意识的人类的活动的产物,但在商品社会之中,有意识的人们的活动错综复合的总结果,却出乎人们的意料之外,而受一种客观的自然的法则所支配。我们研究经济关系的目的,就在于暴露经济关系中的这种客观的自然法则。

我们所研究的经济关系,都是摆在我们面前的现实的前提,都是客观的自然发生的东西。我们对于这些经济关系的认识,就是把这些经济关系的法则在我们意识上反映出来。因而经济关系的发展法则,是客观的现实中所固有的东西,并不是我们凭空在头脑中创造一些法则拿来镶嵌于客观的经济现象之中的。所以我们对于任何经济现象的认识,必须遵守社会的存在决定社会意识的论纲,从现实的前提出发,才能得到正确的理解。

正统派创始者亚当·斯密的经济学,从"利己心"那种观念论的前提出发,因而展开了个人主义的体系。这是大家所知道的。又如目下的俗流经济学,从"欲望"的研究出发,从主观主义的经济的范畴出发,从人们对于商品之主观的评价出发,展开了杂乱无章的俗学性。这也是大家所知道的。现在的俗流经济学者,或者把自己的主观的构想镶嵌于经济现象之中,或者把经济现象看作是个人的心理活动的产物。例如就邻邦帝国主义侵略中国的经济现象来说,俗流经济学者以为这是邻邦少数野心家自由意志的产物,而不是什么帝国主义的侵略,因而始终不承认世界有所谓帝国主义之存在。这种错误,大家都能指摘出来,而其错误的根源,实是由于主张经济现象是心理现象。

帝国主义对于落后民族之经济的侵略,是资本主义生产关系的发展的必然的倾向。在资本主义没有消灭以前,任何人的意志都不能阻止这种侵略的必然性即物质性。换句话说,帝国主义如不侵略落后民族,它本身绝不能存在。

推广起来说,一切经济现象,都是客观的实在,认识的任务,就在于从这些现象中发现其因果律,在这里决没有主观主义见解存在的余地。

(三)经济关系的对立性之认识

说起关系,就预想对立物的统一及斗争。国际经济关系,即是一个国民经济与其他国民经济的对立的统一及斗争。我们在研究远东关系的政治经济诸问题时,必须彻底应用这对立的统一及斗争的法则。

前面已经说过,远东经济关系,基本的对立是资本主义与社会主义的对立,其次是英美日等帝国主义与中国及南洋的落后民族的对立,再次是英美日等帝国主义相互间的对立。

对立物的统一是相对的,对立物的斗争是绝对的。这一命题,在远东关系的经济问题的处理上,要随时地善于应用。例如日本与苏俄的通商、英美日法之与中国南洋的通商,以及英美等国之与日本通商等经济关系,这是对立的统一、对立的融合、对立的互相渗透。但这样的统一或融合,只是暂时的、相对的,有条件的。但日本因其资本主义势力膨胀的结果而侵吞西伯利亚因而挑动对俄的战争,这是必然的,是绝对的。中国及南洋等落后民族为其自身的生存而对各帝国主义实行民族战争这也是必然的、绝对的。日英美在远东争霸的战争,也是必然的、绝对的。

基于上述的原则,当我们进行研究远东关系的工业问题、贸易问题及金融问题时,就要随时随处指出各种对立物之统一及其斗争的倾向。例如各帝国主义者对于原料产地及商品销路的争夺,金镑、金元、法郎及日圆等集团在远东的联络及其冲突等,到处都显现得非常明了。

资本主义国际关系上的斗争,是国民经济内部矛盾的扩大,是资本主义的生产力与生产关系的矛盾发展的表现,又是国民与国民间的经济发展不均衡的结果。所以我们研究远东的国际经济斗争时,还必须研究远东方面各种国民经济内部的矛盾,即研究其生产力与生产关系的矛盾,研究其由这个根本矛盾所产生的其他一切的矛盾,然后追寻这一切矛盾在国际规模上出现的斗争。譬如说,帝国主义之侵略中国,一方面固然是帝国主义的内在矛盾发展的必然的现象,而中国经济内部的矛盾之发展,也是受帝国主义所侵略的一个因素。于是我们要分析中国经济内部的对立的诸契机,指出资本主义与封建主义的对立,资本主义范畴中的国际资本与民族资本的对立,并说明这些对立的某一方面的主导作用,某一方面的顽强性,来阐明中国经济的殖民地资本主义化的性质,说明其所以要受帝国主义所侵略的必然性。照这样去进行研究,我们才能把捉住远东关系的经济之对立统一的过程。

(四)经济现象的本质之认识

我们研究经济问题,总是从经济现象开始的。经济现象是什么?经济现象,是适应于生产力的特定发展阶段的生产关系的发现形态。资本主义领域中的经济现象,是资本主义生产关系的发现形态;社会主义领域中的经济现象,是社会主义生产关系的发现形态。资本主义国家与社会主义国家间的国际经济现象,是上述两种生产关系体系的错综的发现形态。

但是社会主义的生产关系,直接地出现为人与人的关系,不表现于物的关系的形态;而资本主义的生产关系,正因为是商品生产的关系,所以间接的显现于物的关系的形态。我们对于资本主义经济现象的认识,必须在商品关系即物的关系的背后去暴露其所隐藏着的资本主义生产关系,这是无须赘说的。至于资本主义所支配着的世界中,一切国际间的经济现象,都是各国民间的支配的资本主义生产关系及被支配的落后的封建生产关系之错综的发现形态。因而我们对于远东关系的经济现象之认识,以暴露社会主义的,资本主义的,封建的各种生产关系体系的错综的姿态为任务。

本质与现象常是不一致的。认识的任务,在于从现象透入于本质,从比较不深刻的本质透入于比较深刻的本质。这是一切科学的认识的原则。我们对于经济现象的认识,也适用这个原则。我们不能飘浮于经济现象的表面,而忽视它背后所隐藏着的生产关系。例如日俄在远东方面因为渔业煤油业及其他通商等事常发生经济的冲突。我们对于这样的经济冲突,不能把冲突的两个主体看作同样的东西。前者是资本主义的侵略者;后者是社会主义的自卫者,这是很明白的。又如所谓中日经济合作,在现象上好像是两国和衷共济,而本质上是一方横被侵略,这也是很明白的。又如英、日在中国方面的经济冲突,在现象上好像一方是中国经济上的援助者,他方是侵略者。但本质上双方都是侵略者,不过一方比较和缓而隐晦,他方比较急切而露骨,而中国本身的感受性,只是肺痨的自然死与切断肢腿的暴死的区别而已。

现象与本质的不一致,在远东关系的经济问题中,随处都是存在的。例如就中国一年来的对外贸易来说,人们都宣称新币制实施以后,入超显然的减少了,输出相对地增加了,在物价指数上也显示着物价相当的腾贵,因而断定景气有恢复的气象。但是本质上究竟怎样? 入超的减少,不是由于走私猖獗的原因么? 输出之相对的增加,不是由于新币制所规定的币值的变动么? 物价之相对的高涨,不是由于币值变动的原因么? 在大量消费品都仰给于舶来品的今日中国,物价之人工的增高,也可以认为是积极的好景气么? 并且海关报告所网罗的进出口贸易统计,其范围比较过去是不是缩小了呢? 中国工业生产的统计中,民族工业的生产额比较国境以内的外国工业资本的生产额,究竟是相对的增加或减少了呢?首屈一指的民族资本的纺纱工业,这一年来的景象如何?华北的本国纺纱业现况如何?这些问题,都是说明上述诸问题的本质的。

又如日本在近年来所宣称的好景气,在本质上究竟怎样?日本那种因通货膨胀,庞大的军需工业之扩张,以及赤字的军费预算之扩大等事实,在其国民经济上所发生的影响如何?所谓好景气,不是假象么?经济的总危机已变为政治的总危机之时的好景气,究竟是积极的或消极的?这只在有认识了日本的现阶段的经济的本质时,才能判定。

我们认识远东关系的经济问题,必须暴露关系各国的国民经济的本质,认识它的真相,然后才能理解某一国民对外侵略的必然性,另一国民受他国侵略的必然性。

(五)分析与综合的统一

由现象透入于本质的过程,伴随着分析与综合的统一过程。我们对于经济现象所隐藏的本质之认识,必须应用抽象的能力。因为本质不直接出现于表面,单凭直观就绝不能认识它。我们就远东关系的国际贸易例如中日贸易来看,表面上只表现一国的商品与他国的商品相交换(即物的关系),但本质上是一国民的社会劳动与他国民的社会劳动相交换,再进穷它的底奥,又是一国的布尔乔亚对于他国民的社会劳动的榨取。像这样的本质,单凭肉眼绝不能看出来,这是要靠抽象力的作用,才能知道。

但抽象必须是伴随分析的抽象。分析是分解或解剖。但分析并不是任意的破坏或是形式论理的分解。我们实行分析,必须依据于对立物的统一及斗争的法则。只有依据这个法则而实行的分析,才能在研究对象中,抽象出它的本质。

我们的研究对象,是远东关系的经济。我们把远东关系的经济作为一个总体,依据对立统一的法则,把它分解为各种基本的对立。第一是资本主义与社会主义在远东的对立,第二是帝国主义与落后民族在远东的对立,第三是各帝国主义在远东的对立,第四是远东落后民族相互的对立,第五是落后民族与社会主义国家的对立。于是依照一定的顺序,分别的把这五种对立中的一项,作为一个总体,再依据对立统一的法则,把它分解为许多组的对立物。其次我们顺次的抽出某一组的对立物,再分解为各个单位的国民与国民间的对立物,然后再分别的加以研究。这种分解的方法,可用下述的图式来表示。

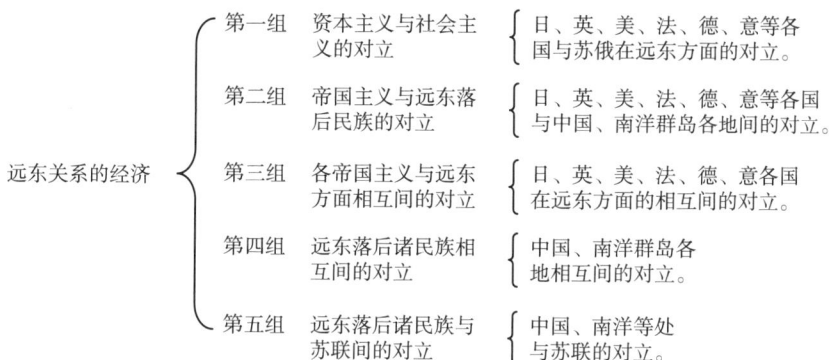

远东关系的经济
- 第一组　资本主义与社会主义的对立　{ 日、英、美、法、德、意等各国与苏俄在远东方面的对立。
- 第二组　帝国主义与远东落后民族的对立　{ 日、英、美、法、德、意等各国与中国、南洋群岛各地间的对立。
- 第三组　各帝国主义与远东方面相互间的对立　{ 日、英、美、法、德、意各国在远东方面的相互间的对立。
- 第四组　远东落后诸民族相互间的对立　{ 中国、南洋群岛各地相互间的对立。
- 第五组　远东落后诸民族与苏联间的对立　{ 中国、南洋等处与苏联的对立。

照上面那样实行分析,最后顺次把各组中的民族单位间的对立,例如把中日的经济关系(对立),抽取出来,认识其充满矛盾的构成部分,指出各单位中的基本矛盾及发展,各单位间的基本矛盾及发展,就可以抽出两单位民族相互间基本的单纯的根本的矛盾(即本质)。

以上是分析过程。但分析过程,只是认识过程中一面的工作,同时必须伴随着综合的过程,我们才能到达于全面的理解。在分析过程中,我们是把总体的远东关系的经济加以分解了,即是说把它破坏了。但我们的分析受综合所指导,即是为了认识远东关系的经济的总体,才把它加以分解,借以认识其充满矛盾的构成部分。而这种分解,并不是认识的目的,我们必须更进而把这些被分解了各种充满矛盾的构成部分综合起来,即是破坏了之后,还要把它再建起来。这便是认识总过程中的综合过程。

综合过程的始点,是分析过程的终点。即是说,综合以分析为前提,并从分析的终点开始。例如我们分析各组对立中各单位民族间的对立抽出其最基本的矛盾以后,就把这许多单位民族间的诸基本矛盾,综合起来,就得到每一组的对立中的普遍的综合的规定。就第一组的对立说,这是两个世界、两个时代的经济构造间最尖锐的对立在远东方面的表现;就第二组对立说,这是帝国主义者宰割远东落后民族的对立;就第三组对立说,这是各帝国主义者重新分割远东殖民地半殖民地的斗争;就第四、第五两组对立说,这些是反帝国主义阵营中的联系。于是我们把这些对立的基本倾向作一个最后的综合,就得到一个成为多种规定的概括,多样性的统一的远东关系经济的全面的理解了。

分析过程和综合过程,是不可分离的统一着。分析受综合所指导,综合以分析为前提。我们的认识,可说是同时分析的综合的起作用。

但在分析与综合的统一过程中,我们必须指出各种对立中的占有比重作用的对立。例如在第一组对立中,日、俄的对立是比较重要而且尖锐的。至于英、俄或美、俄在远东的对立,重要性却比较小得多了。又如,中国与其他各国在远东的诸对立,中日对立的比重是很大的。这一层是我们认识远东关系经济时所必须注意的。

二、远东关系的经济问题的处理方法

(一)远东关系之工业发展趋势一题的处理方法

远东关系政治经济研究室,已经把远东关系政治经济状况这个总的研究题目,暂时划分为下列 9 个研究主题:

1. 远东关系之国际贸易状况

2. 远东关系之国际金融状况

3. 远东关系之工业发展趋势

4. 远东关系之国际经济斗争

5. 远东关系之劳工问题与农民问题

6. 远东关系的人口移动问题

7. 远东关系之民族运动及社会运动

8. 远东关系之外交情势

9. 远东关系之文化事业及文化运动

这 9 个研究主题,是依据社会的经济基础与社会的上层建筑的相互关系的原理来划分远东关系政治经济这个总体的研究对象的。换句话说,我们的总的研究对象,即是远东这一个特殊范围中的社会。

9 个主题中的前面的那 4 个题目,都是属于远东关系的经济问题。我本人所担任的题目,是"远东关系之工业发展趋势"、"远东关系的国际贸易状况"、"远东关系的国际金融状况"三个主题,因此我特就这三个主题的处理方法,略略发表一点意见。

这三个主题,都属于远东关系的经济问题,都应当适用上述"第一"项"处理方法"来处理。

这里先说说"远东关系之工业发展趋势"一题的处理方法。

远东关系的工业发展趋势之研究,在"远东关系政治经济状况"的研究上,是一个基本的工作。关于这个主题的研究,当然注重于 1930 年以来的趋势,但是要说明 1930 年以来的远东关系的工业发展趋势,势不能不涉及 1930 年以前的远东关系的工业发展的情形。因此,我认这个主题的研究的进行,应当追溯到 19 世纪中叶的远东经济的情形,简单的说起资本主义侵入远东的经过,说起远东的资本主义化的过程。在 19 世纪中叶,整个的远东各地的经济还停顿在先资本主义的阶段。自从 19 世纪中叶资本主义势力侵入远东以后,先进的资本主义的生产方法就逐渐输入于远东,破坏了远东各地种种先资本主义的生产方法,掀起了生产方法的大革命。在这个大革命的进行过程中,远东各国民的经济显出了不均等的发展。日本变成了资本主义的独立国,其他各民族的先资本主义的生产方法虽然逐渐崩溃下去,而其自身却不能转变为资本主义的独立国,而转变为资本主义的殖民地和半殖民地。自从俄国革命以后,远东一部分的俄国领土的西伯利亚一带,也由不大发展的资本主义经济而逐渐转变到社会主义经济了。远东方面的这种资本主义化的过程,殖民地半殖民地化的过程,以及社会主义化的过程,是远东关系政治经济状况的由来,也是远东关系的工业发展状况的由来。所以我主张在处理远东关系工业发展趋势这一主题之时,应当略为涉及 1930 年以前的远东的近代工业化的过程。

其次,分析远东各国的工业状况时,应当就世界工业的现状稍微加以说明。因为远东关系的工业部门的构成系统,是世界工业部门的构成系统的一部分。远东方面的工业现状已经发展到怎样的水平?它和欧美各国工业发展所已到达的水平,究竟有怎样程度的差异?对于这些问题,应当简单的说明一下,借以指出远东方面的工业构成系统的一般特征。

再次,关于远东关系的工业状况的分析,这无疑的要以中国、日本、南洋及苏俄西伯利亚四个单位为主体。在这四个单位之中,中国与日本占据最重要的地位。在说明日本工业的发展状况时,应当简单地说明日本工业的发展过程并分析其工业构成的系统;说明日本的工业的资源(那些工业原料能够自给,那些工业原料仰给予外国、特别是仰给予中国);说明日本的工业制品的国外市场(那些工业品运销于欧美,那些工业品专以销售于中国与南洋为目的而制造);指出日本工业的发展现已到达的水平(与欧美各先进国比较起来,那些地方是落后的);说明日本近年来所宣称工业发展的实际情形。

在说明中国工业发展的状况时,也应当简单地说起中国工业发展的经过;分析中国工业构成的系统及工业资本构成的系统;指出中国境内的民族工业资本与外国工业资本的比重,说明民族资本工业如何受外国资本工业的压迫的情形及其因不平等条约所受的影响;等等。又如,近年来在中国境内的日本工业资本势力的膨胀,特别在华北与东四省的工业投资的情形,都必须依据确实可靠的资料,详细的加以说明。一般地说来,中国境内的工业发展过程,实际上是民族资本工业衰退的过程(特别是东四省丧失以后,工业品的市场缩小,大有关系),与外国(特别是日本)资本工业发展的过程,这是必须注意的事情。

还有,南洋各地的工业的现状,也当加以研究。至于西伯利亚的工业化的状况,也应有比较详细的说明。苏联是实行计划经济的国家,这种计划经济在西伯利亚实施的情形如何?苏联近年来在西伯利亚为防备日本而备战,可说是不遗余力,西伯利亚的工业化,必已进到较高的水平。这一方的研究资料,必须从俄国方面去搜集,日文书籍方面,也有可以取材的。

说明远东各地的工业现状以后,还须说明远东各国的目前的工业政策(如日本所谓东亚布洛克化政策,以及英美等国对于远东的经济政策、中国的工业政策与英美日等国的关系等)。

最后,我们综合前面的分析的研究,指出远东关系的工业发展之一般的倾向,推测远东各地的工业的前途,说明其与远东的政治外交方面的联系。

（二）远东关系之国际贸易状况一题的处理方法

在研究远东关系的国际贸易状况时，我们应先说明国际贸易的性质。依照前项所述的原则，现在的国际贸易，可划分为五大类。

第一类，帝国主义国家与社会主义国家的国际贸易；

第二类，帝国主义国家与世界落后民族的国际贸易；

第三类，帝国主义国家相互间的国际贸易；

第四类，落后民族相互间的国际贸易；

第五类，社会主义国家与落后民族的国际贸易。

大体上说来，国际贸易的主体，是帝国主义国家、社会主义国家与落后民族。就社会主义国家的对外贸易说，这是社会主义国家把社会主义的生产物（利用商品的形式，本质上不是商品），输出于资本主义世界换取货币，再用货币换取资本主义世界的商品，输入于本国，作为本国社会主义的生产手段（机器和原料）与本国所需要的消费品。因为社会主义国家的外围是资本主义世界，前者不能不利用商品与货币的手段和资本主义世界通商。但社会主义国家之对外通商，本质上是以本国国民的社会劳动换取其他国民的社会劳动，其间绝对没有想榨取他国国民劳动的动机，这是很明白的。换句话说，社会主义国家之对外通商，绝对不含有侵略或剥削他国国民的企图。

至于帝国主义国家之对外贸易，绝对的是含有侵略和剥削的企图。帝国主义国家之对落后民族的通商，主要的是销售商品，采集原料，借以掠取落后民族的社会劳动；甚至帝国主义国家相互间的通商，也都是互相剥削其对手方的勤劳大众的劳动；其对于社会主义国家的通商，也含有同样的企图，至少是借销售商品以实现剩余价值。这也是很明白的。至于落后民族相互间的通商，决不带有帝国主义的对外掠夺的性质。因此，我们对于国际贸易的内容，必须有一种科学的正确的认识。

说明了国际贸易的性质以后，就进而分析远东关系的国际贸易状况。远东的国际贸易，也有上述三种主体，即社会主义国家（苏俄、西伯利亚）、资本主义国家（日、英、美等），及落后民族（中国与南洋），也同样的含有上述国际贸易的性质。远东关系的国际贸易，是世界的国际贸易的一部分，我们分析前者之时,应当把前者与后者的关系,简单地说明一番,然后提出前者来研究,归到我们所研究的主题。

关于这个主题的研究,应当分为两段。先说明远东各国的通商政策,次说明远东各国的国际贸易状况。在说明通商政策时,要分别的说明现阶段世界资本主义各国的通商政策(布洛克经济与关税同盟等)及其在远东方面的实施,其次分别的说明中国、日本、南洋与苏联的通商政策,指出这些通商政策之帝国主义的性质,社会主义的性质及落后民族的附属的性质。

在说明远东各国的国际贸易状况时,当然要以中国、日本、南洋及西伯利亚这四个主体来分别说明。例如以中国为主体的国际贸易,可分解为中日、中英、中美、中法、中苏、中国与南洋等各组来分别研究。依次以日本、南洋、西伯利亚等为主体,分别的考察其对外贸易的情形。

但在叙述各国对外贸易状况时,第一要考察其输出入贸易的状况,第二要考察其输出入商品的性质(划分原料品、半制品、工业制品及机械等项),第三要考察其贸易平衡与国际贷借的情形。国际贸易的状况,能够表现各国生产发达的实际情形,并与各国工业的发达有密切的关系。所以这一主题的研究,与"远东关系之工业发展趋势"那一主题的研究,应取得联络。

最后综合前面的研究,指出远东关系的国际贸易的趋势,说明其对于远东关系的政治外交方面的联系。

(三)远东关系之国际金融状况一题的处理方法

当研究远东关系的国际金融状况这一主题时,我们的主要的注意,要集中于资本主义支配下的远东关系的国际金融,至于社会主义国家与远东各地的金融关系,仅有次要的意义,只要附带的说明一下就可以了。

在分析远东关系的国际金融以前,我们要说明资本主义世界的国际金融的一般性质。资本主义世界的国际金融,是在世界货币形态上的资本之国际的活动。世界货币,是当作国际的价值尺度、流通手段、购买手段、支付手段、储藏手段看的货币;它的生身的肉体是现实存在的金和银(银是金的附属)两种贵金属。世界货币之国际的移动,表现着商品、原料及资本之国际的移动,而帝国主义者对于落后民族之贩售商品、采集原料、和输出资本的各种剥削形态,以及帝国主义者相互间的种种斗争,都很明显的在国际金融状况显现出来。同样,远东关系的国际金融,是世界国际金融的一部分,各帝国主义对远东落后民族所实行的经济侵略,以及帝国主义相互间为侵略远东落后民族而实行的种种斗争,也都在远东关系的国际金融状况上显现出来。远东关系的国际金融的研究的重要性,就存在于这种地方。这是我们研究这一主题时所应集中其注意的一点。

其次,远东关系的国际金融状况的研究,应当划分为两大部分。第一部分是说明远东关系的金融机构,第二部分是说明远东关系的国际金融状况。

在说明远东关系的金融机构时,首先要略述世界金融的机构及其现状,说明金镑集团、金元集团、金集团、与日圆集团的内容及其相互关系,说明 1929 年以来世界金融变化的情形。远东关系的金融,是世界金融的一部分。在远东关系的领域中,上述各种货币集团各有其特殊的组织。金镑集团的远东支部是汇丰、麦加利、有利等银行,金元集团的远东支部是花旗银行,金集团的东方支部是东方汇理、中法实业银行、和兰银行与安达银行、及华比银行等。日圆集团方面,有日本、正金、朝鲜、台湾、三井、三菱等银行。远东方面的这些帝国主义的金融机构,是吸取远东诸落后民族的血液的吸血管。

除了上述诸金融机构之外,就是中国的金融机构了。中国的金融机构,是比较特别的东西。中国是用银的国家,银虽与金同为世界货币,但银已成为金子的附庸,在这种处所,也表现着用银国家的金融机构是上述帝国主义的诸金融机构的隶属者。所以我们研究中国的金融机构时,应当说明这样的隶属性。

在研究远东关系的金融现状时,应先说明帝国主义诸金融机构的远东支部对于远东各地的金融支配的情形。如汇丰银行在香港、新加坡、槟榔屿、锡兰岛等地的金融统制,东方汇理银行在安南的金融统制和兰银行在东印度群岛的金融统制、菲律宾银行在菲律宾的金融统制、日本的诸银行在朝鲜、台湾及我国东四省的金融统制等,都应就现在情况分别加以说明。而这些金融统制,当然是通过放款、贴现、汇兑、投资等形态而显现的。其次,中国的诸银行,在放款、贴现、汇兑、投资等方面,对于国际的诸银行,究有怎样隶属的关系,这也是本题的研究所应注重的地方。

至于远东方面帝国主义诸金融机构相互间的斗争,都以中国为对象,并以中国为舞台。这种斗争的经过及其现状怎样,我们必须详细的指明出来。最后,再就这种金融斗争与远东方面的政治外交的关系,概括地加以说明,作为结论。

（原载 1937 年 3 月北平大学法商学院印行的教材《政治经济问题之处理方法》,署名李达教授讲、邱肃笔记）

文化运动在北平[①]

（1937.6）

平市因处于国防前线的地位,智识阶级的学生有热烈的救亡思想,是不可讳言的事实。一般学生从事救亡工作,似乎亦已有了新趋向,虽然还有少数人盲动,但大部分人的态度已都变成勇敢而坚定了。

北平新旧学联的纠纷,现在已比较缓和,旧学联要求合作,最近——上月4日以后——写信给新学联,主张联合一致,新学联方面答应考虑后决定,这是好现象。因为本人以为在如此严重的情势之下,同为国民,已绝对不容自己再有内争,新旧学联,今后似乎都应该取消原有形式,来重组一健全的统一的机构。

本年五月中,平学生很少活动,月底日军大规模作战时演习,曾使市民大受惊恐,学生感觉敏锐,自然受刺激也最深。在惊恐的情况中,他们已经抱定读《最后的一课》的决心,一面求学,一面工作,所以最近北平全市各校课务,还始终在寻常状态中顺利进行。

至于新启蒙运动,本人只晓得它在理论上已和局部的、一阶层的启蒙运动有了区别,目的在普遍地开明民智,实在也是中国人救亡运动的基础,在现阶段这一运动是需要的;北平一部分学者杨立奎等的反对似非必要。

（原载 1937 年《读书月报》第 1 卷第 2 号,署名李达）

---

① 本文是 1937 年 6 月李达的一次谈话记录,原文前有这样一段话:"著名经济学家李达,现任北平大学法商学院经济系主任,月初偕同该院院长白鹏飞到沪。据他说:"。——编者注

辩证法的唯物论问答①

（1937.7）

序

这本书是专门供给一般初学社会科学的青年看的,也可以说是一本社会科学的入门书。

现在一般研究社会科学的青年,往往将一本书看完就算了,提不起问题来研究,所以这本书采取了问答的体裁,我们看的时候,随时可以提起问答来复习和研究,便于自习,也便于用作教材,这对于读者我想是不为无益的。

读者如要进一层的研究,必须再要读高深的书籍,这本书不过是想借给读者一些基本的知识,以引起诸君研究的兴趣而已。

1937 年 7 月 14 日于上海

一、哲学中之唯心论与唯物论

问:什么叫做哲学?

答:平常的人一提起哲学二字,好像是一个玄妙不可索解的东西,其实这是错误的。站在马克思主义的立场来探究,所谓哲学,即是各种科学的综合。现代之"科学的哲学",是要依据于一切新的科学材料,综合之于一个或几个

---

① 《辩证法的唯物论问答》于 1937 年 7 月由上海进化书店列入《社会科学丛书》出版,并于 1938 年 1 月再版,署名李达,两版内容相同。——编者注

总观念之后求得一整个儿的宇宙观。所以哲学也可称为"科学的科学"。马克思主义的哲学基础,即是辩证法的唯物论,这是一整个儿的宇宙观及人生观。研究社会科学,非先理解辩证法的唯物论不可。

问:哲学的任务是什么?

答:哲学的第一步即是研究宇宙的本体。譬如宇宙是怎样构成的,是不是向来就存在的,或是由许多物质造成的,这是哲学上的根本问题;哲学的第二步则为研究人生问题,即是研究人生的意义和职任,这是一切问题的出发点,所以哲学是纯粹求知的需要之结果,是想要了解自然界以及人的作用,了解人生的意义和道德的规律,而且这些道德规律,要是各人之自由理智的推论的结果,而不要那儒牧所规定的。古代时常说:"惊奇者哲学之母。"宗教是由于畏惧而生,科学由于实用而兴,哲学则由于探求一切之原因及意义而起。

问:哲学的分派怎样?

答:哲学的根本两派学说,即是唯心论与唯物论。

问:唯心论与唯物论是怎样解释的?

答:这个问题是一切问题的出发点。一切的现象,可以分为自然现象和社会现象两部分。如果再细细的分起来,一切的现象,可以分为物质的现象和精神的现象。物质现象,有延长(Ausdehnung,Extension),占有空间的位置,可以听,可以触,可以尝,即可为我们的感官所觉,这称为物质的现象。另一种现象,在空间没有位置,没有延长,看不见,听不到,触不着。这即是人的思想,感情,意志之类。但是,我们却不能否定它的存在。笛卡儿(Descartes)说:"我思,——故我在"(cogito,ergo,sum),所以这种状态,名为心的现象,这称为精神的现象。唯心论与唯物论即由这两种现象起源的。

问:一切事象的发端是精神呢? 抑是物质呢? 什么是本源的,什么是基础的? 是物质生出精神呢,抑是精神产生物质呢?

答:这是哲学上的根本问题。这个问题解答了,社会科学的一切问题也迎刃而解了。我们要来解答这个问题之先,必先要来考察,唯心论与唯物论的总的定义。唯物论是与唯心论立于相反的地位。唯心论对于一切宇宙现象,一切物质的性质,都以这是"精神"之某种性质做原因来解释。唯物论的解释,恰恰相反。唯物论的方法是用物质的种种性质,人类或动物的机体种种组织,来解释心理的现象。凡是以物质为最初动力（原素）的哲学家都是唯物论派，凡是以精神为最初动力的哲学家便是唯心论派。我们要来探究一切事象的发端是精神还是物质，首先应当去解释下面几个问题：

（1）人是自然界的一部分。人类是自然界的产物，并不是什么神的产物。我们只要稍稍研究过自然科学，就知道人是自然的一产物，自然的一部分，由自然产生而服从其法则的那个自然的一部分。所谓精神现象，也仅仅是自然现象中的一小部分。

（2）从生物的进化来考察，起先地球上并没有人类，生物是没有的，经过了不知多少年以后，地球上才有生物发现，而人类又是从别的动物发生的。最初地球上没有生命的时候，当然也就没有会思维的动物，到后来才从那不能思维的物质中，产生出能够思维的动物。所谓人（能够思维的动物）也就是由别种动物发生的。由此，我们可以说：物质是精神之母。

（3）精神是由一定的方法组织了的物质出现的时候，才会出现的东西。我们欲使精神出现，必须要有物质的条件组织而成的。没有物质的条件便不能思索。比如我们的脑筋，是能够思维的东西，但是假如没有那物质的条件——脑筋的组织体存在的时候，那当然是不能思维的了。

（4）没有精神，物质能存在；无物质，精神就不会存在。心的现象即所谓精神无论在何处未曾无物质地从物质独立存在过。无脑，思想不能存在；无欲望着的有机体，欲望不能存在。精神常紧密地系于物质。换言之，心的现象即意识现象单止是由一定的方法组织了的物质底一性质，即这种物质的一机能而已。譬如我们一个人，是组织体非常复杂的动物，人的思维也是非常复杂，但是所以能够思维，就依靠人的物质体的存在。如果把人的各部分破坏拆散（当然脑也在内），那么精神也便立刻消灭。这样看来，意识是依存于物质的，即思维依存于存在。

我们说明了上面的问题，这个问题就不难解答了。于是，无物质，精神不能存在；但无精神，物质可以存在。物质存于精神之前。"精神"乃是由一特殊方法组织了的物质底一个特殊性质。所以马克思说："人的意识不规定他的存在，反是人的社会的存在规定他的意识。"

问：唯心论与唯物论的基本概念已经明白了。关于唯心和唯物的历史的追踪是怎样呢?

答:唯心论发源于古希腊的哲学家柏拉图(Plato),他是唯心论的创始者。他说宇宙的本质和一切外界之物质事实的根本是观念(Idea)。譬如我们外围的世界中有人、梨子、马车,但是存在的不是人、梨子、马车,却是它们的观念。因此,柏拉图便创造出"二元世界"的学说。这种学说,亦即是后来一切唯心论哲学及基督教教义的根本。世界有两个,一是我们的世界,人间的肉体的不完美的,有种种缺憾的,有许多罪恶的,不巩固的变易的世界;一是柏拉图所称为"观念的世界",基督教徒所称为"神的世界",其中才有真理,和谐,美,善,这是天上的别一面的世界。所以柏拉图的观念便成了上帝创造有形物的原型和模型。大僧正白克莱(Berkeley)发展了主观的观念论底见解,他说只有精神存在,别的一切都是表象。费希特(Fichte)以为无主体(认识的精神)便无客体(外界),物质是观念底表现。薛林(Schelling)说:"观念是事物底本体",立脚于神的永远性上。最著名的唯心论者黑智儿(Hegel)更发挥得透彻了,他说:"万物都不过是在自己发展着的客观理性底发露。"叔本华(Schopenhauer)说:"宇宙是意志和表象。"康德(Kant)更说得聪明:"客观界虽然存在,但不得认识。"更有所谓一种主观唯心论者。英国的柏克莱(George Berkeley)及德国的费希特(Johann G.Fichte),他们的理论更进一步了。他们说:"宇宙即我,并无外物存在:除我的观念、想象、感觉以外,别无其他世界。"我从自己精神之中创造出世界来,这一世界的公律,即我自己的观念和感觉的公律。以上是唯心论派的综合的学说。

唯物论的起源在古希腊中的伊沃尼亚学派(Ionian School),他们以为物质是万象底基础,同时,一切物质多少地能被我们感觉。在开始的时候,当然是不甚完备。好像塔列斯(Thales)把"万有底根本"求之于水,阿纳克稀灭捏斯(Anaximenes)求之于空气,赫拉克里特(Heraclitus)求之于火,阿纳克稀满德儿(Anaximander)求之于一特殊的实体——它没有一定的性质,而包含一切事物,所有这许多都是很不完善的结论。迨后在基督公元前400年,与柏拉图同时的德谟克里德(Democritus)出来,唯物论才有了进一步的开展,所以可以称他为唯物论的开山祖。他的意见,可以归纳成下面几种:(1)无中不能生有,有者之中,亦不能有所消灭。一切变化,不过是各部分的结合或分散。

（2）天下无偶然之事。一切都有原因和必要。（3）除原子及空间之外,绝无他物,其余则仅系意见而已。德谟克里德说:"苦与甜,热与冷,及各种颜色之存在,都不过我们觉着仿佛有这么一回事罢了,实际上存在的只有原子和空间。"德谟克里德之后,就有他的弟子伊伊壁鲁(Epicurus),后来,到公元前一百年便有罗马诗人鲁克列求斯(Lucretius Carus),都是主持唯物论的哲学家。斯宾诺莎(B.Spinoza)之光彩深奥的智力又发展了唯物论的思想。在英国,霍布士(T.Hobbes)拥护了唯物论的见地。法兰西大革命的准备时代引起了唯物论的进步,这时代第一流的唯物论哲学家辈出。狄德洛(Diderot),业勒菲修士(Helvetius),霍勒布哈(Holbach)都是供给了唯物论很好的定式。到了19世纪,德意志的大哲学家费尔巴哈(Ludwig Feuerbach)出,他给了唯物论以更大的进步。他说:"除了人间界与自然界之外,没有什么东西存在。"又说:"物质不是精神之产物,精神才是物质的最高产物。"给了唯物论以最完全的理论的马克思和恩格斯亦受了他的影响。他们把唯物论结系于辩证法,一面把唯心论赶出去,而把唯物论的学说,扩张到了社会科学。

二、社会科学中之唯物论

问:唯物论为什么要反映到社会科学里来呢?

答:这是必然要的。因为我们人类的社会,是极错综复杂的集团;反映这些复杂现象的,是各种各类的社会现象,如政治、法律、道德、宗教等。又如像商品的交换或生产物的分配,社会间发生了的阶级斗争;更有各人有各人的思想行为不同,有人是帮统治阶级来压迫被统治阶级的,有人是站在统治阶级的立场上来反抗统治阶级的……这许多,这许多社会中的复杂现象,实在说不胜说。但是我们应当怎样来着手研究这个社会呢?从哪一点去把握呢?应视什么为根本的,本源的东西? 这就是哲学中的唯心论与唯物论马上浸染到社会科学里来了。但是我们可以这样的来理解社会:社会是许多人所组织成功的,人有思维,行动,希望,由观念,思想,"意见"等引导,于是生出"意见支配世界"的这种结论来;意见变动是人类社会中一切现象的根本原因,于是社会科学便应当首先研究"社会意识","社会精神",这便是社会科学内唯心论的见解。他们认为观念和物质是单独存在的,并且承认这些观念对于各种神圣不可思议的东西是依存的。因此,唯心论在社会科学里面,便会与明显的神秘主义和鬼把戏等联系起来,而把社会科学引到破坏——直到神意或诸如此类的信仰代替科学出现而止。法人博修业(Bossuet)在他著的《世界历史的考察》中这样说:"在历史之中,有神引导人类的显示。"德意志的唯心派学者勒沁(Lessing)说历史是神对于人类的教育。费希特(Fichte)则以为历史乃理性之行动。薛林(Schelling)则主张:历史是绝对者永恒发展的显示,换句话说,即是神底显示。唯心论的伟大哲学家黑智儿则解释得可巧妙,他说:世界历史是"世界精神之理性的必然的行程"。由此我们可以知道唯心论的学者们由哲学的领域内爬到社会科学里来了。如果社会科学受了唯心论的支配,那么,社会科学也要变为"非科学"了。他们以为社会的本体是什么心的,非物质的东西。他们的意见:社会是一个从人们的欲望、感情、思想、意志表示等之无限的结合所错而成的。换言之,社会即是社会心理及社会意识,即社会底精神。

这里我们要来展开唯物论者考察社会的结果。首先我们要来解决的,便是所谓"社会意识"的问题。关于这点,我来引被格达诺夫(A.Bogdanov)关于社会意识的解说,他说:各人有各人的精神生活:各人都有见有闻,有喜有悲,有欲求和努力,有追忆和想象……这一切的感觉、感情、欲求和观念,就形成了各人的"个人"的意识。但人类是生活在社会之中,就是生活在和别人的结合和交通之中的。他无意识或有意识地,要用种种样式,表现他所认识,所感觉,所欲求,所思索的一切。于是别人凭借什么样式来理解他,他也一样以什么样式去理解别人。别人看见了他的身体,颜面,眉眼等底动作(就是他的身势),听闻了他的叫喊,言语,看见了他所写的记号,所绘的图画。因此知道他的精神状况——他的欲求、感情、观念,他也是一样知道别人的精神状况。像这样被发表的被理解的一切(凭发表而由这一人传给别人的一切)便都成了社会意识,不复是单纯的个人意识了。所谓社会意识,就是指这些有人用了什么样式表现出来,而别人又曾以什么样式理解它的一切说的。可知社会意识并不是什么神秘的不可思议的东西,人的意志并不是自由的,是要受人的存在之外的条件所制约的。不是人的意识规定了客观的存在,倒是客观的存在规定了人的意识。因为人类社会同全人类一样,是自然的一产物。只有从自然中汲取它的对象,社会才得成立。它用生产的方法汲取这些有用的对象。不过,它不一定是意识地在这样行使。只在万事都依着计划进行的,有了组织的社会内,才得意识地行使。在无组织的社会内,只无意识地行使。好像工人为要维持其生活而生产,资本家为要多得利润,所以扩张生产。结果,全社会因此而存在了。物质的生产及其手段(物质的生产力)是人类社会存在底基础。没有它们便不会有"社会意识"和"精神文化",与没有脑筋便不会思维是一样。来举一个显明的例。展开两个不同的时代:一个是原始的蒙昧的野蛮时代,一个是近代的资本主义的社会。在前者,生产力是非常的幼稚,生产工具尚未发现,人类都从事牧畜或狩猎,一切的时间都直接地消费在获得生活的必需品上;什么"观念"、"意识"、"精神文化",那时是完全没有的,不要说那时的人类没有这种思想,也没有时间去思想。后来生产渐渐发达,人类除了生活必需品外,便有所谓"意识"发生出来。到了近代资本主义社会,"精神文化"就发达到了顶点,道德、宗教、哲学、科学、艺术等,都从这个时代发生出来。但是这许多东西是怎样发达的呢?它发达的条件是什么?即是物质生产的发达,是对于自然之人的支配力的增加,是人的劳动之生产能力的向上。在这个时候,便不须把时间完全消耗于物质的劳动,于是就分出若干时间来,在精神上劳动,创造所谓精神文化。可见并不是"精神文化"(社会意识)产生那"社会的物质"(物质的生产),倒是社会物质的发展造成"精神文化"的发展。可知社会并不是"心的有机体",倒是"生产有机体"或劳动组织体。社会的精神生活是生产力的机能,所以我们可以说:社会不是"心的有机体",尤其不是"崇高和美","神圣和纯洁"等领域上的意见的总体,反之,却是"劳动组织体"(Arbeitsorganisation),马克思屡称为"生产有机体"(Produktionsorganismus),这便是社会科学内唯物论者的见地。但是我们要知道:唯物论者也并不否认"观念"的作用。关于最高级的意识,关于科学的理论,马克思曾说道:"理论一旦把握大众,便成为物质的力。"

问:然而人们在某一地方,某一时候这么思考,在别种状态的时候,又怎么思考呢?又为什么在现代资本主义的社会里,人们思考得非常之多,非常之复杂,在原始的野蛮时代却不呢?

答:这就是唯物论的精义之所在。唯心论者就不能够。在某一个时代,在某一种生产样式及物质状态,人们根据了那种生产样式,就生出什么思考来。比如近代的资本主义社会,它的生产力是很发达的,有不劳而获,坐享其成的资本家(榨取阶级),他是占有生产工具及原料的;反之,有一无所有、出卖劳力的无产阶级(被榨取阶级),他们除了自己的劳力之外,便什么也没有了。因此社会上的组织也就自然的异常错综而复杂,人们的思考也自然随之而复杂。资本家只想扩张生产,榨取劳动者的血汗,以增加其利润,同时,因为恐怕无产阶级的反抗,便创造出许多社会制度来,如法律、宗教等,以压迫无产阶级。它们(资本家)更有多余的时间,便想到享乐上去,如艺术、音乐、绘画等,这种种现象,都是受了物质的生产力所规定的。因此,唯物论能够说明社会底"精神生活"的诸现象。而唯心论就不能够,他们只可依赖看不见和听不见的神,纵使发现一个似是而非的说明,也非依赖恋爱的主宰的上帝不可。黑智儿在他的《历史哲学》中说,"这种善,这种理性之最具体的表象是上帝。上帝统治世界:他的统治内容,他的计划底实行是世界历史。"

这样看来,在社会科学内,唯物论的见地也是唯一正确的了。

问:将唯物论应用到社会科学里来是什么人呢?

答:在社会科学上将唯物论彻底地适用的是马克思和恩格斯,当马克思把他的社会学说——历史的唯物论的理论——概说了的《经济学批判》出版的那年(1859年),是唯物论应用于社会科学的最早的尝试。同年英国的达尔文的《种的起源》出版。达尔文(Charles Darwin)证明动植界内之变化发生于物质的存生条件的影响之下。但是也不能完完全全将达尔文的法则搬到社会里去,在人类社会里应该证明自然科学的一般法则怎样以一个特殊的只对于人类社会是固有的形式,表示出来。不能将一切历史都归入于自然律。马克思嘲笑不理解这事的人们,他对于一位德国的学者林格(F.A.Lange)说:林格好像干了一个大发现:全历史应蒸炼纯化于一个唯一的最大的自然法则之下。这种自然法则即是生命竞争(Struggle for life)这句成语,在社会之中另是一种意义,"社会的人"行生存竞争的时候,他首先便觉得自己的阶级地位,再则就觉得和相斗者在一定的经济关系及同一的经济机体之内,所以他的斗争是阶级斗争。由此,我们知道:马克思是首先拿唯物论应用到社会科学上来了。

三、辩证法的起源

问：何为辩证法？

答：辩证法（Dialectics）即是说是自然上历史上思维上的普遍关系的科学，如果只在个别上观察事物，只在事物的固定状态上观察事物的方法，是和辩证法相反的方法。辩证法是在事物最普遍的关系上，在其相互的依存关系上，在其非固定的发展上，以观察事物的。

问：辩证法是怎样获得的？

答：我们所以获得辩证法，实在有三个源泉：第一个源泉是自然，是自然现象之观察；第二个源泉，是人类历史的观察，即是观察历史上各时代的变化（包括生产方法中的变化，社会形式中的变化，以及和社会形式生产方法相结合的社会思想中的变化）；第三个源泉，是人类思维自身之研究。但是又发生了一个问题：即是，在我们头脑中出现的辩证法的思维法则是和现实的法则和自然及历史中的变化的法则一致。这种事实从何而保证呢？我们可以答复：这并不是特别不可思议的事实，因为人类实在也只是自然的一部分。人类的思维，结果也只是自然的现象，人类是和自然中其他现象同种类的东西，所以人类的思维能和自然的及历史的法则一致，并不是不可思议的事情。和这种思想相反的主张，才是不可思议的东西。

问：唯物论和辩证法是几时联系起来的呢？什么人把它们联系起来的？

答：我们要来考察这个问题，便要先来考察辩证法的来源了。讲明了辩证法的来源，上面的问题也就自然明白了。辩证法的原义，本从希腊字"Dialog"——对话而出，意思本是互相辩论。古代的希腊人，尤其是雅典人都喜欢辩论，所以产生出许多雄辩家。正常的辩论术是怎样的呢？必须要能证明给听众看：你的反对者是错误的。然而这绝不能单单提出你自己的意见，去和反对者的意见相对抗，因为这样是不能证明的。辩论之中，必须要能证明：你的反对者自相矛盾，或者他的话和一般人公认的事实相矛盾。就是要证明：你的反对者的意见如果一直彻底地推论下去，的确变成无意义的疯话。希腊的大哲学家苏格拉底，便有这样的雄辩之才。苏格拉底开始和某一个诡辩家

(Sophist)辩论,他必定提出许多问题。问得反对者理屈词穷,将反对方面的根本意见分析出来,渐渐的证明给他和大家听,这些根本意见及概念里,的确有模糊的地方,有自相矛盾的地方,虽然一眼看来仿佛看不出,其实逻辑上彻底的将那些思维推论下去,自然会发现矛盾,如此,弄得反对方面非自己撤回自己的意见不可。其实各个人自己的思念都是如此的。所以辩论的过程,实际上便是思念的发展。辩论与思念的发展之中通常总可以发现我们思想内部的自相矛盾。黑智儿就称这种"因矛盾的互斗而得的思想之发展",为辩证法。所以,我们一提到辩证法,便不得不连带到黑智儿,因为黑智儿是辩证法的创造者,是辩证法的开山祖。他开始完成辩证法的系统,比较从前的辩证法,他到达了更高的阶段,这是最好的革命的行动。辩证法是最高革命的方法。辩证法证明:一切事物在实上或在思维上,并不是时常固定在原来的形态,而是无间断的变化,即一切个别事物,个别制度,各有各的发端,因而必然各有各的终结,各有各的发展之向下的阶段。辩证法又证明:一切事物,一切制度,一切思维,都要死灭而转化为它的反对物。辩证法无论在何物之前,是不会停止的。在辩证法看来,没有什么神圣不可侵犯的东西。依黑智儿说来,辩证法的这样的破坏力是历史的发展最强的动力。辩证法实是革命的普遍的形成。

　　黑智儿在他担任柏林大学哲学教授的时期,是他最活跃的时期,他的最初的著作完成于1806年,正是拿破仑在耶拿(Jena)战败德意志,征服普鲁士,南北二分德意志之年。黑智儿死于1830年①,正是法兰西的七月革命和英吉利选举法改正之年。资产阶级哲学的全体,完全被黑智儿所综合。但还不止此,他还结合了古代哲学和近代哲学,综合了1500年间精神的发达,把这个发达引导到最后的终结。但是,黑智儿有一个主要的特征,在这里不得不探究出来,他虽则光大了辩证法,但是他的哲学的基础是唯心的,观念论的,而且是绝对的观念论。依黑智儿的见解,思维的运动,是自立的,是独立的。他所解释的思维,是普遍的思维,普遍的概念的意思,他把它叫做理念(Idee)。他的见解以为思维是物质的实在性,思维的运动是宇宙运动的创造者,思维是实在的

---

　　① 实为1831年。——编者注

创造者。他否定了客观的现实在那里变动,他以为一切的思维过程,都依了正(These)反(Antithese)合(Synthese)的形式来表演的。后来等到了费尔巴哈起来,辩证法又有了进展。费尔巴哈以为现实的认识,只有物质的认识,感觉的认识,才有可能。像宗教或哲学所主张的超感觉的认识,并不是认识。他的主要的划分时代的东西,第一是消灭那科学特殊形态的一般哲学。第二是消灭观念论,走向唯物论。不过费尔巴哈这种结论,一部分还只是消极的。在费尔巴哈一方面,比较黑智儿是缺乏辩证法。即是费尔巴哈缺少历史唯物论的解释,缺乏唯物论的认识。他仅能对自然作唯物论的观察,不能就历史作唯物论物说明。所以费尔巴哈的唯物论是自然科学的唯物论;而对于这种自然科学的唯物论,在历史的领域,便现为概念论。所以这是不完全充分的东西。后来马克思(Marx)和恩格斯(Engels)便又把费尔巴哈的学说修正过,而进到真正的辩证唯物论的境地。马克思和恩格斯是伟大的科学社会主义的创立者,他们完成这个伟大进步的时候,是在 19 世纪 40 年代之半,在德国革命勃发以前二三年。马克思说:"我的辩证的方法,在根本上不但与黑智儿的不同,而且与之正相反对。至于黑智儿,思维过程——他并且拿思维过程用观念这个名词,变为独立的主体——是现实世界的造物主,而现实则只形成思维过程的现象而已。至于我,观念世界倒不过是在人的脑中变换,翻译了的物质世界而已。在黑智儿,他的辩证法是倒立的。我们在这神秘的外衣之内,欲发现合理的核心,便不得不把它翻过来。"于是辩证法到了这个时候,便真正变为科学的社会主义者的哲学基础,与唯物论结合而成辩证法的唯物论,而成为一种最正确的思考方法。这是研究社会科学者的出发点。

四、物质永动和各现象间的联系

问:我们考察宇宙间及社会间的一切事象,是静止的呢,抑流动的?

答:这个问题是非常重要,这是辩证法的特征之一。关于这个问题,有两种说法:一种是以为一切事象的状态是静止不变的。从前是这样的,以后也许是这样。这称为静的(statisch)见地。举一个例,从前我们以为日月星辰是不变的,今天在那里,明天也在那里,是永远不会变动的;同时以为地球也是这样的,固定的,不变的,一切都是永恒地这样而不变化的。还有一种是动的见解,以为一切的现象都是永久的继续不断地流动着。运动是物质的存在形态,所以在自然中,在社会中,在思维的世界中,一切都是不断地流动着。一切都不是永远的,而是无常的。况且这种流动,又不断地扬弃(aufheben)旧的形态,生成新的形态。这种见地,称为动力的(dynamisch)见地。我们来考察这两种见地,到底哪一种是对呢? 那我们不难明白。我们先来观察宇宙间及社会间的一切事象,到底是静止不变的么? 我们要理解世界,世界是不是静止不变的呢? 我们只要将眼面前的自然界展开,那我们就知道,没有一样东西不在运动变化中的,好像从前人们以为日月星辰宛若金钉固定于天空,不会运转的;后来科学昌明,就知道这种见解是完全错误的,好像月亮和地球也都在空间拼命地旋转,而回行着绝大的距离。加之我们现在还知道物质的极小部分的原子(Atom)是从比它尤要小的部分电子(Elektron)所成;而且电子,恰如太阳系的天体绕着太阳,旋转运动于原子的内部。世界实在是它们结合起来造成的。世界的构成部分既然打着漩涡旋转,那末在这个世界里有什么不变动的东西?就像地上的生物一样,从前几千万年原始时代的生物和现在的当然完全不同。人类也是从别种生物变化起来的,人恰与世界万物一样地在变化。总之,辩证法的原则乃是一运动的原则,对立物底斗争底原则。世上决无不动的固定的东西,万象运动变化。实际上,没有固定的物,对象,只有过程。好像现在在此地写字的桌子也绝不是不运动的。它时时刻刻都在运动。固然,它的变化不能为我们的耳目所知,但是,许多许多年之间,仅搁在一个地方,不变动的时候,也要腐烂的吧? 这种变化是突然的么? 的确不是的,还不过是早已经就发生了的结果。桌子的这些小片要消失么? 不,它们会变为别种形象:为风吹散,变成土的成分,为植物养料,变成植物纤维等的吧! 那么,在变动的物质——就是世界,故我们欲理解某一时现象,应在其发生(怎样,从那里,为什么而发生了的),发达,消灭,一切都应在其运动上考察,不应在假定的静止上考察。这个动的见地又称为辩证法的见地。

问:然则宇宙间及社会间的一切事象是怎样地联系着呢?

答:因为一切的事象是变动的,不是固定的,所以我们研究宇宙间及社会间的一切事象就应当在他们互相联系上去考察,不得视为绝对分离(孤立)

的。我们在事实上观察，大凡世界上的一切部分的确是互相联系着的，从小的部分牵动到大的部分。连一个地方之最小的移动和极微的变动——都要一切的东西起变化。至于怎么样变化，这是另一问题，总之是起变化就是了。宇宙间的一切现象不断地相互联系，没有绝对与外界相隔离的东西。譬如我们在某一地方找了许多树木，因之那地方的气候和土壤为之变更等。又如我们现在动手写字，纸放在台上，对于桌子生出压力，桌子压着地面，因之连带发生了许多变化。动着笔，空气为之震荡着，这个震荡传播些小冲动，一直消灭于某一地点。变化尽管小，但是却是存在的。宇宙万象都是相互联系得不可分离，没有独立与其周围不相关的东西。宇宙里没有绝对孤立的东西。现在再来举几个例：当1917年俄国的十月革命成功之后，那时各国的社会民主党员都主张，俄国的多数派的政权一定保持不了多久，因为全世界的社会主义的政权仅只建立在俄国一国，各国帝国主义的力量还是非常的强大，但是俄国的革命的政权毕竟保持到今年已是12个年头了。这是什么缘故，他们的错误在哪里？即他们把俄国只当作孤立的观察，不顾俄国和西欧的关系及帮助了多数派之世界革命的生长的关系的缘故。第一次世界大战，是各帝国主义间的内在的矛盾的爆发，他①在想在这次战争中，来巩固各自的资本主义的政权，来争夺世界帝国主义的霸权，但是结果呢？却来了俄国的无产阶级的革命，动摇了整个的资本主义的政权，给全世界的帝国主义以一个重大的威吓。这是为什么缘故呢？因为俄国的无产阶级能把握客观的环境，世界的资产阶级在互相争夺之中，他们的力量（对于反动统治的力量）当然不比较的薄弱，一方面更由于种种客观事实的造成，战争与别的为资产阶级所未见到的事物是相联系着的。当面的现象或当面的问题必须在这现象与别的现象的关联之上，与所有的一切的情况不分开地考察，故考察万有的这个辩证法的方法要求：一切现象首先就须在其不可分的关联上考察，而且，须在其运动的状态上考察。我再来举恩格斯的话来作结："在其本质上，在其关联上，在其连锁上，在其运动上，在其生成和经过上，去把握事物及其概念的映像。"

———————————

① "他"应为"它们"，即诸帝国主义国家。——编者注

五、社会科学中之历史主义

问：唯物的历史主义之史的发展如何？

答：最新科学的宇宙观之发展里，马克思的姓名正可以和哥白尼、达尔文的姓名相并立。第一个科学上的革命家哥白尼，规定我们对于天体中地球位置的正确观念，就此开始科学的唯物的宇宙公律之观察；第二个科学上的革命家达尔文，发现物理变化生存竞争的原理，就此开始科学唯物的生物世界公律之观察；第三个科学上的革命家马克思，发现社会进化阶级斗争的原则，就此开始科学的唯物的社会历史公律之观察。马克思是将历史变成真正科学的第一人。能够制成工具，并且靠这些工具来生产——这种能力便使人类能有生产力的储蓄：先有物质的生产力，就是工具及生产方法，随后更发生精神的生产力：经验、才干、技能。所以生产力之发展是人类历史的主动的力量，是所谓主要的"动力"，譬如钟表里的发条。这是历史唯物论的第一要义。生产力之某种状态，生产之某种方法，必然要在参加生产的人与人之间，造成一种很确定的关系。这些关系不是各个人的意志及意识所能支配的；人没有能力改变这些关系，所以只能服从，和服从自然界的公律一样。这是历史唯物论的第二要义。

问：人类社会是否永久都是这样的？

答：当然不是的。人类的社会是天天在变化，时时刻刻都在变化；从前的社会和现在的社会是完全不相对的。来举一个显明的例：譬如俄国自从十月革命以后，劳动阶级和一部分的农民掌握了政权，资产阶级失去了统治权。一切的生产工具生产机关都属于劳动者国家所有。这时，一向被压迫被榨取的劳动阶级就做了统治者了。但是在十月革命以前呢？资产阶级和地主掌握了一切，占有着一切，统治了全社会，那时工人农人是替他们劳动，做他们底奴隶。在1861年农人解放以前，那时的工厂还没有。地主处置农奴和处置家畜一样，可以惩罚，售卖，交换，完全当他们作商品一样。我们如果再追踪上去，就会发现游牧时代的野蛮民族，和原始时代的共产社会等。所以社会是在继续不断地变化和进展的。譬如古代的希腊罗马，是文化发扬和集中的地方，许多诗人和文学家美术家都集中在那个古罗马底都城,歌咏它的伟大。但是现在呢? 完全灭亡了。罗马已经变成了法西斯蒂的发源地,世界白色恐怖的源泉。前后的差别是怎么的大啊! 所以,人类是不断地发展了的,即,一切都是向更大的完美方面进步了的。我们可以说:有许多发达得非常之高的社会底没落。其中,希腊圣贤和奴隶所有者的这个国家也没落了。但是希腊和罗马却至少给了我们很大的影响于历史之其后的进行:即这两国作了历史上的肥料。但有时亦有些整个的"文化",对于别的民族别的时代,毫无影响地消灭了。法国曾经发现许多地下的奇迹,关于这,迈耶(Edward Meyer)教授说:"我觉得难以拒绝这个假定。这与在法国地带发达了的原始人底文化是有关系的,……这文化为一大灾难绝灭,而未影响到其后的时代。这古石器时代的文化和新石器时代的初期之间,没有历史上的关联。"可是这儿虽不一定常有发达,但必常有运动和变化——终使终归于消灭或瓦解。这许多现象我们不但可在社会的经济结构里探寻到,而且社会的生活、社会的技术,没有一样不在变化之中。我们追踪到上古的时候,有一人种,大家打起仗来,不幸而为俘虏,这俘虏就要被敌人所食。我们看到这种情形,即现在的帝国主义,也不能出此手段。又有一种种族,有杀老人及女婴儿的风习,并且这种风习被视为极道德而且神圣的。这就是社会制度的变化。从前我们视为习惯的,现在或者不能作为习惯了。更有社会之技术的变化,也是发达得很厉害,从前用石斧和刀矛的,现在用毒瓦斯和坦克车,这样的比较起来是相差得多么远啊! 家族的形式也是在日新月异之中,从前保守着一夫一妻制,丈夫死了妻子不能再嫁,现在进而为谈恋爱,什么"三角"、"四角",一直到"杂交"、"乱婚"。所以社会上的现象也和自然界一样的,常在流转不息的变动之中。

问:怎样研究人类社会发展之阶级呢?

答:这可以分为几项来讲:

(1)我们必须在社会之各个的形式在它的特质上去考察。我们不能把一切时代,一切时期,一切的社会形式以同样的方式去考察。不可将奴隶、农奴、无产阶级,当作同一的性质。希腊的奴隶,俄国的农奴,现代资本主义下的无产阶级,都是别的性质,不可混同的。它有特殊的特性,特殊的目标,特殊的发达。共产主义是将来社会的终极目标,是全然特殊的秩序。共产主义的过渡期间,即是无产阶级独裁的时期,亦是特殊的秩序。每种社会的特殊的性质都应当细加研究。只有这样,我们才能了解变化的历程。因为,各别的特殊性质,必有它各别的发达法则。例如我们来考察资本主义,我们先要来研究资本主义发生的原因,它的社会的根据,资本主义发展的历程,它的特殊性。马克思他以发现资本主义社会底运动法则为主要问题。所以马克思不得不究明资本主义底一切特殊性,一切特殊的特征。因为这样,马克思才得发现了"发达法则",及预言了小生产由大生产之避不脱的吸收,无产阶级的生长,和资本家的冲突,劳动阶级的革命,因而推翻资本主义的统治,社会起了巨大的变革——达到无产阶级的独裁制度。马克思在《资本论》里说:"历史上各时代有其固有的法则。人类生活一经过一定的发达期,从一定的阶段一移到别个阶段时,便又被别种法则开始支配。"社会学是社会科学里最综合的科学,即综合的研究社会,不专就社会之某一现象或某一形式去研究,即对于并不研究各个的社会形式而研究一般社会之最普遍的社会科学,建立这个根本法则来起,多少作为指导特殊社会诸科学的社会看待,这是重要的,因为社会学对于这些特殊社会诸科学形成一个研究的方法①。

(2)应当将各个的社会形式在它的内部变化的历程上去考察。我们就是要在它的发达的阶段上去考察。每一种社会形式,并不是生来就这样的,它一定经过了许多发展的阶段然后过渡到另一种社会形式。例如资本主义,并不是生来就是现阶段的资本主义——金融资本主义,也并不是就会发生同样不变的资本主义。资本主义是经历了各阶段才进展到现在的金融资本主义。由商业资本主义,工业资本主义,然后进展到金融资本主义,产生出许多新迭加,托辣斯,而变为现在的帝国主义。即使在这几种资本主义的内部也有许多变更的过程。每一阶段是后一阶段底预备,亦是前一阶段的结果——必发的法则。

(3)应当将每一种社会底形式在它的发展过程上,及必然的消灭上,和与别种形式的联系上去考察。因为每一种社会的形式并不是凭空而来的,前一形式是后一形式的因,后一形式是前一形式的果。我们来考察这几种形式的

---

① 此句疑有排印错误。——编者注

阶段,我们往往还不能明显分出它们的界限来:什么地方是社会的一个形式流涨到别个形式的界限。历史的阶段不是固定的,凝结的单一体,而是不断地变化的过程。所以我们要正确地研究,便不得不追求它发生的原因,构成它的一切条件,它的发展的动力,社会的前提条件。同样,我们还要考察前一制度的没落的必然性,和后一制度的继起的关系。所以,无论哪个阶段,都是连锁的一环。无论哪阶段都与两旁的环相联系着。我们就拿资本主义来举一个例:资本主义的发生,是因为生产的发达,机械的发明,而从封建关系发达出来的。资本主义走到金融资本主义——帝国主义的现阶段,必然要起社会的变革,向共产主义开展出去。我们要探求资本主义和它以前的社会制度的关系及过渡到共产主义的必然的变迁,才能理解这种社会的形式。社会的别的各形态亦不得不用同样的眼光去研究。这亦是辩证法底原因之一。这我们可以称为"历史的必然性"。因为这种见解把社会形式不视为永久的,而视为在历史的某一时期出现而消灭的历史上之暂时的形式的缘故。

六、矛盾互斗及历史发达底矛盾

问:一切的运动究竟是怎样的进行?

答:一切的运动和变化都由于内部的不断的矛盾,内部的不断的斗争所造成的。古代的两大哲学家——赫拉克里德和黑智儿,他们非特发明了万象的变化性及运动性的法则,他们还发现了这内部矛盾之法则。赫拉克里德说:"斗争是一切之源。"黑智儿说:"矛盾是引导者。"这里要说的,便是一切变化、运动或发展,都在对立或矛盾中发现,即因一事物的否定而实现。由否定一事实而生否定,再否定,此否定又生肯定。

问:什么叫做否定之否定?

答:否定之否定,就理论上说来,无论在思维上在现实上,都发生肯定。否定和肯定,是两极的概念。因肯定的否定而设立否定,因否定的否定而设立肯定。我们若否定肯定,便得了否定,即得了第一的否定。我们若再否定否定,便得了肯定,即得了第二的否定,结果仍是肯定。我们在普通的言语上,由两重否定生出一个肯定。但在辩证法上,由两重否定生出一个肯定。在辩证法上,由两重否定,并不再造出高的事物和原来的事物①,不简单的复回到那出发点,而是发生新的事物,这便是辩证法的特征。在这一点,过程一经开始出发的事物,就在较高的阶段上再造出来。所以从两重否定的过程出发,便发生别种的性质,便发生一个新的形态。那原来的性质,便在这中间被扬弃,被包含了。我们还可把这否定的法则,改为"从旧东西产出新东西的法则"。

问:一切事物的进行,是不是保持着均衡的状态的?

答:这个我们可以这样的来观察:社会是存在于自然之中,社会多少总适应于自然,而与自然保持着相当的均衡状态。社会的各部分,如果社会存续,都不住地在互相适应。

问:那么均衡与矛盾和斗争有如何的关系呢?

答:这里所注意的,在自然及社会里,我们所观察的均衡,并不是一绝对的不动的均衡,而是一可动的均衡。这是什么意思呢? 均衡一出现,立刻就受搅乱;在新的基础上再一出现,便再多搅乱,这样便永久地继续下去。

问:所谓均衡,严密的概念是怎样呢?

答:若一个组织体不能自发地,即不加以外部的 Energie②,不能丢弃这个状态时,我们就说这个组织体在均衡的状态。譬如有些力量作用于一个物体,这些力量相杀的时候,这物体便存于均衡的状态。如果这些力量之中,有一力量增大或减小的时候,那么均衡便被搅乱了。如果均衡的搅乱急剧地停止,物体复归于从前的状态,那么便说均衡稳定了。

问:均衡的过程是怎样的呢?

答:均衡的过程依下面的方式而进展:(1)均衡状态;(2)均衡的搅乱;(3)均衡恢复,建立新的基础。这样的新均衡便成为新搅乱的出发点,别的均衡再继续起来,这样一直反复进展到无限。总之,动的过程,便是内在的矛盾的发展。可以用公式表之如下:

(1)均衡状态　正(These)

---

① 此句疑有排印错误。——编者注
② 即能量。——编者注

（2）均衡搅乱　反（Antithese）

（3）均衡恢复　合（Synthese）

符合这三段定式（Triade）之一切存在的运动底这种性质,即名为辩证法（dialektisch）。

问:黑智儿的辩证法和马克思的辩证法相异之点何在?

答:黑智儿因为是唯心论者,所以他的辩证法也必然地是唯心的。黑智儿以为一切都是精神的自己发展。他视为一切东西是精神的,思维的性质。马克思的辩证法恰正与之相反。马克思以为观念是决定于物质的。辩证法是矛盾内的发展,一是存在的法则,一是物质运动的法则,以及社会里的运动的法则。这种法则的表现即是思维过程。辩证的方法,辩证的思考法之所以是必需的,是因为它能理解自然辩证法。

问:环境和组织体间有什么矛盾呢?

答:环境和组织体有不断的联系:环境作用于组织体,组织体亦作用于环境。这种影响便可以互变律的作用①。现在我们首先要问:环境和组织间有几种形式,这些关系于组织有什么意义。

我们可以分做三种形式来看:

（1）稳定的均衡。环境和组织之间的相互关系,若是不变的状态时,或是以前的状态虽被搅乱,而以前之形式却可被恢复,即是稳定的均势。而稳定的均衡不一定常为完全没有运动的,运动也是能够有的,不过在这时候,伴着均衡搅乱所发生的,是在以前的基础上的均衡的恢复。在这种时候,环境和组织体的矛盾不断地在同一量的交互关系上被恢复。同样,社会的生产和消费如果一样多的时候,那末,社会和自然之间的矛盾可依以前的形式恢复,即社会于是停滞,生出稳定的均衡状态。

（2）积极的可动的均衡（组织体的发达）。实际上像上述的均衡状态是没有的,这不过是一种可动的均衡而已。环境和组织体间的相互影响而时时变更,绝不能常久保持原来的均衡。均衡搅乱在实际上不能引起与以前的基础全然相同的情状。假使组织体的适应力较小,那便要渐渐消灭;假使组织体的

---

① 此句疑有排印错误。——编者注

势力较大,那便能渐渐发达。组织体与环境之间的均衡,经过一次破坏,再恢复过来的时候,已另是一种新的均衡。如果社会的生产力逐渐增多,而社会的消费并不增多,或者何者减少,那末这个社会便生长,而不停滞于某一点。这样,所谓新的均衡便的的确确是新的。社会和自然间的矛盾,每回都会恢复于更高的基础上,尤其是恢复于这组织体能生长发达的那种基础上,这便是一种变易的均衡,是积极的可动的均衡。

(3)消极的可动的均衡(组织体底崩坏)。有时,新的基础会发现于"更低"的基础上。假使一个社会里,生产量突然减少,而消费者反而增加,这样,人民便无法生存,社会也不能发展。这种情况便是消极的情况。

问:组织体自身有什么矛盾呢?

答:上面所说的组织体与环境的矛盾,这是外面的矛盾;组织体的自身内部,还有内部的矛盾。我们举一个显明的例,即是社会间的阶级斗争,这是组织体自身内部的均衡搅乱,矛盾的发展。这个矛盾是推动历史前进的。更有像资本主义社会的生产集积,形成了生产之无政府状态,这也是它们内部的矛盾。这也就是历史的发展,就是矛盾的发展。

问:那么环境和组织体间的矛盾,及组织自身各要素间的矛盾,这两个现象之间有什么联系呢?

答:组织体的内部构造(内的均衡),不得不跟照那存于组织体和环境之间的关系而变化,这是完全明显的。组织体和环境间的关系是一决定的因子,因为组织体的全状态,它变动的根本形式(灭亡、发达、停滞)正是由这关系而决定的缘故。在前面我们已经知道社会和自然间的均衡的性质决定着社会运动底根本方向。在这种情状之下,内部构造能够永久地与外的均衡向着反对方向发展么? 不消说是不能的。假使有一正在发达着的社会,在这种情状之下,社会底内部构造能继续不断地恶化么? 自然不能的。可是,如果内部构造在发达的情况之下而恶化的时候,即内部的矛盾在增大的时候,那么即是说,在发现出一新的矛盾。然而到底是怎样呢? 社会如果在这时候还要发达,那末社会便不得不经过一番改造:即社会底内部构造不得不去适应于外的均衡的性质。所以,内的(构造的)均衡是依存于外的均衡的量(是外的均衡的一种功能)。

七、社会科学中之突变性与渐变性

问：什么叫做突变性与渐变性？

答：这亦是辩证法的一个特征。平常的人以为自然是不会飞跃的。这种愚蠢的思想他们想来否认革命的发展。黑智儿在他的论理学里说："普通说自然里面没有飞跃"；至于说到发生或消灭，通常的见解以为发生或消灭是渐进的出现或消灭就可得以理解。但是我们已知道存在的变化一般地不仅是一个量到别一个量的转移，亦是从一质的东西到量的东西的转移，以及与这相倒的转移，即一别的生成——渐进的中断及与先行存在在质上相异的生成。

这即是质变为量和量变为质的命题。这个命题，指示一事物或数事物的单纯的增加，发生质的变化；反之，质的变化又发生量的变化。

我们举例来说明这个命题：拿水来说吧。假定我们来烧水，水的热度如果升高到某一点，水不能再热上去了，就要变成水蒸气；反之，我们拿水如果冷到一定的限度，水也不是永远的冷下去的，水就要变而为冰。这是因为分子的运动量子的减少，所以，到了运动底一定的阶段，量的变化便要唤起质的变化。这是一。第二，这种从量到质底转移以飞跃的形式实行，而且在这个当儿，继续性与渐进性突然为之中断。

量到质底变化，是物质运动的根本法则之一。在自然界及社会里我们可以随处追寻出这种法则来。

问：什么叫做飞跃？

答：这在上面已经约略的讲过。飞跃是一件事象之特殊的进展。上面举的水的质量的变化的例是自然中的飞跃。这里，我们再可举一个社会的例。资本主义进展到金融资本的时代，已是帝国主义的形态。那时候社会上的一切生产大企业都为少数的新迭加、托拉斯所操纵，金钱集中到少数的寡头金融资本家之手。社会上是普遍的贫穷，无产阶级一天工作十几小时还没有饭吃，社会进展到这个时代，便必然地要起变化，无产阶级革命，夺取政权，这即是一种飞跃。于是，我们知道：完全否认飞跃，而只讲巧妙的渐进性，这是毫无意义的。实际上，在自然里我们亦极频繁地逢到飞跃。而且自然不会飞跃这句成语,单是恐惧社会内的飞跃的一个表现,即是对于革命感觉不安的一个表现。

社会内的革命与自然内的飞跃是一样的性质。这不是从天上掉下来的,社会里与自然里是一样的,有飞跃;这些飞跃是由事物之先行的经过所准备了的。社会内的进化(渐进的发达)要引到革命(飞跃)。普列哈诺夫说:"飞跃前提——渐进的变化,而且这渐进的变化要引到飞跃。这是在同一过程中之两个必然的要素。"于此我们可以知道:社会与自然间,必须经过一种突变才能开始一种新方向的渐变。即往往必须经过一次改造(Reconstruction)方能开始一种新的改良(Reform)。

这样,我们就可懂得社会科学中的突变性与渐变性了。

* * *

以上关于辩证法的概要总算完了。我们再归纳起来,即是辩证法的最普遍的特征是在事物的关联中,在事物的连续和永动的关联中,在矛盾的发展中,在从事物的变化中,去观察事物。

* * *

辩证法的唯物论是每一个研究社会科学的所首先应当把握的。这是马克思主义的哲学基础。这是无产阶级斗争的武器。是我们每一个青年所应当理解和把握的。

唯物辩证法三原则的关系

（1939.4）

艾寒松、史枚两先生拟定了几个题目,约我写几篇文章在《读书月报》上发表。这些题目所包含的内容,据说是目前初学的青年朋友们所亟欲了解的。本题便是其中的一个。

关于唯物辩证法三法则及其关系的问题,拙著《社会学大纲》第1篇第3章之中,有比较详尽的说明,本文虽专注意说明三法则的关系这一侧面,但仍不免与前者有重复之处,特此附志。

一、当作辩证法核心看的对立统一法则

唯物辩证法的三法则,是对立统一法则,质量间转变法则,否定之否定法则。这三者之中,最根本的法则,是对立统一法则。这个法则,是辩证法的核心,是辩证法的精髓。

伊里奇说:"辩证法,是关于对立怎样能是同一性?又怎样是同一性(怎样变成同一性)?在怎样条件下对立变成同一性而互相转化?为什么人的悟性不把这些对立当作死的,凝固了的东西去观察,却当作生动的,附条件的,可变动的,互相转化的东西去观察?等等问题学说。"如果把各段说明简约起来,辩证法就是关于对立的统一或同一的法则的学说。

对立统一法则,是在自然、社会及思维的过程中认识其互相排斥,互相否定的矛盾与对立的诸倾向及其由一种形态转变为他种形态的法则。这个法则是客观世界发展的根本法则,又是人类认识发展的根本法则。人类的认识,能够把任何事物分解为对立物,认识其矛盾的各成分及其相互作用,认识其转变

过程,同时又能把对立物结合于统一或同一,反映出任何事物的发展过程。所以对立统一法则,是在于说明客观对象是对立的统一,因其内的矛盾即对立的斗争而运动而发展,由一种形态转变为别种形态。

所以当我们应用对立统一法则去认识任何对象,首先要把这对象当作一个发生、发展及转变的过程去考察。我们要把这对象分解为许多互相渗透的对立物,在这许多对立物之中,去发现一种最单纯最根本的对立物,或最单纯最根本的关系,即本质的矛盾。这本质的矛盾必须是对象发展过程中其他一切矛盾的萌芽。即是说,其他一切矛盾,都是从这本质的矛盾出发,并表现这个本质的矛盾。我们抓住了这本质的矛盾之后,就开始探求这矛盾自始至终的发展的全过程,对象发展的全生涯。于是我们追求这矛盾的发展怎样准备解决矛盾的条件而变化为新的矛盾,出现为新的阶段,新的形态;追求过程各阶段各方面的变化,充满矛盾的各方面的运动的相互的特殊的质,矛盾的各方面互相渗透及互相推移;追求这对象在其内的斗争过程中如何转变为它的反对物的必然性,说明这必然性所由形成的全部条件及其可能性,并指出这种可能性如何转变为现实性,而由新的形态所代替。照这样进行研究,我们就能认识对象的发展法则,在思维中再造出对象。

世界一切的东西(自然、社会或思维),都依从于对立、统一法则而发展,而由一种形态转变为别种形态。所谓"飞跃"、"连续性中断"、"向反对物转变"、"质量间的转变"、"旧事物死灭与新事物发生"——这一切变化,都是必然的形态,都是矛盾的发展,都由对立物的转变而显现。

统一物之被分解为对立物以及充满着矛盾的构成分之认识,——这是辩证法的精髓。"对立物包含在统一之中,由统一的分裂而生。所以在其自己运动上,在其自发的发展上,在其生动的现实上去把捉一切世界进行的认识条件,就是把他们作为对立物的统一去认识。"只有"对立物统一的理解,才能提供给我们一个锁匙去理解一切存在物的自己运动,才能使我们理解'飞跃'、'连续性的中断'、'向反对物转变'、'旧物死灭与新物发生'等的变化"。

所以对立统一的法则,是辩证法的最根本的法则。这个根本法则,包摄着质量间转变法则及否定之否定法则,又是理解这些法则的关键。

二、质量间转变法则与对立统一法则的关系

上面说过,一切事物,都依从于对立统一法则而由一种形态转变为他种形态,即由一种对立转变为他种对立,这样的转变就是飞跃。而飞跃的变化,即是由量到质及由质到量的推移。因为事物基于对立统一法则的发展,是在逐渐的量的变化的形式中显现的,这种量的变化,结果引起质的飞跃的变化。质的转变显现之后,更依据于新质而回到逐渐的量的变化。这就是质量间转变的法则。这个法则,实是对立统一法则的具体的显现形态。

当我们根据对立统一法则考察特定对象时,必先就质与量的二重见地去考察,即首先要规定它的质,其次要规定它的量。质是表明一个事物所以与其他事物不同的现存着的那样的规定性。例如生理的变化表明生命的质,被侵略状态表明近百年来中国的质。量是表明事物的大小、延长及发展程度等的规定性。事物之量的规定性,是与其质的规定性相结托的。例如时间的久暂及生长程度等,表明生命的量;数千年文化,四亿半人口,数千万方里土地,列强的侵略范围及侵略程度等,表明被侵略的中国的量。

质与量是任何事物的两个不可分离的契机。质依量而存在,量依质而存在;无量则无质,无质则无量。但量受质所规定,质在量之中发展。质与量的对立统一,即是质量。具体的事物,都是一定的质量。任何事物,只有当作特定的质量去考察,才是具体的考察,才能进而探求其内的具体的矛盾,理解那些具体的矛盾的全过程。所以当我们把近百年来的中国规定为被侵略国之时,必须考察到中国的历史悠久,地大物博,人口众多,以及历受列强之政治的经济的与文化的侵略范围之广,程度之深等方面,然后才能具体的考察近百年来中国发展的过程,把捉其具体的矛盾的诸契机,矛盾的发展,并理解中国的出路。

特定质量(即特定对象)中质的发展有一定的界限。界限是质本身中所固有的东西。如果没有界限,便没有质,便没有规定性,便没有一事物与他事物的区别。旧事物的死灭是新事物的质,某种质的界限是别种质。一切的质,由于发展其一切可能性而暴露自己的界限,并引起新质的开始发生,转变为别

种质。就前例说,1840年以来的中国的质,是被侵略国。这被侵略的质,在近百年间的发展,已暴露出自己的界限,显出了两种可能性——中国的灭亡与中国的复兴。前者是抽象的可能性,后者是具体的可能性。这一次的抗战,正在努力着使上述具体可能性转变为现实性。所以特定事物的质,内含着它的否定的契机(即转变为别种质),形成对立的统一。

在另一方面,事物的发展,表明其量的规定性与其质的规定性,形成内的关联。量的变化也有一定的界限,量的变化的界限,是与质的变化的界限互相联系的。在量的变化的界限以内,事物虽在发展,却不变质。在这一点,量与质是对立的。但在量的变化达到一定界限时,就引起质的变化。于是量的界限的到达,即是质的界限的到达(同一)。

近百年来中国受帝国主义者所侵略的范围日趋扩大,其程度日益加深,但在九一八事变以前,中国还不会濒临灭亡。可知九一八事变实是被侵略的中国的量的发展的界限。反之,在另一方面,近百年来中国反侵略运动,经由鸦片战役、太平天国革命、甲午战役、义和团事变、辛亥革命、五四运动、五卅运动、民国十三年到民国十六年的国民革命等,民族解放运动逐渐发展,直到七七事变以来的全面抗战,这反侵略斗争之量的变化达到极限,中国的被侵略状态快要消灭,而将转变为独立自由的新中国了。这便是说明中国将由历史的必然飞跃到自由的王国。

近百年来中国的发展,在民族革命的意义上说来,是侵略运动与反侵略运动的矛盾的发展。在这发展过程中,反侵略运动克服侵略运动,使中国由被侵略状态飞跃到独立自由状态。我中国民族,现正处于这飞跃的大时代。这飞跃的大时代,以这次的革命战争为总的关键。而在这次战争中的目前的第二阶段,又是一个转败为胜的大飞跃。这个大飞跃的时期是相当长久的,我们的任务异常艰苦,必须努力的加紧主观的准备,配合客观的国内外的情势,以期争取最后胜利,实现这个大飞跃。

三、否定之否定法则与对立统一法则的关系

否定之否定法则,是对立统一法则更具体的显现形态。

事物在其矛盾的发展过程中,低级发展阶段,准备它自身的自己否定的阶段,即准备转变为对立物的、新而较高的阶段。这是后起阶段克服先行阶段的否定。这个否定,在这两个阶段之间造出内的联系,在后起阶段上保存先行阶段的积极的成果。但是这第二阶段由于新的对立而推移到后起的第三阶段时,事物的发展,就把最初低级阶段的一定的特征和性质再行重演,而在外观上这第三阶段好像再回到第一阶段。可是发展的过程,因后来的发展,变得更为丰富,把那些重演的性质和特征在较高的基础上再生出来,于是当作全体看的发展过程,就描成螺旋线而发展。这样,第一阶段被第二阶段所否定,第二阶段再被第三阶段所否定。这第二的否定,是否定之否定。照这样采取否定之否定的过程而发展的法则,叫做否定之否定法则。

这个法则,是说明依从于对立统一法则而发展的事物,经过先行阶段的发展而转生为新事物的法则。在自然界、社会界以及人类思维的发展过程中,这个法则,很普遍起着作用。就目前中国的事实举例如下。

第一,近百年来中国的发展,显现出如下的阶段:

独立国——半殖民地——新独立国

第二,民国十三年以来民族革命战线的发展显出如下的阶段:

统一——分裂——新统一

事物过程中矛盾的两个方面,成为对立物而互相渗透,互相补充。对立物的互相渗透,根本上由于一极是他极的否定,是自身的肯定。肯定的契机与否定的契机,形成暂时相对的统一。这第一阶段,是事物的本质的矛盾设定的阶段,是肯定中孕育着否定萌芽的阶段。由于这否定契机的发展,就引起特定统一的否定。于是事物由肯定阶段发展到否定阶段。这第二阶段,是事物的矛盾发展的阶段,是否定肯定而又孕育再否定的阶段。否定之否定的契机也包含于否定之中,由于这契机的发展,引起否定的否定。于是事物由第二阶段发展到第三阶段。第三阶段,是再扬弃否定的阶段,是由先行诸阶段的发展所准备的矛盾之相对的解决的阶段。是新事物出现而又成为新事物发展的出发点的阶段。

就前述第一例来说。1840年以前的中国虽是独立国,但经济落后,政治腐败,在当时资本主义列强之前,充分暴露出将被沦亡的征兆。就这一方面说,当时的中国之独立的契机与殖民地化的契机,形成相对的统一。由于鸦片战役、中法战役、甲午战役以及庚子战役的屡次的失败,中国就沦入了半殖民地状态。从此国际地位虽然降低了,但民族意识逐渐高涨,新的文化也逐渐发达了。于是半殖民地状态又孕育了再否定的契机。由于日益加强的民族意识而发动的民族革命运动,逐渐趋于广泛而激烈,终于爆发了这一次持久的全面的民族战争。这民族战争,必然的再否定半殖民地状态,使中国成为新的高级的独立自由的中国。这否定之否定的第三阶段,是我们全民族正在努力争取的。

再就前述第二例来说,民国十三年至民国十六年的统一战线是第一阶段。第一阶段中的矛盾,是基于民族意识薄弱而来的矛盾,是阶级利害与民族利害的矛盾。由于那矛盾的发展,统一战线就陷入了分裂状态。这分裂状态,对于民族革命是一个大不幸,但十年来经验的教训,侵略压力的加强,民族危机的严重等等,终于锻炼出全民族的坚强深刻的民族自觉。于是各阶层在民族至上,国家至上,一切服从抗日的最高原则之下,形成了崭新的、更广泛的全民族统一战线——终必摧毁日帝国主义的民族统一战线。这新统一战线,是高级的、进步的团结。在这种团结之下,追求"国际地位平等,政治地位平等,经济地位平等"的三民主义原则的彻底实现,中国才可能和平的走向新社会。

(原载 1939 年《读书月报》第 1 卷第 4 期,署名李达)

论广义经济学[①]

（1939.5）

一、广义经济学的对象

经济学的对象，是特定社会的经济构造，而经济构造即是生产关系与生产力的统一，所以以经济构造为对象的经济学，不仅研究生产关系，并且研究生产力发展的社会形式，指出生产力与生产关系的矛盾，暴露特定经济构造的矛盾的发展过程，及其由一种形态转变到别种高级形态的法则。简单点说，经济学是研究特定社会的经济构造，即适应于生产力的特定发展阶段的生产关系的发展法则的科学。

生产关系，在它与生产力的矛盾的统一中，是不断地变化、发展的。即是说，特定生产关系，发展了又消灭，转变为新的生产关系。因而常常存在着的东西，只是历史上特定的生产关系，它的形态和特性，是与历史上特定的生产方法相适应的。

在人类历史上，我们看到了五种质不相同的生产方法，即原始的、古代的（奴隶制的）、封建的、资本主义的及社会主义的生产方法。适应于这五种生产方法，出现了五种生产关系的体系，即五种经济构造的形态：

第一，原始社会的经济形态；

第二，古代社会的经济形态；

第三，封建社会的经济形态；

---

① 本文是作者在对其《经济学大纲》（1935 年由北平大学法商学院作为教材印行）"绪论"第二部分"经济学的范围"进行修订的基础上完成的。——编者注

第四,资本主义的经济形态;

第五,社会主义的经济形态。

历史上既然出现了五种生产关系体系即五种社会经济形态,那么,以生产关系或经济形态为对象的经济学,究竟研究哪一种经济形态呢? 它或者把这五种经济形态都拿来研究呢? 如果经济学把这五种经济形态都拿来研究,它们的发展法则是相同的呢? 或是不相同的呢? 或是它们有一些共通的发展法则呢? 这些是关于广义经济学与狭义经济学的区别的问题。

历史上各种经济构造的形态,以生产力与生产关系之特殊的一定的结合为特征,以两者间的矛盾之特殊的一定的形式为特征。因而各种特殊的经济形态,各有其固有的特殊性,各依从于其特殊的法则而发展。换句话说,各种经济形态,各有其特殊的发展法则。

历史上各种经济构造的形态,当然有一些共通的标识,共通的规定。但我们如要依靠这些共通的标识和规定,去认识历史上的一个特定的经济形态,却是不可能的。我们能够说资本主义经济和原始时代经济,是依从同一法则而发展的么? 我们能够说社会主义经济和资本主义经济,是依从同一法则而发展的么? 这种见解,只有个人主义经济学,才把它当作金科玉律去崇奉。实际上,每一种经济形态,都有其固有的特殊发展法则。当一个阶段上的经济形态发展到一定高度而转变到次一阶段之时,就开始受另一种发展法则所支配。各阶段上的经济形态所以各不相同的原因,从根本上说来,是由于物质生产力不断地发展。因为人类一旦获得了新的生产力,生产关系就随着改变,而支配这新生产力与新生产关系的新发展法则,就代替旧发展法则而支配新的经济形态了。所以适合于一定经济形态的法则,绝不能适合于别种经济形态。即是说,无条件的适合于一切经济形态而都妥当的法则,只是一个抽象,实际上是没有的。

不但各种经济形态各有其特殊法则,并且从一种经济形态到别种经济形态的转变法则,也是特殊的东西。例如从原始的经济形态到古代的经济形态,从古代的经济形态到封建的经济形态,从封建的经济形态到资本主义的经济形态,从资本主义的经济形态到社会主义的经济形态的各种转变法则,也都是特殊的法则。这些转变法则的特殊性,根源于各种经济形态的特殊发展法则,根源于各种生产方法的特殊性,即根源于生产力与生产关系的特殊性。例如由资本主义经济形态到社会主义经济形态的转变法则,与由封建的经济形态到资本主义的经济形态转变法则,是各不相同的。后者的转变,是封建形态中孕成了的资本主义的生产力与封建的生产关系相冲突的结果;前者的转变,是现代社会中发展了的生产力与资本主义的生产关系相冲突的结果。两者的特殊性,在法国革命与俄国革命中,具体的表现了出来。

如上所述,历史上各种经形态的发展法则的特殊性,以及顺次由一种经济形态推移到次一形态的转变法则的特殊性,是经济学所要集中其注意的焦点。只有个人主义经济学,才去抹杀各种经济形态的特殊性,涂抹各种形态的境界,想从一切经济中发现永久不变的资本主义的法则。例如正统经济学者,把原始时代猎人的弓箭和渔夫的钓鱼竿看成资本,把他们看成资本家,想借此证明资本这东西从初民时代即已存在,因而在千万年以后也是长存的东西。因此他们所视为万寿无疆的资本主义经济的法则,就被当作通用于一切经济时代的永久法则了。

然则历史上各种经济形态中,究竟有没有共通的一般的法则呢? 经济学认定这种一般的法则,在各种经济形态中确是存在的。但是这一般的法则,是从各种特殊形态的特殊法则抽象得来的。我们只有在研究了各阶段上的经济形态的特殊法则以后,才能够抽象出很少的一般的法则。例如说,生产力与生产关系的矛盾,是社会生产力发展的最一般的法则。生产力的这种一般的发展法则,对于各种经济形态都是共通的东西。各种经济形态的发生发展和消灭,都受这一般的法则所支配。任何经济形态,都含有生产力与生产关系的矛盾,它是这个矛盾的统一,由于这矛盾的发展而发展,而转变为新的形态。这便是一切经济形态的共通的一般的发展法则。但是这一般的法则,在各个特定经济形态中,显现出特殊的姿容的特殊的相貌。我们要想全面的理解一个形态的真相,必须具体的研究这个形态,把握其特殊的丰富的内容,树立一般与特殊的正确关系,才能发现这个形态的特殊发展法则,才能把捉住具体的真理。真理是具体的,抽象的真理决不存在。

历史上各种经济构造既然是依从于特殊法则而发展,经济学的任务,就不能研究某种固定了的,现实上不存在的经济构造,而是要研究历史上可变的经济构造,暴露各种经济构造的发展及其转变的特殊法则。所以经济学,在其自身的本质上,是一种历史科学,它要研究历史的,即不断变化的材料,它首先研究生产及交换的各个发展阶段的特殊法则。

广义经济学,研究历史上各种经济形态的发生,发展与没落及其互相转变的法则;狭义经济学,单只研究商品——资本主义的发生,发展及其没落的法则。这种狭义经济学,并不是完全离开广义经济学而独立存在的科学,而是广义经济学的构成阶段。

我们的研究,要采取广义经济学的立场,这不仅是具有纯理论的意义,并且还具有实践的意义。广义经济学,不仅是为了求得经济学的知识才去研究一切经济构造,而是为了求得社会的实践的指导原理才去研究它们。即是说,我们不是为理论而理论,为科学而科学,而是为了经济上的实践才研究经济学。

二、资本主义经济形态的研究

广义经济学中最重要的部分,是目前世界中两种经济体系——资本主义与社会主义——之研究,尤其是资本主义经济之研究。

为什么说资本主义经济研究最为重要呢? 这有下述三点理由。

第一,中国是被压迫民族,是国际帝国主义的半殖民地,我中华民族多年来酝酿着的民族解放运动,终于爆发了这次反倭帝国主义的大战争。这个大战争,从七七事变以来,已经进行了将近两年之久并已呈现胜利的曙光了。可是,帝国主义究竟是什么,这当面的敌人,我们必须充分地认识它,深刻地了解它。帝国主义原是资本主义的最后阶段,即是垂死的资本主义。资本主义,在其初期时代原是很进步的东西,但发展到最后阶段:它便变为垂死的东西了。所以我们要认识帝国主义,就必须研究资本主义经济的发生及发展的过程,暴露其发展法则,然后才能顺应这个法则,从事于由必然到自由的飞跃的实践。

第二,帝国主义内部的无产大众,是帝国主义的死对头,是帝国主义的掘墓人。他们是被压迫民族的友军,是世界反帝国主义联合战线的坚强队伍。我们的敌人,即是他们的敌人。例如倭寇侵略军内部反战潮流的高涨——前线武装了的工农(士兵)许多次的公开反战,甚至加入我们的阵营反抗他们的财阀和军阀;后方工人罢工,爆破兵工厂和矿山,农民暴动等,便是一个证明。帝国主义国家内部的无产大众为什么与我们被压迫民族一同打击共通的敌人,这种根据只有在资本主义的发展过程中去探求。我们只有研究了资本主义经济,才知道他们是扬弃资本主义社会的主体。

所以关于资本主义经济发展法则的暴露,在目前实是人类的最高问题。

第三,资本主义社会,是人类社会经历了若干万年的发展而成就的进步的历史的组织。资本主义社会的生产力,在历史上是很进步的东西,适应于现代很进步的生产力而成立的生产关系是很复杂的,因而资本主义的经济形态的发展法则,就具备了各种形态的发展法则所未有的特殊性。所以,我们如果理解了资本主义社会中所表现的各种社会关系的范畴,理解了这些社会关系的编制,同时可以洞察过去一切已经没落了的各种社会的经济形态,同时,我们又可以理解大众所生活着的资本主义经济形态,是历史的过渡的暂时的东西,绝不是永久不变的东西。它和它的发生发展曾是必然的一样,它的没落,它的向高级社会的推移,也是必然的。所以资本社会之肯定的理解中,同时又含有它的否定的,必然没落的理解。这即是资本主义社会发展法则的理解。

三、社会主义经济的研究

在目前世界中,与资本主义经济体系相对立的东西,有社会主义经济体系。社会主义经济体系,是在占地球六分之一的地面的苏联建立的。广义经济学,在阐明了资本主义经济的发展法则以后,必须进而研究社会主义经济发展法则。

社会主义经济与资本主义经济的对立,在我们面前,表现得异常明白。我们看到,在资本主义世界中,经济的总危机,已经表现为政治的总危机了,第二次世界大战,将要以比第一次更广大更凶残的规模而爆发了。这回的大战,是帝国主义自掘坟墓,这是无待多言的。

转眼去看另一个世界究竟是怎样呢? 在那里,完全出现了相反的现象。苏联自从1930年起,已经踏进了社会主义时代。在那里,一切工厂都在加速的生产着,工人失业的现象早已绝迹,大众生活的水准,一天比一天增高。这一切现象,为什么完全与资本主义世界相反呢? 要答复这个问题,我们必须研究苏联社会主义经济的发展法则。不但在理论上,并且在实践上,我们都要知道社会主义经济的法则。只有理解了这种法则,我中国国民经济的建设,才能订立应有的适当地进行步骤。

但是,苏联社会主义经济的发展,究竟有没有法则呢? 关于这个问题,苏联经济学界,曾经有过很大的论战。布哈林一派主张社会主义经济没有发展法则,因而不需要研究它的经济学。他们说,经济学单只研究商品——资本主义经济的发展法则,"资本主义商品社会的告终,同时是经济学的告终"。他们以为在资本主义经济中,价值法则发生盲目的作用,它是离人类意识而独立的,因而人与人的关系采取物与物的关系形态。所以商品经济中的生产关系,极其复杂而暧昧,必须有一种经济学去分析它的本性,究明它的法则。至于非商品社会,生产关系不采取物的关系的形态,这种生产关系的构成,是人们的意识租用的结果,极其单纯而透明,不需要特别的科学去研究它。所以他们主张关于社会主义经济(即非商品经济),只要有记述科学和应用科学就可以包括它,此外无须作理论的研究,因为它没有规律性。像这样主张社会主义经济没有规律性的见解,是非常错误的。这种错误,在苏联经济学界早被纠正了。

社会主义经济是有规律性的。一切的经济形态,都是生产力与生产关系的对立统一。生产力与生产关系的矛盾,在任何经济形态中都存在。这种矛盾采取什么形式? 生产力向着什么方向、用什么速度发展? 因而生产关系如何适应它而改变? 这些问题,在社会主义经济中仍是存留着。不过这些法则,在商品社会中,是自然发生作用,并支配着人类本身;但在非商品社会中,经济法则,都是通过人的意识而实现的法则。这在社会主义经济中,更是明显。

社会主义的经济法则,虽通过人的意识而实现,而他的本身仍是客观的存在着。所谓经济计划,就是依据于人们所发现的经济法则而订定而实施的。为要发展计划经济,就必须尽可能地去认识经济法则,所以苏联现在的经济学界,最注重于社会主义经济的法则之理论的研究和苏联社会主义经济法则之理解,是后进国家的大众所不能不注意的。

四、先资本主义的经济形态的研究

广义经济学,不单是研究上述两种经济体系,并且要研究先资本主义的诸经济形态——原始的、古代的及封建的经济形态。因为先资本主义经济形态的遗物,在现代的全部世界中,到处都是存在着。在现实上,世界许多落后民族,仍在那些经济形态中生活着。并且,那些先资本主义经济形态的遗物,在资本主义经济形态中,还当作一种经济制度存留着,而错杂的夹入于资本主义的生产关系中,甚至社会主义经济的初期时代,也还有那些遗物存在。所以为要全面地理解世界经济的各种形相,为要具体的认识资本主义经济形态,都不能不研究先资本主义的诸形态。

为要详细地说明这一层,还得要把经济形态和经济制度的差异的问题,加以解释。经济形态是特定社会的经济构造,它由特定的生产方法所规定。我们已经知道,历史上经济形态的发展,顺次经历了 5 个不同的阶段。各种经济形态,都继承先行经济形态积极的成果而发展,因而先行经济形态的遗物,仍在后续的新经济形态中,当作旧时代的制度残存着。例如原始经济的遗物,遗留于奴隶制经济形态中,往后奴隶制的遗物,又连同原始的遗物一并遗留于封建的经济形态。到了现代,封建制的遗物,又连同它以前的各种社会的残滓,一并遗留于资本主义的经济形态,成为各种错杂的经济制度,而受资本制的生产方法所支配。所以各种经济制度,能在特定经济形态中杂然并存。不过那些代表旧时代的经济制度,受新时代的生产方法所支配,而变为被支配的东西,附属的东西了。

在现实的历史上,我们看到资本主义经济在封建经济的母胎中孕成以后,就逐渐地克服封建的手工业及手工农业的经济,把封建社会改变为资本主义社会,而未经克服净尽的手工业及手工农业,虽然受着资本制的统治,却依旧还有生存的余地。所以现实的资本主义社会中,杂存着旧时代的各种经济制度。为要具体的全面的理解资本主义经济,理解手工业及手工农业崩溃的倾向,理解农民手工业者所以要反抗资本制的社会根据,就不能不研究先资本主义的经济形态。

先资本主义的经济的遗物,并且在过渡时期的经济中,也还存留到相当的时期。例如苏联大革命当时,资本主义经济与先资本主义经济互相交错着,社会主义经济还不存在。自从依据社会主义原则实行经济改造以后,社会主义的生产才开始发芽。最初的时候,大的资本主义企业虽被推翻,而小的资本主义企业以及手工业和手工农业的生产,仍存留了十余年之久。直到第一个五年计划实施以后,这些旧时代的遗物,才被克服,被清算,被改革为社会主义。所以为要理解先资本主义经济如何被改造,被推进为社会主义的过程,也不能不研究先资本主义经济。

目前整个的世界,除了苏联以外,其余全部都处在资本主义的支配之下。但在资本主义宰割之下的,拥有 12 亿人口的许多殖民地的落后民族,却多过着先资本主义时代的经济生活。这些落后民族的落后经济的崩溃倾向究竟怎样?其出路如何?这也是广义经济学所研究的问题。

五、中国现代经济的研究

最后,广义经济学,还必须研究中国现代的经济。

为什么经济学要研究中国现代的经济?要答复这个问题,先得要说明我们为什么研究经济学的问题。我们不是为了研究经济学才研究经济学,而是为要促进中国经济的发展才研究经济学。研究经济学的我们,是现代中国人。我们不仅生活于现代的资本主义世界,并且生活于帝国主义宰割之下的中国。我们研究经济学,能够只知道注意于世界经济,反而忽视了中国经济么?我们能够说中国现代的经济,和欧美各国的经济一样,因而认为没有研究必要么?这种谬误,在稍有现代的常识的人们都是知道的。

"经济学,对于一切国民,对于一切历史的时代,都不能是同一的东西。"谁都知道,中国早被降到国际帝国主义殖民地的地位,变成了资本主义列强的附庸,我们这次的抗倭的大战争,其目的就是要从那种殖民地的地位,从附庸的地位解放出来,以求得国际地位的平等,这在现在已变成了全中国人的信条。单只在这一点,就已经可以理解中国现代经济的特殊性。

中国经济,在鸦片战役以前,即大约在 1840 年以前,还是封建经济。自从

1840 年以后,资本主义一步一步地侵入中国经济的领域,撼动了两千年来根深蒂固的旧社会的基础。从那个时期起,中国开始变为各帝国主义者销售商品,采集原料,及投出资本的市场了。中国旧有的手工业及农业经济,就以加速度的步骤崩溃下去。大约从前世纪末叶以来,帝国主义者更利用一切不平等条约,在中国境内陆续设立资本主义的工厂及银行,直接剥削中国的劳苦大众,宰割中国的金融命脉,于是大规模的,直接和间接的,经济的和政治的侵略中国的过程,便很快地发展了。另一方面,中国民族资本,也在这过程中形成,而民族资本主义工业也开始成立了。民族资本的工业,在满清末年到民国初年之间,由于技术的落后与资本的薄弱,不能与国内的帝国主义国家的工业相竞争,直到第一次世界大战爆发以后,才稍有一点起色。因为当时欧洲各帝国主义者卷入了大战的漩涡,没有东顾余暇,对于中国经济的压力稍见缓懈,国内的市场除了美与倭帝国主义的商品以外,还有民族资本主义商品扩大的地盘,所以民族资本的工业能够成就了空前的发展。但是这种繁荣终不能长久保持,大战终结以后,欧洲各帝国主义者挟着极大的威力,狂烈的榨取东方殖民地与落后民族,以期医好在大战期中所受的创伤。结果,民族工业受到莫大的打击,首屈一指的纺织工业迅速的衰落下去,其他各工业更不待说了。尤其是从 1929 年的世界大恐慌发生以后,中国不久也卷入于漩涡之中,而帝国主义列强,又用尽种种可能的方法向中国加强榨取,使中国工农业陷于总破产状态。特别恶怪的东西,是倭帝国主义者。它希图独吞中国,猛烈的经济侵略与恶毒的领土侵略,双管齐下。1931 年,爆发九一八事变,侵占了我们的东四省,狼子野心犹以为未足,更于 1937 年爆发了七七事变,发动了整个灭亡中国的侵略战,同时我们中国全体人民认为生死存亡关头已到,终于爆发了反倭帝国主义的革命战争。

如上所述,1840 年以后的中国经济,是帝国主义殖民地化过程中的经济,在这一过程中,民族资本附庸于国际资本,始终没有得到独立的发展,旧式的手工农业虽日趋崩溃,而占全人口 70%的农民,却仍依靠这种生产而生活,显示着封建经济的顽强的抵抗性。这便是中国现代经济的特殊性。这种特殊的经济,必有其特殊法则。我们必须理解中国现代经济的特殊发展法则,才能正确地理解这一次伟大的民族解放战争的使命。所以我们的经济学,要先把捉住一般根本路程上的经济的进化之客观的法则,同时具体的考察中国经济的特殊法则,以期建立普遍与特殊之统一的理论。

一切国民,都将到达于社会主义,这是一个必然性。但它却并不是一切都精密的循着同一路线而达于社会主义的。这种必然性的实现,因为各个国民的经济的政治的种种特殊性,就会刻印着各自的特色。所以中国现代经济的研究,是能够指明中国经济的出路,并提供此后国民经济的独立发展的方案的。

抗战以来,中国经济已呈现新的姿态。在消极方面,沿海沿江的工业虽横被倭寇所摧残,所掠夺,所利用,但在驱逐倭寇以后,中国可以重建独立的经济构造,同时扫荡了倭帝国主义的霸权。在大后方方面,幼稚的、新创的工业经济,独占着广大的市场,脱离了后方的附庸性,能够得到独立的发展。在游击作战区方面,创造着崭新的经济生活,帝国主义的影响已经断绝,甚至封建的保守性也铲除了不少。所以抗争中的经济的新建设,已经奠定了新中国的物质的基础。可是,在这过程中发生的许多经济上的根本问题,是需要经济学去解决的。

从来的中国经济学,或者只是研究资本主义经济,或者并行的研究资本主义的与社会主义的经济,但对于中国经济却从不曾加以研究。这些经济专门研究外国经济,却把中国经济忽略了。我认为这是一个严重的错误,是极大的缺点。因此,我主张广义经济学,除了研究历史上各种顺序发展的经济形态以外,还必须研究中国经济。只有这样的研究,才能理解经济进化的一般原理在具体的中国经济状况中所显现的特殊的姿态、特殊的特征,才能得到具体的经济理论,才能知道中国经济的来踪和去迹,才能确立今后经济建设的方针。

总括起来说,把经济构造作为对象的经济学,要研究那种与生产力的特定发展阶段相适应的特定生产关系的发展法则,即暴露历史上各种经济形态的发生的发展及其转变到次一形态的特殊法则,由此以阐明现代中国经济的特殊法则,以促进中国国民经济的独立发展。

(原载 1939 年《读书月报》第 1 卷第 5 期,署名李达)

希墨对话

（1939.5）

墨：老希，我很抱歉，你五十诞辰，未曾亲去拜寿。

希：别提了！今年生日没有收进一点礼物，但泽和走廊也没有按期送来。近邻都不曾正式派代表给我拜寿，瞧不起我老希，总有一天叫他们认识我的利害！

墨：那些小节，何必介意，先谈谈反共公司以后的方针吧！

希：方针照旧，仍是反共，有什么可谈的？共是共自己的东西，反共是共别人的东西。反共这金字招牌，在我们那些邻家中很有信用，我抢了犹太人和捷克人，那些傻瓜还称赞我真能反共。我共了别人的东西还博得好名，比老斯派强多了。世界上哪里还有比反共公司更好的生意呢？

墨：我因为十分佩服你的好主意，所以当年才和你结成生死之交，合组这个公司。你近来做事真很得法，奥、捷两国在几个月之内归你独吞。单只捷克一处，你就得了几千万镑现金，几亿镑军火，还有大宗工农商业的利益。并且你未出一滴汗，未费一粒弹，我老墨真自愧弗如。

希：哈哈，你说的对。你也不错，阿兄（阿比西尼亚）、阿弟（阿尔巴尼亚）的东西归你独吞，如今西国你也可占点份儿。

墨：我占阿兄的东西，太不上算，损失很多里拉和人马，如今还没有恢复元气。那是一块沙漠呀。至于对西国我不过为老佛行点侠义，并且里拉和人马也牺牲不少，还垫给老佛一大注本钱。我不过拉老佛做个帮手好对付某国。谁想沾他的光？他已入了我们的伙，不久他也要共别人的东西。最近，夺取阿弟的那点产业，虽然未费吹灰之力，可惜未免太微小了。哪里比得上你。

希：戏法人人会变，各有巧妙不同。慕尼黑席上，我只三言两句，便把老张

86

他们稳住,我只说替亲房人收回自己的东西,他们就深信不疑。他们家里那些傻瓜们,还七嘴八舌的贺喜老张成功,说他已化干戈为玉帛,我却笑破了肚皮。那一次我看透了有钱人真的怕死,就得一个秘诀,故意装模作样,暗中准备下一着棋。不料时来运来,我只开了一句口,捷克的当家便双手把家产献上。我自己不觉兴奋起来,就提起一把剑,向周围的人挥了一个圈子,在我不过舒一舒筋骨而已,哪知道我做这一点体操,居然起了大影响,那些孤儿寡妇吓得发抖,老张他们只向我干瞪眼,嚷说不能承认,谁稀罕他们承认?抢东西还要别人承认的么?我于是顺手牵羊把米美尔拉了过来,还强制罗人(罗马尼亚)心甘情愿答应替我做工。你看我的手法怎样?

墨:你的手法真高妙!你当时不怕老张他们动手么?

希:说老实话,如果看出老张他们真要动手,我的做法又不同了。他们脑满肠肥,犯不着和我交手,横竖不曾抢着他们自己的东西呀。至于你,却把对象找错了。地中海那三处地方的主人虽然堕落了一点,可是他们有钱有势,还有老张做帮手,不易对付的。

墨:唉!可惜只有这么一个地球,不够我们反共。近来我也学一点乖,知道吃软怕硬,所以听你的话到巴尔干去反共,准备和你共分,不料小阿刚一上手,硬对头却紧紧地跟着盯梢,不便痛快地干下去,这便怎好!?

希:你别着急,巴尔干迟早是归我们的,多忍耐一些时间。我们只要记着巧取豪夺的原则就是,慢慢地来呀。

墨:老张他们正在计划着用绳子把你围起来,你的感觉怎样?

希:老张他们要包围我么?我却不曾注意。他们拿什么包围我,拿灯草做绳子包围我么?这太笑话了!那样的绳子,我一动就挣断,只要狠一狠,周围的小国,一口一个就把他们吞完,老张他们其奈我何!

墨:现在在远方的大财主老罗,近来竟写信给你我,和老张他们一鼻孔出气,你难道没有见到那封信么?

希:老罗的信是看见过的,那没有什么,值不得大惊小怪,我已叫报纸挖苦了他几句了。老罗喜欢出风头,去年我因为缺少现钱,才共了犹太人的财产,这是我在国内反共,与别人有什么相干。他却干着急,破口大骂,我装作没有听见,不理他完事。如今我在东欧反共,又不曾到美洲去反共,更与他无涉,他凭什么要强出头。在我们的法理上,他那信中所说的话是没有根据的。我想给他一个阴干大吉。

墨:回信总得写一封,我们要向他买进一些要紧的东西的。打不打,总得回他一封信。

希:打吗?谁打谁?他们打我们么?千金之子不死于盗贼!我们打他们么?你先想一想看!

墨:我们不能打他们。我们公司只有四个股东,有能耐的又只是你和我。东方的老倭太泄气,打了中国两年还没有影响,被中国拖到了二等国的地位,听说最近快要倾家。我打服大阿,才只费了8个月,并且面不改色,老倭真太丢人了。要靠他做帮手是不行的,他的陆军不值老斯一击,海军不值老罗一压。说到老佛,他连气也还喘不过来,至多也只能在西法边境和地中海沿岸呐喊一下,毕竟不中用。所以只有我们两人去打,犯不着!公司只有你我这一点本钱,营业要紧呀!

希:你说对了。关键握在我们手里,我们不伸第一拳,谁也不敢向我们动手。所以我这许久装模作样,做生日的那天阅兵示威,军舰也在地中海操演,他们知道我葫芦里装着什么药。我看着老张他们在地中海忙着布置,商船也不敢走苏彝河;又看着老罗把舰队开到太平洋,向着老倭示威。我心里只是好笑,却不好笑出声来,因为笑了出来,人们又说我太刻薄了。他们活见鬼,像煞有介事地要打起来,其他的众生们都感到临头而懔怀危惧。我就是这样的要骇唬一下他们再说。其实引火线在我手里,他们能猜得着我几时点燃火线?

墨:英雄所见略同。可是在世人的面前,总得给老罗回一封回信。我在20日的演说中反驳过他几句,正式的回信,我想参考你的意见。

希:我的意见不是叫老戈去对你说过一点么?我打算在28日的演说中,申说一番。首先我要站在我们的法理的根据上挖苦他几句。他突如其来的要求在一定期间不侵略他所开列的20个国家,真太笑话。他凭什么知道我要侵略那些国家?我们难道有保障那些国家的义务?这种话好像对着一个被指的强盗说,你要立誓在以后不抢张三李四那些人的东西啊!这简直把我们当作强盗看,还够得上是朋友么?这一点我得驳回去。人家自己不争气,变成了我们反共的对象,他们还怨谁来。老罗能保障那些人都争气么?他想学老威那一套,我们从前却上了老威很大的当,现在还想向他们算还旧账呢。

墨:这反驳得很有道理。我那天演说就申斥他不该把我们当作被告。我们是反共,他为什么说我们是侵略。谁能保证谁不受侵略呢? 他说的前提,首先就应得拒绝。

希:其次,我要向世界开陈反共与和平的原理。我们的反共,在老罗和老张的国度里已有很多信徒。那些傻瓜多半是主子,说话有力量,老罗他们不能不容纳。说到和平二字,你我字典中已有新的解释,和是和气的共别人的东西,平是平分世界。凡物不平则鸣。他们分得太多,我们分得太少,这就是不平。现在我们要求除去从前的不平,而从新再平分一次。这便是我们所要求的和平,能够不打仗而和气的平分世界,当然是欢迎的。所以我们的反共,就为的是求和平。我们比他们更需要和平。

墨:对了! 我们最需要这样的和平。我那天演说,已经说明本公司的政策,"全一秉于和平协作之原则"。我并说无意向任何人进攻,只埋头于继续进行反共,准备进行共别人的东西。我们要大胆地向世人披沥自己的所信,反共以求和平。不过老罗所说的开什么会,你的意见怎样?

希:有开会的必要么?

墨:是呀! 我已经说过,许多人开会,人多嘴杂,有什么用处? 反而被什么议决案把我们拘束了。

希:什么东西能拘束我们? 你不是看见过我拿着国联盟约去上过厕所么? 我说是没有开什么会的必要。老罗说我们要侵略周围小国,这简直是无的放矢。请他问问那些小国家究竟感到了什么侵略的威胁没有? 一群鸡都和狐狸要好来着,他们偏说那些鸡将被吞噬,岂非笑语? 老墨,我告诉你,周围的小朋友们确实不怀疑我,我有确切的证据。他们自己并不感到被侵略,老罗却煽动着说要开会保障他们。这有什么必要呢?

墨:的确无此必要。巴尔干、多瑙河流域那些朋友们都和我要好,他们离开不了的。老罗故意夸大其词,制造危机,他不过想再做一任总统而已。

希:说起开会,无非再来一个慕尼黑。老斯和老罗不能让他们参加,至于老张那老头儿却容易对付的,你看我再玩弄他一下。

墨:老张也太那个一点,今天要保障甲,明天要保障乙,后天又要保障丙、

89

丁等,好像他是力大无穷的。其实甲乙丙丁都不愿受他的保障,反而愿意接受我的保障。将来看看谁的手腕高强。

希:老张看看自己的能力不够要去请老斯入伙。据我看来,老张家里就有很多人不赞成。并且老斯入伙,总不能没有条件,那些和我们要好的小朋友们,怕老斯比怕我们还要厉害,不见得愿意接受老斯的保障。任凭老张他们怎样布置天罗地网,我们也不必害怕。我们有的是法宝,我们从现在起就拿反共这法宝把那些小朋友拉到我们这边来,那天罗地网就破了一个大窟窿,再也不能修补。

墨:他们同床异梦,利害的冲突又多,所谓天罗地网,老张他们不过骗小朋友罢了。我们还是加强进行拉拢那些小朋友吧!

希:你也不要太大意了。那老斯的办法很厉害,万一他的办法见诸实行,你我就难于应付。不过老张那人顶圆滑,决不会完全容纳老斯的意见。不瞒你说,好些小朋友已经拜认我做干爹了。哈哈!

(原载 1939 年《全民抗战》第 68 号,署名李达)

形式逻辑扬弃问题

（1939.6）

一、问题的提起

辩证逻辑如何扬弃形式逻辑？这个问题，在目前中国学术界，已经列入研究日程了。这个问题的解决，要求研究哲学的人们，集中自己的注意，去从事于比较深刻的研究，这是不待说的。因此，我自己就不揣冒昧，把过去研究的一点所得，写成这篇文章发表出来，希望借此抛砖引玉，引出朋友们珍贵的意见，集思广益地共同解决这个问题。这一工作的成就，无疑的将是中国学术界一个显著的业绩。

辩证逻辑扬弃了形式逻辑，这已是一般人所熟知所公认的事实。但辩证逻辑究竟怎样的扬弃了形式逻辑？形式逻辑的那些部分被辩证逻辑所克服，那些部分被辩证逻辑所保存？再简单地说一句，辩证逻辑怎样的改造形式逻辑？关于这些问题，辩证逻辑的创造者们，虽然在其典型的诸著作中，提示了原则上的意见，虽然我们可以在那些典型的著作中窥知形式逻辑被扬弃的过程，可是要把这些问题详细的正确的展开出来，这却是比较不容易的工作。

我们知道，普列哈诺夫对于辩证逻辑，总算得是一个硕学者了。可是他对于形式逻辑的扬弃问题，却做了错误解答。他用"动"与"静"的标准，划分辩证逻辑与形式逻辑的范围，把辩证逻辑看作动的逻辑，把形式逻辑看作静的逻辑。他说："正如静止是运动的特殊场合一样，依据于形式逻辑规则的思维（依据思维的根本法则）是辩证法的思维的特殊场合"。这种见解，显然是折中主义的。他的意见是：一方面——运动，他方面——静止；一方面——辩证逻辑，他方面——形式逻辑。于是辩证逻辑扬弃形式逻辑的问题，就变成替两种逻辑划分势力范围的问题了。他的主张就是这样："一定的结合,在当作一定的结合而停止的范围内,我们对于它,就不能不依照'是——是,否——否'的公式去判断。但它如果变化,不当作那样的东西而存在之时,我们就不能不依靠于矛盾的逻辑(辩证逻辑)。"譬如说,特定的社会,当它从发生之时起到转变的瞬间以前为止,必须依据形式逻辑去认识它;但这一社会如果变化而转变为另一种较高的社会之时,就不能不依据辩证逻辑去认识它。照这样,他只替辩证逻辑留下了"转变"这一段过程,作为它的势力范围了。这种折中主义的见解,明明是错误的,静止虽是运动的特殊场合,但这也只是运动过程中暂时的相对的安定性,是运动的尺度,是运动的一分段。若说认识一个过程要依据辩证逻辑,认识这过程的一分段却要依据形式逻辑,这显然是"逻辑的矛盾"。

其次,亚斯姆斯又以理论与实践做标准,划分两种逻辑的领域。他说:"在我们下实践的决心而必须实现实践的行为的处所,往往不能也不可有任何动摇、任何不规定性的余地。一个人不能从他所住的屋子一次走出两个门。在这里,就不能不依据'这个或那个'的排中律的公式去行为。"这种见解,显然是形式主义的。他分离理论与实践,把理论的领域划分给辩证逻辑,把实践的领域划分给形式逻辑,因而构成了"理论上——辩证逻辑,实践上——形式逻辑"的公式。

辩证逻辑家,在其社会的实践上,遇到事变的重要关头而必须当机立断时,不能不就两条可能的对立的道路走。这样的逻辑,在形式上好像和形式逻辑的"或——否则"的公式相同,但在内容上却是完全相反。例如当七七事变发生之时,中国民族已迫近到最后关头,摆在我们面前的只有两条道路,即"抗战呢,否则投降呢"。当时我们已经熟察了中国民族革命的现实的发展的诸条件,抓住了中国社会发展过程中当前的阶段之决定的一环,认定中国社会已迫近于从必然到自由的大飞跃的时代,我们必须结成四亿五千万人的革命的民族统一革命战线,摧毁倭帝国主义以完成那个大飞跃。所以我们选择了抗战这一条道路走。我们的社会的大实践上的这种选择本身,是中国社会继续向前发展的唯一的条件、重要的契机。同时这个选择,是依据辩证逻辑考察了中国现实的历史的结果。这绝不是像形式逻辑的排中律的选择那样,主观的、任意的、暗中摸索的去主张抗战或投降。所以亚斯姆斯的那种把两种逻辑并列的见解,是形式主义的。

苏联的哲学界,从最近八九年以来,对于扬弃形式逻辑的问题,已经实行了总清算,给予了适当的解决。如同米丁等人,在其所著的《辩证唯物论》之中,已经把形式逻辑的原理及其思维诸形式,作了一番批判的改造,这是值得我们注意研究的。但是,据我看来,米丁他们对于这个问题的展开,只提出了原则上的指示,也许对于东方中国学术界,特别是对于中国的初学者们,是觉得不够详尽的。因为中国的初学者们,哲学的素养本来不够,而从前所学的形式逻辑,又是所谓"健全的常识"。这"健全的常识"好像持之有故,言之成理,所以当着根据上述那些原则上的指示去检讨形式逻辑之时,常不免茫然自失,而感到斧削的不易。他们也许发生这样的疑问:形式逻辑有一些部分,好像无懈可击,究竟它的缺点在什么地方? 这是应有的疑问。刚才说过,形式逻辑原是所谓"健全的常识"。当人们在常识中兜圈子的时候,它的缺点是不易觉察的,可是一旦离开这个圈子,走进学问的领域,形式逻辑不但不能作为治学的工具,并且也不能教人们思维。

然则形式逻辑可以简单的放弃么? 这当然不是的。辩证逻辑是人类一切知识的历史的综合。它是继承先行的知识而发展起来的。它废弃先行知识部门的消极成分,保存其积极的成果,加以改造,使成为自己的一个契机。人类知识的历史,好像一株生动的知识树。这株知识树,从前生了许多赘疣,开了许多虚花。现在我们只能除去那些赘疣,摘下那些虚花,再不断注入营养分,促进这株树的发展,却绝不能斩断这株树。辩证逻辑对于形式逻辑的态度,也是一样,一面克服它,一面改造它,使成为自己的一个契机。这就是我们目前要展开的问题。这个问题的展开,对于初学者们上述那类的疑问,就可以解答了。

中国学术界对于辩证逻辑的研究,已有十多年的历史。但对于扬弃形式逻辑这一问题的研究,却是最近四五年来才开始的。关于这一问题的著作,据我所看到的,也有好几种。其一是王特夫君所著的《论理学说系》。王君此书本是当作辩证逻辑写下来的,内容相当丰富,也还有一些收获。可是他对于扬弃形式逻辑的问题,却是未能解决。他踏袭形式逻辑的"体系",用辩证逻辑去注解形式逻辑,结果反而变为形式逻辑的俘虏。

其二是林仲达君所著的《综合逻辑》。林君此书,涉及了形式逻辑、辩证逻辑、印度因明及中国墨学的广泛的范围,也许这便是"综合逻辑"命名的由来。他的立论,好像是注重于辩证逻辑,而对于形式逻辑的思维原理、思维形式及处理方法等,却表示偏爱的态度。他企图调和辩证逻辑与形式逻辑,说两者是一个统一物之中对立的两极,而主张这两极的同一。他说:"综观形式逻辑与辩证逻辑的论争,可知两者本身就是辩证的一回事,没有前者便没有后者,没有后者便没有前者。形式逻辑含蕴于辩证逻辑之中,而辩证逻辑也是孕育于形式逻辑之内。二者相反而实相成,相辅相依,相需相因,一言以蔽之,相对立而统一存在着、发展着的。"这种调停两种逻辑的见解,可说是别开生面的折中主义。

其三是艾思奇君所著的《思想方法论》。艾君此书,对于辩证逻辑扬弃形式逻辑的问题,在原则上是正确地解决了,可惜太简单了一点,还不曾详细地展开这个问题。

其四是潘梓年君的《逻辑学与逻辑术》。潘君写这本书的用意,原是要把形式逻辑扬弃的问题,作一个彻底地解决的。可是结局,他仍然不曾彻底地解决这一问题。他在《辩证逻辑扬弃了形式逻辑》那一节的末尾,这样写着:

> 具体说来,形式逻辑的三个思维律,即同一律、矛盾律、拒中律已绝对不能用;概念论、判断论、推理论、分析与综合、演绎与归纳等等,则须加以根本的改作而构成思维方法的一部分;关于词、命题、三段论的各种规定以及穆勒五规则与统计法等等,则全部收编过来,叫它们充当技师而列为思维技术。因此,我们的逻辑,就分为讨论思维方法的逻辑学与讨论思维技术的逻辑术这两个部门。

潘君上面一段话,是他写《逻辑学与逻辑术》全书的原则,并且,他的确照着这个原则去"扬弃了"形式逻辑。但是据我看来,潘君所做的"扬弃"工作,是太不充分了。第一,他认为形式逻辑的三个思维律,"已绝对不能用"。照这样说,他对于形式逻辑那三个思维律的扬弃,只做到简单的废除、干脆的不要,即是说,只要"弃"没有"扬";只是放弃,无须改造。第二,他对于形式逻辑的"概念论、判断论、推理论、分析与综合、演绎与归纳等"原是约定"须加以根本的改作而构成思维方法的一部分"的,可是他在该书第五章之中,只是极简单的提起"改作"问题,并不曾展开这一问题,也不曾实行"根本的改作"。他对于这一部分,采取着半"扬"半"弃"的态度,所以并不曾彻底的去扬弃。第三,他对于形式逻辑的"词、命题、三段论的各种规定以及穆勒五规则与统计法等",则主张"全部收编过来,叫它们充当技师而列为思维技术"。他对于形式逻辑的这些部分,是主张"扬"而不"弃"的,即是说,只有"扬",没有"弃";只是"全部收编",无须加以"改编"。

潘君对于形式逻辑的"扬弃"的问题,自诩为最有"心得"之处,是把逻辑分为"学"与"术"两个方面。即"分为讨论思维方法的逻辑学与讨论思维技术的逻辑术这两个部门"。因此,他在《技术论(逻辑术)》的引言中,首先这样写着:"把逻辑分为方法与技术两部而用逻辑学与逻辑术作为它们各自的标题,而且就用这种方法来解决辩证逻辑与形式逻辑的关系问题,这怕是一般人所不能赞同的。"接着,他说了一大篇理由,企图为"所不能赞同的""一般人"解除疑念,而用上述的"标题","解决辩证逻辑与形式逻辑的关系问题"。这种见解,用一个公式写出来,就是:

逻辑学——辩证逻辑,逻辑术——形式逻辑。

依照潘君的意思,辩证逻辑有"学"而无"术",形式逻辑有"术"而无"学",因此辩证逻辑应与形式逻辑结婚,以其所有易其所无,两家财产并作一家财产,就各得其所了。这种结合就形成了所谓科学的逻辑,即"扬弃了"形式逻辑的辩证逻辑。

这样的结合方法,潘君虽然认为是杰作,而形式逻辑学家或者要来"讥笑",说:"讲来讲去,终究还是抛不开形式逻辑;可见你们反对形式逻辑是毫无理由的。"(见潘君原著的结语)

形式逻辑家是否来"讥笑"潘君,可以不问。至于辩证逻辑家,"或者"将如潘君的预期,虽然不至于"跳起来"说"真是倒车"(同上),却必定责备潘君,不应该替辩证逻辑这个鳏夫,无条件的收编形式逻辑那个寡妇做妻子!

任何科学,是学与术的统一,即是理论与方法的统一。但两者统一的基础,是在"学"的一方面,即在"理论"的一方面。因为它是"学",所以才是"术";因为它是"理论",所以才是"方法"。术源渊于学而服从于学,方法源渊于理论而服从于理论。任何科学,其学的方面与术的方面是在其学的基础上统一着而不能截然分离的。我们绝不能从甲种科学中抽出其学的方面,从乙种科学中抽取其术的方面,而把这两者勉强的凑在一起去创造另一种科学,这是很明白的事情。解剖学家解剖一条牛所用的技术,始终是遵守着解剖学的原理的。庖丁解牛,"目无全牛",技术虽然很高,却绝不是解剖学上的解剖术。解剖学家决不至应用庖丁的技术去解剖一条牛。潘君喜欢用算学与算术的联系,去辩解逻辑学与逻辑术的关系,然而绝不能由此引出什么逻辑的结论,说辩证逻辑学可与形式逻辑术相混合,而主张这样的混合便是什么科学的逻辑。算术虽是术,但这种术隶属于算学,而受算学的原理所指导。并且高等数学所运用的演算术,与初等算学所运用的演算术,是不相同的。虽然两种算术都运用加减乘除,但这也只是形式上的相同,而内容是不相同的。我们能够说,高等数学是运用初等算术的么?

潘君也曾写着:"固然,学与术是分不开的一个整体",可是他为什么把辩证的逻辑学,拿来与未经改造的形式逻辑术关联在一起?一种术与它所密切联系的那种学,是一个不可分的、有机的统一体。一种术的应用,就是那种学的具体表现。这里且就统计法这种术举例来说(其他各术后面详说)。辩证逻辑家所常常应用的统计法,和形式逻辑家所应用的统计法,在形式上虽是相同,而在内容上却大不相同。譬如中国海关的统计表,把出口的原料与半制品列为一类。这能够表现出半殖民地中国的原料在世界市场的地位,反映出中国工业化的程度么?又如官府的土地统计,把1亩至5亩、5亩至10亩、10亩至20亩等的标准,划分全国农户的种类。这种统计法能够表现出贫农、小农、中农、大农等的生活状况么?能够表现出佃农、自耕农、富农等的实际情形么?假使要辩证逻辑学家来编造统计,分类的方法当然是完全不同了。我们能够说:可以无条件的应用形式逻辑的统计法么?单就这一点来看,可知形式逻辑所应用的各种术,必须加以改造方能应用,这是很明白的。

形式逻辑的诸术的改造,必须根据扬弃形式逻辑的思维原理的同样的原则。潘君简单的废"弃"了形式逻辑的思维原理,却无条件的昂"扬"了形式逻辑的诸技术,即是"弃"了形式逻辑学而"扬"了形式逻辑术。这样的"扬弃"的方法,真可说是"独具匠心"了。

还有一层,要在这里说说。潘君基于学与术可以分别研究的立场,把逻辑划分为方法论与技术论两大部分,复于"方法论"三字的标题之下,另用一括弧注明为"逻辑学";于"技术论"三字的标题之下,另用一括弧注明为"逻辑术"。关于"逻辑术"的部分,是从形式逻辑方面"全部收编过来"的东西,这在上文已经述说过了。这里只就那"方法论"即"逻辑学"的部分,简单的补说几句。这一部分的内容方面,错误太多,其中关于论感觉与思维的部分,已由向林冰君批判过了,其余的部分,这里也暂时保留批判。这里我想指摘一下的,就是他把逻辑学解释为方法论一点。

潘君既然知道逻辑学是与辩证法、认识论同一的东西,便不能把逻辑学解释为只是方法论。逻辑学是当作科学看的哲学,是以反映客观世界发展法则的思维发展法则为对象的科学。它是世界观,同时又是方法;它是世界观与方法的统一。世界观是关于世界发展的理论或学说,决不归着于方法论。只有张东荪之流,才说辩证法"只是一种看法",而恶意的曲解或贬损辩证法。这种恶意的曲解或贬损,我们应当无假借的加以斥责,绝不能表示含默或容许。其次,辩证法阵营中,从前也有一些形式主义者,把辩证法归着于方法论,冒犯了严重的错误。形式主义者这种严重的错误,早已由唯物辩证法论者所清算过了。这一点难道潘君还不知道么?

逻辑学(=辩证法=认识论)结合实践的历史与认识的历史,通过个别诸科学去认识了世界发展的一般法则,所以它是科学,是世界观。这个世界观之论理的构成,是个别诸科学的诸结论的概括,所以它必然能够成为个别诸科学的方法。正因为它所处理的一般的原理、范畴与法则,是概括个别诸科学的结论而构成的,所以才具有极普遍的性质,不单适合于特殊现象的领域,并且适合于一切现象的领域,而能够指导各种个别科学,成为科学的方法论。这样说来,逻辑学不能单只归着于方法论,是很明白的。

还有一点要说的,是潘君对于符号逻辑的推荐。他说符号逻辑,"我们一点也用不着去反对。只要我们有本领去应用,它那严整的技术,对于我们是很有帮助的"。这话是真的么？符号逻辑是纯粹的形式逻辑,它果然对于我们"很有帮助","我们一点也用不着去反对"么？照这样说,潘君是喜欢纯粹的形式逻辑即符号逻辑,而且反对不纯粹的即"原有的形式逻辑"的。形式逻辑越是纯粹的,潘君就越是想把它的思维原理连同技术"全部收编过来"。所以主张"一点也用不着去反对"。潘君所说的"辩证逻辑扬弃了形式逻辑",原来如此,未免令人失望了。

以上关于潘著《逻辑学与逻辑术》的批判,似乎说得太多了。但我也有两点理由:第一,潘君这部书影响较大,其中的错误之点,不能不加以指摘,借以促起读者的注意。第二,潘君对于中国学术界是很能负责的人,他"已拟定一相当巨大的稿子,约有30万到50万字",所以先将那大著的轮廓写成这一小册子发表,希望引起人们的讨论与批评,所以我才写出上述的要点,希望潘君"再来把所拟的稿子修改问世"。这两点理由,同时也是我重新提出"形式逻辑扬弃问题"来检讨的理由。

关于形式逻辑扬弃问题,我在民国二十五年曾写成《辩证逻辑与形式逻辑》一文,发表于平大法商学院的《法学专刊》第5期。只因为该刊发行数目太少,所以我又把那篇文章的内容,收编于拙著《社会学大纲》之中。拙著中对于这一问题的内容,也只是在原则上做了相当的说明,我觉得还未能充分地展开,所以特别提出这一问题作一个比较充分的检讨。不过,本文中有许多处所是从拙著中移用过来的,特在这里声明。

这一问题的展开,分为以下三个步骤。

其一,站在历史主义的立场,说明逻辑的发展史的过程,借以暴露形式逻辑的发生、发展及其由辩证逻辑所扬弃之实践史认识史的根源。

其二,批判形式逻辑的原理,指出它的主观主义及种种局限性。

其三,展开形式逻辑扬弃的诸问题:先说明其思维原理被扬弃的过程。其次对于从来自然构成的诸思维形式——即概念、判断及推理诸思维形式,指出形式逻辑蔑视这些形式的实在内容那一方面,打破它的局限性、不完全性及绝对化的见解,并按照辩证逻辑的理论,把那些形式加以改造。再次,对于形式逻辑的诸方法,及处理思维材料的诸方法,指出其偏重形式而忽视内容的缺陷,并依据辩证逻辑的理论,加以改造。

二、逻辑发展的三阶段

(一)逻辑发展史的考察之必要

当我们开始展开辩证逻辑扬弃形式逻辑的问题时,首先要站在历史主义的立场,说明逻辑的发展之历史的过程。

辩证逻辑,即是唯物辩证法。这一哲学,是以世界(包括自然、社会与思维)发展的一般法则为对象的科学。这一哲学,把存在规定思维,把反映存在的思维依存于与存在相同的同一法则而发展、并与存在相一致的事实,作为思维的前提。因而认识所依以发展的思维法则,即是外界(自然与社会)的发展法则之正确的反映。

这一哲学,通过个别的自然科学和社会科学,分析的研究世界的各部分,再综合为一个全体。在若干万年来社会的实践的发展过程中,人类不断的认识各种自然现象及社会现象的法则,应用于社会的实践之上,更由社会的实践所订正,所发展。因此,在认识与实践的辩证法的发展过程中,人类造成许多个别的科学,形成了认识的历史。至于哲学,是从社会的实践及知识的水准,把一切个别科学的历史即认识的历史,作普遍化的概括,抽象出外界及思维的发展的一般法则,并阐明其内部的关联。所以哲学家要把认识的历史作普遍化的概括,必须研究一切个别科学的历史。

辩证逻辑,是个别的历史的诸科学的结论之概括,它与个别的诸科学的发展水准,具有极密切的关系。所以,当个别诸科学还没有发展到高级水准之时,辩证逻辑还不能成为科学的。在个别诸科学还没有发展到高级水准以前,认识史上各种摄取科学成果的逻辑的知识,还只能是辩证逻辑的准备阶段。

逻辑的发展之历史的考察,在展开形式逻辑扬弃问题的工作上,是一个逻辑上的必要。因为人们常常误会“辩证逻辑是形式逻辑的继承者”,或者说:“形式逻辑是辩证逻辑的先驱”;或者说:“形式逻辑涵蕴于辩证逻辑之中,而辩证逻辑也是孕育于形式逻辑之内。”他们不明白逻辑的发展史,而基于上述的误解,就很轻快地把辩证逻辑扬弃形式逻辑的问题,改变为前者与后者相合并的问题。这种见解是完全错误的。

我们考察逻辑的发展的历史过程,很显然的可以看出三个不同的顺次发展的阶段。

第一,直观的阶段——原始的、素朴的辩证逻辑阶段:

第二,形而上学的阶段——形式逻辑阶段;

第三,辩证法的阶段——科学的辩证逻辑阶段。

在哲学的历史上,辩证逻辑实在是先行于形式逻辑。形式逻辑扬弃了原始的辩证逻辑,它本身经历了曲线式的发展以后,更被后来的科学的辩证逻辑所扬弃了。所以在逻辑的进行上,我们要展开扬弃形式逻辑的问题,先要说明形式逻辑的发生、发展及其被扬弃的过程。为要说明形式逻辑的发展过程,就要更进一层的简述逻辑发展的全史。

(二)逻辑之直观的阶段

从来的哲学,常僭称为"科学的科学"。它所涉及的范围,异常广泛。凡属数学、天文学、力学、物理学、化学、生物学、社会诸科学的对象,都成了哲学的对象。有些庞大的哲学体系,几乎变成了百科全书。这在个别诸科学尚未发展的时代,原是自然的趋势。但到现代,个别诸科学日益发展,科学的分工也日益细密,于是从来的哲学所涉及的自然及社会的科学的部门,都从哲学中分化出来,变成了专门的科学。于是由从来的哲学遗留下来的东西,只是关于思维及其过程的学问,即是形式逻辑与辩证逻辑。在这种见地上,哲学的全历史,都可当作逻辑的发展史去考察。基于这种的考察,我们便可以理解辩证逻辑对于形式逻辑的扬弃的问题。

自从人类社会进到所谓文明时代,即进到奴隶制社会的时代以后,由于物质生产力的发展、主奴阶级的分裂,而精神劳动与肉体劳动的分工就转变为两者的对立了。于是从事于精神劳动的人们,因为免除了物质的生产的劳动,就得到了所谓"必要的闲暇",去做抽象的思索,而考察宇宙如何发生、如何构成的问题了。最初的哲学即逻辑的世界观,是在这种前提之下形成的。但在这个时候,精神劳动者的注意,是集中在自然一方面的。这即是说,他们所感需要的是认识自然,利用自然,以期促进技术、手工业及手工农业等的进步,促进物质生产力的发达,所以他们的哲学即逻辑的世界观,是自然哲学。

当人们开始考察整个的世界时,这整个世界在人们的直观上,显现为一个混沌流动而又具有朦胧的规定性的生动的总画面。在这个生动的总画面之中,万象森罗,无所不备,"任何事物都不保持同一形状,不停止同一处所,不保存同一性质,常是运动着、变化着、消灭着,而各种相互关系和相互作用,都是无限的错综着"。

那个生动的世界的总画面,实际上包摄着自然、社会及思维的三大部分,而这三大部分又各自包摄着许多小部分。我们要认识那个总画面,必先分析的研究那些构成部分,抽象出各部分的发展法则,然后把它们综合为一体,阐明其发展的一般法则。这样才能在我们的思维上反映出整个的世界,即构成一个统一的世界观。可是这样的劳作,不能期望于最初的哲学家们。因为在他们的时代,自然与社会的诸个别科学才开始发芽,其程度是非常幼稚的。他们不能通过个别诸科学去考察那些构成世界总画面的各个部分,不能从自然或历史的关系分离出个个事物,而个别的去认识那些部分的各种特殊的发展法则,因而不能从那些特殊发展法则抽象出一般发展法则。这即是说,他们无从利用个别诸科学的成果,做出总括的结论。

所以最初的哲学们,首先是看到那个生动的世界总画面,看到其中的运动、转变及联系,还不曾看到那些运动、转变及联系的各部分事物本身,即不曾注意到运动着、发展着及联系着的自然、社会与思维各构成部分。所以他们虽能正确的指示生动的世界总画面的全体性,却不能充分说明构成那总画面的自然、社会与思维的各部分,在未能说明这些部分以前,对于那总画面仍不能有明了的观念。像那样形成的世界观,虽是正确的,却是原始的、素朴的世界观。可是那类世界观之中,已经包含了辩证逻辑的萌芽。

例如古希腊最早的哲学家塔列斯,最初就企图从单一的物质的始元出发,去建立科学的世界观。他主张宇宙间一切东西以至于生命都是由水发生的。这种见解,已经表明一切物质都是单一的东西,一切物质都可以互相转变。这种哲学见解,虽是幼稚的,却是唯物论的,并且也包含了辩证逻辑的胚种。

其次,赫拉克里图的哲学,发现了辩证逻辑的大纲。他主张宇宙万物是由水、火、气、土4种元素构成的,并且这4种元素可以互相转变。他用"万物变动不居"这个命题,来表示他的唯物论的动的宇宙观。他主张宇宙万物的变化都在矛盾中进行。他说:"斗争是万物之父、万物之王。"他又把这种思想应用到有和无的关系。他说有和无两极端的对立,综合于生成的概念之中。这种见解,完全是辩证法的。赫拉克里图可算是辩证逻辑的先驱者。

再次,德莫克里特的哲学,是古代唯物论的最高峰。他反对当时新起的观念论,提出了唯物论的原理。他说:"物质是永远的","任何东西不能从无而生"。他主张宇宙万物都是原子的结合。他说:"现实之中,原子和空虚的空间以外,任何东西都不存在。"他把原子与空虚看作物质世界的根本原理。这原子与空虚的原理,表现着有与非有的统一的理解。这种见解虽是机械唯物论的,却也含有辩证法的成分。

以上各种世界观,虽是原始的、素朴的,却是唯物论的,是正确的。在当时个别科学刚在萌芽的时代,要建立科学的世界观,原是不可能的事情。正因为科学知识的幼稚,所以当时的哲学家,只能在直观的形态上去认识客观世界的辩证法的发展。然而这已是唯物论的辩证逻辑的雏形。

原始的辩证逻辑,正因为受了当时幼稚的科学知识的限制,其内容当然不免自相矛盾。这在后来的贵族派哲学家看来,是一种干燥无味的东西。并且这类原始的辩证逻辑,只是直观的说起客观世界的辩证法,却不曾注意到主观的即思维的辩证法,这也是很大的缺点。这样的逻辑,由于后来的社会生活的变迁与个别科学的进步,其内在的缺点就暴露出来,结局由后起的形式逻辑所扬弃了。

于是逻辑的发展,就由直观的阶段进到形而上学的阶段。

(三)逻辑之形而上学的阶段

当古代社会发达到最高点而开始下降的时候,社会生活日趋于复杂,由于社会的不安引起了许多社会的问题,于是贵族派学者们的注意,就离开自然认识的领域而转向于政治的伦理的及其他精神生活的领域。同时,自然科学的研究,从亚历山大时代以来,已经开始,虽然刚刚达到搜集材料的阶段,而比较从前却已进了一步。于是从前原始的素朴的辩证逻辑,既不能适合当时的需要,也不能指导人们的思维,就把它的地位让给观念论的形式逻辑了。

形式逻辑的先驱者,要推苏格拉底。苏格拉底在认识论上,在一般哲学问题的解释上，是观念论者。他首先在人类思维的领域中，探求普遍概念，作为思维的准则。他把普遍概念作为个别的感性现象的基础，而以探求这普遍概念为认识目的。这是形式逻辑的始点。他虽曾在观念论的认识论上，提起了普遍与个别的辩证法的问题，却不曾解决这一问题。

其次，观念论者柏拉图认定理念是存在的创造者，是最高的唯一的真实的实在的世界，所以主张认识的对象即是这种理念。为要认识理念，必须依据概念中的思维。因此，他创造了理念的逻辑。但他的理念，是不包含物质内容的、死的、不动的概念，因而依据于概念中的思维的认识，只能造出神秘论。不过他的理念的逻辑，表示了概念对于思维的作用。这是形式逻辑的一个契机。

至于有系统地创造形式逻辑的人，是古代大观念论者亚里士多德。他是逻辑一般、特别是三段论法的创始者，概念的研究是他的逻辑的基础。他注重于演绎与定义，注重于从普遍抽出特殊与个别。他又首先定出了范畴的分类表。他列举了下列十个范畴：实体、量、质、关系、时间、空间、场所、状态、能动、被动。在他看来，认识过程，是一般的概念之发现，即是由普遍到特殊到个别的过程。因而定义是与一般的命题或原理相结合着。他还创造了同一律、矛盾律与排中律，作为思维的根本原理。

亚里士多德的逻辑，虽然是观念论的，是形而上学的，但对于意识的辩证法的构成，对于逻辑的锻炼，留下了不朽的业绩。

亚里士多德那种包含着辩证法要素的形式逻辑，往后失掉了使它合理发展的社会条件。自从野蛮的日尔曼人征服古代世界，而历史由奴隶制进到封建制以后，古代世界所发展起来的哲学与科学就横被摧残了。在这个黑暗时代，欧洲诸国的支配的意识形态，是神学。哲学变成了神学的奴仆。而科学与哲学的研究，反而在阿拉伯诸国成就了相当的发展。阿拉伯的大哲学家亚倍铿纳①，特别注意的研究了亚里士多德的逻辑。他主张这个逻辑是哲学的工具。他实行了科学的分类，又注解了亚里士多德的因果性、实体及普遍性的学说。

当时的欧洲方面，经院哲学，支配着一切精神文化。经院哲学，从亚里士

---

① 今译为亚伯拉尔。——编者注

多德学说中的观念论的要素出发,与神学打成一片。经院哲学的方法是三段论法。这就是演绎的推论,即从普遍到个别、从概念到抽象的推论。其研究的范围是基督教,其根据是书籍,此外并不研究任何自然现象,也不注视经验与观察。所以这种哲学,只是编造三段论法的"牵强附会的秘术"。

往后封建制度开始崩溃,经院哲学随着解体,从此分化出唯实论与唯名论。唯实论是观念论的,主张概念是实在的存在,并不是现实性的反映,因而把概念作为思维的出发点。唯名论是唯物论的,主张考察具体的现实性,反对从前以概念游戏为能事的经院哲学,指斥那些依据形式的三段论法的推论,是虚构的真理。这是比较进步的见解。

如上所述,亚里士多德所创造的形式逻辑,原含有辩证法的要素,可是经过中世纪长期黑暗时代,被许多神学所支解,其中辩证法的要素已湮灭无存,变成名实相称的"形式"逻辑了。

但是,自从历史由封建制转进到资本主义初期以后,由于工场手工业的勃兴、工商阶级势力的长成、自然科学的发达,以及古代哲学研究的盛行,于是亚里士多德所创造的形式逻辑就在近代的形式上展开了。

近代形式逻辑展开的重要根源,是工场手工业时代自然科学的知识的进步。当时自然科学诸部门,如数学、力学、天文学、物理学、化学、生物学、生理学、医学等,均已开始发达。这些自然科学,对于近代形式逻辑,供给了很丰富的意识形态的材料。不过上述诸科学,在当时比较完成的部门,是数学和力学,至于其他的诸科学部门,是在19世纪以后才逐渐完成的。一般地说来,个别的诸科学,在工场手工业时代,大部分还处在"搜集科学"的阶段。这时代的科学水准,是形式逻辑学展开的意识形态的条件,其中对于哲学最有影响的科学,是数学与力学。数学的方法被移入于哲学中,就促进了形式逻辑的成长。力学的方法被移入于哲学中,就构成了机械论的世界观。而机械论的方法,是形式逻辑的。所以数学和力学,主要的成为形式逻辑的构成条件。

在"搜集科学"的阶段中,"人类关于自然的知识之最大的根本条件,是把自然分解为个个的部分,把种种自然的过程和自然物分解为明确的别类,把生物体内部的种种形态作解剖的研究。但这种方法传给我们的遗产,就是使我们习惯于把自然物及自然过程从全部的诸关联分离出来,而实行个别的观察。

即是说,不在其运动上观察自然,而在其静止上观察它;不把它当作变化的东西观察,而把它当作固定不变的东西观察;不观察于其生,而观察于其死。这种见解(正是抽象的同一性的见解),经培根和洛克从自然科学移入于哲学时,就产生了 18 世纪特有的褊狭思想,即形而上学的思维方法"。

培根在形式逻辑学的展开上,开辟了新的途径。他是经验论的唯物论流派的鼻祖,是归纳法逻辑的创始者。"依据他的学说,感觉是没有错误的东西,是一切知识的源泉。科学是经验的学问,它对于感性的事物,应用合理的方法。归纳、分析、比较、观察、实验,是合理方法的主要条件。"他提倡归纳的逻辑,反对演绎的逻辑,使思维与自然研究相结合。他主张从客观世界探求客观法则,反对从来由先验的思维法则去观察客观世界。但培根的学说只是格言的形式,并不曾贯彻他的理论。他所主张的由分析个个事物而归纳出真理的方法,比较演绎法虽是进了一步,但他却不曾(也不能)理解客观世界全体内部的关联及其发展法则。所以他仍然拘泥于事物的形式,支持从来形式逻辑的思维原理。

洛克的经验论哲学的基础,也是分析的方法。如黑格尔所说:"认识最初是分析的。它所处理的对象,是在孤立的形态上被表现出来;而分析的认识的活动,趋向于把所认识的个别的东西还原于一般的东西。在这种处所;思维只是意指着抽象,或形式的同一性之肯定,这是洛克及其他经验论者的见地。"

概括起来,在科学的"搜集的阶段上,当研究个个事物时,从具体的全体的诸侧面中,抽象其一部分,舍象其他部分,于是就这一部分加以分析,引出抽象的法则和概念。所以搜集科学的立场,是分析的方法。而分析是借助于抽象而实行的。在这个范围内,因分析而得到的规定,仍然是抽象的。为要使具体的全体在思维的媒介上成为生动的东西,就必须把所分析的一部分和其他部分结合起来,概括起来,并建立秩序,才能成为科学的知识。但这样的知识,在搜集科学的阶段上是不可能的。由于这样的理由,在搜集的科学阶段上有其根源的形式逻辑,是抽象的思维的逻辑"。

基于上面的考察,我们可以知道,近代形式逻辑这种形而上学的思维体系,是工场手工业时代的社会经济状况的产物,是个别的、分散的、固定的考察事物的一般习惯的产物,是观念论的、形而上学的认识史中一定阶段上的产物。

随着资本主义的发展、资产阶级革命条件的成熟,一方面想为资产阶级革命建立理论的社会学说,相继产生,一方面发展了的自然诸科学,也开始由搜集科学的阶段而进到建立体系的阶段了。由于实践与知识的发展,人们开始知道自然界与人类社会的发展,是辩证法的而不是形而上学的。自然与社会的辩证法在人类头脑中的反映,就构成为思维的辩证法。于是人们认识外部世界时,就开始辩证的思维,而从来那种褊狭的形式逻辑,就被近代的辩证逻辑所扬弃了。

(四)逻辑之辩证法的阶段

近代的辩证逻辑,首先是在观念论的形式上创造的。我们已经知道,辩证逻辑,在历史上先行于形式逻辑。古代原始唯物论的自然哲学,即是原始的素朴的辩证逻辑。这原始的辩证逻辑就被亚里士多德的形式逻辑所扬弃,而其积极的成分仍在后者中保存着(亚里士多德的形式逻辑中,也考察过辩证思维的最根本形式)。近代归纳逻辑创始者培根的学说,也包含着辩证法的成分。后来的新哲学,"虽然也有过辩证法的显著的代表者(例如笛卡儿和斯比诺莎),但是特别受了英国(经验论)的影响,渐渐固定于所谓形而上学的思维方法"。至于近代的辩证逻辑,还是由德国大观念论哲学家(如康德与黑格尔)所建立的。

康德的哲学,是二元论的,结局是观念论的。康德哲学中比较有积极主义的东西,是先批判时代的自然哲学的研究,以及他的先验逻辑。前者说明了无机自然界的历史过程,后者提出了许多接近于辩证法的问题。他的先验逻辑,促进了观念辩证法的发展,暴露了形式逻辑的缺点,提倡了不舍弃内容的逻辑。在这一点,表现了他的先验逻辑的积极性。不过,康德自己并不曾解决上述诸问题。他的先验逻辑,和他的先验观念论一样,同是形而上学的。

至于黑格尔的观念辩证法,是从来观念论的思维所能到达的哲学思想的最高峰。黑格尔哲学,在观念论的体系中,包括了从来的人类史及思想史的成果即辩证法。

黑格尔哲学中最有积极意义的部分,是他的逻辑。黑格尔的逻辑,是唯物论的辩证逻辑之直接的先导,是辩证逻辑的宝库,这是不待多言的。但黑格尔的逻辑,虽是辩证法的,却是观念论的,这不能成为科学的世界观。黑格尔的哲学,是所谓世界理性的哲学。他把世界理性或绝对精神作为现实世界的创造者,把自然、社会与思维作为世界理性的构成部分,作为精神的化身、精神的创造物。他主张认识客体和认识主体都是一个逻辑的过程,所以他主张"知识是自己以自己为对象、自己把握自己的概念"。因为认识客体和认识主体都是精神,所以正确的认识,是精神客观的认识自己,认识自己本身的发展法则。所谓认识自然与社会的历史及其发展的原动力,即是认识其根底中所存在的世界理性自己发展之逻辑的过程。因而逻辑是科学的科学。世界的历史,是世界的逻辑,是世界理性的种种发展阶段。而世界理性是依据对立的统一及斗争这种逻辑的法则而发展的。

黑格尔的世界理性,是排除了物质的、精制的、理想化的神。世界理性的神,与宗教上的神是直接相通的,所以黑格尔认定宗教是精神的最高发展阶段,而理性只是把宗教净化,使宗教登上哲学的宝座。

所以黑格尔的逻辑,虽然通过神秘的观念论的眼镜,开始"把自然界、历史界、精神界的全部作为一个发展的过程去考察",并且相当的概括了个别诸科学的成果,又企图论证世界发展过程的内在关联。但他并不曾解决他自己所提出的问题;因为他是观念论者,又受了他自身及其时代的知识所限制。

随着资本主义社会开始自己的批判,随着自然的及历史的实证诸科学的发达,黑格尔的观念论的辩证逻辑,就被近代唯物论的辩证逻辑所扬弃了。

19世纪初期,资本主义社会逐渐地暴露了自己的矛盾。在经济方面。首先是工钱劳动与资本的矛盾,其表现是劳动者的运动;其次是各企业的计划组织与全社会生产的无政府状态的矛盾、贫富两极的矛盾,其表现是经济恐慌与失业。在政治方面,首先是市民社会与民主国家的矛盾,其表现是布尔乔亚的支配;其次是民主主义与绝对主义的矛盾,其表现是德、俄等国的民主革命要求无产阶级的参加。这类经济的及政治的矛盾,又表现为意识形态上的矛盾。其一是唯物论与观念论的对立(前者代表当时革命阶级,后者代表保守阶级),其二是实践与理论的矛盾,其三是科学与宗教的矛盾,其四是肉体劳动与精神劳动的矛盾。以上这些矛盾,对人们表现着历史是辩证法的发展过程。

同时,自然科学也发展到了更高级的水准,数学、天文学、地质学、生物学、解剖学、生理学、胎生学等,都次第发展起来,此外还有许多伟大的发现,如细胞的发现、能力转换法则的发现以及达尔文进化论的发表等,也都先后出现了。自然界各部分发展的辩证法,表现着全部自然界内部的有机的关联。

唯物辩证法的创始者们站在无产阶级的立场,在实践的过程中,改造从前形而上学的唯物论,特别是费尔巴哈的唯物论,创建近代的唯物论,并在唯物论的基础上扬弃黑格尔的辩证法,更吸收了上述自然的及历史的辩证法,综合了数千年人类实践的历史及知识的历史,创出了唯物论的辩证法。

所以唯物辩证法即唯物论的辩证逻辑,是科学的世界观,又是科学的方法。它不是关于思维的外部形式的科学,而是关于自然的、历史的及精神的事物之发展法则的科学,即是"关于世界及其认识的具体的全内容之发展的科学。它是世界认识的历史之总和、总计与结论"。

三、形式逻辑原理的批判

(一)各派形式逻辑的思维原理

由于逻辑发展之历史的考察,我们已经说明了形式逻辑的发生、发展及其由辩证逻辑所扬弃的过程。从本章起,我们开始展开辩证逻辑如何扬弃形式逻辑这一问题。这一问题的展开,在逻辑的程序上,必先把形式逻辑的基础理论,即所谓思维原理,作一番批判的检讨。

形式逻辑演变到现在,已分化为两大派。一是数理逻辑或符号逻辑,以罗素为代表。一是试验逻辑,以杜威为代表。

数理逻辑成符号逻辑的哲学基础是理性论。理性论是主张从理性中的真理去说明现实世界的。所以数理逻辑或符号逻辑主张逻辑是人类理性本身的形式的发展,是理性的无限推演与发展,因此它把逻辑建筑在思维形式之上,企图组合那些形式,借以幻化出客观世界。这派的逻辑,既然只是研究理性自身发展的形式,必然要应用演绎的方法。但最能严整的应用演绎法的部门,无过于数学,所以专以形式为研究对象的这种逻辑,必然采用数学上的演绎法。这一派的逻辑,还找出了"逻辑归数学,数学归逻辑"的根据,说逻辑也和数学一样,有常住不变的公式,并主张思维形式中有所不变的"逻辑常数",可以窥测客观的实在。因此这一派逻辑学者,如牟宗三君主张"逻辑全是普遍的、形式的、意义不定的命题函数间必然的推演关系",要用数学的符号表示一切演绎推论关系的形式,用数学的方法去推演出新的个案。这一派逻辑,完全用数学的符号表现其"理性本身形式的发展",表现其思维的过程。一切都在不言中,符号的漫画,幻化出现实世界。这真可说是发展到了绝顶的、纯粹的形式逻辑。

数理逻辑或符号逻辑如何把现实世界幻化为符号的漫画,关于这一层,这里无暇加以批判(等有机会时详加检讨)。我们在这里所要批判的,是这派逻辑所根据的思维原理——同一律、矛盾律与排中律。

其次,试验逻辑的哲学基础是实验主义。实验主义是以效用之有无为真理标准的观念论的一个流派。实验主义主张用概念做工具以论证现实世界,至于概念所代表的事物,在现实上是否存在,可以不问,所以实验主义又叫做"工具主义"。试验逻辑,是建筑在这种实验主义或工具主义的基础之上的。所以杜威说:"逻辑是研究思想的,而这种思想是求正确知识不可少的工具,也是避去荒诞谬误知识不可少的工具。"

试验逻辑超出于从来的形式逻辑的特点,据我看来,可分为下列五项。

第一,把逻辑应用于日常生活方面,锻炼了现代式的"健全的常识"。

第二,把逻辑应用于初等教育的领域,表现出试验逻辑在这个领域中是有用的,但在高等教育中未必有用。

第三,试验逻辑,从自然科学家的经验中,从他们的思维历程中,抽象出形式上的五个步骤,即所谓:(1)感觉疑难;(2)指定问题;(3)拟设解答;(4)引申涵义;(5)实地比照(即观察与试验)。这五个步骤的列举,对于初学者确是有用的。但它对于自然科学不能有所指导,因为它是爬行的经验论。

第四,试验逻辑,主张归纳法与演绎法并用,分析与综合并用,这是比较原来的形式逻辑进步之点,但它所根据的思维原理仍是形式逻辑的。

第五,试验逻辑,主张把头脑中所推演的真理,凭借观察与实验去印证一样的真理。这在表面看来,好像是很合理的,而在实际上却只是由观念出发以说明现实,由概念的编列去推得所谓真理,然后再借助于观察与实验以鉴别自己的信念,并不是先有观察与实验,考察了事物的真相,才引出真理来,再由实践去证明。

就以上各点看来,试验逻辑,比较旧来的形式逻辑或古典的形式逻辑,可说是进了一步;比较数理逻辑或符号逻辑,也不是怎样纯粹的形式的。但不论它有那些特点,试验逻辑仍然是形式逻辑,因为它所根据的思维原理仍是形式逻辑的。例如杜威的逻辑,最置重于支持自己的信念的根据,即置重于足以证实自己所信的充足理由,换句话说,即置重于形式逻辑的"理由充足律"的。这"理由充足律",又是根据于同一律、矛盾律及排中律的。

综合以上所述,各派形式逻辑,虽各自有其特征,而各派的基本理论——思维原理,却是同一的。即一切形式逻辑的思维原理,始终是同一律、矛盾律、排中律与理由充足律。

于是各派形式逻辑的批判,就归着于上述四个思维律的批判。这些思维律,是各派形式逻辑所由展开的根据。举凡概念的构成,判断的决定,推理的进行,以及所谓观察法与统计法等的应用,都必须遵守这些思维律。所以我们对于形式逻辑扬弃问题的展开,要从这些思维律的批判开始。

(二)形式逻辑思维原理的批判

形式逻辑的思维原理,通常分为两类,一为同异原理,一为理由充足原理。

同异原理,分为同一律、矛盾律及排中律三种。

(1)同一律。据形式逻辑家的解释,同一律是规定思维对象的概念,在思维过程中必须始终保持一致的原理。这律表明两个要点:其一,任何事物必须与它自身同一:其二,同类事物,必常常保持同一的性质。基于这两个要点,同一律又分化为自同律与一致律二类。

自同律表示任何事物,任何概念,必须与它自身完全同一。这种关系,用公理表示出来,就是:"甲是甲",或"甲等于甲"。例如说:"中国是中国",或"中国等于中国";又如说:"抗战是抗战",或"抗战等于抗战"。这便是说,"中国"始终是和她自身完全同一或相等,"抗战"始终和它自身完全同一或相等。

其次,一致律表示两个事物或两个概念的范围,有全部地或部分地不同,其间所存的关系只是某一部分的互相一致。这种关系,用公式表示出来,就是:"甲是乙。"例如说:"中国是半殖民地民族",又如说:"抗战是防御敌人进攻的军事行为。"这便是说:"中国"始终是"半殖民地民族","抗战"始终是"防御敌人进攻的军事行动"。

形式逻辑家,对于上述解释,或者要加以补充,说:"现实的中国、现实的抗战,当然是有变化的,但在我们的思想上,中国还是中国,抗战还是抗战;中国仍是次殖民地民族,抗战仍是防御敌人进攻的军事行动。"这便是屠孝实所说的"一种抽象的统一",是所谓"超出差别以上之具体统一"。

依照形式逻辑的见解,当我们研究现实的事物,譬如研究现实的中国、现实的抗战时,只要在"中国"或"抗战"的概念中,装入同一不变的内容就可以了。照这样,中国就不能有什么发展,抗战也不能有什么发展,中国永远停留在半殖民地地位;敌人占领了半个中国而停止进攻时,就可以不必继续抗战了。因为形式逻辑虽不禁止现实的变化,而在观念中却绝对不许有变化,即概念中的事物永远与它自身同一的。

这个同一律,真是表示所谓"抽象的同一"的。这抽象的同一,是排除了一切差别的同一,或如屠孝实所说,是"超出于差别之上"的同一。这个同一律,完全是空虚的同一语的反复。主辞与宾辞的同一(如"甲是甲"),已经与命题的形式相矛盾。它只是暗示着:关于对象的一切标识,已被当作永久不变的东西包摄于概念之中,准备在进行推理时,从这概念中取出任意的标识下判断。

(2)矛盾律。据形式逻辑家解释,矛盾律是防止同一律所规定的概念发生变化的一种原理。它的公理,就是:"甲不是非甲"。这律原是从同一律引申而成,实是同一律的另一表现。因为"甲是甲"一语,当然含有"甲不是非甲"的意思。例如说,"中国不是非中国",这话在其肯定的形式上,仍然是"中国是中国"。这矛盾律的意思,是说:"无论什么东西,在同时同地,决不得兼具自相矛盾的两种性质。"即是说,我们在思维之时,对于同一事物的概念,在同一条件下,不能同时肯定而又否定它。

依据矛盾律来说,"中国是中国","中国不是非中国"。1840 年以前独立国地位之"中国",与那时以后半殖民地地位之"中国"是同一的,与将来由民族革命而实现的新独立状态的"中国"是同一的。这三种地位中的"中国",果然是同一的么? 形式逻辑家或者要辩解的说:"我们是说,对于一个事物,在同一条件下,不能同时肯定又否定。如今条件和时间既然不同,当然可以承认将来的新的独立的中国,是和现在半殖民地状态的中国不同的"。于是我们要问,将来的新中国是凭空从天上降下来的,或者是从现在半殖民地状态中生长起来转变而成的? 如果承认新中国是从天下降的,那就什么都不必说了! 如果承认新中国是从目前半殖民地状态发展起来的,我们就要再问:新中国是不是在目前半殖民地状态中孕育着,是不是已经播了种子出了芽。如果承认独立的新中国早已在半殖民地状态中含有萌芽,"中国"这一概念中,就在同时同地兼具有自相矛盾的两种性质了。这便是说,半殖民地状态中的"中国",同时含有非半殖民地状态(即独立国状态)的矛盾性质了。特别是在目前抗战的过程中,我们可以很正确的说:"中国是半殖民地民族,同时又不是半殖民地民族。"这句话,形式逻辑家没有理由反驳,矛盾律就变为没有意义了。

形式逻辑的矛盾律,原是表示一种东西与别种东西的差别的(如同同一律表示一种东西与它本身互相同一)。例如说,"中国不是非中国",其用意是表示"中国"与"非中国"有差别,在国民的意义上,是表明"中国"与中国以外的国家或民族有差别。但世界任何事物,虽与其他一切事物不同,却与它们互相联系而存在。中国虽与其他一切国家或民族不同,却与它们互相联系而存在。任何事物,不能孤立存在,而是与世界其余一切事物联系的存在着。一个事物与其他一切事物的差别,都是质的差别。一个事物的质是表示它所以与其他事物有差别的规定性。如果某一事物不与其他一切事物相联系,它便不能存在,同时我们也无从认识它的差别性,无从规定它的质。同时,任何事物,又与其他一切事物有共同之点,即是说,在一定条件之下是同一的。譬如说,中国与世界上其他任何国家或民族是有区别的,同时,在一定条件之下,中国与其他任何国家或民族是同一的。同一与差别形成一个统一。这个统一中的同一与差别,才是具体的同一与差别。换句话说,具体的同一,是包含了差别的同一;具体的差别,是包含了同一的差别。所以在一个统一中的同一与差别,表现出一个事物是与它自身同一的,同时又与它自身有差别的;表现这一事物与其他事物有差别,同时又与其他事物有某种同一,即是说,这一事物与它本身以外的一切事物相联系。

但是,形式逻辑,在同一律主张抽象的同一,矛盾律之中又主张抽象的差别,前者表示着任何事物都与它本身相同一而没有发展,后者表示着任何事物都是单独存在,而与世界其他一切事物无关联。"甲不是非甲"这一原理,一方面消灭了任何事物中的新生的契机,发展的动力,一方面划分"甲"与"非甲"的不可逾越的鸿沟,切断了"甲"与"非甲"——一事物与其他一切事物——间的关联。所以这个矛盾律,也和同一律一样,与其命题的形式相矛盾。形式逻辑,为了认识抽象的同一性,不能同时看到同一中的差别,与差别中的同一,不能同时看到肯定中的否定契机,与否定中的肯定契机,所以主张对于任一事物不能同时肯定又否定。

(3)排中律。据形式逻辑家解释排中律是规定两概念之间,不容许第三者的存在的关系的一种原理。我们就同一事物,或加以肯定,或加以否定,是或否都是绝对的,互相排斥的,在肯定与否定之间,不容有第三种判断存在。这又叫做"不容间位律"。这种原理,用公式表示出来,就是:"甲或是乙,或是非乙。"据说这一原理,是选言判断的基础。

依据排中律,两个自相矛盾的判断中,必有一个是真理,别一个是错误。这是把在矛盾律之中作消极主张的东西,来做积极的主张。"甲或是乙,或是非乙"的公式,恰恰可以改写为"是—是,否—否,其他都是错误"的公式。在这公式中,关于一个事物两个对立判断之一是正确,不能再有第三个判断。

关于矛盾律的原理之批判,也可移用于排中律,因为这两个思维律的内容是同一的。就前例来说,我中国民族目前正厉行着民族解放的大战争,即是厉行着使中国由半殖民地地位转变到自由独立的新中国的大战争。在抗战已届两年的过程中,我中国政治军事力量所控制着的地区中,已经脱出了帝国主义的影响,脱出了半殖民地的状态,而在敌人所占领的地区,却暂时的完全的成为敌人的殖民地。在这种状况之下,我们试问:"中国是半殖民地民族呢? 或不是半殖民地民族呢?"依据形式逻辑家的主张,这两个判断之中,只有一个是正确,即:"中国是半殖民地民族",或者说:"中国不是半殖民地民族"。但在辩证逻辑说来:"中国是半殖民地民族,同时又不是半殖民地民族。"照这样,不是成立了第三个判断了么?

至于形式逻辑家所说排中律是选言判断的基础,这种见解,也不正确。选言判断的基础,存在于客观的现实中,不存在于排中律之中,我们只有分析现实去暴露它,不能在思维中去探求。譬如我们研究中国社会的发展过程,发现中国社会在现阶段已进到大飞跃的时代。这个大飞跃,要经过民族革命战斗能实现。换句话说,倭寇向我大举侵略,中国已临到存亡的最后斗争。"抗战以图存呢? 投降而亡国呢?"现实的两条大路(不能有第三条)摆在我们面前,我们怎样去选择呢? 这个选择的根据,是历史的必然,不是意志的自由;是全民族的利害,不是个人的利害。只有少数汉奸,根据个人的利害,根据意志的自由,去选定"投降亡国"的路走。凡是中国人,都是根据全民族的利害,根据历史的必然,全体选定"抗战图存"的道路走。排中律在这里能成为选言判断的基础么?

排中律本来是表示抽象的对立的(形式逻辑家玩弄形式,硬说对立语不是矛盾语,说立的两极端之间可以存在中立语。其实对立的两极端之间,决无折中的东西存在,例如南极与北极之间并不存有非南非北的极,阴极与阳极之间并不存有不阴不阳的极)。但那种抽象的对立,是排除了对立物的统一的对立。在客观世界中,一切事物都是对立物的统一。对立物在其统一上互相联系。对立物的每一极,必然的以另一极为前提,并要求另一极的存在。同时,每一极又是另一极的否定,并要求另一极的不存在。所以每一极都肯定并否定另一极,又是肯定的并否定的互相联系,因而自是肯定的并否定的,即要求自身的存在与不存在。这种对立物的矛盾,只有由对立物的斗争来解决。所以我们要认识事物的必然性,必须理解事物的内在关联,理解事物的对立统一。形式逻辑的排中律,只承认对立物的一极而否定他一极,所以只能表示抽象的对立。但抽象的对立,在客观的现实上,是不存在的。

(4)充足理由律。据形式逻辑家的解释,充足律是在于表明事物相依而存的关系的,它和前三律单单表明同一关系的有无一点,其性质大不相同。当我们思维之时,常常要设立相当的理由即根据(论据),作为立论的张本;既然依据理由或根据以求得一定的归结,就更用这个归结作为理由或根据,再进行推证,照这样重重相因,前后贯串,就叫做逻辑的关联。思想要具有这样的关联,才能算是正确。我们所以能够从已知求得未知,就是这一律的效用。

形式逻辑宣称不愿漂浮于事物的表面,想进一步探求事物发生的根据(如理由),因而在"同一律"、"矛盾律"、"排中律"之外,又添上了这个"充足律"。这个充足律,暗示着一切事物都是某种运动或发展的结果的理解。

但是,形式逻辑,在其思维上,根本排斥事物的运动与发展,因而绝不能理解事物变化及发展之内的源泉,不能理解事物所以变化、发展的内的根据。形式逻辑仍然是飘浮于事物的表面,只知道在事物的表面去探寻事物变化、发展的根据,或者在事物的外部去探寻那些根据。例如世界经济恐慌发生之时,商品堆积如山,无人购买,无数的工厂关门,无数的工人失业,引起了社会大混乱的现象。这究竟是什么理由即根据呢? 遵守形式逻辑的经济学家,对于这一问题,有一个很普遍的解释,说:"经济恐慌发生的根据,是金子的缺乏。"这些经济学家,基于这种理论,就主张实行膨胀通货,借以增加社会的购买力,以期销纳那些过剩的商品,而救济那个经济恐慌。可是经济恐慌反而扩大,反而深化,这又是什么理由呢? 现代的经济学家,对于这个问题,大概不愿、也不能进一步去解答的。但在辩证逻辑的经济学家说来,经济恐慌发生的根据,存在于资本主义的生产过程中,是资本的独占与社会的生产这个本质的矛盾(根据)发展之必然的结果。在资本主义存在的时间,经济恐慌的根据就一同存在,经济恐慌的现象是绝对不能消灭的。

形式逻辑,基于抽象的同一律,从事物的形式或事物的外部,去搜寻事物变化的根据,结果只能把捉得表面上的特征或条件。而这种表面上的特征或条件,是受事物本身的根据所决定的东西。例如经济恐慌的根据,是资本主义生产本身之内的根本的矛盾,所谓"金子的偏在"(即所谓"金子的不足"),是经济恐慌的表面上的特征,它是由那个根据所决定的东西,并不是经济恐慌的根据。又如,日寇侵略中国的根据,是日帝国主义的内的矛盾(垂死的帝国主义的生产关系与生产力的矛盾)。日帝国主义者希图侵占中国以解决那个矛盾,而日本军阀只是它的急先锋。日本军阀的好战性,只是日帝国主义侵略的条件,结局它是由那个根据所决定的。又如,我们的抗战,是反日帝国主义的民族解放战争,其根据是打破侵略以求中国之自由平等,不是屈辱的和平。至于抗战胜利以后所实现的和平,是受那个根据所决定的。形式逻辑家把由事物的根据所决定的东西,当作根据,因而把根据和由根据所决定的东西,看作抽象的同一。这完全是依据抽象的同一律推演出来的。形式逻辑,把探求根据(即理由)的逻辑的进行化成空虚的议论,这无疑是主观主义的、抽象的见解。

形式逻辑的四个思维律,上面已经分别的检讨了。这四个思维律,穷其究竟,结局都归着于一个原理,抽象的同一律,即抽象的同一性的法则。在现实世界中,同一与差别是统一的,只有在这个统一中,同一或差别才是实在的。形式逻辑,把这个统一当作无差别的同一或抽象的同等去观察,因而主张事物或概念,都与它自身同一或相等,绝无变化与发展。至于矛盾律,只是同一性的命题的消极的表现。所谓"甲不是非甲",仍然是"甲是甲",即是说同一物不能不与它自身同一。再次,排中律也只是同一律的更进一层的展开,把在矛盾律中作消极主张的东西,拿来再作积极的主张。由于排除对立物的一极而采取其一极,结果就还原于同一物仍与它自身同一。至于充足律,依据同一律去探求事物的根据(即理由),而所探求的根据,却是形式上的表征或条件(恰是由事物的根据所决定的东西),把形式与内容看成抽象的同一。于是充足律结局归着于同一律。于是形式逻辑思维原理的批判,就归着于抽象的同一律的批判。

从辩证逻辑的见地说来,现实世界的一切事物,都是运动的,发展的,联系的,一切都是对立的统一。所谓抽象的同一性,无论在无机的自然界,在有机的自然界,在人类社会的领域,都不存在。世界一切事物,千差万别,都是联系的存在着,并非互相孤立。任何个别的事物,在其发展过程中,也无时不与它自身相差别(即不是同一),并且还转变为它的反对物(即对立物)。但形式逻辑,不能理解世界发展的法则,只飘浮于事物的表面,把各个抽象、概念或标识的互相同一之点,把它们之间的丰富的差别性、多样性,舍象了去,因此建立抽象的同一律。形式逻辑一经抽象出同一律之后,就把它当作思维的根本法则,便再不回顾客观世界的发展,而把自身禁锢于抽象的思维领域了。

这抽象的同一律,原是抽象的制品,对于现实世界原是不适合的。形式逻辑家,却依据这抽象的同一律,使具体的全体性,转变为死物的阴影,转变为没有内容的形式。所以抽象的同一律,"只是抽象的悟性的法则",在具体的现实的认识上,它不能成为思维的法则,并且也全无用处。

(三)形式逻辑之观念论本质

根据以上的考察,我们可以知道,各种形式逻辑,除了培根的形式逻辑含有一点经验论的、素朴的唯物论的契机之外,其余一切形式逻辑都是观念论的。培根以前,亚里士多德的形式逻辑是观念论的。培根以后,理性论的形式逻辑(如笛卡儿、莱布尼兹与康德等的逻辑),与经验论的形式逻辑(如洛克、穆勒与耶方斯等的逻辑),都是观念论的。至于现在数理逻辑或符号逻辑,是理性论形式逻辑的苗裔;罗素的数理逻辑的哲学基础,是观念论的数理哲学。现在的试验逻辑,是经验论形式逻辑的苗裔;杜威的试验逻辑的哲学基础,是观念论流派的实验主义哲学。所以在目前谈起任何形式逻辑时,都可以把它当作观念论的哲学去检讨,这是绝对不会错误的。

现在的试验逻辑和符号逻辑,根据观念论的思维规定存在的论纲,主张逻辑是专只研究思维的学问。在试验逻辑派方面,如杜威关于逻辑的定义,我们在上面已经揭举过了。其次,如我国胡适和吴俊升两君,也各有一个定义,胡君说:"论理学不是教人以思想的科学,是教人思想怎样正确的科学。"吴君说:"论理学乃是探究正确思想的历程和法式之学。"这两个定义,和杜威那个定义,在原则上是相同的,即都是主张逻辑专只研究思维的,至于思维是不是客观世界的映像,他们的答复是否定的。

至于数理逻辑或符号逻辑,主张逻辑是理性本身的形式的发展和推演。如牟宗三君所说:"逻辑全是普遍的、形式的、意义不定的命题函数间必然的推演关系。"这派认定逻辑的对象是理性的形式,不是客观世界。其观念论的性质,很明白的表现着,这里无须多加讨论。

上述两派形式逻辑的根本的共通之点,是思维规定存在这一观念论的论纲。他们从思维出发以说明存在,使存在隶属于思维,按照所谓思维律,去编列种种图式,拿来粘贴于客观世界之上,说客观世界是依照逻辑的图式而构成的。这就是所谓抽象的真理。

形式逻辑,认定抽象的同一律(如上文所检讨,形式逻辑的四个思维律,归结于一个同一律)是永久不变的思维法则。这抽象的同一律,原是抽象的制品,是亚里士多德从当时认识的一切材料抽象出来的,它一直是形式逻辑的金科玉律。形式逻辑遵守这个同一律去运用其思维,这样的思维,是否与客观世界相符合,能否到达于离意识独立的客观世界的认识,它是置之不问的。它所关心的事情,只是诉诸这个法则的直接明了性。如果概念的排列和改编,能够不违背那个法则,这便是正确的思想了。

形式逻辑家,对于形式逻辑之观念论的性质,丝毫也不隐讳。下面我引两位形式逻辑家的自白,让读者们看看。

牟宗三君说:"逻辑中的三个根本原则,也称思想律,也称思想中的三个假设或设准。……我们首先说这三个假设'是思想中的东西','不是对象中的东西',是指说对象或确定对象的思想上的运用,不是对象本身的生成变化。这是第一要注意。"①

牟君对于形式逻辑的观念论的性质,表现得非常明白,形式逻辑的根本原理,"原是思想中的东西,不是对象中的东西"。

张东荪君说:"自亚里士多德以来,早就告诉我们说,这种同一律是思想上的律,而不是事实上的律。于此所谓思想,却是指'说话'而言。倘使采取唯物的见地,以为思想是事实的映印,那就不相谋了。在此所谓思想完全是说人类用符号(即语言)所表示的东西。这些符号是人造的,不是事实的映印。符号与符号之间具有内在的规则,这种内在的规则就是所谓逻辑。于是我们便可卑之无甚高论,而知道这种思想律只是说话的规则罢了,不必有客观的对应,亦不是宇宙的理性。说得明白一些,例如我说这个东西是一本书,等到它坏了以后,我还可称它为一本书,只须说'这一本书坏了'而已。可见所谓'同一'不是'事实上的同一',乃只是用符号于意识范围中有所同一。……例如我对于一本书,既称为茶碗,又称为笔筒,则听者便不明白我所说到底是那一件东西了。可见说话全

———————
① 见林仲达《综合逻辑》中的引用语。

靠语言上的指谓上有同一。语言中的同一,不是事实上的同一。

所以同一律只是语言界内的法则,即在语言上必须有同一,至于事实上有无同一可以不管。……可见思想律三条,都是言语界的法则,而与事实不必完全相符,即使不相合也不要紧。但须知我们离了这三个律不能说话,于此可见同一律不能以辩证法来代替。因为同一律是说话的法则,而辩证法不是说话的法则。"①

张君所说的话,很可"宝贵",所以上面多引用了几行。现在我来略加检讨。张君承认逻辑即是"符号与符号之间"的"内在的规则";承认"同一律是思想上的律","不是事实上的律"。而思想"却是指说话而言",不是"事实的映印"。故同一律"只是说话的规则","不必有客观的对应","亦不是宇宙的理性"。张君对于形式逻辑的观念论的性质,也率直的加以承认,同一律中所指的"同一",原是"意识范围"中的"同一",并"不是事实上的同一",这和我在上文中所指摘的地方也是"同一"的,这一层可以不必多加检讨了。至于说,一本"坏了"的书和它未坏的时候是同一的,那么,当那本书变成灰尘的时候,它仍然和它未坏或"坏了"的时候是"同一"的。这当然是观念上的"同一","不是事实上的同一"了。至于说,书是书,不是茶碗,也不是笔筒,这话谁也不能否认。辩证逻辑家只主张一本书是要变坏的,"坏了"的书和未坏时的书是不"同一"的,若果它化为灰尘的时候,与原来的它更不是"同一"的了。书当然不是茶碗,也不是笔筒,只有在三者同是日用品的条件下,才能说起它们的同一性。至于张君所说,思想律三条是说话的规则,离了它们便不能说话,"而辩证法不是说话的规则"。这话果然是正确的么,我们离了形式逻辑便不能开口了么? 譬如我说:"张东荪是张东荪",这是"不假思索的"按照形式逻辑说话了。因为是"不假思索"来说这句话,其意若曰:"张东荪不过是张东荪罢了。"我如果假以思索来说明张东荪的为人之时,今天的张东荪,不是初办共学时代的张东荪,更不是主编《时事新报》时的张东荪了。即是说,随着时日的经过,前后的张东荪是不同一的。若再按照排中律来设立判断时,可

---

① 见林仲达《综合逻辑》中的引用语。

以这样说:"张东荪是抗战的? 或不是抗战的呢?"我认为这两个判断都是正确的。因为张君是中国人,可以说他是抗战的;又因为他从未在言论或行动上参加抗战,可以说他不是抗战的。这样看来,我离开了形式逻辑的三条思想律,不是也可以说话了么?

形式逻辑是观念论的,是主观主义的,上面已经考察过了。形式逻辑拘泥于现实事物的形式,不能深入的把握其内容,只是抽象的考察认识的材料,根据于不完全的、片面的认识,制造出永久不变的思维律。于是根据这种永久不变的思维律,去研究概念与概念的形式的关系,并不考察概念与现实的关联。形式逻辑,还依据那些思维律,希图从新的经验与观察,引出新的抽象的真理。如果遇到客观事物与永久法则相矛盾之时,就尽可能地在思维上排除这种矛盾,务使客观事物与永久法则相符合。所以形式逻辑务使客观世界隶属于思维的永久法则,因而思维所得的真理,只是思维与思维法则相一致的真理,不是思维与现实世界相一致的真理。

(四)形式逻辑的局限性

形式逻辑的缺陷,除了它的观念论的性质以外,还有下述四种局限性。

第一个局限性,是形式逻辑之与认识论相分离。

形式逻辑家宣称逻辑是与哲学的认识论不同的。据他们的见解,逻辑只研究思想怎样正确或研究正确的思想历程和法式等问题。至于"认识论,比逻辑更进一步,研究知识的根本问题。它的问题是:知识如何可能? 知的意识和所知的对象,其间是什么关系,真理究竟是什么? 这些问题,普通的论理学是不讨论的"。①

依据上述见解,逻辑并不研究"知识的根本问题",所以它不是哲学的认识论。这样分离逻辑与认识论,实是形式逻辑的大缺陷。

在个别的诸科学异常发展的现代,从前无所不包的、号称"科学的科学"的那种哲学,已经失其存在的必要,它所涉及的自然及社会的诸科学部门,已经消解于个别的诸科学之中。于是由从来的哲学遗留下来的东西,只是历史

---

① 吴俊升君:《论理学》。

的诸科学的结论之普遍化的概括,是人类的一切认识史的综合与结论,即是唯物论的辩证逻辑。这唯物论的辩证逻辑,即是认识论。所以辩证法、逻辑与唯物论的认识论,这三者是同一的东西。在这种意义上,哲学即是逻辑,逻辑即是哲学。而逻辑之外,不能再有哲学的认识论。

形式逻辑家正因为是观念论者,是形式主义者,当然不愿也不能理解上述"逻辑即哲学"的意义,仍然固执着传统的观念,分离逻辑与认识论,把逻辑局限于抽象的思维的领域,想根据抽象的思维律,从事于连缀概念,实行判断与推理,以探究所谓正确的思想、正确的知识。至于思想和知识的来源如何?它们与客观世界的关系如何?我们怎样从反映客观世界的感性的认识出发,以进到逻辑的认识?怎样从不知产出知识,从比较不完全不正确的知识进到更完全更正确的知识?我们的知识是否正确地反映了客观世界(即是否成为真理)?知识如何由实践出发而复由实践所订正,并指导实践?这些"知识的根本问题",形式逻辑家"是不讨论的"。他们虽然常常记述自然科学家的发明和发现的经验,但也只是从经验到经验,却不探问那些经验的来源。这样看来,形式逻辑既不能理解"知识的根本问题",必然不能探得正确的知识、即反映客观世界的发展过程的知识。因为形式逻辑对于本身的思维律的来源,自己都不知道,而它所知道的东西,只是合于思维律的思想是正确的,否则便不正确。其实它的思维律本身,原是不正确的。

在唯物辩证法说来,逻辑即是当作认识论看的辩证法。它在唯物论的前提之下,把认识的历史当作普遍化的东西,从认识的结果及总计的见地去采取的,即是说,历史的东西是从逻辑的见地去采取的。逻辑和认识论的基础,都是认识的历史。我们要研究认识的形式,概念、判断及推理的形式,就必须研究这些形式在认识史上是怎样被适用的,研究这些形式怎样随着认识的发展而发展。这便是说,逻辑的东西,也同样是认识的历史的普遍化,因而当作认识论看的辩证法,即是逻辑。所以逻辑不是关于外的思维形式的学问,而是关于外界的发展法则及其在思维上的反映的思维发展法则的学问。它是科学的世界观,同时是科学的方法。至于形式逻辑的局限性,我们正可以根据辩证逻辑这种见地,去把它暴露出来。

形式逻辑的第二个局限性,是完全缺乏发展的观点。客观世界的任何事物都是矛盾的统一、对立物的统一。在其发展过程中,任何事物虽与它自身有同一性,同时又与它自身有差别性,这差别性随着它的发展又转变为对立性,而对立又形成同一。这同一性、差别性与对立性,根源于事物本身中的矛盾的发展而显现的。所以任何事物的发展,其同一性转变为差别性,差别性又转变为对立性,而对立又形成同一。这是事物的具体的发展过程。例如一粒麦种,它本身具有一定的营养物(即肯定的契机),并含有未来植物的萌芽(即否定的契机)。这是矛盾的统一。麦种在其发展过程中,那矛盾的契机便起作用,当麦芽未出现以前,麦种虽是麦种,却不是原来的麦种,即与它自身有差别了。直到麦芽出现之时,麦种已转变为它的对立物,即麦种已当作种子死去,生出了麦苗。于是这新生的植物,形成为生与死的对立的统一即同一。从此麦苗的发展,经过开花结子以至于枯萎而死,都同样经过同一——差别——对立——同一的过程。这个同一,是辩证法所说的具体的同一之一例。这具体的同一,是包含着具体的差别与对立的同一。至于形式逻辑所主张的同一,是排除了差别与对立的同一,是抽象的同一。它完全蔑视了现实事物的发展。

形式逻辑家宣称:思维律是思想中的东西,不是对象中的东西;对象本身虽有变化和发展,而思维律却不考察它的变化和发展。换句话说,思维只"是思想中的东西,不是对象中的东西",所以对象本身虽有生成变化,而思维律所说的同一,是"思想进行时的先在确定",与对象本身的生成变化无关。一个女子,从她长大成人,以至出嫁生子,做了母亲,老来又抱了孙子,她仍然是个女子。为什么呢? 因为不管她的一生怎样变迁,她在生理构造的形式上仍是女子。老妇与少女,在形式逻辑家的头脑中,绝对是同一的。对象虽然变了,而指说那个对象的思想是不变的。这个原理,用浅显的话来表现时,就是思维把那个对象照了一张相片,立时把那个对象杀死了,即令对象还在活着,而思维上却已杀死它,以后只对照那张相片去研究它就可以了。

据我看来,形式逻辑的思维律,都是就变化中的不变性、运动中的静止性,以认识事物;即是切离在发展过程中的事物的一断片、一分段,以认识固定不变的同一、差别与对立。同一永远是同一,差别永远是差别,对立永远是对立。同一不能推移于差别,差别不能推移于对立,而对立又不形为同一。照这样,事物是不能有变动的,世界是不能有发展的。这可以说是只考察事物的存在而忽视其成长与消灭,只考察其静止而忽视其运动的思维方法。

形式逻辑的第三个局限性,是完全缺乏联系的观点。我在第一章之中,已经说过,形式逻辑是"搜集科学"阶段的产物。例如在亚里士多德时代,科学的知识还很幼稚,人们只能认识世界各方面的一小部分,看不到各方面各部分的变化发展,而以为自然界总是演着同一的循环。同时,人们所已经认识的那些小部分,分属于自然界及人类社会各方面,当然不能看出它们之间的联系,而以为一切事物是孤立的存在着。这便是抽象的同一律所以建立的原因(这原是用以证明贵族永久是贵族、奴隶永久是奴隶那种社会秩序的)。及到近代,培根创建归纳逻辑(它对于近代科学的发展很有贡献)之时,个别科学比较从前虽已进步,却还停在搜集的阶段,未曾建立各自的体系。所以培根的归纳逻辑,也只能搜集个别诸科学方面的互不联系的经验材料,实行理论的加工,这不能理解世界发展的一般法则、世界内部的联系及统一的一般法则。因此培根的归纳逻辑,仍然遵守着抽象的同一律,它本身仍是形式逻辑。这种传统的方法流传到现在,一直为各派形式逻辑所遵守。试验逻辑家依据于实验主义的"多元的世界观",把世界划分为互不联系的许多部分。他们爬行于自然科学家的发明与发现的经验之间,从经验到经验,编撰其记述式的形式逻辑,而对于经验与客观事物的联系,对于经验与经验间的联系及其与客观事物间的联系之联系,却是不加考虑的。至于数理逻辑家,完全用数学的演绎法推演理性本身发展的形式,把客观世界幻化为符号的漫画,把客观世界的认识归着于数量的演算。他们根本上不理解也决不愿考察概念与现实世界的联系、形式与内容的联系。

形式逻辑所以完全缺乏联系的观点,实根源于抽象的思维律。例如说:"甲是甲;甲不是非甲;甲是乙,或不是乙"——这种原理,十足地表示着任何事物是完全与世隔离的。所以形式逻辑的思维律,都是在离开全体性的孤立性上考察事物的。同一物是同一物,同一物不是非同一物,同一物与其反对物,截然分离,不生联系。照这样,形式逻辑从事物的全体性之中,只采取其一面性或部分性,而孤立隔绝地去运用思维。这就是说,它从事物间的全部关系中分离出个别事物,从一个事物内的各方面的全部关系分离出一个方面,而孤立隔绝地去加以考察。这可以说是只看见树木不看见森林、只看见部分不看见全体的思维方法。

形式逻辑的第四个局限性，是理论与实践的分离。形式逻辑的思维律，是与社会的实践相隔离的。人类的认识由社会的实践发生，为社会的实践所证明，又指导社会的实践。人类在其数十万年的实践的过程中，不断地与自然界和社会环境相斗争，一面变化它们，一面变化自己的思维本身。由于绵绵不绝的社会的实践，人类认识了自然与社会，更把这些认识组织为各种实证的个别科学。至于哲学即逻辑，是通过个别的科学去认识客观世界，综合实践的历史与认识的历史，抽象出关于世界发展的一般原理、法则及范畴。这原理、法则及范畴，表现着认识与实践的统一，又指导人类的实践，积极的变革客观世界。所以社会的实践之发展，一面使发展着的客观世界的新矛盾与新关联，不断的反映于原理、法则与范畴之中，形成原理、法则与范畴的新矛盾与新关联，促进原理、法则与范畴的发展。所以思维的原理，随着社会的实践之发展而发展，绝不是永远确立了的某种永久真理。形式逻辑的思维律，原是抽象的制品，并未能站在实践的历史与认识的历史的基础之上，去观察客观世界的发展，它只是与客观世界分离了的抽象的产物，是社会的实践所不能证明的抽象的原理。

现今的数理逻辑，其与实践相分离，是很明显的。至于试验逻辑家，对于上述批判，或许表示抗议。他们夸称自己的逻辑是与形式逻辑不同的试验逻辑（其实仍是形式逻辑，上文已经说明），而试验逻辑是注重观察或实验的，所以，它们好像也是主张理论与实践的一致的。试验逻辑之注重于观察或试验，可算是形式逻辑的一个特色。但试验逻辑所主张的试验，在其原理上是实验主义的实验，不是指称社会的实践、全体的实践。实验主义的实验，其目的在于把抽象的真理，凭借实验来证明它是否有实用，所以实验主义又称实用主义。这样的实验，是借以测知用概念做工具推演出来的结论的果效的，所以实验主义又称工具主义。试验逻辑的基本原理，就根源于这样的实验主义。试验逻辑，把思维过程分为五个步骤（见前），而以实地比照（观察或试验）一项，放在思想历程之末，这明明是说明思想的结果，不是从实践产生的。所谓实地比照，即观察或试验，只不过靠它判明抽象的真理是否有用而已。这绝不是我所说的理论与实践的统一。

试验逻辑家，当搜集自然科学家发明和发现的经验而加以记述之时，也曾说起自然科学家在其思想历程中是逐步的实行观察或试验的。但他们并不能理解：自然科学家在观察或试验的历程中，是基于过去的实践和认识的历史的成果，反映了对象的发展法则，作为指导原理，去实行观察或试验，并不是像爬行的经验论者那样，专凭主观的虚构，从观察到观察、从实验到实验去瞎碰的。德人爱尔列希发明"六〇六"，试验了606次，这在表面上好像是从试验到试验去瞎碰的。其实，他在这个领域中是唯物论者，他根据过去医学上的准备知识，正确的不断的反映了病症与药物性质和新关系，才建立假设并且不断地用试验去订正它，最后才得到成功的。试验逻辑家只看到科学家从实验到实验的步骤，以为可以把概念作工具，制造假设拿去"实地比照"，思想历程便告终结了。他们还提出了"大胆设臆，小心求证"的格言，说这是"实验主义的真精神"。这所说的"大胆设臆"，只是说明任意利用概念的工具去设定假设，不必根据客观的事实，因为实验主义者是否认客观的物质世界之存在的。换句话说，他们所说的实验，是实验那种与现实不符的观念的虚构。例如中国试验逻辑家，曾经制造出"好政府主义"、"好人政府"的观念的产物，主张要在中国尝试一下，这便是"实验主义的真精神"的表现——理论与实践的分离。

《理论与现实》第2期付印在即，本文只写成前半部在这里发表，其后半部即当续成，准备在第3期刊出①。

作者附志6月4日，于重庆江南岸之乡村。

（原载1939年《理论与现实》第1卷第2期，署名李达）

---

① 本文未见有续篇。——编者注

赠　学　友①

（1940）

不才小憩楚江滨

但觉泉林空气新

浮世虚名乖素愿

人生真理润吾身

盈庭桃李三千树

逝水韶华五十春

我辈此今皆老大

那堪回首话白蘋

（原载 1988 年《湖南党史月刊》第 9 期，见该期何建锋的文章《新发现的李达遗诗》）

---

① 1940 年春，李达因抗日战争影响辗转回到故乡湖南零陵期间，曾与在永州中学读书时的同窗好友郑桂芳相聚，并在其家住宿几日。老同学相会，促膝谈心，百感交集。是年秋，李达应聘到广东中山大学任教。临行前，李达到郑桂芳家告别，挥笔写了这首诗送给郑桂芳。——编者注

中国现代史第一页

（1940.3）

  中国现代社会，是帝国主义殖民地化过程中的社会。这一过程的序幕，是1840 年的鸦片战争，直到现在，整整一个世纪了。

  在抗战建国第三年当中，我们举行鸦片战争百年纪念，具有最伟大最深刻的意义。我们的抗战建国的最高目的，是争取中国之自由平等。鸦片战争，是中国民族捍卫民族独立的第一次战争；这次的抗倭战争，是中国民族争取民族自由的最末次战争。前者是中国民族从自由状态进到奴隶状态的关头；后者是中国民族从奴隶状态进到自由状态的关头。前者是中国殖民地化过程的开始；后者是中国殖民地化过程的终结。前者是中国民族独立的否定，后者是中国民族独立的否定之否定。所以今日的抗战建国，与百年前的鸦片战争，具有有机的生动的历史的关联。我们四亿五千万同胞，在英勇抗战的过程中，同时要回忆过去百年间我民族奴化的历史，追溯这奴化的历史的来源，探寻这历史发展的路线，才能坚定抗战必胜，建国必成的信心，完成中国民族从必然到自由的大飞跃。

  鸦片战争，是中国现代史的第一页。鸦片战争以前的中国社会，是封建社会，这是了无疑义的。那时的中国，虽受封建主义所宰制，而在国际环境中，却是自由的，独立的，民族的生存还不曾受到外族威胁。但自经鸦片战役以后，中国的封建社会开始崩溃，踏入了殖民地化的过程，我全民族就陷入于奴化状态了。关于这一层，我们应当就那个时期以前的世界社会经济的状况，对照中国社会经济的情形，来说明鸦片战争与帝国主义侵入中国的由来。

  在近代商业发达的过程中，欧洲各国人在印度航路通行，美洲大陆发现以后，都一致努力向海外掠夺殖民地。当他们来到中国要求通商时，差不多已经把非洲、澳洲、南美洲和半个亚洲瓜分好了。他们的海外殖民史,完全是一部杀人越货的血腥史。无数百万的亚、美、澳、非有色人种,都白白为他们所牺牲了。他们来到中国要求通商,无非是想试用其掠夺殖民地的手段,总是用对待殖民地的态度对待中国人。譬如葡萄牙人于 1517 年(明正德十二年)率领船只来到澳门西南之上川岛以后,就横行无忌,公然设立炮台,行使其刑罚权,以后又曾于宁海泉州两地大肆掠夺,迭经明廷加以惩创,始稍敛迹。又如西班牙人,在明朝嘉靖年间,屠杀在吕宋的华侨 25000 人,又在崇祯年间毒杀在吕宋的华侨两万余人。又如荷兰人,在明朝万历年间夺取澎湖,后又侵略台湾,侵入厦门,出没于梧屿、白坑、东椗等地,被明廷调兵击退。但据守台湾的荷兰人却负隅如前,并且建筑了平安、赤嵌两城以自固,及到崇祯年间,才被邓芝龙击退。至于英国人,在 1637 年,用舰队攻陷虎门炮台,由明廷允许通商了事。这是英国人对华侵略的第一次成功。英国人当时的对华贸易,是隶属于夺取殖民地的东印度公司经营的。此外俄国人的来华,更是露骨的侵略。这样看来,欧洲各国之对于中国,最初就是抱着使中国殖民地化的野心。这种野心,积蓄了 300 年之久,其所在 19 世纪以前未能实现的原因,一则他们自己的力量还不够,二则那时期的中国也不像非洲及南美各洲的民族那样容易对付的。然而到了 19 世纪以后,帝国主义者终于武力的侵入了中国,实现其多年的野心了。

最初侵入中国的帝国主义者是英国。英国在 18 世纪之时,已经掌握着世界商业的霸权。其独占亚洲贸易之东印度公司,已于 1715 年(康熙五十四年)在广州设立商馆,专营对华贸易,所以广东公行贸易时代(1702 年即康熙四十一年起,约有一百余年)的中国国际贸易中,要算英国占据首位。但在 18 世纪 70 年代以前,英国输入中国的商品,除呢绒五金等主要东西是本国出产品(因为毛织业和采冶业是当时英国的主要工业)以外,其余的主要商品,是由殖民地贩运而来的(如印度棉花鸦片)。至于由中国运出的货物,以茶丝为大宗(其中丝是原料,欧洲人在 12 世纪时已开始仿造东方的丝织品)。尤其可注意的,这时期外国人由中国贩运茶丝出口的,都携带现银而来,尤以英国的为多。英国人在 1681 年运至中国的货价 22550 镑之中,银价即占 12500 镑;其后在 1717—1726 年之间,运来中国的货物,都不过 2000 镑到 3000 镑,而运来的现银却值 3 万多镑。1729 年与 1730 年两年,运来之货合计 8817 镑,而银价却值 37 万镑。其后在数量上虽稍有出入,而大致趋势,却仍是银多于货。这时期中,英国运来的现银,除一部分以高利贷给华人外,其余大都用以购买茶丝出口的。由此可知 1770 年以前的英国,尚未达到输出机制商品的时期。

1770 年以后,英国已进到产业革命时代,但截至 1820 年为止,其输入中国的主要商品,仍是呢绒五金,还没有棉货迳头。在这个时期中,中国反有土布输往英国。例如 1790 年,中国输往英国的土布有 36 万余疋;1817 年,输往英国的土布值 55 万元,还有绸缎 26 万元。可知当时英国的机织棉货,还没有发达到向中国输出的地步。

但从 1821 年起,英国机织棉货,开始输入了中国,为数甚少,只有 9000 余元。往后却逐渐增加,1830 年输入中国的棉货已达 70 万元;1831 年更增加到百万元以上。严格地说来,英国机制商品之输入中国,实从这个时候开始。

当 19 世纪三四十年代,英国产业革命,已将次第完成。由于重工业与交通工业的发达,更加引起了资本主义的向外发展。在世界殖民地已将完全分割的当时,必然要向中国抛出商品并采集原料。同时我们还知道,当时英国资本主义,已经遭逢了三次大恐慌。劳动运动勃兴,暴动频仍,促使英国资本主义向海外扩张市场。好战的英国资本主义,终于利用新式军舰和战斗技术,护送那些满装商品的商船杀到中国,因而引起了 1840 年的鸦片战争。

鸦片战争就英帝国主义者方面说来,是为了要取得投出商品,采集原料及以后投出资本的殖民地而征服中国的战争。但在当时中国方面说来,这是我民族第一次抵抗帝国主义侵略的战争,是反抗输入鸦片毒素而拥护正义人道的战争,又是中国封建经济反抗资本主义经济的战争。

前面说过,当时中国的经济是封建经济。适应于封建经济的特征,在国际贸易上采取了闭关主义。我们知道,明朝中叶以后至清朝鸦片战争为止的时期,是闭关主义的时期。这种闭关主义虽根源于封建经济,但也有其民族性的原因。第一,中国的文化优越于周围各小邦的文化,所以中国常以"天朝"、"上国"、"华夏"自尊,而贬称其他各国为蛮夷,因而各邻国要求向中国通商时,必强令用"朝贡"的形式举行。第二,中国人绝少与欧洲人交通,并不注意欧洲人的文化,以为欧洲各国也和周围各小国一样,鄙视他们的文化。第三,欧洲人初到中国通商,大都用掠夺殖民地的方法对待中国人,演其杀人越货的故伎。第四,欧洲人吞灭印度及南洋群岛,毒杀华侨,极其残忍之能事。诸如此类,都是促使当时中国政府坚守闭关主义的原因。但是16世纪以后来到中国的欧洲人,都是善于吞灭弱小民族的惯家,不像普通蛮夷那样容易受中国所制御;同时中国是文化比较进步的庞大国家,也不像普通弱小民族那样容易为欧洲人所征服。所以欧洲人初到中国时,常是和平的要求通商,要求不遂,就用武力来威胁,威胁无效,不惜忍辱以求达其通商的目的。中国政府方面,也恐怕频动干戈,引起"蛮夷猾夏",不惜赐外人以"天恩",准许通商。同时封疆大臣,也因为尝到通商的好处(饱足贪囊),也慷慨的奏开海禁。结果,为限制通商区域起见,就开放了江浙闽粤四关,以后又限制于广州一隅。这时期的对外贸易虽日见发展,而外人所受不平等待遇以及种种的限制与诛求,却也难于忍受。这里单就英国方面说说。英国货船初来中国,实始于1620年(明光宗泰昌元年),而开始通商,却在1637年英国舰队攻下虎门炮台以后。当时英国东印度公司在东方的势力已经逐渐增大,所以急谋开展对华的商务。但当时英国人因在澳门广州两地,既受葡人所排斥,又被中国官吏课征重税,不能不改向福州,南台,厦门等地谋发展。嗣后清廷于康熙三十二年,始开海禁,英国人就在江浙闽粤四区贸易。其后清廷得知英并印度,又复加严海禁,把对外贸易限制于广州一隅,计自康熙五十五年(1720年)以后约一百余年间,称为广州公行贸易时代。在公行贸易时代,广东当局,对于外国贸易的限制很严。公行处于当局与外商之间,上下其手;当局对于外商又诛求无厌。此外对于外商的限制,也非常苛刻,如限定外人居住于公行所建的商馆之中,不许任意外出;外商不许雇佣华人仆妇;不许引带华人妇女入商馆;不许外商坐轿等等。因此,外商在当时很感苦痛,尤以英商为最(当时英商在对外贸易中占第一位)。所以当时英商屡次要求脱离此等束缚,如嘉庆十五年,英商曾要求减轻行用,迄无效果。其后,英国政府于1793年(乾隆五十八年),派遣使臣马加特尼,到北京觐见乾隆帝,呈递国书,请求订立平等的通商条件,但结果除博得"英吉利朝贡"头衔,举行跪拜仪式以外,还领到乾隆帝赐给英王的两通敕谕而归。第一通敕谕开头说:"咨尔国王,远在重洋,倾心向化",大概嘉奖英王能执属国之礼,并推恩加礼于其使节,以示怀柔之意。至对于要求派员驻京照管通商之事,却斥其"与天朝体制不合",未能照准。第二通敕谕,对于要求推广通商一层,就说"天朝物产丰盈,无所不有,原不藉外夷货物,以通有无。特因天朝所产茶叶、瓷器、丝巾为西洋各国及尔国必需之物,是以加恩体恤,许在澳门开设洋行,俾得日用有资,并沾余润。今尔国使臣于定例之外,多所陈乞,大乖天朝加惠远人抚育四国之道"。这种谕文在今日看来,是令人捧腹绝倒。

马加特尼受辱归国之后,至1816年,英国又派亚墨斯尔为大使入觐,请求改良通商办法,但因觐见仪式问题,被逼归国。于是英商更抱不安,而在广州所受的压迫亦加重,曾请求印度总督派军舰来华示威,其直接向广东当局提出的抗议,也未生效。英商对于中国的恶感,更深一层了。其后英国曾派拿皮楼于1834年来广东监督商务,而广东总督卢坤疑他不是英王所派,把他押回澳门,拿皮楼在澳门愤恨而死。经过拿皮楼与卢坤间的轧轹,中英两国商民恶感日深。后来,英人任商务监督的,如鲁比孙等,软弱无能,而广东当局对于鸦片的取缔更加严格。于是英国方面就开始准备所谓最后手段来对付,同时更因英使义律,狡猾强悍,终于断绝国交,陷于战争状态了。

前面说的是闭关主义给予(于)英国方面的恶影响,现在再说毒化主义给予(于)中国方面的恶影响。鸦片毒杀中国人民之害,是人所共知的。鸦片之名,始见于宋时的开宝本草,当时是当作药品使用的,吸食的风气,大概始于明末。清时雍正七年(1729年)就有过禁止吸食之令。不过当时鸦片的输入还不多。到了乾隆五十八年(1793年),英国东印度公司得到了垄断中国贸易的特权,而孟加拉彼哇及我利萨又是鸦片出产之地,于是输入于中国的鸦片就逐渐增多了。1818年,鸦片进口数值,已增至450万元以上,以后更急速增加。兹将1821年(道光元年)至1830年(道光十年)的鸦片进口数值,列成下表。

1821 年	9430250 元
1822 年	9230500 元
1823 年	7421600 元
1824 年	5782500 元
1825 年	9782500 元
1826 年	9299326 元

1827 年	14936496 元
1828 年	11725577 元
1829 年	14079694 元
1830 年	13029345 元

据上表,进口的鸦片数值,从 1827 年起,竟增加到 1000 万元以上,当时鸦片问题之严重,概可想见。但在当时英国看来,却是增加所谓"国富"的极好现象。他们之对于中国抛出商品,已挟着必然之势,何况还有新式的武力作后盾呢。

然而在当时中国方面说来,这却是很严重的问题。因为鸦片进口数值之不断的迅速的增加,即是中国的活死人的增加与生产的衰退,即是流出的现银之不断的迅速的增加。这两点是中国方面所不能忍受而必须采取断然处置的理由。因此,当时清廷禁止鸦片的命令就雷厉风行,而林则徐焚毁鸦片,斩杀烟犯,压迫英商的行为变本加厉。于是鸦片战争,终于在 1840 年爆发了。

鸦片战争的结局,成立了 1842 年的江宁条约,其要点便是:一、中国赔款 2100 万元;二、割让香港;三、开上海、宁波、福州、厦门、广州五口通商;四、英商货物照例纳进口税后,准由华商运销内地,不得加重课税等。从此以后,其他各国,都追随着这帝国主义老前辈英国之后,陆续的侵入了中国,中国就踏进了殖民地化的过程。

资产阶级既然急剧的改良了生产手段,又不断地开拓了交通机关,于是把所有一切的甚至于野蛮的人民都推上文明的道路了。那价廉物美的射击力,连中国的城壁也被打破了;就是极端排外的野蛮人也只好降服了。世界各国为要避免灭亡命运,也只得采用资本家的生产方法,把所谓文明输入于他们的社会,就是自己也变为资本家。换句话说,资本将按照自己的模型改造全世界。

(原载 1940 年《国民公论》第 3 卷第 1 号,署名李达)

鸦片战争百年纪念

（1940.8）

在抗倭战争第三年当中,我们举行鸦片战争百年纪念,具有伟大的历史的意义。

这一役抗倭战争,是我民族反帝国主义的解放战争,是使中国从殖民地化状态跃进到独立国状态的战争,是使我同胞从奴隶化状态跃进到自由状态的战争。我们在这长期流血的战斗过程中,要追溯我中国殖民地化,我同胞奴隶化的由来,就不能不纪念这百年前今日的鸦片战争。我们必须认识清楚我们的国家怎样开始走上殖民地化的过程,才能积极的,有效的向着抗战的目的勇敢迈进。

我们知道,19世纪40年代的中国,还停顿在封建社会的状态中,我人民在经济上受着封建阶级的剥削,政治上受着满清专制主义的宰制,根本上原无所谓民权自由与民生幸福。但是我民族在国际上却能独立的生存着。我人民虽然做着封建阶级的奴隶,却还不曾做着帝国主义者的奴隶,这在客观上,比较往后要做双重奴隶,到底稍胜一筹。

可是回顾当时的欧洲,却早经资本主义化了。欧洲各资本主义国家,从16世纪到19世纪初叶,早已把世界的落后民族并为殖民地了。随着资本主义的发展,那些国家就扶着必然之势来侵入东亚大陆的中国。而侵入中国的急先锋,是资本主义发达得最早的英国。

英国从17世纪以来,已经来到中国请求通商。1715年,东印度公司在广州设立商馆,独占着对华贸易。英商多从海外殖民地搜括各种土货(呢绒五金棉花鸦片等)运华销售,并从中国贩运丝茶土布出口。到了19世纪20年代,英国产业革命次第完成,对华贸易大宗货品,除鸦片以外,机制棉货正头,开始占据重要地位了。单从这个倾向来看,幼年期的英国资本主义,第一,是采用毒化政策来对待中国(从印度生产大宗鸦片来毒杀中国人);第二,由于本国资本主义的发展与劳动运动的勃发,被迫着要向海外扩张殖民地,以便输出商品,采集原料。幼年期的资本主义是好战的,所以英国当时所采用的扩张殖民地的方法,是武力惨杀与鸦片毒杀,双管齐下。东亚的庞然大国的中华,正是它所要征取的对象,于是它终于用军舰护送鸦片及一般商品杀到中国来了。

当时的中国虽然比欧洲落后,她在东亚大陆之上,却是比较进步的大国,素以"天朝""上国"自尊,而贬称周围各后进民族为"蛮夷"的。当时中国人在经济上是能自给自足,原未"仰赖外夷货物以通有无"。在交通工具不发达的当时,中国人绝少与欧洲人相交通,也不认识欧洲人的文化,所以对于怀抱着征取殖民地野心来到中国通商的欧洲人,只当作"夷人"、"红毛"看待,总是深闭固拒的。然而落后的中国,断难抵抗资本主义的进攻,那机制商品的价廉物美的射击力,必然要打破中国的闭关主义。

19世纪初期,在中国方面所认为严重的问题,是鸦片输入的问题,不是普通商品输入的问题;中国所最害怕的东西是毒化主义,不是资本主义。鸦片之为害,是人所共知的。鸦片毒药之普及于中国,完全是英国毒化主义之赐。当时英国输入中国的鸦片,逐年增加,1820—1830年,十年之间,鸦片进口数值从八百万元增至一千四百余万元。这在当时是一个可惊的数字。这不仅是现银外溢的问题,而实是毒化严重的问题,当时中国政府雷厉风行的禁吸鸦片与林公则徐的焚毁鸦片,斩杀烟犯,原是正当的紧急的处置。可是因此大触英国之忌,她竟用武力强迫中国购买鸦片,因而引起了1840年的鸦片战争。

鸦片战争,顾名思义,是中国反对毒化主义的战争,是拥护正义人道的战争。在历史的见地上说,这是中国封建主义体系反抗资本主义进攻的战争;从民族的见地上说,这是中华民族反侵略的战争。

战争的结局,中国是失败了。封建的机构被资本主义机构所克服,是一个历史的必然。从此以后,中国开始了殖民地化的过程。

鸦片战役以后,又遭逢了中法战役及英法联军战役,中国迭遭挫败,被迫签订了许多丧权辱国的条约,殖民地化的命运,固然是无可避免的了。可是,我们在客观上回顾1840—1894年间中国的状况,虽然积弱暴露,国势凌夷,但她仍不失为一个庞然大国,我民族苟能觉醒图强,还可以挽回颓势。不料东邻倭帝国主义者崛起,首先步着它的老前辈的后尘,变本加厉,大刀阔斧的杀到中国,以致爆发了 1894 年的甲午战争。中国自经此次挫败以后,就坠入于殖民地化的深渊而不能自拔了。从这种历史上的关联来说,鸦片战役是中国民族受打击的最初一次,甲午战争是中国民族受打击的最厉害最狠毒的一次。前一次挨打,是被人家当作奴隶看待;这一次挨打,却是被打倒,被践踏,并被加上了奴隶的镣铐。在这样我们可以明白,造成我民族被奴化的历史的,那几个国家是最主要的。

这一役抗倭战争,虽仅是反抗倭帝国主义的战争,而实际上却是要洗雪我民族百年来的新耻旧辱。我们所以要在抗倭战争中纪念百年前的鸦片战争,是因为这两者具有深刻的历史的关联。

两次战争的对手,是两个帝国主义者——一是前辈,一是后辈。这后辈——倭寇是专门要灭亡中国的凶恶敌人。所以我们在抗倭战争第三年当中,来纪念百年前的鸦片战争,必须加强我们的战斗意志,先打倒这穷凶极恶的倭寇。

其次,我们要纪念鸦片战役中抗敌的民族英雄林公则徐。林公坐镇广州,抵御侵略,使敌人不能得逞。可惜民众未能动员,他处封疆大吏颟顸无能,和清廷的昏庸误国,以致不幸而挫败。否则敌人必不能得志,我民族奴化之局或可幸免。我们今日要继承林公的抗战精神,来完成民族革命的志愿。

我四亿五千万同胞(汉奸除外),要结成铁一般坚的战线,避免一切内部的摩擦与猜疑,誓必把倭寇打到鸭绿江边才能罢手。所有别的帝国主义者劝诱我们投降倭寇的任何策动,我们要严加拒斥。我们要用这样的坚决意志抗战到底,并纪念百年前的鸦片战争。

我们要认定:鸦片战争是中国民族反抗帝国主义的第一次战争,这一役抗倭战争是中国民族反抗帝国主义的最末次战争:前者是中国殖民地化过程的开始,后者是中国殖民地化过程的终结。我们必须争取抗战的胜利,一举而终结这殖民地化的过程,实现中国的自由平等,并清算这百年来民族的耻辱。

(原载 1940 年《中学生战时半月刊》第 16 期,署名李达)

中国社会发展迟滞的原因①

（1941.9）

　　本文所说的中国社会,是指从西周初年起到清代鸦片战争止这一时期的社会说的。西周初年,相当于西历公元前 1122 年,鸦片战争,发生于 1840 年,其间的距离是 2962 年。这长约三千年之久的中国社会,属于封建社会的阶段,这是近来研究中国社会史的人们所确认的。为什么中国社会在三千年的长期内停顿于封建阶段呢? 西欧各国所经历的封建时期,不过八九百年,就都转进了现代社会的阶段。而中国社会却长期停顿于封建阶段,以致成为落后民族,变成了帝国主义侵略的对象。中国社会发展迟滞的原因究竟如何,这是本文所要说明的问题。

　　人们或许要问:在这三千年的长期中,中国社会究竟有没有进步呢? 我的答复是:进步是有的。大体上说来,西周的领主经济,进到春秋时代,农业生产较前代进步,手工业和商业也相当发达。特别是到了战国时代,铁制农具的应用比较普遍,灌溉施肥等农耕技术比较进步,农业生产力是向上了。一方面,由于手工业与商业的发达,土地成为买卖的对象,富农和商业资本家,凭着金钱与劳力取得了大宗土地,形成了民间大地主的经济。另一方面,在学术思想上,周秦诸子,如儒家、墨家、法家、名家、道家、阴阳家各派的学说,在中国学术史上,达到了登峰造极的地位。

　　秦汉之际,血战数十年,"丁壮委道路,老弱填沟壑","民夫作业,而大饥馑"。《汉书·食货志》所说:"天下初定,民亡盖藏,自天子不能具醇驷,而将

---

① 本文文末"著者附志"称,"本文拟作为熊得山遗著《中国社会经济史》代序"。后来熊氏所遗书稿被整理为《熊得山中国社会史论》(吉林人民出版社 2012 年版),收入了李达这篇"代序"。——编者注

相或乘牛车。"这表示着当时经济萧条的气象。自是以后,地主经济,代替了从前的领主经济,由于农耕技术的较前进步,重农政策的施行,水利事业的发达,经济比较战国时代更有进步。工业方面,如煮盐、冶铁、冶铜、纺织等比较发达,特别是纸的发明与制造,是值得大书特书的。商业方面,更见发展,商业资本家的势力很大。而且通西域、到欧洲的国际贸易,也在此时开始。这表示着汉代封建经济的进步。可是,在学术思想方面,由于汉武帝罢黜百家,独尊儒术,精神文化,从此就始终停顿于儒家学说的范围,并没有新的成就了。

但自东汉末年"黄巾贼"的农民暴动之时起,社会陷于极度混乱的状态,其间经历三国、魏、晋、南北朝、隋以迄唐之统一,计共430年之久。这430年,差不多都是战乱的时期,民生凋敝,百物萧条,这可说是社会的停滞或倒退的时期。

唐代统一中国以后,天下太平,农业经济由复兴而趋于繁荣,如贞观时代之斗米三钱,可见当时农业生产力之发达。手工业方面,如矿业,有冶银、冶铜、冶铁、冶锡等部门;如纺织业,有织布、织麻、织绸缎绫罗等部门;此外有窑业、纸业、糖业、酒业、染业、盐业、茶业,均极一时之盛。至于商业,国内水陆交通颇为便利,商品易于流通,都市相当繁荣。国际贸易也很发达,陆路通达西方土耳其、波斯、印度,设有市监,掌督藩国贸易并课征关税;海路通达印度、锡兰、波斯、大食、阿拉伯等处,设有市舶司,掌管海上贸易并课征关税。从这些方面看,唐朝在极盛时代,封建经济发展到了很高的地步。可是盛唐时代封建经济的繁荣,自从藩镇割据之时起,中经五代十国以至宋之统一,差不多二百年之间,就逐渐消失,又显出了停滞、萧条的时期。

宋代统一中国以后,经过多年的休养生息,地主经济又复兴起来。工业方面,手工作坊及手工业行会非常发达,在整个封建经济上,呈现出小康的景象。但是这种小康,至多也只继续了两百年,自从辽金元的游牧民族入侵,宋室南渡以后,社会的进步又停滞不前。元代以游牧民族统治中国,其文化是落后的,当然不能促进社会的前进。农业经济且杂有农奴制的成分,生产力当然没有进步。手工业方面,制造场的数目以及制品的种类,虽然很多,表面上好像很发达,而实际上那些制品是专供蒙古贵族消费之用,还不能说是社会经济的繁荣。所以元代整个社会经济没有什么发展。

明代工业颇为发达,例如开矿业、冶金业、染织业、陶瓷业等,其制造所以及制造品的数目甚多。手工作坊与手工工场等,都是较大的规模,这好像和西欧产业革命以前的情形相像。特别是国外贸易,颇为繁盛。当14世纪与15世纪之时,中国货物多运销南洋一带,当时的南洋都是华人的势力。所以就明代当时的社会经济情形来看,手工工场的相当发达、商品流通范围的扩大、货币经济的发达、资本之原始的蓄积等,好像比较那个时期的欧洲还走到前面。可是这种经济的繁荣不能长久保持,明代封建的机构,忽然采取锁国主义(16世纪初),窒塞本国工商业之发达。自后农民暴动接踵而起,社会经济又复由繁荣而入于萧条,到满清入踞中国之时,更趋于停滞。

清代自康熙年间起,至鸦片战争之时止,其间农业经济复呈旧观,农耕技术虽未有若何改进,而耕地面积却显著增加了。在这一点,显示着农业生产的增多。工业方面,手工作坊及手工工场在沿海一带,颇为发达。商业方面,大都沿袭明制,采重农抑商主义,对于国外,最初仍严守闭关主义,往后始设江浙闽粤四关,实行有限制的国际贸易。所以沿海各重要都市的工场手工业都趋于发达,资本主义已经长出了嫩芽来。可是这种自发的资本主义的嫩芽出现的太迟一点,终于因为受了壮大的资本主义的暴力的压迫而横被摧残了。

以上是三千年间封建社会发达过程的缩写。这三千年间社会的进步,是很明显的。可是我们所注意的,并不是这长期的社会有无进步的问题,而是这社会为什么长期的停顿于封建阶段的问题。这就是我所要说明的中国社会发达迟滞的原因。

中国社会发达迟滞的原因,据我的研究,可分为下列8种:

第一,战乱之频繁。战乱是社会的或国际的利害冲突不可调和的必然的结果,又是国外掠夺的强有力的手段。封建时代,领主们为开拓领土或保全领土而起的战争,农民们为反抗封建统治而起的革命的战乱,历史上记载得很多。有人说,一部中国史,是人类相斫史,这话有几分是正确的。春秋时代不过242年,而列国间最大的战争便有二百多次,不知牺牲了多少人命?战国时代,战争的技术进步,战争的规模扩大,杀人的数字更多,每次战争,斩首数万至数十万不等。秦代以后,所谓统一的局面,有秦、汉、晋、隋、唐、宋、元、明、清九朝,从一个朝代到另一个朝代,总要经过或久或暂的群雄割据、战乱相寻的过渡期。这种过渡期,是人民生命财产遭受空前浩劫的时期。关于人民在战乱中死亡和减少的情形,可从下列统计表中看出来。

周成王时	13714923 人
秦时	10000000 人
西汉平帝时	59594978 人
东汉初	21007820 人
东汉桓帝时	56486856 人
晋初	6163863 人
隋末	46019956 人
唐太宗时	3000000 户
唐玄宗时	52909319 人
宋初	19930320 人
元世祖时	60491230 人
明洪武三年	59873305 人
明万历六年	60691856 人
清顺治十八年	21068609 人

上表主要的根据《文献通考》作成,虽不是怎样精细可靠的统计,却足以说明封建的战乱引起人民大量死亡的真相。在大体上,我们可以说:封建的朝代之更替,总经过或久或暂的战乱时期,在这种时期中,兵士膏血原野,人民死于兵火(如黄巢杀人 800 万,张献忠杀尽四川人),这是人口方面的大剿灭,也就是劳动力的大损害。其次是城乡化为废墟,田园鞠为茂草,畜牲全被屠杀,这是人民物财方面的大牺牲,也就是生产手段的大破坏。劳动力与生产手段既遭受那么重大的破坏,生产力当不能发展,反而要倒退了。

第二,封建的力役。封建时代的劳动力,在战时固然要遭受大毁坏,即在平时也要遭逢大量的消耗。这就是封建的力役。原来所谓"力役之征",从周代起,是与所谓"粟米之征"、"布缕之征"并列的。这"力役之征",名称不一,大致可以分为下列六项。

其一是兵役。《诗经·我徂东山》篇,是说明盛周时代人民当兵的苦况的。春秋时代,大国万乘,次国千乘,小国亦数百乘,几乎壮丁都充当兵役。战国时代,各国兵员动辄数十万,每次战争的残杀,动辄数十万人,可想当时兵役规模之大。秦汉以后,兵役的制度不一。大体上说来,平时的兵役还有一定的制度,一到战时,兵役制即不适用,可以当兵的男子都得当兵。无论战争的胜负如何,服兵役的人民都要暴骨于原野。争城争地的战争,不知牺牲了多少服兵役的人民,摧毁了多少的劳动生产力。

其二是经营宫室的力役。封建阶级营建宫室,全都征用民夫。周代自文王经营台囿起,以次及于诸侯卿大夫,一切宫室的营造,都由人民服役。自秦以至于清,此项力役,变本加厉。除了极少数所谓施行"仁政"的帝王,知道"使民以时",不于农忙之际征用民力大兴土木而外,其余极多数帝王,大都使民不以时,甚至役死人民的事实,几于史不绝书。最显著的例子,如秦始皇之筑阿房宫与骊山陵寝,隋文帝之筑仁寿宫,隋炀帝之筑迷楼,役死民夫无虑数十万人,不知滥耗了多少劳动力?!

其三是修筑城阙的力役。封建阶级为了保全领土,在卫国卫民的美名下,征集民夫以修筑城阙,历史上实例甚多。最残酷的实例,如秦始皇之筑万里长城与隋炀帝之续筑万里长城,人民因而死亡并倾家荡产者,不可胜数,正不知滥耗了多少劳动力与生产手段?!

其四是治水工程的力役。治水工程,是中国史上最伟大的公共事业之一。中国农业之发达,大有赖于此类治水灌溉的公共事业,原是不可否认的事实。但这种事业的成就,却滥耗了无数人力与财力。管理治水工程的官衙,草菅民命,榨取民财,这是治水工程的黑暗面。特别是隋炀帝的开凿运河,本是供巡幸的玩乐之用(虽然这运河的利益很大),而当时筑运河的人民横死的惨状,是众所周知的历史的事实。

其五是制造官家用品的力役。《诗经》所记的"为公子裳","为公子裘",是说明西周人民为封建阶级制造服物用品的事实的。一般地说来,封建阶级所需要的服物用品,都设立工作场所,征用民工制造。随着统治者奢侈程度的不同,被征民工的数目也不同。例如唐宋元明的官工业,都是制造皇家服物用品的,所征用的民工人数,由数万以至于数十万不等。这类民工至多只能从皇家领取少量衣食费用,工资是无足道的。这类官工业,虽然规模很大,但纯属消费的生产,反而阻碍了社会生产力的发达。

其六是各种杂差。凡属管理官家物产、督收赋税、追捕盗贼、运送皇饷与贡物、驿递公文及其他一应杂差,都由人民负担。这类杂差,不但消耗了人民生产的劳动力,甚至迫使当差者丧失其生命财产。例如宋代的差役,"按乡户等地差充",而实际纯属直接生产者的农民担负。他们至少要服役三年,直到破尽家业,才得解除差役。

以上是封建的力役阻碍生产力发展的说明。

第三,封建的剥削。周初对于人民实物的征课,如孟子所说,"有粟米之征,有布缕之征"。此外还有"屋粟"、"里布"与"夫家"。"屋粟"即所谓"夫三为屋,田不耕者,罚以一屋三家之税"。"里布"即所谓"宅不毛者,罚以一里二十五家之布"。"夫家"即所谓"无职业者,使出一夫百亩之税"。剥削的名称,历代不同,税率亦异。大体上说来,封建的剥削可分为田赋与人身税两类,而田赋是主要的剥削形态。周初的税率是所谓"什一税",即按照农民的所得,值什抽一。春秋时代,税率加重,值什抽二,更进一步是值什抽六。如鲁哀公所说"二吾犹不足",晏子所说"民参其力,二入于公而衣食其一",即是实例。战国时代,剥削更是加重,孟子所说"今之诸侯,取之于民,犹御也",这简直是说,封建的剥削,等于强抢。从战国末年以迄于秦之统一,土地可以买卖,民间地主出现,富者田连阡陌,贫者土无立锥。从此,土无立锥的农民,佃种地主的土地,要把收获物的一半缴纳于地主。如《史记》所说"耕豪民之田见税什伍"是。封建的国家,按照田地的亩数,征收定额田赋。这种田赋,表面上由地主完纳,而实际上地主却把田赋一部分转嫁于农民。并且直接生产者的农民,仍要担负别种实物税与人身税。汉代田赋十五取一,后又改为三十取一,这只减轻地主的负担,实惠不及于农民。此外有"算赋",人民从 15 岁起到 56 岁止,年出钱百二十,叫做一算。又有"口赋",从 3 岁起(后改为从 7 岁起)到 14 岁止,人出钱二十。这"算赋"与"口赋",可说是人身税,农民是一律负担的。从秦代以后,直接生产者的农民,每年耕种所得,除以十分之五缴纳地租而外,还要缴纳各种名色的人身税。唐代税制,最初与当时均田制相适应,称之为租庸调。"凡受田者,丁岁输粟二石谓之租";"用人之力,岁二十日,闰加二日,不役者,日输绢三尺,谓之庸";"丁随乡所出,岁输绢绫絁各二丈——谓之调"。这税制行之未久,弊害丛生,版籍荒废,贫富易位,政府就任意搜括,民不能堪。实际上,那种授田制,仅暂时实行于唐初土旷人稀之时,往后农民所受的田地仍被豪强兼并以去,农民已无田而仍照旧纳税,所以苦而无告。德宗时改行两税法,主要的仍是按田征税。宋制岁赋,名目繁多,有"公田之赋"、"民田之赋"、"城郭之赋"、"丁口之赋"、"杂变之赋",凡属日用百物,都向农民征取。国家岁出,逐代增加。南宋时,领土已减去一半,而税额依旧,人民在南宋时,要负担与在北宋时加倍的赋税。农民的苦况可想而知。元代以游牧民族入主中华,其征税与掠夺相等,民间的剩余生产物,全部都被夺去,甚至连必要的生产物,也被劫去一部分。明代税制,初时按照"鱼鳞册"与"黄册"征课,后又改用"一条鞭"法,将赋与役合而为一。富豪们利用"诡寄"与"飞洒"的方法,把赋税转嫁于农民,而"贫农相率以逃且死"(顾亭林语)。清代税法,大率沿袭明制,农民的负担并未减轻。特别是占多数的佃农,除了以收获的一半以上缴纳于地主而外,还要担负其他的苛捐杂税。

看了上述历代的剥削方法,便可以知道社会的生产力所以不能顺利发展的原因了。直接生产者所得的剩余生产物,几乎全部都缴纳于民间地主与封建国家,除了维持自身与家属的生存而外,大都仅能继续单纯的再生产,甚至还有不能继续单纯再生产的。至于能够实行扩大的再生产的农民,却是很少。

封建国家从民间征取的赋税,都用以维持其统治及其一家与近臣的穷极奢侈的生活,纯粹是消费的。至于民间地主从农民征收的地租,也是用以维持其一家的生计或度其奢侈生活。消费不尽的部分,就用以兼并土地,增加剥削手段,仍然不是生产的。

封建剥削的繁重,障碍生产力的发展,实是很明白的了。

第四,宗法遗制下聚族而居的村落公社。宗法遗制,沉淀于封建社会之中,成为巩固这个社会的强有力的纽带,这是中国封建社会的特征。宗法原是夏代及其以前的氏族社会的制度。但这个制度,后来保存于不甚成熟的殷代奴隶制社会之中,成为王位继承的根据。周代封建社会代兴之后,那宗法遗制就沉淀下来,变为巩固封建社会的纽带了。关于这点,亡友熊君得山有这样一段话:"封建之政治的意义,就在于'众建亲属,屏藩王室'。故荀子《儒效篇》说:'周之子孙苟不狂惑者,莫不为天下之显诸侯'。事实上的确是如此。如左昭二十八年成鱄对魏子云:'昔武王克商,先有天下,其兄弟之国者十有五人,姬姓之国者四十人'。又左僖二十四年载:'周公吊二叔之不咸,故封建亲戚,以藩屏周。管蔡郕霍鲁卫毛聃郜雍曹滕毕原酆郇,文之昭也;邗晋应韩,武之穆也;凡蒋邢茅胙祭,周公之胤也。'要之,这都是拱卫王室的办法。这在《大雅板篇》说的极详悉:'价人维藩,大师维垣,大邦维翰,怀德维宁,宗子维城,无俾城坏,无独斯畏'。"看了这一段,就可以知道了:宗法遗制所以能传留于封建社会,是因为它具有维系这个社会秩序的功能。这个遗制,自从经过最初的国王的利用与维持,于是自天子以至于庶人,宗法观念,就日益浓厚而深刻。人们都知道敬爱父母。因为敬爱父母,就必敬爱父母所从出之祖先,更必敬爱祖先所从出之大宗,再以大宗关系,联络全族。循着宗法的线索,穷究各族的远祖,结果可以把全民联成一大家族。所以儒家说"天下之本在国,国之本在家",又说"家齐而后国治,国治而后天下平",这种化家为国的观念,是从宗法观念发源的。

宗法遗制既然成为封建社会的制度之一,所以一般的人民,都自然而然地依据着宗法观念,团住于一个地方,而成为村落公社。这类聚族而居的村落公社,更因为中国有多数河流灌溉的大平原,成为它的优越的自然环境,所以发展得非常普遍。这是中国社会的特殊性。

聚族而居的村落公社,生产关系是很狭隘的,多少杂有血统关系的性质。这种狭隘的生产关系,是建立于农业与手工业之家庭的合一那种基础之上的。例如数十家或数百家团聚的村落公社,各家都经营农业与手工业,粮食均能自给,日用品可在村落中互相交换,其仰赖于村落以外的市场的东西是很少的。所以,村落在经济上很少与都市发生接触,因而都市方面工业的发展,是受着限制的。

其次,村落公社在政治上与封建国家也很少接触。村民除完纳田粮以外,几乎可以不与国家发生关系。因为村落多系聚族而居,族有族长,村民偶有田土婚姻上的纠葛,大都可以服从于族长的排解,不至于经官涉讼。所以村民们只对乡间的事情感兴趣,而对于国家大事却不知道。甚至他们对于皇帝或官长的更迭,也是茫然的。只有遭逢横征暴敛,迫得不能生存的时候,才被迫着铤而走险,群起暴动,但结果被地主们利用一场,受一番大牺牲,复回到原来的生活。所以在这种狭隘的生产关系的框架中,绝不能孕育出新的生产力。

宗祧的继承,意味着财产的继承。在多子分承制的农家方面,耕地是要实行分割的。分之又分,耕地就零细化。于是大农分化而为中农,中农分化而为小农与过小农。所以中国的农村中,小农与过小农经营占据绝对优势,农业的生产力,是不易向上发展的。

村落公社,大都有公田公地,如所谓"蒸尝田"、"祭祀田"、"学田"、"寺庙田"之类,面积是相当大的。可是这些公田公地中的产物,多半被使用于消费方面,或者被掌管公产的人所私吞。所以这类村落的公有土地,也不能促进生产力的发展。

所以宗法遗制下聚族而居的村落公社,只是巩固封建秩序的支柱,不但不能孕育出新的生产力,反而成为生产力发展的桎梏。这也是延长封建社会的年代的原因。

第五,封建的政治机构。政治是经济的集中之表现。就封建时代说,基本的生产手段是土地,因而所谓经济的集中,就意指着土地领有权的集中。所谓"普天之下莫非王土,率土之滨莫非王臣"这种形而上学的土地领有权的观念,是表明版图内一切土地集中于最高土地领有者一人之手的。这最高土地领有者,一旦统一"天下"之后,就得把所领有的土地,分封于从龙的皇亲国戚及功臣武将,一面报酬他们的功劳,一面靠着他们维持他的统治。这种分封土地的方法,在周代是实行天子千里与诸侯百里或数十里的制度的。入秦以后,土地所有权归于民间地主,而土地领有权却完全集中于国王,由国王另设郡县。委任贵戚功臣去做守土亲民的长官。因为周代与秦汉以后的土地领有的形式不同,所以政治机构也显有区别。前者可说是地方分权,后者可说是中央集权。但两者虽有区别,而其为经济之集中的表现则一。

不过,那种集中的表现,从最初就包含着分裂性。因为土地是基本的剥削手段,只要有了土地就能向人民剥削,土地越多,剥削的所得也越多,所以封建阶级到了有机会取得领土或扩张领土之时,就必向着这一方面去努力。当朝代更替之际,群雄角逐,其目的无非要做领主,做更大的领主。结果,一个最英勇而最富权谋术数的领主,便统一天下,成为最高领主,其他的群雄臣服于他的统治,便也暂时相安无事。这个创业垂统之君,在天下久乱土旷人稀之后,只有偃武修文,使人民生养休息,减轻对人民的剥削,所以这时候,社会的生产力才逐渐恢复起来,人民也安居乐业,史家也大书特书,说那种时期是"盛世"。可是到了那"创业垂统之君及其从龙的皇亲国戚武将功臣相继去世以后,局面便渐起变化。在中央方面,姑无论那继统之君,生长宫中,骄奢成性,不知创业之艰难,而对于人民的剥削,要与社会经济的发展成正比例,有时且还过之。此外,所谓皇亲国戚,随着时代的推移,其数量一天繁殖一天,因之支出就跟着日益浩大,其对人民的剥削,也有非加重不可之势"。(见熊得山遗著)于是大小封建阶级便发展其领土欲,诸侯与诸侯,诸侯与天子(如在周代),守土长官与皇室(如秦汉以后各朝代)或为侵夺领土而战争,或者据地自雄而叛乱。于是地方对于中央的离心力超过向心力,天下土崩瓦解,造出大毒杀时代,破坏社会的生产力。

封建国家的政事,不外所谓"兵刑钱谷"等项。大概在武备方面,是准备开疆扩土或保国卫民;在内政方面,是要维持等级的秩序,驯服人民,使"出粟米麻丝以事其上"。历代的理财部,只知巧立名目,聚敛于民。至于如何发展社会经济,那是封建国家所不顾虑的。在历史上,我们所可认为于促进农业有关的政府所举办的事业,也只有治河与筑堤等农田水利工程而已。

封建的政权,完全掌握于国王(或邦君)之手,一国(或一邦)的人民的祸福利害,全凭国王(或邦君)所决定。但每一朝代世袭相承的统治者,能够知道励精图治体恤民困的,实在太少。大概除了所谓开国之君,施行一点"仁政"以外,而所谓"昏君"却是很多。甚至童騃稚子,南面称孤,大权旁落于奸臣宦竖之手,暴敛横征,民不堪命。

封建的官僚阶层,都替王家办事,不为老百姓办事。身踞要津的大员,只是仰承国王意志,其间稍微正派一点的,便算忠良正直,唯唯诺诺的,即是昏庸颟顸;至于逢君之恶的,那便豺狼当道,莫问狐狸了。官僚一层一层的递降下去,总是好分子少,坏分子多。他们一层一层的剥削民众,把民众的剩余产物都侵蚀净尽而后快,民众那能有余力发展生产?

封建政治,原是建立于封建的经济基础之上,封建阶级的主要剥削对象是农民,为了剪取羊毛必得保护羊群,所以历代的王朝都一脉相承的实行重农轻商主义。因为统治者认定农业是基本的财源,对于商工业则视为无足轻重。虽然唐宋元明的官工业颇为发达,其制品也颇为精巧,但这些也只是供给皇室的需要,并不足以促进工业的发展。至于奖励人民向国外发展的事业,政府是从来未意识到的。自唐代以至于清代,虽也曾与国外互市,但主要目的是主权者向外搜求奢侈品,并不是为了促进国产外销。而且外国人来中国通商,是被迫采取朝贡的形式实行的,并不是利用关税增加岁入而保护国货的,所以对于国际通商,被认为是无足轻重,常因小故而采取闭关主义,停止国际通商。唐元明各代,虽曾派遣大臣出使国外,但只是宣扬德威,使外邦怀德畏威,倾心向化,并无实行海外殖民的意向。例如明廷派遣郑和巡视南洋,人民随往经营事业的很多,但明廷原意,只在宣威国外,对于南洋华侨,不但不予保护,而且斥为叛徒,听任当时后至南洋的欧洲人所屠杀而不顾。实际上,华侨经营南洋一带,远在 15 世纪欧人势尚未东渐之前,假定明廷能于此时实行海外殖民政策,南洋一带早已变成中国的势力范围,而新生产力也早在此时孕成了。

总之,封建的政治机构,是始终巩固封建的生产关系,障碍新生产力的孕育的。

第六,农民阶级不能担负新生产方法。在封建秩序之下,能够担负新生产方法、推倒旧秩序、建立新秩序的使命的主体,是新兴工商业者阶级。至于农民阶级只能成为这个变革的助力,绝不能担负新生产方法。在长期封建时代中,工商阶级从不曾取得政治上的地位。秦汉之际,商业虽然发达,商业资本家虽也曾打入政治的领域(如富商吕不韦之于秦,盐商东郭咸阳、铁商孔仅之于汉),但封建王朝世代相承的轻商政策厉行的结果,商业资本家在政治上是没有地位的。至于手工业者,始终被认为细民贱民,与政治不产生关系。他们长期的局限于狭隘生产关系之内,利用陈旧的技术,决没有孕育新生产力的可能性。这类工商业者,资产丰富一点的,无不购买田地,转变为地主,或者原来就是地主。所以他们的意识,原是地主的意识。这也是中国封建经济的特殊性。在另一方面,较大的都市,都是地方官吏的驻在地点,是政治势力直接支配的范围,像欧洲中世纪那样解除了封建义务而离领主独立的自由大都市,在中国是没有的。商工阶级的势力低微,这也是一个原因。所以商工阶级客观上虽是建立新社会秩序的主体,而主观力量非常脆弱,绝不能担负起这个使命。

至于农民阶级,如第四段中所说,他们始终停滞于狭隘的生产关系之中,应用几千年没有多大变化的技术,继续其单纯再生产,除了遵守王法早完国课以外,概与政治无缘。只有遇到暴君统治,横被搜括,无以为生之时,才演出历史上所常见的农民暴动。农民暴动,常是封建王朝更替的契机。可是农民并非建设新社会秩序的领导者,所以农民暴动总是被旧来的领主或充满领主意识的草莽英雄们所利用,所领导。那些想做最大领主的群雄,各自统率农民,互相角斗。最后战胜的一个英雄,就爬上国王的宝座,农民们认为"真命天子"已经出现,可以安居乐业,再回到原来的村落去。所以农民暴动的结局,至多引起朝代的更替,而社会秩序仍是封建的。

第七,科学的不发达与儒家学说的影响。一般人的见解,认为中国社会发展的迟滞,是由于科学未发达(例如说由于蒸汽机关未发明)。但是问题的要点,是在于科学何以未能发达。

中国人并不缺乏科学的头脑。远在春秋时代,鲁班已经创造过机器;汉代蔡伦发明了造纸术;诸葛亮创造了木牛流马;隋杨广造出了具有"弩机"与报警"磬"的迷楼;唐代李皋发明了用双轮行驶的战舰;五代时发明了印刷术;此外如浑天仪与罗盘针之类,都是中国人的发明。诸如采矿、冶金、制瓷、织绸、染色、制糖等类,都是科学的知识之应用。这些,表示着中国人的智力,并不劣于欧洲人。若把封建时代的中国和封建时代的欧洲比较,我想中国人的科学的头脑,比欧洲人的还要高明。但是问题却在于中国的科学何以未能发达?

一般地说来,科学在封建时代是很难发展的。因为封建经济本身并不要求科学,即使有一些科学上的发明,也不易传承或发达。这在中世纪的欧洲是这样,在封建时代的中国也是这样。可是中国科学的所以未能发达,也还另有其精神上的原因。

两周时代,一切学术都由官府所职掌,而为贵族所专有。到了春秋战国时代,由于战乱的频仍、世卿制度的崩溃与民间地主的勃兴,那为贵族所专有的学术,便由官府解放出来,任凭民间自由研究了。于是一切学术便得到长足的进步,儒家、名家、道家、法家、墨家、阴阳家等派学说,纷然并起,有如春花怒发、秋潮澎湃,蔚成古代中国学术的灿烂时代。诸子百家的学说中,蕴藏着丰富的科学的知识。倘使从那时起,学术研究自由的风气一直继续下来,中国的哲学与科学,必能结出成熟的果实来。可惜这种风气,到了汉代初年便被窒息下去了。汉武帝运用政治的权力,罢黜百家,独尊儒术,从此学术界于一尊,人们的知识与思想,被局限于儒家学说的范围,再也没有自由发展的机会,一切与儒家学说相抵触或无关系的学说,都在被摈斥之列了。

儒宗孔子。孔子学说的基本部分是性理哲学。性理哲学的对象是"为人之道"。这"为人之道"便是"仁"。《中庸》说:"天命之谓性,率性之谓道。"性是自然的禀赋,率循着自然的禀赋去做人,便是"为人之道"。一个人的"动、静、云、为",如都合乎"为人之道",便是"仁",反之便是"不仁"。凡属对己、对人、处事、接物,能够做到孝、弟、忠、信、礼、敬、慈、信、爱等诸德的境地,就合于"为人之道",就是"仁"了。人怎样才合乎"为人之道",这就要诚意正心,做一番"内省"工夫,反省自己的"动、静、云、为",是否率循着"天命"那种"性"。如果经过了"存、养、省、察"的工夫,自觉到克尽人道,那便算是完成了自己的人格。这样的人,可以成为圣人贤人或君子。所谓"意诚而后心正,心正而后身修",是指这个境地说的。这样的人,若做家长,就把"为人之道"推行于家人,使家人都能完成自己的人格,就达到了"家齐"的境地。这样的人,若是一国之君、天下之王,便把"为人之道"推行于一国或天下的人民,使人民都受其感化,那便算施行了"仁政",达到了"国治""天下平"的境地。所以说,"从天子以至于庶人,壹是皆以修身为本"。但人是封建时代的人,分属于君臣父子兄弟夫妇朋友的范畴。分属于各范畴的人,要各别的依据名分去克尽人道,为君要"仁",为臣要"忠",为父要"慈",为子要"孝",为兄要"友",为弟要"恭",为夫妇要"和顺",为朋友要"信"。各范畴的人,如果都能遵循着"三纲五常"去克尽人道,那就天下太平了。所以孔子的性理哲学,又被称为"内圣外王之学"。

人们服膺孔子学说,必须立志学为圣贤,首先要诚意正心,明心见性,具备孝弟忠信礼义廉耻诸德行,时时去做"存、养、省、察"的工夫,不可一刻离开"为人之道"。态度要温文、良善、恭敬、节俭、谦让。此外要学习礼、乐、射、御、书、数,多识于草木虫鱼鸟兽之名。果能做到这个地步,便算完成人格,可称为君子之儒了。

学为君子之儒,究竟有什么用处呢?儒是有用处的。儒原是一种职业。儒家的用处,最主要的是"讲学"与"做官"。儒在穷困的时候,便从事讲学,教人们遵循三纲五常之道,克尽人道,学为一个儒者。于是靠讲学取得"束修",

来维持自己的生活。儒在通达的时候，便做官，辅助主上施行仁政，省刑罚，薄税敛，爱惜人民，道之以德，齐之以礼，使百姓知道尊卑长幼之序，勉为良民，"出粟米麻丝以事其上"，务期国治而天下平，庶民不议论政治。这样，自己的生活问题解决，"学也禄在其中矣"。

儒家学说在政治方面的表现，是理想的封建国家。这种学说，虽制定于孔子，而在孔子当时，却不曾为封建阶级所重视。直到孔子后五百余年的汉代，终被皇帝们所尊崇。但尊崇孔子学说的皇帝们，其自身并不是立志要学为圣贤，只因为这个学说能成为封建政治的理论体系，可利用为精神的统治的最优良的工具。这便是西汉以来儒家学说独受尊崇的原因。

自从儒家学说占据了至高无上的地位以后，二千余年之间，中国的学术就始终停滞于儒家学说的范围，便不能更有进步了。因为统治者以儒家学说取士，而所谓士人便只能研习儒家学说，把自己造成为统治者所要拔取的人才。所以一切知识分子，自童年至皓首，都向着四书五经之中去钻研，希望在故纸堆中寻取"千钟粟"、"黄金屋"与"颜如玉"。统治者们乐不可支，说这班可虑的穷酸都入了牢笼，天下可以太平无事了。

在儒家学说统治的时代中，一切知识分子，既然都集中于四书五经的钻研，向着自己的内心去做"存、养、省、察"的工夫，当然对于心外的客观世界就熟视无睹了。孔子学说中，虽也曾提出格物致知，而后世儒家对于格致工夫却未曾注意。客观世界之力学的、物理学的、化学的、生物学的变化及其法则怎样，儒家是一点也不知道的。儒家只向着心性方面去用工夫，当然不能期待他们去开展科学的知识了。事实上，儒家所统治的知识界，思想是没有自由的，如果有人偶尔涉及客观世界的知识，便被认为"离经叛道"或"奇技淫巧"，而为士林所不齿。所以中国科学的不发达，可说是受了儒家学说的影响。

上面说过，儒家是从四书五经中讨生活的。他们自比为君子，而受农工们那些"小人"所养活。他们不耕而食，不织而衣，从来不治生产。他们以言"利"为最大忌讳，若说到提高生产技术、增高劳动生产性，那便涉及了"利"的范围，而成为孔子所指斥的樊须那种"小人"了。所以儒家做官从政的时候，从不向政府贡献促进社会经济的方法。宋代王安石的变法，在儒林掀起了极大的波澜，终于被所谓君子之儒打倒，新法也全遭废弃了。

儒家学说,既然是巩固封建秩序的精神的支柱,我们就可以知道中国科学未发达以及社会进步迟滞的原因了。

第八,地理环境的影响。中国的地理环境,比较西欧各国,确有一些特殊之点。若说中国社会发达的迟滞完全受了特殊地理环境的影响,这固然是错误的;但若说地理环境对于封建社会全无影响,这也是不正确的。封建时代的欧洲各国,壤土相接,文化水准虽有不同,但距离并不甚悬绝。所以每遇一国发生了特殊的生利事业,其他各国莫不群起仿效,厚殖本国经济势力,以与他国相竞争。这种仿效与竞争,确能刺激生产力的发展。至于中国,从唐代于清代,领土非常辽阔,文化发达最早,环绕中国的诸民族,文化都非常落后。中国工农业的生产技术都比他们高,产品的种类也比他们多。他们只有从中国学习仿效,绝不是中国的敌手。所以国与国间的经济竞争是缺乏的,对于中国社会生产力的发展,不能有所激励。

交通工具的缺乏,是封建时代国际通商上的大困难。中国自两汉迄唐以至于元明清,国际的通商虽也相当发达,但通达欧洲的陆路,非常艰险,海路也非常不便。大约在 15 世纪以前,中国商品输出于国外的数量很少。明廷经略南洋,只限于发扬国威,虽然国人随往经商的很多,可是不久明廷就实行了闭关主义,禁止人民出国,商品的外销也停止了。清初对于国际通商,也视为无足轻重,时采闭关主义。假使中国从明代起,继续经略南洋,励行殖民政策,发展航海事业,南洋的广大市场早已为中国所独占了。从那时起,商品必大量的从国内输出,工业的生产力,将因南洋广大的市场而得到惊人的发展了。可惜轻视工商的封建王朝,并没有这样伟大的抱负,终于使华人统治着的南洋,让后来的欧洲人攘夺以去。商品生产与商品流通,在国内的市场既然有一定限度,又没有国外的广大市场刺激其发展,当然不能孕育出新的生产力了。

上述地理环境对社会发展的影响,也只限于就封建时代来说的。到了新式交通机关发达的近代,那种影响就不足道了。

中国领土异常辽阔,生产力在封建的母胎内,很有发展的余地。就农业方面说,已开垦的耕地面积,只占领土面积若干分之一。境内可开垦为耕地的面积很广。无地可耕的农民,只要能放弃乡土观念,移到他处垦荒,便可取得耕地。或者,政府从人口过多的农村移民于土旷人稀之地,也可扩大农业的生产。事实上,上面两种方法,历代都常常实行的。中国土地这样大,纵使人口增加多一倍或二倍,在封建时代,农民也还是有地可耕的。因此,我认为中国社会所以长期停留于封建阶段,这也是原因之一。

我常有一个假想:假设中国与欧洲之地理的隔绝一直继续下去,中国社会再过数百年,也许还是停留于封建的阶段中。

以上所列举的八个项目,都是中国社会发展迟滞的原因。其中第一项到第五项是主要的原因;第六项到第八项是次要的原因。我们对于这个问题,应当作一个全面的研究,把一切障碍生产力的发展以及不能孕育新生产力的原因,都要联系起来加以考察,才能理解这个问题的全部。我们绝不能主观的拈出某一主要原因而忽略其他的主要原因。例如说,"中国社会发达的迟滞,只因为封建的战乱频仍不断的破坏生产力所致",而于封建的力役与剥削、宗法遗制的农村公社以及封建的政治机构对于中国封建社会的影响,不能加以关联的考察,那便不能把握问题的真相。因为战乱不专是封建社会所独有的现象,也不是中国社会长期停留于封建阶段的唯一原因。其余类推。

其次,我们对于这一问题的研究,如果主观的拈出某一次要原因而不去把握住那些主要原因,那也不能触及这个问题的核心。例如说,"中国的精神文化有一种特殊性,即是知识分子都向着内心方面去用工夫,不知道向外物方面去做研究,所以中国的科学不能发达,因而社会也不能向前发展"。这种说法,也只能解释问题的一个方面。因为科学是适应社会经济的要求而发达的。社会经济如果发达了,科学必然随着发达起来。封建的秩序,并不需要科学,科学当然没有发展的机会。中国的精神文化(如儒家学说)虽然锢蔽着科学的研究,因而阻碍了社会的进步,但科学的不发达还有其根本的原因,即封建的政治与经济并不需要科学。假设生产力不受封建生产关系所束缚而得到发展,科学自必适应于经济要求而发达起来。人们科学的头脑虽受那种向内心做工夫的精神文化所障碍,但科学的头脑本身,却不因那种精神文化的障碍而毁灭,一旦取得适宜的机会(即社会经济的要求),自必向着这一方面发展,创造出科学的知识。所以那种阻碍科学发达的精神文化,只有在它适应于封建的政治经济之时,才能成为阻碍科学发达,阻碍社会进步的助力。换句话说,封建的政治经济不需要科学而需要那种向内心做工夫的精神文化,人们的科学的头脑就变成无用的长物,科学也就不能发达了。实际上,欧洲的科学,并不是在封建时代发达起来的,而是在封建社会解体之时才开始发达的。所以我们只能说那种向着内心做工夫的精神文化是障碍社会发展的原因之一,却不是唯一的原因。

或许有人要问:封建的战乱、力役与剥削,以及封建的政治机构,是一切封建国家通有的现象,为什么欧洲的封建国家能够较早的转进到近代国家,而中国却是那样的迟滞不前呢?这是应有的疑问。我们要知道,中国社会所以在三千年的长期内停顿于封建阶段,当然是源渊于中国封建社会的特殊性。这种特殊性在上述四项之中也表现得很清楚。其一,战乱虽是一切封建社会所通有的,而中国封建的战乱,其规模之大,期间之长,却是欧洲封建时代所没有的。封建时代的人民在战乱中牺牲的,动辄数十万以至数百万,战乱的期间动辄数十年至数百年,战乱的区域,波及数百万或数千万方里,劳动力与生产手段的惊人的损失,是欧洲封建时代所没有的。其二,中国封建的土地关系,与欧洲封建的土地关系不同。中国在周代之时,土地归大小领主所分领,这与欧洲的封建时代相仿佛。但入秦以后土地可由人民自由买卖,出现了民间地主。在民间地主之上,更有大领主的国王。这在欧洲,只有在封建制度解体之时,土地所有权才由领主移归民间,而领主就随着没落,这是与中国的封建土地关系不同之点。中国自秦以后,有无数民间地主分布于全国,成为大领主及国王的强有力的台柱。农民阶级所受的劳役与实物的剥削是二重的。他们一面为民间地主服役,一面又要为国王服役。并且他们为国王服役的人数与时间很多,所受的牺牲也很大。至于实物的贡纳,除了以生产物的一半以上缴纳于民间地主以外,还要从那一半以下部分,提出一部分贡纳于国王,其税率也很繁重。这都是欧洲封建社会所没有的历史的事实。其三,周代贵族政治,略与欧洲中世纪的封建政治相似,但秦代以后二千余年之间,一直是绝对主义统治的时代,其间虽然更换了很多的王朝,而君主独裁的政治,却丝毫未曾改变,反而愈趋强化。欧洲的绝对主义政权,出现于封建制度解体之时,那种君主独裁政治,是树立在贵族阶级与市民阶级的均势之上的。实际上,市民阶级的力量,已经可以同贵族相颉颃,且有驾凌其上之势。至于中国的绝对主义政权,一直树立于民间地主的台柱之上,并代表地主阶级的利益。这一地主阶级,与西欧的封建贵族不同,他们虽支持绝对主义政权,其本身却与王权绝无利害冲突,在经济上只有仰赖于王权才能维持其利益。所以在君主方面看来,地主阶级是绝对有利而无害的最有力的台柱。这一台柱,在二千余年之间,日益根深蒂固,牢不可破。朝代的更替,只是上层政权的转移,任何新起的王朝都要建立在这一台柱之上,断无摒弃这一台柱而更换新台柱的意图。这正与封建领主不能摒弃缴纳田赋的人们一样。这绝对主义政治,世代相承的传统了二千余年之久,致令统治者与被统治者都把这种政治看作天经地义,永难更改。所以偶尔有反抗这种政治的英雄起来号召民众推翻某一个王朝,但结局仍不能不回到原来的绝对主义,因为在这种社会之中还没有产生出担负新生产方法的阶级。

本文拟作为熊得山遗著《中国社会经济史》代序。

著者附志。三十年九月六日

(原载1941年《文化杂志》第1卷第2号,署名李达)

法理学大纲*

（1947）

　　* 《法理学大纲》是 1947 年李达在湖南大学法学院讲授法理学时的讲义，全书约 16 万字，当时曾由湖南大学分上、下两册石印，下册已遗失（一说为当时湖南大学只石印了上册，全部手稿在"文化大革命"中被抄家掠走），留存下来的上册于 1983 年 11 月由法律出版社出版，署名李达，韩德培为之作序，陆定一题写书名。该书第二篇第六章第二节的内容曾被收入人民出版社 1980 年 7 月出版的《李达文集》第 1 卷。现将韩德培所写的"序言"附录于书后。——编者注

第一篇

绪　论

第一章　法理学与世界观及社会观

第一节　法理学与世界观

法理学原是法律哲学。法律哲学,是一种特殊哲学,是哲学中的一个分支。特殊哲学与哲学,具有密切的关系。各派法理学,都采用一种哲学作为理论的根据。各种法理学,都是一种特定的哲学在法律领域中的应用和扩张。

哲学的种类很多,派别也很复杂。法理学所以有许多派别,主要的是由于那些法理学的哲学基础不同。这里我们无须说明那些哲学的派别,只把本书所采用为根据的一种哲学,作一个简要的说明。

本书所采用的哲学,是一种科学的世界观。科学的世界观,是研究整个世界的发展的一般法则的科学。它是人类知识全部历史的总结论。

科学的世界观的根本论纲是:"存在规定意识。"这个论纲,认定世界是离开人类意识而独立的客观的实在。这客观的实在,即是存在;客观的实在在人类头脑中的映像,即是意识。映像依存于被映像的对象,并受它所规定;同样,意识依存于存在,并受存在所规定。所以存在规定意识,意识不规定存在。关于这一个论纲,还有一方面的意义。意识受存在所规定,这是意识的受动性;但意识对于存在,也有一种反作用,这是意识的能动性。所以人类认识了世界以后,能够改造世界。

科学的世界观,基于上述论纲,认定世界一切事物都是运动着,同时又都是互相联系。世界一切事物的联系,是运动中的联系;一切事物的运动,是联系中的运动。科学的世界观,认定世界存在的根本形态是运动。物质世界,是物质运动的复杂的具体形态之统一。运动不仅是同一物的单纯位置的变化,而且是发展,变化,由低级形态到高级形态的推移。发展的根源,不在外部的原因之中,而在发展着的世界的自我运动之中。这自我运动的渊源,是矛盾,是一切现象中内在的互相结合又互相排斥的矛盾。一种事物,转变而为与它自身相反的事物,由于量的蓄积所引起的质的变化而显现,由于特定的关联之断绝而显现。旧事物之转变为新事物,常循一定的方法,表明旧事物的否定,同时表明旧事物在比较高级形态上的改造。所以科学的世界观,是研究世界发展的一般法则的科学。

科学的世界观之构成,完全借助于人类知识全部历史的成果。客观的世界,最初反映于我们直接的直观上,出现为混沌流动的总画面。为要认识这总画面内部各部分的各种相互联系及各种发展法则,而把它们统一为一般的发展法则,我们首先要认识构成这总画面的各个部分,然后对于这总画面才能有明了的观念。换句话说,我们先要认识这总画面各部分的特殊发展法则,然后才能在论理上把它们综合为一般的发展法则。

世界分为自然与社会两部分。研究这两部分的特殊发展法则的科学,是各种自然科学与社会科学。各种自然科学与社会科学,各把特殊的自然现象或社会现象作为研究对象,而发现各种特殊发展法则。所以哲学要认识世界而发现世界发展的一般法则,就必须利用一切个别科学的结论,把那些特殊发展法则,实行论理的综合,才能得到适合于一切特殊领域的一般法则。只有这样,世界各部分现象之一般的联系的发展法则,才能从直接的直观,转变为由思维所媒介的综合,即是在思维上再现出全体世界的形象,形成统一的世界观。

科学的世界观之论理的构成,既是个别科学的结论的普遍化,它必然能成为个别科学的方法。从分析与综合的关系上说来,个别科学是相对的分析的科学,哲学是相对的综合的科学。综合以分析为前提,分析受综合所指导,因而个别科学受哲学所指导,即是说,哲学是贯穿于个别科学的一般的方法论。因为哲学上所处理的一切原理、范畴与法则,是各种个别科学所处理的特殊的原理、概念与法则的普遍化。而各种特殊的原理、概念与法则,是一般的原理、范畴与法则在各个特殊领域中所采取的特殊姿态(即个别化与具体化)。在这种意义上,哲学可说是个别科学的代数。个别科学,必须适用哲学的思维法则,才能正确地理解对象。

基于上述简括的说明,可见哲学是科学的世界观与科学的方法论之统一。它研究的对象,是整个世界发展的一般法则,是自然、社会与思维的发展的一般法则。它是理论与实践的统一,它是人类知识全部历史的总结论。

法理学是哲学的一个分支,是科学的世界观的构成部分。这科学的世界观在法律领域中的应用和扩张,就构成为科学的法律观——这就是法理学。

第二节　法理学与社会观

法理学所研究的法律现象,是世界万有现象中的一部分,同时又是社会现象中的一部分,所以法理学不但是科学的世界观的构成部分,同时又是科学的社会观的构成部分。从世界观到社会观、到法律观的推移,是顺次由普遍到特殊的推移。法律观被包摄于社会观之中,直接由社会观所指导,间接由世界观所指导。在这种意义上,法理学是通过社会观而接受世界观的指导的。于是法理学与社会观的关系,比较它与世界观的关系,更为具体而直接。所以这里更进而阐明社会观与法理学的关系。

科学的社会观与科学的自然观,同为构成科学的世界观的两大部分。两者又都是科学世界观之具体的表现。

科学的社会观,是科学的世界观在整个社会领域中的应用和扩张。它是以研究社会发展法则为对象的科学。

科学的社会观的根本论纲是:"社会的存在规定社会意识。"所谓社会的存在,是指人类社会的现实的生活过程,是指人与人在生活资料的生产过程中发生的相互关系,即一切经济关系,即社会的经济构造。所谓社会意识,是指一定社会阶级、职业等集团所具有的未组织或已组织的感情、情绪、思想或学说。简单点说,社会意识,是社会的存在之映像,受社会的存在所规定。社会的存在是根本的东西,社会意识是依存于社会的存在而发生的东西。如没有社会的存在,便没有社会意识。但是社会意识虽受社会的存在所规定,而社会意识也能影响于社会的存在,如主义或学说之能促进社会的变革,即其例证。不过这种主义或学说所以有促进社会变革的力量,仍然是由于反映了社会现实生活过程的法则,那种力量仍然是潜伏于社会的存在之中的。

科学的社会观的研究对象,可作如次的极简括的说明。

第一,科学的社会观,把社会当作特定历史发展阶段的经济构造去理解,阐明其固有的机能与发展法则,更进而探求那些与这经济构造相适应的政治的与意识形态的上层建筑,说明其内在的关联,以达到基础与上层建筑的统一,以形成一定的社会构成形态之生动的形象。

第二,科学的社会观,把社会当作客观的合法则的发展过程去理解,阐明各个特定阶段上的社会特殊发展法则,阐明社会由低级形态到高级形态的特殊发展法则。

第三,科学的社会观,把社会全部历史划分为先阶级社会、古代社会、封建社会、现代社会、未来新社会这五个顺序发展的阶段,指出人类社会发展的一般的进行与特殊发展阶段上的特殊形态之统一,指出历史过程的统一与联结,发现历史发展之一般的正确法则。

简述起来,社会学的研究对象,是在最一般的大纲上,说明人类社会之历史的客观的发展过程及其发展法则,阐明各种社会构成形态的特殊发展法则及由低级形态到高级形态的特殊转变法则。

所以科学的社会观,是在最一般的大纲上,反映出统一的社会史的发展过程及其发展法则,反映出特殊的各种社会形态的发展及其转变的根本法则的理论。

科学的社会现,是社会发展的理论,同时又是社会认识的方法,是社会科学的方法。这方法的主要点如下:

(一)在社会存在与社会意识的正确关系上,去理解各种历史的社会的现象。这就是说,要把特定社会形态的物质的生产关系,当作一切历史之现实的物质基础抽取出来,把一切历史的社会的现象,当作与特定历史阶段上的生产关系相联系的现象去理解,去考察。

(二)在全体的关联上去理解各种社会的现象。社会是包摄生产关系总体、国家形态、法律制度与意识形态的系统,而生产关系总体是这个系统的基础。同时,基础与上层建筑间,上层建筑相互间,又有极复杂的相互作用。并且,社会的基础,是生产力与生产关系的对立的统一。对于这对立的统一之认识,是理解各种社会现象的关联性的基础。

（三）在发展过程上去理解各种社会现象。一切社会现象,都是发展的。一切社会现象的发展,都是内在的对立物的冲突,归根结底,是生产力与生产关系的冲突。所以研究一切社会现象的发展时,必须深入地暴露其发展的根本动力,由此以探寻其发生、发展及其没落的趋向。

科学的社会观,不单是社会认识的方法,同时又是社会实践的方法。理论不是教条,而是实践的指导。各种理论的命题,如果移到现实生活方面,并根据它改造现实生活时,这理论就有直接的现实性。社会的实践,是人们要变更社会的客观现牲,而使它适合于自己目的的种种有计划的行动。人们如果得到社会发展的理论,反映出社会的发展法则,就能够指出对于社会现象预见的可能性。这种预见,与社会的实践相结合。只有在理论与实践的统一上,才能反映社会发展的法则,预见社会的将来,人们才能有计划的从事社会的实践。所以科学的社会观,是社会的理论与实践的统一。

科学的社会观,是社会科学的方法。各种社会科学,必须根据科学的社会观,去认识其所研究的社会现象及其发展法则。单就法理学来说,法理学必须接受科学社会观的指导,把法律制度当作建立于经济构造之上的上层建筑去理解;阐明法制这东西,是随着经济构造之历史的发展而发展,而取得历史上所规定的特殊形态,阐明其特殊的发展法则,使法律的理论从神秘的玄学的见解中解放出来,而构成为科学的法律观。

第二章　法理学的对象、任务与范围

第一节　法理学的对象

任何科学,都有其一定的研究对象,以展开其理论的体系。法理学的对象是什么? 这是首先要决定的问题。

从来的法理学,派别很多,它们所据以为研究的对象,各不相同。在决定"法理学的对象是什么"这一问题之前,应把各派法理学的对象,在这里列举出来,先作一番检讨。

哲学派以探求法律的理想标准为对象,根据理性、道德、正义、神意等主观观念,实行神秘的抽象的演绎,展开其抽象的空洞的不能实践的理论。

自然法派以想象的人类自然状态中的自然法为对象,从抽象的人性演绎出一般原则,想据以制定法律。所谓人类自然状态中的自然法,纯系虚构,实际上是以市民的物质的生存形态和愿望,作为法律的原理。这种以脱离现实的主观的假想为对象的学说,决不含有丝毫科学的成分。

分析学派以现实的法律为对象,把法律看作立法者有意识的创造物。用分析的方法,探求法律的原理,使法律学成为概念的法学,把一切新的社会事件,都嵌入于旧的原则之中。此种局促于法律领域的研究,专以法律的技术为能事,绝不能成为科学的法律观。

历史学派以历史上传统的法律习惯为对象,根据一定主观的标准,探求民族的精神,作为法律的原理。就其以一民族的过去法制为对象来说,至多只能认识一民族的法律的动态,却不能理解法律与现实的关系。但就该学派的玄学观点来说,其目的在建立法律领域中的民族主义,并未能阐明法律发展的原理。

比较学派以研究数种不同的法制为对象,以探求法律的共通性。法制的比较研究,固属于法理学的范围,但只是研究的一部分而不是全体,所以单靠这种比较,也不能构成科学的法律观。

社会学派以研究法规的效用为对象,主张法律是一种社会制度,可用人类的智力改善,使裁判者得依据法律实现社会的公平。法律的效用,只是这派学者对于法律的主观标准,而所谓社会的公平也只是主观的愿望。这种以研究法律的效果为对象的法理学,只是观念论的实用主义在法律方面的应用,绝不能成为科学的法律观。

法理学要能够成为科学,成为科学的法律观,就必须和其他科学一样,阐明其对象的发展法则,即法律的发展法则。

世界一切的事物,都是联结着的同时又都是发展着的。法律现象也是一样,它内部各部分的现象互相联系,它本身又与其他社会现象、宇宙现象互相联系。同时,法律又在变迁中,在发展中,它的变迁和发展,是世界的发展的一部分,是社会发展的一部分。法律的发展法则,是法律现象本身中所固有的、客观的、内在的诸现象间复杂错综中本质的关联之反映。这本质的关联,即是法律现象中内在的根本的矛盾。这内在的根本的矛盾,是法律的自己发展的源泉。由于这内在的根本的矛盾,法律就由低级形态推移于高级形态,由旧形态转变为新形态。特定历史阶段上法律的体系,由于它内在的矛盾之发展而发展,而又趋于消灭,转变为他种高级的体系。这便是法律的发展法则。法理学必须阐明法律的发展法则,才能成为科学的法律观。

说起"法律的发展法则"时,大多数法学家或许认为是海外奇谈。他们大都受了观念论法理学的熏陶,以为法律是人类意志造出的规范,它本身已是法则,此外还有什么法则可说? 观念论的法理学,在法律的领域中,大都采取目的论,放弃因果律;即使有的承认因果律,也只限于心理的或精神的方面,而否认客观的因果律。又如所谓社会法学,虽然承认法律是社会现象,而主张法律学是社会学的一部分,却不承认法律有什么发展法则。因为这派所崇奉的市民社会学,是主观主义的,是观念论的。市民社会学,根本否认社会现象的合法则性,而承认社会现象是有意志的人类之合目的的活动,是心理的现象,不受什么法则所支配。所以市民社会学主张从价值的见地,把各个社会现象实行分类的研究,而各个社会现象的价值,是由把现象还原于理想的指导原理的事实决定的。这些指导原理,是道德、宗教、美学等的规范,都是由人们所选择的东西。所以市民社会学,只是社会的事变、事实等的记述与价值的估评。社会法学家,基于这样的社会学原理去认识法律现象,拿道德、正义、公平等抽象的规范,去评定法律的价值与效果,因而不承认法律的法则。

所以各派法理学所认以为研究的对象,都是主观的恣意的东西;其所展开的理论,无非是为某种统治目的说教,想把他们所服务的阶级的意志,掺合于统治万民的法律之中。其必然的归趋,是回避现实,文饰现实,不能也不愿暴露法律的发展法则。

科学的法律观,与从前各派法理学相反,它是以暴露法律发展法则为对象的科学。

第二节　法理学的任务

任何科学,都是认识与实践的统一。认识从实践发生,复归于实践。这两者统一的基础是实践。就自然科学说,人们在其与自然的斗争中,逐渐地认识了自然的发展法则,就顺应于这一法则去积极改造自然界,能从自然界采取更多的资料,以提高我们的物质生活。就社会科学说,人们在其社会的实践中,逐渐的理解社会的发展法则,并依据这法则,去积极改造社会,以改进我们的社会生活。作为社会科学之一的法理学,如果真能阐明法律的发展法则,就可以依据这法则以改造法律,使法律适应于社会生活,并促进现实社会的发展,这是关于法理学的任务的问题。

提起法理学的任务时,我们不能不以中国的法律、法学及其与中国社会的关系为问题。

"科学无国界",这一句话,只是说科学的原理原则,对于任何国民都是真理。但这一般原理原则在各国领域中实践起来,就多少要附带一些条件了。原子分裂的学说,对于任何国民都是真理,但这个学说要在工业落后的中国实际应用,那就非得提高科学的水准和工业的设备不可了。同样,某一帝国主义国家的法律原理,对于其他帝国主义国家的法律,是有一定程度的共通性的,但对于落后太远的民族,就只能成为未来的理想了。

中国法系,曾被尊为世界五大法系之一,但这仅是中华民族过去的荣誉,那法系本身,早被束之高阁,当作考古的史料,而由现行的一套新法律来代替了。现行的新法律体系,肇端于满清末年的"变法图强"的国策,其动机是由于想收回领事裁判权,并适应当时帝国主义经济的隶属关系。基于这种动机,被迫接受了宗主国的法律原理,并延请帝国主义法学家,编纂了六法草案。民国成立以后,前述六法之一的刑律,曾由民国政府略加删改,付之施行。其他民律等,亦几经修改。直到国府定都南京之后,立法院根据三民主义与世界新潮,将前述之刑律与民律等草案,大加增删,陆续颁行。这就是现行新法律体系。

现行法律体系,是中国法系的代位继承者,比较旧法系,是一步很大的跃进,其内容与近代最进步国家的法律,"毫无逊色"。单就民法来看,据吴经熊所说:

> 试就新民法从第一条到第一二二五条仔细研究一遍,再和德意志民法及瑞士民法和债编逐条对照一下,倒有百分之九十五是有来历的,不是照帐誊录,便是改头换面!这样讲来,立法院的工作好像全无价值的了,好像把民族的个性全然埋没了!殊不知内中还有一段很长的历史待我分解一下罢。第一我们先要明白,世界法制,浩如烟海,即就其荦荦大者,已有大陆和英美两派,大陆系复分法、意、德、瑞四个支派。我们于许多派别当中,当然要费一番选择功夫,方始达到具体结果。选择得当就是创作,一切创作也无非是选择。因此,我们民法虽然大部分以德、瑞民法做借镜,要不能不问底细地就认作盲从。况且订立民法和个人著作是截然两事。著作也许是独出心裁,不落恒蹊为名贵;而立法本可不必问渊源之所自,只要问是否适合我们民族性。俗言说的好,无巧不成事,刚好泰西最新法律思想和立法趋势,和中国原有的民族心理适相吻合,简直是天衣无缝![1]

---

[1] "新民法和民族主义",《法律哲学研究》。

照吴氏这段话来看,现行民法,是从德、瑞民法中选择了95%与中国民族心理相合的条文而成的创作了。至于我民族心理所由产生的民族社会的实际状况,究竟如何,这一层是不曾顾到的了。中国社会的实际状况,无疑的是帝国主义殖民地化过程中的社会状况啊!虽然最近两三年以来,政治上已一跃而跻身于五大列强之一,而社会实际状况依然如故,甚至比较十年以前还要退化,因为遭受了大战的摧残。

法律是社会的上层建筑。上层建筑的法律,已进步到了帝国主义国家的法律的水准,而社会现实却落后到与殖民地状况相平行。最进步的上层,最退步的下层,这样大不相称的建筑,无疑的是不合理的。

其次,我们说到中国的法学界。中国法学界的趋势,与前述的趋势是同一的。中国法学的研究,肇始于满清末年的日本留学生,与日人冈田朝太郎、松冈正义所主讲的北京法律学堂。随着舶来品的法律之输入,那注释法学、概念法学也同时输入了。在满清变法图强的初期,法律的概念及条文的注释,当然是重要的。所以外国注释法学的翻译与介绍,从此开端了。法律既然是外国的,法律的注释,当然也是外国的。从此注释法学概念法学之在中国,就由萌芽期而渐进于成熟期,中国的法学家已经能够写出很好的所谓"选择得当就是创作"的概念法学了。如今最好的刑法学或民法学,内容丰富,学说新颖,依照法典内容的次序,逐编逐章逐节逐条,详加注释,无不精当。有的引用各国法条,探求其与本条相似的条文,加以论述;有的更进而列举外国学者的主张,分别新旧,评述优劣,大都主张采取新说,精当赅博,注释工作,宜臻上乘。至于说到这一套法律,是否与中国社会现实相适应,法学家却认为那是立法者所应答复的问题。他们分内的事,是就法论法,现有什么法条,就对那法条加以注释。若再问一问:为什么解释法律时,一定要采取新学说或新主义? 他们必定是说:"泰西最新法律思想和立法趋势,和中国原有的民族心理适相吻合。"若更问一问,"民法一二二五条中,现在通常适用的究有几多条? 适用时有无困难?"他们是不能答复的。司法当局本来就没有过统计报告。这种情形大概是目前法学界的现状了。

法律是舶来品,法律的注释也是舶来品。法学对于法律,果然配合得很好,但对于中国社会的现实,是否也能够配合,那就是一个问题了。这个问题,是法学方面最重要的最根本的问题。这个问题如不解决，中国的法学自身没有生机，也不能促进法律的改造，因而也不能促进社会的进步，这是很明白的事情。这个问题，在目前法学界各自独立，各自就其特殊部门作专门注释工作的今日，恐怕只有法理学一门来做专门研究了。

说起法理学，各大学法律系，在十多年以前就设立了这个功课，主讲的先生们如何教法，不大知道。听说多有采用外国人所著的原本或译本作为教本的，也有自编讲稿的。若用外国人的著作来讲授，那便连法理学也是舶来品了。至于坊间所传播的法理学书籍，也是译本居多，国人自己的著作，除了一两本之外，还有几篇片段的文章。社会法学和新分析法学，曾经有人似是而非地写过一点著作，那也不过是认为"泰西最新法律思想"和"中国原有的民族心理适相吻合"，却并不曾对中国社会的现实，给予一瞥。这样的法理学是不能实践的。

法理学的研究，在中国这样不发达，据我看来，主要的是由于法学家们不予重视，好像认为是一个冷门。教者不感兴趣，学生也勉强听讲。因为应考试、做法官或律师，都不需要法理学。在培养注释法学的师资与司法人才的今日法学教育环境中，这许是法理学的研究所以不发达的原因了。

在领事裁判权已经收回而高唱司法改良的今日，法学的更新运动，是目前法学界一致承认的。因为不如此便不能迎头赶上，外国人也必加以非难，在中国境内将不肯接受我司法的裁判。事实上，中国的法学原是"新"的，只要"泰西"有"最新法律思想"或学说，无不认为与"中国原有的民族心理适相吻合"，拿来作为注释的根据。在这种意义上，中国的法学是够"新"的了，也许可以说"新"到不能再"新"了。但问题就在这个"新"字上。那种与"泰西最新法律思想"适相吻合的"中国民族心理"，固然是"最新"的了，可是产生那种民族心理的社会现实，是否也是"最新"的？泰西的最新法律思想所由形成的社会现实，是否也与中国的社会现实适相吻合？民族心理和法律意识已经"迎头赶上"了，民族社会的现实是不是也要"迎头赶上"呢？如果单是前者至少前进了一百年，而后者老是落后一百年而跟不上去，然则如之何？法学家们对此难道可以忽视么？

法律与社会现实的平行，只是偶然的；两者的脱节，却是必然的。在社会现实前进而法律落后的情势中,如何使后者迎头赶上使与前者相配合,这是第一种问题。在法律前进而社会现实落后的情势中,如何使后者迎头赶上使与前者相配合,这是第二种问题。关于这两种问题的解决,都是法理学的任务。大概说来,泰西各国的法理学,注重于展开第一种问题;而中国的法理学,却注重于展开第二种问题。这两种问题的展开,都是"最新"的,并且两者的原理也都一致,所不同的地方,只是那个原理在特殊社会形态中的应用罢了。

但是所谓"中国的法律前进而社会现实落后",这句话的意思,只是表明法律已经赶上帝国主义国家法律的水准,而社会现实还停顿在殖民地状态。所谓社会现实应该迎头赶上,却并不是主张中国社会也要赶上帝国主义的社会现实。实际上说来,从帝国主义国家的法律"照帐誊录"过来的法律,虽然是"最新"的东西,却不是中国社会发展过程中所必需的东西。因为它不是中国社会发展过程中所必需的东西,所以就应当根据对于中国社会发展法则的认识,把法律加一番改造。这样经过改造的法律,是中国社会改造的全部理论中的一个方面、一种鹄的。只有这样从中国社会的基础中产生的法律,才是与中国社会的前途相配合的法律。只有这样的法律才能推动中国社会的前进。

现行法律体系,绝不是中国社会现实的反映。过去立法者们徒然根据主观的见解(如所谓"原本后出最精确的法理",所谓"各国法律愈后出者最为世人注目",所谓"革命立法的进取性"),来就外国法律"改头换面"和"照帐誊录",对于中国社会现实,并不曾有什么认识,这是可以断言的。

所以法理学的研究,首先要阐明世界法律发展的普遍原理,认识法律的发展与世界发展的关系,认识特定历史阶段上的法律与社会的关系;其次要应用那个普遍原理来认识中国的法律与特殊的中国社会的关系,由中国社会发展的特殊路线,展开与之相互适应而又能促进其发展的法律理论,作为改造法律充实法律的指导。为要完成这个任务,法理学的研究者,必须具有科学的世界观与认识世界的方法,认识法律在万有现象中的位置,认识法律怎样随同整个世界的发展而发展;又必须具有科学的社会观与社会科学的方法,认识法律在社会现象中的位置,认识法律怎样随同社会的发展而发展。他们只有具有科学的世界观与社会观,才能跨出那法典与判例的洞天,旷观法律以外的社会与世界的原野,究明法律与世界、与中国现实社会的有机联系,建立法律的普遍性与特殊性的统一;才能使自己的研究可对时代作积极的贡献,而不至于与时代脱节;才能促进法律的改造,使适应于现实社会,促进社会之和平的顺利的发展,可以免除中国社会的混乱、纷争、流血等长期无益的消耗。这样的工作,虽是艰巨的,却是可能的。这样的工作,是法理学最高的任务。

第三节　法理学的范围

法理学的对象和任务已经确定,现在来确定法理学的研究范围。

法理学主要的研究范围是法律,这是自明的事实。但法律是社会的一部分,法律现象是社会现象的一部分。它与整个社会的关系,是部分与全体的关系。它与其他社会现象,如政治现象、经济现象及意识形态等,具有有机的联系。为要正确的认识法律的发展法则,就不能局限于法律的领域,而必须考察法律与整个社会相联系的法则,考察法律与政治、经济及意识形态相联系的法则。

第一,关于法律的领域,首先要搜集一切成文法、判例法、习惯法以及立法政策、司法政策、执行政策等,列入研究的范围,就全体作论理的研究,探求其中各部分的关联,抽象其共通性或普遍性。

其次要搜集一切法制史、法学史、法理学史及法律思想史等,列入研究的范围。先就世界一切法制,作历史的考察,分析各种法制之历史的发展形态,并参证各该相当时代的法律学说与法律思想,以探求其顺次由低级形态转变到高级形态的因果关系。

法理学固然主要的要研究法律的静态与动态,但这还只是初步的工作,还不能说已尽其能事。法理学不能故步自封,自给自足,还必须考察法律与其他领域的关系。

第二,法律制度与国家形态,是一体的两面。国家是法律的形体,法律是国家的灵魂。法律是实现国家目的的工具,是发挥国家机能的手段。法律是附隶于国家而存在的。有国家必有法律,有法律必有国家。历史上没有无国家的法律,也没有无法律的国家。世界上有什么样的国家形态,必有与之相适合的法律制度。现代的国家形态,绝不能有古代的法律制度,同样,古代的国家形态,绝不能有现代的法律制度。这是很明白的事情。国家的目的,表现于政治政策;政治政策,又表现于立法政策,而制定为法律,这也是很明白的事情。所以法理学的研究,必须从法律的领域,踏入于国家的领域。在学理上,要研究政治学,考察其与法律学的联系;在事实上,要研究政治制度,考察其与法律制度的联系,由此以探求法律与政治的相互作用。同时还要进一步就中外各国的政治制度史与法律制度史,对照各该相当时代的政制与法制,并参考各该相当时代的政治学说与政治思想,探求两者在特定历史阶段上的同一与差别的精神。这样,我们就可以知道法律与政治的联系及其发展的同一步骤。只有这样,法律的研究,才不至与政治的研究脱节,而保有认识的真理性。

第三,法律制度与国家形态,是社会的上层建筑之一,其基础即是经济构造。上层建筑,从基础发生,并受基础所规定,同时对于基础也有一定的反作用。经济基础安定时,上层建筑随而安定,反之,前者动摇而发生变革时,后者也随着动摇而变革。于是新的上层建筑就适应于新经济基础而成立。所以特定的政治的法制的上层建筑,依存于特定的经济基础,随这基础的发展而一同发展,一同转变为高级形态。

经济既是法律的基础,法律的研究,必须与经济的研究相联系。现在各国的各种复杂的经济法规,都是现代经济生活的产物。即如普通的民法,除了关于经济主体的人格、亲子关系与婚姻关系的规定以外,都是关于现实经济生活的法规。所以我们为要研究法律与经济的关系,固然要研究经济,就是为要理解上述经济法规的内容,也必须研究经济。在学理上,要研究经济学,考察其与法律学的关系;在事实上,要研究各国的经济制度、经济政策,考察其与法律制度、立法政策的联系,由此以探求法律与经济的现实的生动的关系。同时还要更进一步就中国经济史、世界经济史,对照各该相当时代的经济与法律的联系,并参证各该相当时代的经济学说与经济思想,探求法律适应于经济的发展而发展的路向。

第四,法律学说是法源之一,这是众所公认的。其实,不仅法律学说可以成为法源,其他各种学说,各种主义和思想,宗教意识、伦理意识、美学、哲学等,都可以成为法源。这就是说,一切意识形态,都与法律具有联系。意识形态,是经济生活、国家生活及法律生活之反映。意识形态,反映或暴露社会的存在,含有拥护或批判现存秩序的理想。其中进步的或正确的理想,有改进社会的存在之功能。所以法律之理论的研究,不宜偏重于法律学说一方面,尤宜研究其他意识形态及其历史,以人类知识全部历史的总结论做基础,建立法律发展的理论。

第五,如上所述,法律与国家、与经济、与意识形态之关联的研究,都是个别的一方面的研究。为要把各方面研究的结果,构成一个有系统的法律观,就必须接受科学的社会观的指导。科学的社会观,如前所述,把人类社会的历史,划分为先阶级社会、古代社会、封建社会、市民社会、未来社会等 5 个阶段。科学的社会观,把特定阶段上的社会,当作是包摄一定的经济构造、国家形态、法律制度及意识形态的系统。在这个系统中,经济构造是基础,国家形态、法律制度与意识形态,是上层建筑。基础规定上层建筑,上层建筑相互间又有一定的联系,并能影响于基础。这就是这个系统完全的构造。这个系统的发展,取决于基础的发展。这基础发展的原动力,是生产力与生产关系的矛盾。当这个矛盾发展而为斗争时,基础就动摇起来,那些上层建筑也或缓或急的随着变革。于是这特定阶段上的社会,就转变为次一高级阶段上的社会。法律制度是特定社会的一种上层建筑,与其他各部分具有生动的有机的联系,并随着整体社会的发展而发展,而转变。因而法律发展法则,是社会发展法则的一部分。随着社会由一种形态进到次一高级形态,法律也由一种形态进到次一高级形态。只有这样的去做综合的研究,法理学才能够成为科学的社会观的一部分,即成为科学的法律观。

因此,法理学必须研究当代的社会问题、劳工问题,以认识今日各国的社会立法、劳动立法研究中国社会史、世界社会史,以理解法律变迁与社会变迁的关系研究社会思想、社会学说,以理解各国的立法与思想或主义的关系。并且还要考察中国现状与世界现状,认清中国社会的现实与其他各国社会的现实究有什么差别,以期针对中国社会的进路,从事于法律的改造。

第三章　法理学的研究方法

第一节　各派法理学所标明的方法与
所应用的研究方法之差异

法理学的对象、任务和范围,既已确定,现在要说明研究的方法了。在说明我们所采用的研究方法之前,应先就各派法理学所习用的方法,加以检讨。

各派法理学所习用的方法,约有下列5种:

(一)哲学的方法;

(二)分析的方法;

(三)历史的方法;

(四)比较的方法;

(五)社会学的方法。

第一,哲学的方法,是哲学派法理学所专用的方法。所谓哲学的方法,据一般学者解释,是根据哲学观念,研究法律的哲学性,探求一种理想标准,以批判现实法律的价值的一种方法。在我看来,所谓哲学的方法,只是用观念论的法理学评论法律的基本原则。就是:先设定一个主观的抽象的概念,如道德、正义、公平、自然法、无条件的道德命令、绝对理念之类,作为批判现实法的理想标准,由此以展开其抽象的玄虚的理论。现在法学界通常应用这个方法,无非是为自己的研究探求一些理论的根据,或借以阐明法律的"哲学性"。所以哲学的方法,只能说是表示一种研究法律的原则或方向,并不就是研究方法。实际上,哲学派法理学,都是把形式论理学作为研究方法的。

第二,分析的方法,是分析派法理学所专用的方法。这个方法,是这派学者用以注释法规的概念或条文,借以构成概念法学的方法。所谓分析法学,实际上即是概念法学。在这种意义上，所谓分析的方法，也只是表明法学中的一个方向。在这派学者说来，分析是法学的中心工作，并不是进行研究的全部方法。据我看来，分析法学所应用的研究方法，还是形式论理学。分析只是论理学方法的一部分而不是全部。

第三，历史的方法，是历史派法理学所专用的方法。历史学派是德国学者创始的。这派专注重于研究德国历史上所继受的罗马法及固有法，以期从德国过去的法律中，发现传统的民族精神，建立制定德国统一法的根本理论。他们宣称自己治学的方法是历史的方法。实际上，他们的研究方法，并不是这种单纯的历史的方法。他们先假定一个基本观念，从这个观念推论历史上全部的法制，抽出一个原则，以演绎其全部的理论。所以历史学派所应用的研究方法，仍是形式论理学。至于所谓历史的方法，不过表明要在德国所继受的罗马法旧书中做历史的研究罢了。离开历史学派的影响来谈，历史的方法，确是研究进行中一个必要的方法。譬如研究法律的历史，探求各阶段上法律的来踪和去迹，对于法律发展法则的理解，是大有帮助的。不过这个方法，仍须隶属于客观论理学，才能成为科学的方法之一部分。

第四，比较的方法是比较学派法理学所专用的方法。比较学派应用比较的方法，把数种法制作比较的研究，辨别其优劣与异同，抽出法律的共通性，借以阐明法律的本质。这个方法，扩大了法学研究的范围和新的方向，但这派所应用的研究方法，并不仅是一个比较法，而是归纳论理学。比较法只是归纳论理学的一部分。

第五，社会学的方法，是社会学派法理学所专用的方法。这派主张从市民社会学的见地去考察法律，以谋法律与社会相适应。他们把这样的方法，叫做社会学的方法。这个方法只是主张把法律学当作市民社会学的一部分来研究，指出其研究的方向，那方法本身，并不就是研究方法。实际上这派所用的研究方法，仍是形式论理学。

上述五种方法，只是各派标明其研究的重心或研究的方向，并不就是研究方法。实际上各派的研究方法，都是形式论理学。

现在的法学界，仍然习用上述各种方法。有人主张选择其中的一种作为主要的方法，而另以其一种或两种作为补助的方法；也有人主张把分析、历史和比较三种方法作为现实法学的方法,而以哲学和社会学的方法作为法理学的方法;也有人主张把五种方法综合起来,统一应用的。实际上,不论主张用一种或三种,或五种合用,都只是主张把研究的重心放在一个或三个或五个方面,却并不能说,这五种方法就是法学方法的全部。何况在研究的进行上,他们或用归纳,或用演绎,总是离不开论理学。所以上述五种方法,纵然是总合起来,也不能构成论理学。

据我看来,各派法理学所应用的研究方法,都是主观的论理学。在这里,我们要分别认清各派所标明的方法与其所应用的研究方法的差异。

第二节　法理学的研究方法与客观论理学
——法律上的概念与判断

法理学的研究方法,和其他科学一样,同是论理学。任何学问的研究,如果不应用论理学,一步也不能前进。

论理学有两种:一是形式论理学,一是客观论理学。这两种论理学,是完全不同的。形式论理学,是主观的认识的方法,是专重形式而没有内容的论理学,它与观念论的世界观相一致。客观的论理学,是科学的认识方法,它与科学的世界观相一致。

形式论理学,有下述四大缺陷:第一,形式论理学是主观主义的;第二,它完全缺乏发展的观点;第三,它完全缺乏联系的观点;第四,它的原理,与社会的实践相隔离。所以形式论理学的思维原理,只是抽象的悟性的原理,在具体的现实的认识上,不能成为思维方法,并且也无用处。

至于客观论理学,它是注重内容及其与形式的统一的论理学。它把反映着客观世界的发展法则,即矛盾同一的法则,当作思维的根本法则。客观论理学,认定在客观世界中,一切对象都在运动中,联系中;没有绝对安定的东西,没有绝对孤立的东西;一切对象,都包含着对立的动因,其分裂与交互作用,引导到矛盾之内的斗争。矛盾之内的斗争,是对象发展的起动力。因此,客观对象在其发展形态中,通过种种不同的形态和阶段。所以客观论理学,是反映了客观世界发展法则的理论,同时是科学的认识的方法。并且客观论理学,不仅是认识的方法，又是实践的方法。它是认识与实践的统一的论理学。

成为科学的法律观的法理学，是以客观论理学作为研究的方法的。下面且就应用客观论理学研究法律的方法，说明一个大概。

现代一个国家的现实法，分为成文法、判例法和习惯法三种。这些现实法，是概念、判断和推理的集合体。这些概念、判断和推理，究竟是怎样构成的呢？就成文法说，那是由立法者构成的。就判例法说，那是由司法者构成的。就习惯法说，那是人民大众构成的。这里且应用客观论理学，来论证法律上的概念、判断和推理。

立法者当制定法律时，他必先依照国家的目的，拟订立法的原理。他根据那立法的原理，考察他那个时代的许多现实的社会关系，实行具体的分析，个别的加以规定。哪些社会关系是可以容许其成立、存在的？哪些社会关系是不许其发生与存在的？哪些社会关系是要命令其成立或存在的？这样分别清楚以后，于是就制定了由许多概念和判断构成的规则。其次再就这些规则，实行种种论理的操作，顺次把低级的概念和判断，综合为高级的概念和判断，以构成其论理的体系。至于判例法，是根据成文法实行推理的结果（判例法国家的判例法，是根据判例或衡平法推理而成）。习惯法是由立法者或司法者的确认而成的。

这里先研究法律上的概念。

概念包含三个成分：一是认识的主体——立法者；二是认识的客体——社会关系；三是认识主体与认识客体的统一——社会关系在立法者头脑中的反映或映像。在这种处所，认识主体的立法者，能否正确的反映那认识客体的社会关系，是大有问题的。我们姑且假定立法者的认识在当时是正确的，以便进行我们的研究。

在客观论理学上，法律上的任何概念，都是具体的概念。具体的概念，包含着普遍、个别与特殊三个因子。个别、特殊与普遍，同是客观的实在。离开个别或特殊，就没有普遍；离开普遍，就没有个别或特殊。普遍是当作个别或特殊的某种侧面而存在。概念就是反映着当作个别或特殊的某种侧面看的普遍。这种普遍，是具体的普遍。具体的普遍，是包含着个别与特殊的丰富内容的普遍。具体的普遍，包含着个别与特殊、差别与对立的同一性。所以普遍、特殊与个别这三个因子,在概念之中,是不可分离的结合着。这样的概念,才是具体的完全的概念。例如法律上的"自然人"这个概念,是指普遍的自然人,它包含着个别的自然人与特殊的自然人。我们可用"自然人"这个概念,例证上述的原理。

其次,在客观论理学上,法律上一切的概念,具有联结性、全体性,又具有发展性、柔软性。因为法律上的概念,是关于客观的社会关系的概念。但一切客观的社会关系,都是联系着,这是概念的联结性、全体性的源泉;同时又都是发展着,这是概念的发展性、柔软性的源泉。正因为概念具有全体性和联结性,所以在思维领域中,任何概念都与其他一切概念相联系,发生相互作用,形成对立的统一。在概念间这种对立同一上去考察概念,就可以发现概念的联系的法则。正因为概念具有发展性、柔软性,所以在思维领域中,任何概念都是运动的,发展的。概念运动的起动力,是它的内在的矛盾。思维的运动,即是概念的矛盾的统一之发展过程。在这发展过程中,就可以发现概念的发展法则。关于这一段原理,我们可就法律上任何的概念去例证。

运用形式论理学的法学家或司法者,大都把法律上的概念,当作固定的不变的东西,当作孤立隔绝的东西。他们不能理解法律的概念所反映的各种社会关系是互相联系的,同时又是不断变化的。所以他们的见解,只看到一部分而不能看到全体,只看到法律的静态而不能看到法律的动态。他们的理解之不能与现实社会相适应,主要的是由于他们对于法律上的概念缺乏科学的考察。

其次,我们说到法律上的判断。法律上的判断,是法律上的概念运动的形式。这法律上的判断的形式,反映出社会关系合法则的联系及其发展的形式。

在初期国家发生的时代,"财产权是动产物权"。因为当时土地还是村落共有的东西,土地的所有权尚未确定。这种情形,对于任何民族是相同的。往后由于生产力的进步,私产的范围扩大,土地的私有权便由法律所确认了。于是"财产权是动产物权加不动产物权"了。以后,社会的经济关系更趋发展,到了近代,债权就变成了财产权的重要内容。于是"财产权是物权与债权的总和"了。这三个顺次发展的判断,表现社会顺次发展的阶段。再就刑法上举例来说。在封建时代及其以前,"犯罪主体是人加物加自然力"。到了近代市民社会的初期,那个判断有了变动,"犯罪主体是责任能力人"了。这个判断,表示了市民社会初期对于封建时代的进步性。但是进到后期资本主义即帝国主义时期,法律对于无责任能力人,也规定了保安处分。于是责任能力人和无责任能力人,都成了犯罪主体,成立了"犯罪主体是人"的判断了。这个判断,又表现了资本主义经济的高度发展的状况。因为无责任能力人的童工们,也常常加入罢工等的阶级斗争,常常侵害工厂的设备,法律若不予以处分,工厂主常受到不法的侵害。所以法律上判断的运动,表现着法律与社会现实的联系的发展。

第三节　法律上的推理

现在我们进而说到法律上的推理。法律上的判断与推理,同是社会关系的联系的反映。判断是各个事件各个规定之合法则的联系的反映;推理是那些联系的相互的必然的关系之反映。所以法律上的推理,是法律认识的最高形式。

推理的形式,主要的有演绎推理与归纳推理两种。这两种推理形式,在形式论理学上,是各别的单独的推理法。单只应用演绎推理法的论理学,叫做演绎论理学;单只应用归纳推理法的论理学,叫做归纳论理学。两者各自独立,其间并无联系。

演绎是把一般的原理原则应用于各个事实或现象的推理。演绎的出发点,是一般的原理原则。它从一般的命题,引出新的结论,所谓三段论法,就依据于演绎法。例如:

大前提　一切契约是对于当事人有拘束力的;

小前提　雇佣契约是契约;

结　论　故雇佣契约是对于当事人有拘束力的。

演绎法的推理,完全不能获得新知识的结论。因为在结论中所给予的东西,已经包含于大前提之中。形式的演绎论理学,只知道注重于形式,而完全忽视其内容。就前例说,契约固然对于当事人有拘束力,但如雇佣人,因受饥寒所迫,当缔结契约时,实际上本无意思之自由。契约成立后,或因所受报酬不能赡养身家,若仍不许其要求有利的劳动条件,受雇人就不能继续工作了。

形式演绎法的大前提,若果是已被证明的真理,那在大前提中已被包含的东西,必然也是真理。这当然不是问题。但若一般的命题即大前提,是未经证明的原理原则,而只是主观的空想的产物,则演绎所得的结论,必然也是主观的,谬误的。例如:

大前提　法是正义(哲学派的命题);

小前提　恶法是法(分析派的命题);

结　论　故恶法是正义。

就这三段论式一看,本身虽无错误,却不能保证结论的真理性。

哲学派都是用这种演绎法,进行其神秘的逻辑推理的。今日大多数司法者,完全根据法条,进行形式的演绎推理,以引出结论。他们把法律变为自动机械,"从上孔注入事实,由下孔抽出判决"。

其次,归纳是从各个事实或现象引出一般结论的推理。归纳的出发点,是各个事实或现象的观察或记述。归纳论理学,从观察了的个别事物中,抽出一定的标识或关系,推及于这一种类的一切现象。例如:

大前提　固体液体气体等是有体物;

小前提　固体液体气体等是物;

结　论　故物是有体物——德、日民法如此规定。

从来科学上归纳法的应用,曾经获得了许多新知识。但归纳法的结论,只是预告的假定的东西,不是被证明了的东西,只是未解决的部分的东西,不是必然的普遍的东西。因此归纳论理学,把客观的对象当作一成不变的东西,不理解现实发展及其推进的规律性。就上例说,现在电气也成为法律上的"物"了,也许不久,宇宙线和放射能也成为法律上的"物"哩!

形式的归纳法所得的结论,只是形式的。在葛雷顿(Greighton)等所著的论理学之中,有用归纳法探求犯罪原因的例子。这个例子中,说有 A、B、C、D 四城犯罪人数的百分率较高,E、F、G、H 四城犯罪人数的百分率较低。于是应用归纳法,探求这两组城市犯罪人数百分率所以有高低的原因。他们列举了"警力薄弱或充足"、"学校充足或不足"、"刑罚的宽严"、"教会活动不活动"、"有无注册的酒巴间"——这五个标识,实行类同合异法,结果发现 A、B、C、D

四城犯罪人数百分率,都有一个唯一不变的条件,即是都有"注册的酒吧间"。而 E、F、G、H 四城,却都没有"注册的酒吧间"(其他标识已没有共通之点)。于是下了结论:A、B、C、D 四城犯罪人数百分比所以较高的原因,是由于这四城都有"注册的酒吧间"。即是说,犯罪人数百分率所以较高的原因,是由于犯罪者饮酒所致。这个结论的真理性是很可怀疑的。犯罪与饮酒之间的因果关系如何? 上述五个标识中,除了"注册的酒吧间"一个标识之外,其余四个标识与犯罪是否还有些关系? 犯罪除饮酒一个原因之外,有无其他的原因? 这些都是形式归纳法所不能解答的。

在客观论理学上,形式的归纳法和形式的演绎法,都不能单独的成为推理法。归纳与演绎,必须统一运用,并且要注重于客观对象的内容的本质,不能拘泥于形式的标识,然后才能理解经验与思维的内容和联系。因为归纳是从具体到抽象、从个别到普遍的认识;演绎是从抽象到具体、从普遍到个别的认识。在客观现实上,个别与普遍,是不可分离的结合着。归纳与演绎,是客观现实的普遍性与个别性在人类头脑中的映像。

在客观论理学上,归纳与演绎的统一,隶属于分析与综合的统一。这里先说明分析与综合的统一过程。

概念的构成,判断的确立,推理的进行,必然伴随着分析与综合的统一过程。这个过程,是由感性的认识到论理的认识的过程。

当我们观察一个对象时,那对象反映在我们的感性上,出现为一个总映像,这是直接的具体。我们观察这个映像的总体,就把它分解为各种关系或各种方面,分别予以规定,实行分类、比较,应用归纳,有时也应用演绎,就各类规定中,抽象出比较本质的关系或方面,舍去那些非本质的关系或方面,顺次再从比较本质的关系或方面,抽象出最普遍最本质的关系或方面。那最普遍最本质的关系或方面,是具体的分析的终点。这是由直接的具体到抽象的过程,即是认识的下降过程。

分析的终点,是综合的始点。在综合过程中,我们的认识,从那个最普遍最本质的关系或方面出发,开始上升,这时应用演绎,有时也应用归纳。于是探求那最本质的关系(或方面)的内在的矛盾的发展,沿着那发展的路线,顺次把分析过程中舍象了的特殊的非本质的关系,引入研究范围,顺次添加新的规定,到达于综合多数规定及关系的总体,即到达于媒介的具体。这媒介的具体,是对象在精神上的再造。这是从抽象到媒介的具体的过程,即是认识的上升过程。

认识的下降过程与上升过程,是分析与综合的统一过程,是关于对象的全认识过程。

所以,在认识过程中,归纳与演绎的统一,隶属于分析与综合的统一。归纳如不与具体的分析相结合,就变为肤浅的东西;演绎如不与具体的分析相结合,就变为独断的东西。由于与具体的分析相结合,两者同时成为综合的要素。

分析与综合,互相结合,互相制约。综合以分析为前提,分析受综合所指导。在关于对象认识过程的各个阶段上,分析与综合同时起作用。但在综合指导分析这种意义上,以分析为前提的综合方法,又是客观论理学的基础。

第 二 篇

各派法理学之批判

第一章　古代哲学派与中世纪神学派

第一节　希腊的法理学

一、法理学之先驱

法理学的起源,可以回溯到希腊时代。现代各派法理学的中心问题,可以说是希腊法理学中早已提起的问题。要想对各派法理学做批判的研究,借以指出其中心问题,就必须从对希腊法理学的批判开始。

希腊时代的学者们为什么开始了法理学的研究,这应先把希腊时代的社会的政治的背景,简单地予以说明。

希腊的国家是建筑在奴隶制之上的国家,是贵族与自由民统治奴隶的国家。奴隶被当作家畜看待,专门从事肉体的劳动,完全没有人格可言。自由民和贵族,专门从事精神的劳动、政治的活动。他们有了"必要的闲暇",可以研究学问,求取知识;可以参与政治,争取权利,以追求所谓善良的幸福的生活。

大约从公元前 10 世纪到公元前 5 世纪的时期,希腊奴隶制经济已经发达到最高点。自由民各阶层之中,为了争权夺利,在政治上经历了许多变化——由英雄时代的君主政体,到寡头政体,到专制政体,到民主政体。民主政体时代,正是公元前五世纪以后的时期。在这个时期之前,自由民中的商业者阶层,在经济上取得了优势,对于贵族的专制政治的黑暗,非常不满;对于过去传统的宗教、道德和法律,表示怀疑。于是这个新起的阶层,就起来推倒了贵族政治,成立了所谓民主政治。这时期的自由民阶级,为了争权夺利,就讲究政治的雄辩,用唇枪舌剑去打倒政敌,以制胜于政治舞台。在这种形势之下,希腊出现了以辩论为能事的智者派(Sophists)。于是,何为善? 何为恶? 人们应如何生存？国家应如何组织？法律应如何制定？政权应如何分配？——这些都成为当时亟待解决的问题。

智者派思想的中心，是个人主义，并主张"人是万物的准则"。他们对于上述那些问题，都是主张以人的主观见解作为判断的标准的。例如这派的代表者普罗塔哥拉斯（Protagoras）主张"人是万物的准则，有就是有，无就是无，都以人为准则"。又如卡里克利斯（Collicles）主张"强权即公理"。他说："一切法律，都是无能为力的大多数人们所造成的。他们的目的，全是自私自利。"他又说："不公不平，乃是天道。强者所得，应该比弱者多些，才是天理。"又如斯拉西马昔斯（Thrasymachus）说，"不公道的势力权利，还比公道的更大。公道是为强有力的人谋利益的，不公道是各人自己的利益"。从这几段看来，可知智者派是主张个人主义，而以主观的见解去打破现状、批判现实的。他们是当时的革新派。

成为智者派思潮的反动而起的人，是苏格拉底（Socrates，公元前 469—公元前 399）。苏格拉底一派，是代表守旧的贵族阶级的。他的哲学，是观念论的。他认定有普遍的客观真理存在。他的哲学的警句是："知道你自己！"所以他的哲学的主要问题，是关于哲学的思维自身及其主体的反省。即"认识"是什么？"实践的自我"是什么？他认定"自我"是道德上自由意志的主体，所谓"了解自我"，即是自我的伦理的反省，即了解自我应有怎样的道德使命。所谓"知道你自己！"原是"自觉你的道德的使命"。这不是"人是什么"的问题，而是人应该怎样的"当为"的问题，即是人生之实践的规范的问题。这样的哲学，可说是道德哲学或伦理哲学。

苏格拉底最反对智者派，他主张法律是人类幸福的标准。他主张知识即是道德，而道德方面的纷乱，是由于知识上没有是非善恶的标准。因此，他排斥各个人之主观的判断，而主张把"一切善良市民之半客观的判断"，作为正当行为的标准。国家的法律，是体现这种标准的，所以遵守国家的法律，是一种道德上的要求。

苏格拉底哲学中之法理学的成分很少，但所谓法律的标准是道德，却已提出了后来法理学上所探究的中心问题之一。

二、柏拉图

师承苏格拉底的思想，展开了客观观念论的人，是柏拉图（Plato，公元前427—公元前347）。他主张世界事物的本质，应当在理念中去探求。依据他的思想说来，理念和概念，是在世界以前就在世界上存在的东西，而世界和我们的思维，都是这理念的产物，所以他是客观观念论者。

柏拉图认定理念是一切存在物的创造者。国家也是一样，同是理念所创造的。换句话说，国家是人类精神的产物。这种精神，就是知识，就是道德。于是他把政治和论理混合起来，把政治学放在论理学的基础之上，描写了他的哲学上的理想的"共和国"。他在《共和国》这一部书中，描写了理想国家的轮廓，并主张共产共妻。他的理想的政治，是哲人的君主政治。他主张哲人出来做国王，或者想法使国王变为哲人。他把组织成理想国家的人分为哲人、勇士及生产者三个阶级，各阶级禀受理、气、欲三种天性。富于"理"的哲人阶级，运用智慧，统治国家，所发布的命令即是法律。富于"气"的勇士阶级，担负卫国的责任。富于"欲"的生产者阶级，担负生产物质资料以供养国家的责任。各阶级分任其天性所相近的正当行为，这才是理想国家。所以国家的生活，是道德的生活，是正义的生活。

柏拉图最初主张哲人出来做国王，认为这种国王是全智全能的人，他的命令就是法律。这是主张把法律放在执政者之下的。到了晚年，他希望使国王变为哲人，实行法治。这是主张把执政者放在法律之下的。后一种主张，大概是因为他感到哲人出来做国王的不易，不得已而思其次，才希望国王变为哲人，而主张用法律去加以限制的。

柏拉图把法律的性质看作智慧的标准；法律的内容，应该包含道德的全体。所以他说："立法者制定法律时，应以全体道德为目的，不应以部分道德为目的。"这样说来，智慧或道德，便是法律的理想标准了。

柏拉图的"共和国"，原是一种乌托邦，但其中所表现的正义是国家的道德，国家的法律应以正义为内容，这种思想，却成了后来各派法理学所研究的题目。不过，我们要知道，他所主张的国家的道德、法律的道德，是建立在奴隶制度之上的道德，是贵族阶级哲学家的偏见。

三、亚里士多德

继承柏拉图的法律观而出现的,是亚里士多德(Aristotle,公元前384—公元前322)的《政治学》中之法理学的方面。亚氏是希腊时代最大的客观观念论哲学家。他的哲学,统一了物质与精神,把精神看作是存在于物质之中并支配物质推动物质的东西。他把所说的精神看作形式(Form)。他主张物质和形式,对于事物的形成,都是必要的,两者具有不可分离的关系。可是他主张形式是世界及其事物的生成的第一原理,对于物质占据优越地位。形式和物质的统一,是在发展之中显现的,世界即是形式之阶层的体系。最高的形式,在地上是包含于物质之中的理性;在宇宙是神,即是无物质的形式。这无物质的形式,是世界上第一原因、第一动力的绝对形式。于是,他对于世界的形成过程,对于世界的发展,贯穿着目的论的见解,即是把发展解释为目的的追求。他认为世界个别事物和世界全体本身中,都有目的的追求,即都有追求完成与善的冲动。他的论理学的特性,是从这种见地产生的。

亚氏哲学的观点在国家与法律领域中的应用,表现于他所著的《政治学》之中。他在《政治学》中,提出了"自然"这一个概念,说"国家是自然的创造物",他认定这个"自然"是至善的产母,"自然"赋予人类以理性,使人类可以探求它的意志、它的目的。"自然"的目的是至善,人类的责任便是求至善。他所说的"自然"究竟是什么? 依据他的哲学,这"自然"当然是"造物主"或"神"了。"自然"的目的既然是至善,"自然"所创造的国家的目的,当然也是至善了。所以他说:"国家是为谋得到善生活而存在的。"又说:"国家的目的,是最高的善良幸福。"在这种处所,可以看出他的"政治学"之论理学的色彩。关于国家的构成,亚氏主张国家是由参与立法和司法权的市民即城邦的奴隶主贵族和自由民组织起来的,一个国家便是为要得到善良幸福的市民的团体。至于奴隶,他认为是"活的器具",是"比别的器具更有价值的器具"。奴隶不能成为国家的分子,"因为他们没有福分,没有自由选择生活的权利"。这完全表明了国家是建筑在奴隶制社会之上的国家,是市民统治奴隶的国家。

至于国家的法律是怎样的呢? 亚氏反对智者派的法律契约说,认定法律是立法者自由创造的,即是由市民创造的。他主张真正的法律是理智,是正义。因为法律是理智,是正义,所以法律不仅是保护人民的生命财产,并且是教育人民的材料;不仅消极的禁止人民犯罪,并且积极的使人民得到至善的生活。理智或正义,是普遍的,是人人所具有的,所以法律不须制定公布,自然有效。国家是"自然"的创造物,法律即是"自然"的理法,立法家可以依据"自然"的理法,制成法律,作为社会规范。"自然法"是普遍的原理,立法者依照自然法制定的法律,就是制定法。这是自然法与制定法的关系。

正如希腊观念论哲学成为后世观念论哲学的导师一样,希腊哲学中之法理学的方面,也成为近代观念论法理学的导师。近代观念论法理学所探求的法律理想标准,如所谓道德、正义、公平等,都已由柏拉图和亚里士多德在二千多年以前提了出来,不过加上了一些时代的特殊性罢了。不过,我们要知道,柏氏和亚氏的国家观和法律观,是以奴隶制社会为背景的,他们所说的道德、公平或正义,是双脚踏在奴隶肩膀上的道德、公平和正义。

第二节 罗马的法理学

一、西塞罗

罗马的社会,和希腊的社会一样,也是奴隶制的社会;所以罗马的国家,也是奴隶所有者的国家。罗马的社会,分为贵族、平民与奴隶三个阶级;奴隶是最下层的基石,是被贵族与平民当作家畜看待的。一切政治的法律的生活,都取决于贵族与平民。

希腊人注重理想,罗马人专务实际。罗马人没有产生希腊那样的哲学家,也没有探求那种批判法律的理想标准的法理学方面的著作。可是罗马人是很有名的统治家和行政家,并创出了有系统的精致的《罗马法》。《罗马法》在欧陆法律史上,具有很大的权威,变成了近代法律的渊源,而《近代法》被称为《罗马法》的延长。若说法理学应当建立在现实法的基础之上,精致的《罗马法》却可成为法理学发达的根据。实际上,《罗马法》本身,是含有着所谓法理学的原理的。

此外祖述希腊法理学的思想,而又掺合罗马特殊性的法理学者,则有西塞罗(Marcus Tullius Cicero,公元前 106—公元前 43)。西塞罗的法理学思想中,有两点应当指出：一是展开希腊哲学中"自然法"的概念，一是关于奴隶解放的主张。

关于"自然法"的观念，早已出现于古希腊哲学之中。当公元前6世纪之时，自然哲学家赫拉克利特（Heraclitus，约公元前535—公元前475），早已提出了自然法与人定法的区别，苏格拉底也说起过自然法，柏拉图也承认自然法的存在。亚里士多德主张国家的法律中有自然法与人定法两种，成文法必须适合自然法才是正义。西塞罗展开了自然法这个概念，说正义是自然的原理，一切法律都从这个原理产生。依照他的见解，自然法先于成文法而存在，而罗马的《市民法》与《万民法》，都是永久不变的自然法的应用和表现。

西塞罗关于奴隶解放的理论，也有其时代的根据。罗马当共和时代，奴隶制经济已经发达到了顶点，而开始呈现崩溃的倾向。为使奴隶制经济打开出路，只有解放奴隶，使他自行进行生产的劳动，经济才有发展的可能。罗马后期的农奴（Colonus），即半解放了的奴隶，是基于这种经济上的原因而来的。西塞罗对于奴隶的看法，与亚里士多德的见解不同。他认定人类有同一的理性，一切人都有独立的人格，因此他否定亚氏的天生奴隶说，主张奴隶也能成为国家的一分子。

二、罗马法学家

罗马初年，法律的知识，为贵族出身的僧侣所专有，自《十二铜表法》颁布以后，平民中也有人开始研究法律了。特别是科伦卡纽士（T.Coruncanius）在公元前254年，以平民充任僧正以后，民间研究法律的人更多了。到了奥古斯都帝政时代，政府对于指定的法学家，给以解答法律的特权，其意见一致之时，就可以发生法律的效力。后来帝国政府，更承认五大法学家的著述都有法律的效力。

罗马的法学家，不曾写过哲学的著作，也没有新的创见，但他们代表后期罗马法学界的思潮，对于法律的普遍性之考察，确含有法理学的意义。近代法理学家的研究，很少有超出他们的境界，所以我在这里提起他们的法理学的见解。

罗马法学家关于法律的定义很多，最有名的是塞尔苏士（Celsus）的定义。

这定义说："法律是善良公平之术。"所谓善良,即是道德;所谓公平,即是正义。乌尔比安(Ulpianus)解释正义的意思说:"正义即是使各人各得其所而有恒久的意思。"还有一句法律的格言:"正直生活,不害他人,各得其所。"所谓法律是正义,是道德,虽是希腊法理学家的根本思想,而为罗马法学家所沿袭,但近代许多观念论法理学家,仍受这种思想所支配。例如康德说:"所谓法律,就是一人的自由与他人的自由依一般规则而不相侵害的意思。"康德这个定义,与上述"正直生活,不害他人,各得其所"的说法,并没有多大的悬殊。

罗马自入帝政时代以后,版图辽阔,被征服的许多异种民族,各有其不同的习惯与法律,所以帝国政府,除了罗马人所适用的《市民法》以外,更制定了统治各种民族的《万民法》(Jusgentium)。但在当时法学界流行的思潮中,更有一种所谓自然法。《市民法》与《万民法》,都是现实法,而自然法是存在于人们头脑中非现实的东西。罗马法学家们,就自然法与《市民法》、《万民法》的关系,展开了抽象的法理学的思想。嘎尤士(Gaius)把法律看作是人类理性的指示,把法律和正义看作是由自然的真理得来的。他认定自然的真理,是一切国家立法的指导,市民法和万民法,都受自然法所支配。其次,乌尔比安认为正义是法律的根本原理,是法律的真正性质。他主张由自然的条理而成的是自然法;由万国规律而成的是万民法;由市民的法律而成的是市民法。自然法是人与动物所通有的,市民法与万民法是人类所专有的。在自然法之下的人,一律平等;但在市民法与万民法之下的人,却没有平等。这即是说明,世界最初的人是自由的,奴隶制是后来才出现的。

以上,罗马法学家所重述的法律是道德,是正义,自然法是条理法,是自然的真理等命题,仍然是2000年后玄学的法理学家所反刍的中心问题。

第三节　中世纪的神学派

一、奥古斯丁

所谓中世纪,是5世纪到15世纪的时代,是欧洲的封建时代。欧洲的封建国家,是建筑在封建制度之上的国家,是封建领主统治农民手工业者及商人阶级的国家。

古罗马帝国时代,基督教在罗马方面,传播甚广。自从君士坦丁帝改宗基督教以后,基督教成为国教,成为一神教,人类的精神,完全受基督教所支配了。北方的蛮族,虽然用武力征服了罗马人,而罗马人却用宗教同化了北方蛮族,蛮族在没有组成国家以前,早已受罗马教会所支配了。于是欧洲中世纪,变成了基督教统治的时代,从此古代世界所发展起来的哲学与科学,就横被摧残,形成了历史上的长期黑暗时代。

在那个黑暗时代中,一切学术思想,完全受神学所支配,哲学变成了神学的奴婢。关于国家和法律的普遍性的见解,都是根据于神学而来的。关于神学的法理学的见解,且举两个代表人物的学说,加以评说。

先说奥古斯丁(Aurelius Augustinus,354—430)的神学的法理学。

奥古斯丁,是教会的一个主教,是最善于发挥基督教精神的人。他写了一本名叫《神都论》的书,用希腊斯多葛派(Stoics)的哲理与基督教的教义,述说国家与法律的性质,借以提高教会的地位,使超出于国家之上。他在《神都论》中,创造了天上神国与地上人国之区别。天上神国,受神法所支配,是真理与正义的渊源。地上人国,受人法所支配,是盗贼与罪恶的渊薮。世界最初本来是应该受神法支配的单一神国,但因为人类的原罪堕落,才有受人定法支配的地上人国出现。这地上人国,即是现实的国家。所以国家和法律,原是"不得已的恶事"。

他认为真正的国家,应当以正义为标准。国家如果没有正义,便算不得真正的国家,只是盗贼的团体。不过,正义只有在崇拜上帝的人们之间才能存在。所以地上人国如果能够为教会效力,也能够取得道德的价值。这种说法,不过是要抬高教会的地位,想使国家隶属于教会之下罢了。

二、阿奎那

其次我们说到另一个神学的法理学者阿奎那(Thomas Aquinas,1226—1274)。阿奎那的时代,在科学思想方面,比较奥古斯丁时代稍有进步。从前一般神学家没有哲学的素养,对于国家与法律的见解,完全根据于教义,一切都是武断的。但自 12 世纪以后,由于回教徒入侵西班牙以及十字军东征的结果,东西的交通频繁,从前流传于阿拉伯的希腊哲学和文艺,就逐渐输入于西欧,各处的大学,已经开始研究希腊学者的著作了。于是那些神学家,就利用亚里士多德的哲学去说明宗教的教义,把基督教披上了哲学的外套。经院学派(Scholasticism)就是这样形成的。

阿奎那是经院学派的巨子。他的学说,是希腊的哲学与武断的神学的混合物,即所谓人神一致的哲学。这里只就他的法律观略述梗概。他的法律观,略含有近代法律观的意义。譬如他说:"法律是统治者为公共幸福发布的真理的命令。"这个定义显然和希腊人的定义不同。希腊人不说法律是命令,只说法律是真理的指示;不说法律是统治者为公共幸福而发布的,只说法律是使人求道德生活,不需制定公布,自然有效。阿奎那却把法律看作行为规范,看作统治者的命令,并且法律的制定要谋求公共的幸福,还要公布出来,方能有效。这一层,显然包含了近代法律的意义。

阿奎那把法律分为四种:第一是永久法;第二是自然法;第三是人定法;第四是神圣法。永久法是神意支配世界的大法;自然法是永久法中的一部分,即支配有理性的动物(人类社会)的法。人定法是人类的理性对于自然法的适用,即人类理性适用自然法于人世特定事实而制定的规范。至于神圣法,是补充人类理性的缺点,使人类能够求得现世界以上的福祉。他认为自然法是求善避恶的规范。人是有理性的动物,所以能够分受这自然法。人定法从自然法而来,是维持社会秩序所不可缺的规范。总起来说,永久法是神意支配万有的大法源,神圣法是神意所定而昭示于人类的永久法。自然法是永久法在有理性的人类社会中的体现。人定法是应用自然法支配人类的实际生活的准则。

阿奎那的永久法是永久不变的,而自然法和人定法是可变的。在自然法之下,一切人类本来平等;但为了人类的实际的利害,这自然法可以改变,自由人可以变为奴隶,公共财产可以变为私有财产。这无非是说,法律是可以为特定的人类集团而随时改变的东西。

第二章　自然法学派

第一节　拥护君权的自然法学派

一、自然法学说的由来

历史的巨轮,进到了 16—17 世纪,欧洲的封建社会就开始转变为近代资本主义社会了。

随着资本主义经济的发展,市民阶级的势力逐渐成长,而新的意识形态的潮流,冲决了宗教的神学的警戒线,显出了不可遏止的趋势,而为当时的社会所公认了。这里,我们只就这个潮流中的一股主流,即关于国家和法律的学说、政治革命的学说加以述评,借以究明法理学发展的趋势。这一学说,就是自然法学说,或所谓民约论。

自然法学说,如前章所述,早已为希腊人所倡导,为罗马人所展开,为中世纪神学家所沿袭,并不是近代人的新发明。但近代人的自然法学说,却含有"近代的"意义。近代的自然法学说,与古代的自然法学说相较,名同而实不同。古代自然法学说,是一种纯哲理的探索,假定在人定法之上,还存在普遍不易的理想法即自然法,为其模范的标准。近代自然法学说,却不杂有这种玄学的意味,近代自然法学说,是从人性论出发,假设"人类的自然状态"作为立论的根据。依据这派的意见,人类最古的状态是自然状态,人类今日的状态是国家状态。自然状态,不依存于神意而存在,而是依据于人性的自然状态。至于国家,是人类依据契约而构成的人为的制度。所以近代自然法学说,可说即是民约论。近代自然法学说,是自然主义的,与古代自然法学之目的观或中世纪自然法学说之超自然主义不同。古代或中世纪之自然法学说,是国家主义的、道德主义的;近代自然法学说,是个人主义的、利己主义的。本章所讨论的自然法学,是指近代一派,并不包含中世纪以前的自然法学说。

近代自然法学派的先驱,是16世纪反抗暴君论的一派。这派的反抗暴君论,主要的是对于专制君主压迫新教徒的事实而发的。这里只就几个代表人物的议论,指出其关于自然法的见解。

其一是用布鲁特(S.J.Brutus)的假名发表的《反抗暴君权利论》。这书中把人类最初的时代,叫做人人自由平等的黄金时代。在这个时代,政府掌握在贤哲的手中,"政府的唯一目的,在于谋人民的福利;君主的唯一义务,在于保卫人民"。国王只是人民的公仆,人民才是一国的主人。人民设定这个仆人时,要有两种契约:一是君民和上帝的契约,一是人民和君主的契约。在第二种契约中,人民是主约者,君主是受约者。受约者的君主,答应主约者的人民,依据法律而公正行事。君主要服从法律,因为"法律是群众精神的汇合,而精神是神灵的一部分。人类服从法律,就是服从上帝,使上帝做自己的裁判官"。

其二是布卡南(G.Buchanan,1506—1582)的"王权论"。布卡南的理想中,也假定一个自然世界。不过他理想中的自然世界,是无法律的野蛮世界,人类过着野兽一样的生活,一切都无保障。最初的人民,为了脱离这种野蛮世界,才有社会和政府的组织。这种组织,基于契约而成。法律是维持正义的,是由人民所创造的。国王应该服从法律,并执行法律,却没有法律的解释权和补充权。至于未得人民同意而取得权力的君王,就叫做暴君;或者行为不合于正义的君王,也叫做暴君。这样的暴君,人民不但可以反对他,并且可以处置他。

以上是反抗暴君论一派的自然法学说。这一派心目中所说的人民,主要的是指同情于新教的贵族。他们的目的,在于拥护那班同情于新教的贵族进而组织政府,巩固新教的地盘。例如法国新教徒与法国贵族包本(Bourbon)相勾结,反对压,迫新教的国王,后来拥护包本的亨利四世皇帝,因而获得了信仰的自由和政治的权利。这便是一个明证。所以有人说,反对暴君论的一派,在于使那些失势的贵族,出来组织政府。这种目的,在当时无宁是反革命的。

但是这一派所倡导的"自然世界"、"自然权利"、"社会契约"、"政府契约"等议论,后来却变成了市民阶级的革命理论的来源。在16世纪到18世纪期间,这一派的议论,在政治思想和法律思想方面,发生了很大的影响。

二、格老秀斯

近代自然法学的创始者,一般人都说是荷兰的格老秀斯(Hugo Grotius, 1583—1645)。实则如上段所述,格氏以前,还有首倡自然法学说的人。不过格氏能把这个学说建立于哲学的基础之上,比较前人的议论,算是前进了一步。

格氏有名的著作,是《战争与和平法》(*De Jure Belli ac Pacis*)。这一部书,是为了当时国际间惨无人道的战争才写成的,在当时算是创见,所以博得了国际法学家鼻祖的称号。他在这一部书中,说起了自然法与制定法、万民法与国际法的关系,对于自然法学说,颇有贡献。

格氏关于自然法的见解,大都沿袭亚里士多德的学说。他也认定人是政治的或社会的动物。人类由于自己的本性需要和平合理的共同生活,所以组成了社会。所谓人类的本性,就是理性。这理性就是自然法的渊源。所以他说:"自然法是真正理性的命令,是一切行为善恶的标准。"他认定自然法是绝对不变的,就是上帝也不能变更它,并且还要服从它。"上帝自己不能使二加二不为四,所以也不能把理性上认为恶的变为不恶的。"照这种话看来,人类的理性的命令,至高无上,连上帝也要受它所支配了。

格氏把法律分为自然法与制定法两种,而制定法更分为国内法与国际法两种。关于自然法与国内法的关系,他认为自然法的特征是理性,制定法的特征是意志。但国内法虽是由于意志、由于契约而发生的义务,而契约的效力,却是从自然法而来的,所以国内法归根结底是由自然法产生的。其次,关于自然法与国际法的关系,他认为自然法是从理性发生的,国际法是从共同的契约发生的,是自然法在国际关系上的应用。照这样说,国内法与国际法都根源于自然法,一切法律的渊源都是理性了。

格氏的学说中,也含有政府契约说的主张。他认为在未有政治以前的自然世界中,只受纯粹的自然法所支配。在自然世界中,各人都有保障正义的权利。他们最初是组成家庭而生活的。由于生活上的经验,他们知道了各个孤立的家庭不能抵抗强暴,所以一致同意结合为市民社会,由此产生了政府的权利。这种说法显然是国家契约说的见解。可是他们说人民一致同意结成国家的契约，只是一次的，人们一度相约组成政府而共戴一人为国王之后，就永远绝对服从他，不管国王的好坏，就是国王无道，人民再也不能反对他或惩罚他。格氏并且主张人民应是国王的奴隶，人民和土地都是国王的私产，可以任意处理，可以自由让渡。这种主张，明明是拥护君主专制而反对人民主权的了。

格氏的学说，是自相矛盾的。他把自然法和人类理性抬高到绝顶的地位，却又承认由契约而造成奴隶，或由犯罪而罚为奴隶，也都是合于自然法的。在政治领域中，他拥护君主专制，主张人民是君主的奴隶或财产。在国际法方面，他提倡应用自然法，提倡人道主义，却又主张合理的战争是合乎自然法的，战争中屠杀敌人或把俘虏作为奴隶，也都是合乎自然法的。这是格氏学说中的矛盾。这种矛盾，是破落了的荷兰贵族内心的矛盾。

三、霍布斯

这里，我们说到 17 世纪前期英国自然法学者霍布斯（Thomas Hobbes，1588—1679）。

霍布斯的自然法学说，是从人性论出发的。他的人性论，主张性恶说。他认为人类行为的动机，不是由知识或理性而生的，而是由感情和愿望而生的。人和别的动物一样，只晓得自私自利。做一句话说，人类的本性，就是利己性。他假想中的自然世界中，人类并不是社会的或政治的动物。各人基于利己心而行动，彼此争夺，迄无已时。人的生命是孤独的，贫穷的，污秽的，禽兽的。这种自然状态，是人人互相斗争的世界。在这种状态中，各人对于一切东西都有权利，因为各人都有利己性；但对于一切东西又都没有权利，因为各人都有斗争性。人类虽有利己性，却都好生而恶死。在人人互相战争的状态中，各人的生命，时时感受威胁，没有安全保障。因此，人人都想脱离战争状态而进到和平状态。于是各人为了求得生命的安全，只有共同缔结社会契约，组织国家。

霍布斯认定人类是反社会的动物。各人为要脱离战争状态而进到和平状态，大家只有合意定约，各把自己的权利交付于第三者（一人或一个团体），一致承认这第三者的一切行为和判断，如同自己一样，"达到自己的和平生活和防止他人侵害的目的时,一个国家便可算是建立起来了"。这个契约一经成立,各人便放弃了自己的自然权,把它交与国家。这个契约,便是"巨灵"(Leviathan,这是他的书名)的起源。所谓"巨灵",就是指上述的第三者,也就是所谓"有终的上帝",在这"有终的上帝"之前,人类才得到和平的保障。

但是各人所让渡于第三者的自由权力,却是绝对的,由此而生的国家的主权者的权力,也是绝对的。契约一经缔结,永世不得翻悔。第三者并不是缔结者的一方,所以不受契约的拘束。只要国家主权者能够保障人民的生命,防止外来的侵害,其权力是无限的。一切立法、司法、行政、军队,都由主权者独揽,人民的言论都不能有自由。这样说来,霍布斯是绝对君主专制的拥护者。

关于法律的方面,霍氏也有独特的创见。他认为从来所说的自然法,不是真正的法律。真正的法律,乃是主权者的命令。他所下国法的定义,说"国法是国家用语言文字或别的表示意思的符号来命令各个人民的规则,用来作是非的区别;就是说,什么是和这规则相反,什么是和这规则相合的"。一切法律,都是主权者的命令;自然法能成为真正的法律,也因为它成为主权者的命令;习惯法也只有得到主权者的承认或默许,才能成为法律。霍氏这种法律观,是后来分析学派的先导。

霍布斯的自然法学说,在哲学上是从他的抽象的感性出发的,结局转入于玄学论。他在自然的领域中,以感觉论为认识的始点,颇有唯物论的意味,但在社会的领域中,在国家的法律的领域中,却以人性论为出发点,因而陷入于观念论。他那个自然世界的假设,完全是一个主观的空想。他那部大着《巨灵》论,主要的是反对 17 世纪中叶的民主运动,而拥护绝对主义的王权,从当时英国政治潮流说来,他的学说是反动的。

第二节　提倡民权的自然法学派

一、洛克

自然法学派的巨子,要推洛克与卢梭。洛克的学说,造成了英国革命及美国独立的理论基础;卢梭的学说,造成了法国革命的理论的基础。两人学说内容的正确性如何,固然是问题,但其对于近代世界的影响之大,却是不容否认的。

洛克(John Locke,1632—1704)是一个经验论的哲学家。他的哲学,根据于他所主张的"一切知识皆渊源于经验"的感觉论。他的经验哲学在政治领域中的应用,即是他所著的《政府论两篇》(Two Treatises on Government)。他的理论,也是从人性论开始的。

洛克的人性论,是主张性善的。人是具有理性及社会性的动物,所以喜爱和平合理的共同生活。他设想着没有国家以前的自然界,是和平合理的世界。在这个世界中,人人遵守自然法,并受理性所指导。人皆自由,却不放纵,对于自己的生命财产可以自由处理,但除了为着高尚目的,却不破坏自己的自由,也不伤害他人的生命、健康、自由和财产。所以在自然界中,人们都遵守理性过共同生活,没有公共权力来统治他们。

洛克所假设的自然世界,人人都有生命、自由和财产等自然权,都受自然法支配,受理性所指导、至于所谓财产,那是一种既得权,是各人就土地和自然物加工的结果。可是自然世界中的人类,为什么一定要组成国家呢? 于是他提出了社会契约说。他认为在自然世界中,也有侵害自然法或不服从理性命令的人们,因而出现了战争世界。自然世界的特性,是和平、善意、互助和保全;战争世界的特性,是愤恨、恶意、暴乱和仇视。因此,各人所有的自然权利,就很不确实,又常受他人侵害,不能得到保障。他们为要脱离这种危险可怕的状态,大家只有一致同意,结成契约,加入政治社会,把他们自己放在政府之下,放弃自然的自由,听命于国家法律的支配。他们最大的目的,就在于保存自己的生命、自由和财产,对外也可防御外敌的侵害。所以契约的成立,是由于人人的同意,而其目的则在于保护生命、自由和财产。可是人们虽然同意结成契约,组织国家,却并不放弃先国家先政府而有的生命、自由和财产。而国家和政府设立的目的,也是在于保护人民的生命、自由和财产。人们所让渡于国家的东西,只是执行自然法和惩罚侵害自然法者的那两种自然权(即立法权和司法权)。

国家的目的,既在于保护人民的生命、自由和财产,所以政府的权力,须受契约的限制;它执行法律,以保护人民的生命、自由和财产,而绝对不能加以侵害。如果政府滥用法律,侵害了人民的生命、自由和财产,这种政府便是违反了契约,人民就可以推翻它。

政府用以保障人民的生命、自由和财产的法律,究竟是如何制定的呢？关于法律问题,洛克有一个根本的见解。他认定人有理性,一切的行为,都基于自由意志。人的自由,只是自由顺从自己的意志,不能服从他人的意志。在自然状态中,人受自然法支配,不牺牲自己的自由,也不侵害他人的自由。在国家状态中,人受制定法所支配,不牺牲自己的自由,也不侵害他人的自由。在制定法之下,人的自由得到保障,并可以扩大范围。政府是由于契约而成立的,法律也是人民的同意所产生的。制定法律的机关是立法机关。立法机关由人民所选任,其立法权也由人民所授予。立法者制定法律,应以保障人民的生命、自由和财产为主旨,必须受四种限制。第一,全国只适用一种制定法;第二,法律要以人民幸福为目的;第三,非得人民同意,不得征收租税;第四,立法者不得以立法权转让于他人。这样对于立法权的限制,对于政府活动范围的限制,是基于人民合意组织政府的目的,即保护先政府而有的生命、自由和财产。

洛克的《政府论》,是在 1690 年出版的,其目的在于为英国市民阶级建立民主革命的理论。(英国市民阶级的革命,爆发于 1688 年)。他的学说的中心,在于尊重个人的生命、自由和财产,这可说是英国近代自由主义的宪政的根本思想。所谓基于意志自由的契约,可说就是市民议会的决议案,而市民以外的人们是不能参加于契约的。因为他认为主人与奴隶的关系,不是由契约而成的;依同理,劳资的关系,也不是由契约而成的。因为奴隶和劳动者都没有意志的自由。实际上,他们也没有财产要受国家的保护。可是他的民约论,比较前人的民约论,是说得透彻而明晰,更适合于市民的要求。他的学说所以能成为美国独立宣言的蓝本,并不是偶然的。

二、卢梭

民约论的集大成者,是卢梭(J.J.Rousseau,1712—1778)。卢梭最初在 1754 年发表了一篇论文,题为《人类不平等起源论》,推论人类的自然状态。他欣羡这种自然状态,是一种自由平等的黄金世界,人们的生活,非常幸福而康乐。那时人类只有本身上的不平等,这是自然的禀赋,对于其他的自由平等,没有什么影响。可是他们结成契约,进到国家状态以后,就生出政治的不平等了。因此,他们对于由契约发生的国家、法律与其他文明等,极力表示反对,并加以诅咒。他大声疾呼"回到自然!"所以他发表这篇论文时,是认定自然状态的人类原是自由平等,只因为结成契约组织国家以后,才转而陷入不自由不平等的。

但是,他在1762年发表的那有名的《民约论》,却与前时论文的主张相反,而用契约来说明国家与法律,并加以承认了。"民约论"的主旨,是从假定观念的社会契约出发,以解决下述的问题。他说:

"想要发现这样一种社会形式,'一方面得由社会全体的势力以保障全体人员的生命及财产,同时在另一方面,团体各人员,一面与其他人们相结合,却又服从于自己,并得如以前一样享有自由',这件事是个人和社会的关系上的根本问题。我所要论述的民约论,正是想解决这种难题的。"

他认为这个问题,只有社会契约说才可以解决。各人互相同意结成契约,各把自己一切的固有权利,让渡于一个共同体,各人再从这个共同体,让受同一的一切权利。这样,各人自己的权利,丝毫没有丧失,并可以得到共同体的保障。他这个方法,不但比较格老秀斯所主张的,要把个人所固有的一切权利完全让渡于国家,听凭国家主权者自由处分的那种方法,更能博得市民阶级的赞同;并且比较洛克所主张的把立法权和司法权让渡于国家的那种方法,也容易为市民阶级接受。换句话说,依据卢梭的社会契约说,各人把全部权利交给于各人合意组成的国家,又从国家把权利全部取了回来,使国家保护各人的全部权利,各人的权利一点也没有丧失。这种方法,是各人所极愿意赞成的。由于这种社会契约,人民都成了契约的当事人。由于契约者的人民的意志表示,就形成了一个普遍意志,即所谓"总意"。这人民的总意,由社会契约发生。这总意与各人意志的总和不同,它是一个独立的"总我"。所谓国家的权力,即是在人民的直接政治中发现的普遍意志。因此,他主张主权在于人民的主义,主张一切立法权属于人民。"任何政府机关的制定,只是实行立法机关的种种立法命令的途径。"这便是说,立法权属于全体人民,执行权则由全体人民委托于政府。在卢梭看来,只有这样组成的国家,才是理想的国家,才能保障人民的生命、自由与财产。

卢梭的民约论,比较前人的民约论更为彻底。例如暴君反对论者布鲁特,关于君主与人民的关系,设下了两种契约;又如奥色斯(J.Althusius)设下了政府契约与社会契约两种契约;还有普芬道夫(S.Pufendorf)更设下了复数契约。这些虽然都是假设,却把缔约的手续弄得很麻烦。卢梭干脆和洛克一样,只假设一个社会契约,手续简单得多了。还有卢梭民约论的内容,也比较彻底些。前述格老秀斯和霍布斯假设人民在缔约以后把一切权利交给国家的主权者,听凭处分,这种主张,与当时市民的要求不合。又如洛克,也主张人民只保留一部分权利,而以立法权和司法权等交给国家,这种主张,也不容易为市民所赞同。只有卢梭的主张,更为彻底。依照他的方法,人民缔约组成国家以后,权利全无损失,且得到确实保障,同时政权又掌握于人民手中。这种国家,确是合乎理想的了。他那"民约论"中的"总意",的确可以算是当时市民阶级的"总意"或"普遍意志"。所以他的学说,不但成为法国革命之理论的根据,并且支配以后百余年全世界市民们的精神。

卢梭的民约论的最大目标,是在于保障人们的生命、自由和财产,因而民约论中的契约当事人,是具有生命、自由而兼有财产的人们,国家便是由这些人组织起来的。至于那些只有生命而无财产、只有形式自由而无实质自由的人们,便不能参与民约,他们的生命和形式自由就只有仰仗国家的保障了。因此,有财产的市民变成了国家的主体,那些无财产的人们都不是契约当事人。这一层,已由法国革命完全证实了。

第三章 玄学派、历史学派与分析学派

第一节 玄 学 派

一、康德

成为自然法学派的反动而起的,是德国玄学派的法理学,其最大的代表者,是康德(Kant,1724—1804)与黑格尔(Hegel,1770—1831)。

前章所述自然法学派的学说,都是一种主观的虚构,所谓"人类的自然状态"只是他们头脑中的空中楼阁,并不是历史的事实,也没有科学的根据。这种学说,只不过代表了当时激进的市民阶级政治的要求,指示了革命建国的一些方略。虽然法国革命如实的实现了卢梭的理想,而其理论本身是不能为那时学者所接受的。这是德国玄学派法理学所以代替自然法学而起的原因。

德国玄学派的法理学,是18世纪末叶到19世纪初叶的德国市民阶级二重性的反映。当时半封建的德国开始抬头的市民阶级,一面欢迎法国革命的理论,一面又害怕革命的恐怖而与封建的贵族相妥协。所以玄学派的法理学,是市民阶级二重性的表现。这可说是"法兰西革命的德意志理论"。

康德的法理学,是他的二元论的折中主义哲学在国家与法律领域中的应用。康德的折中主义之表现,是他的道德论。他把世界划分为绝对对立的两部分,一是自然世界,一是人类世界。自然世界属于必然的领域,受因果律所支配,人类世界属于自由的领域,受道德律所支配。这种道德律,是永久不变的东西,是所谓定言的命令。这种定言命令,是无条件的道德命令。这道德的命令,就是"按着你自己所认为普遍律的原则去做"。其要点便是:"你要在你的人格和别人的人格上,尊敬人类的品位,要常把人格当作目的使用,不要当作手段使用。"所以康德的道德律,是从"善意"的观念出发的。"善意"就是习于正当的意欲。行为的善否，与其动机有关。行为的动机，若合于无条件的道德命令，这是善的行为。善的行为，是受理性所指导的。若其动机发源于冲动，即发源于感觉的嗜欲，这是恶的行为。依据这个主张，康德是反功利主义的。

据康德所说，道德律是先验的超感觉的东西。人类在其所生存着的、感性的、受规定受限制的世界中，能够实现道德律，实现定言的命令。在这种处所，就发生了理想与现实，义务与感性的要求之冲突。这种冲突，只有依靠上帝、宗教信仰等，才能调和，才能解决。所以他的实践理性中，有三个假定条件——意志的自由、上帝的存在与灵魂的不灭，作为伦理的前提。但在他的《纯粹理性批判》中，上帝、宗教、信仰等，对于理想与现实的冲突，仍未能调和，终于变为抽象的空虚的形式的理想。而康德却是以这种理想为满足的。

康德的抽象的空虚的形式的理想，也被应用于政治与法律的学说之中。他的法理论和他的道德论同属于论理的领域。他认为在国家与法律方面，实践的理性（即意志）也占据重要的位置。人是理性的动物。人的行为，基于道德律而规范其自身。所以国家与法律的基础，必须依存于人类的理性和意志。他又区别道德与法律，说道德涉及内部的动机，这内部的动机，受道德的命令支配。法律涉及外部的行为，这外部的行为，另受一种最高的命令所支配。这最高的命令便是："表现于外部的行为，应遵循一个公律，使你的意志之自由运用，可与他人的自由并行而不悖。"所以他的法律的定义是："所谓法律，就是一人的自由与他人的自由，依一般规则而互不侵害的意思。"实践理性在政治领域中的功能，即是用法律保持人类的自由与平等。至于法律与道德如何联系，他对于这点，在刑罚论上采取道德报应主义，以为刑罚即是对于人类的道德意识给以满足的报应。他认为政治权威的工作，就在于制定法律并执行法律，以打破"自我的意志"，而"迫使个人服从于一个普遍意志，依据这普遍意志，人人都可以自由"。这普遍的联合的意志，是适应于人类的理性的。政治社会中的宪法，正是理性本身所欲求的东西。他认为这理性，是纯粹内在的造法规则。

康德法理论的基础，是正义的伦理观念。他说："关于国家与法律的最高命令，原是离开了现实法的理想法。"至于正义原则如何实现，他也沿用卢梭的民约论,主张由契约以构成国家。但他与卢梭不同。他所说的国家与法律发源于契约,是理性要求的假定,无须证明民约之历史的事实。所以康德的民约论,是观念论的理想论,是要用正义的观念作为国家与法律的基础。日本法理学者穗积重远把康德列入自然法学派,是不正确的。

康德在政治和法律的领域中,把"意志自身"或"抽象的意志"作为基本的概念,认为只有"纯粹为正当而行正当","纯粹为义务而尽义务"(黑格尔语),才能产生道德的行为。所以关于自由的问题,德国人并不像法国人那样积极。法国人是性急的,只把自由问题作表面的解决;德国人是安静的,想把自由问题作内在的解决。所以德国人不像法国人那样去诉诸革命以实现自由,而只是安静地欣赏自由的形式原则就够满足了。在这种处所,十足的表现着康德的政治与法理学说,只是当时德国市民阶级憧憬自由而害怕革命的内心的写照。

二、黑格尔

黑格尔的时代比较康德的时代,稍有前进。当时是德国市民阶级上升的时代,一般的是德国市民阶级的民主运动、民族运动时代,是封建的专制制度急速破碎的时代。黑格尔的法理学与国家观,正是这个时代的反映。

黑格尔是辩证法的观念论者,他的哲学代表观念论的最高峰。他的国家观与法律观,是他的辩证观念论在国家与法律领域中的应用。他否认由孤立的个人缔结契约组成国家的社会契约说,另行建立了理想主义的国家观。他认定历史通过了家族、市民社会与国家这三个顺次发展的阶段,而这三个阶段,都是世界理性或伦理观念的显现。所以他的国家观,由单一家族出发。他认为这种单一家族,是伦理观念的最初发现。这家族的人员的意识,由爱的精神贯串着。单一家族发展起来,就起了分化,产生了多数家族。于是由多数家族,形成了社会。社会是家族的反对物,是伦理观念较高级的发现阶段。在市民社会中,各个人的意识由利己心所支配,各自追求自己的幸福,因而各人的行动互相反拨。但各人的意欲及行为,由一般意欲与行为所媒介,各人就变为一般的关系的连锁的一个肢体,因而由意欲的集结发生一般的规定,即社会规范。所以市民社会,是社会的各种欲求的形态,是"万人对于万人的利害的战场"。这市民社会虽是论理观念发现的较高阶段,却是道德形态的反对物。至于国家,却是另一种东西,是以一般的合理的意思为基础而建立的宪法组织,是一个结合。国家以个人的"我意、意见及任意表明的同意"为基础。然而国家的建设中,单只一般的意思还不充分;这个意思,必须是合理的东西(即善良的东西)。所以他把国家定义为"道德的全体、自由的实现"。因此,他认为国家的目的,在于维持一般的利害(其实质是特别的利害),即认定把个人利害包括于其特殊保护之下的所谓一般利害——国家利害。而这个目的,要靠结合自由与必然于其中的法律制度之实行,才能达到。这法律制度,是在全体上造成宪法的"发展了实现了的合理法",只有这样的国家,才是最高的道德,才是论理观念发现的最高阶段。

黑格尔认为法理学的目的,在于寻求法律的观念及其实现。他把法律作为外部的自由,即自由的存在。外部的自由的初步,是对于各种物体的所有权,其次是对于某物的同意而缔结契约。所有权人在所有物之中实现其意志。但物是偶然的,所以那权也是偶然的。偶然的意志,也就是任意,即是表示让渡或侵害权利的可能。但侵权必受惩罚。惩罚即是对于侵夺权利的报应。因此,善的理智就起而代替恶的理智。于是自由就从外部的存在进而变为内部的存在。内部的自由,即是道德。这样,外部的自由与内部的自由相和谐,法律与道德就趋于统一。单纯的遵守法律,或者抽象的相信善之为善,还不能算是道德。因为能遵守法律,未必能相信其为善;而且仅只相信法律为善,也未必是尊敬法律的确证。人们遵守法律,相信法律为善,必须是主观的,并且是切实的,使成为论理的习惯与日常的行为。这才是法律观念的实现。法律观念的实现,必须在国家之中,才能成就。

黑格尔所论的国家,是哲学上的国家,不是理想上现实的国家。哲学上的国家,是完成了的国家;历史上的国家,不是完成了的国家。这是他在所著的《法律哲学》之中说明了的。他的国家观虽然是神秘的东西,但所说哲学上的国家,实际上只是暗射着当时德国市民阶级所要求的普鲁士立宪君主国。这可说是当时市民阶级与封建势力妥协倾向的反映。

黑格尔的国家观与法理学,是不能实践的学说。但他是辩证观念论者,能把发展的观点应用于国家与法律的领域,说国家与法律并非普遍不变,而是追随于历史的发展而变迁的。其次,他认为国家不单是法的正义之实现,并且是道德之最高的实现。而所谓道德的实现,即是解决时代观念所发现的文化问题。这是后来新黑格尔派法理学的主题。还有,他的有名的关于历史发展的命题是:"一切现实的东西,都是合理的;一切合理的东西,都是现实的。"这个命题,包含了辩证法的特征。至于就他的法理学本身来说,在现实的世界中,是不能实践的。

第二节　历史学派

一、历史学派的背景

成为自然学派及玄学派之反动而起的,是历史学派与分析学派。本节先说历史学派。

历史学派发源于 19 世纪初叶的德国,其时代的背景,是德国市民阶级民族主义的统一运动。这可以分为三方面来说明。第一,当时德国的资本主义经济还在幼稚时代,市民阶级的经济力量,还没有达到政治集中的地步,国境以内还受着外来资本主义的剥削。他们受了当时世界贸易的影响,很想集中力量,反抗国外的经济侵略。第二,15 世纪以来,英、法、西班牙及葡萄牙等国,早已成为民族国家,有各自的国家、政府和语言文字,各有集中的政治力量,保障其国民经济的发展。但德国境内,种族分立而没有统一,发展起来的德国市民阶级,痛切的感到民族统一的必要,蓄积着很坚强的爱国心与民族自觉。这种爱国心与民族自觉,到了拿破仑蹂躏德国时,正如火上添油,更加热烈。第三,在法律方面,德国最古之固有法为蛮民法(Leges Barbarorum),其次为各种族之习惯法即所谓种族法(Stammerrecht),种族法复由属人主义变为属地主义,而转变为地域法(Landrecht)。在这地域法的范围内,种族分立,又无统一的中央政权,种族相互间的法律交涉,只有准据中世纪以来所继受的罗马法作为普通法,但也只有补充的效力。降至近代,德意志境内,虽然建立了普鲁士、巴登、奥大利、撒克逊等邦,各自编纂其本邦的法典,以统一其邦境内的种族法与地域法,但邦与邦之间仍缺乏普通的法典。如各邦商法的规定各不相同,商业上很感不便,即其一例。所以德国的市民阶级,早就感到了德国统一法的必要。

德意志民族，是富有自主性与民族精神的。要想建立德国统一法，就必须就德国固有的法律，作理论的概括的研究，抽出其共同的要素，以为整理民族法而期其统一的准备。为要达到这个目的，必先搜集古代以来的蛮民法、种族法或地域法等资料，做一番历史的考察。因此德国法学界，产生了"德国派"（Germanisten）与"罗马派"（Romanisten）。"德国派"着重于研究日尔曼古法，即蛮民法、种族法之类，以阐明德国固有法的发展，主张德国固有的现行习惯，足有排除罗马法的能力。"罗马派"认为罗马法早已为德国所继受，变成了一种普通法，所以注重于研究德国继受罗马法以后的法律史料，以探求德国民族的法律精神。其实两派的研究的重心虽不相同，而其着重于民族法律的传统精神，却是一致的。

关于历史法学，莱布尼兹（Leibniz，1646—1716）在17世纪早已提倡；其次是胡果（Hugo，1768—1844），否认自然法学说，主张由经验与历史采取法律的内容；还有谢林（Schelling，1775—1854），主张法理学应为"发达的法学"，而提倡法律的历史观。他们的主张，对于历史法学，给了很多的启示。

二、萨维尼

19世纪之初，德意志被拿破仑的马蹄所蹂躏，差不多丧失独立。当时学者、政治家与法律家，想谋求德意志民族的复兴，都极力提倡民族的统一。1814年，拿破仑在德国失败，逃回本国，当时海德堡大学教授提波（Thibaut），看到德军通过市中向法国进军，不禁欢呼德国独立的机运已到，就发表了有关德国复兴策的论文，接着又出版了《德国一般民法的必要》一书，主张德意志民族的统一，只有靠日尔曼民族协力一致，始能成就；而民族的统一，又必须有法律的统一，始能成就。所以德意志复兴独立的基础，必先制定各邦通用的法典，使全境各民族生活于同一的法律之下，享受同一的权利。他主张这种法典，要排除罗马法的成分，使适合于德国的国情，而法典的根本，要依据于正义与理性。他这种主张，虽然代表当时民族的自觉，而他的法理论，仍杂有自然法学的成分。他以为法典的编纂，若根据自然法学说，任何时代，任何区域，都可以编纂统一的法典，以实现民族之国民的统一。

提波的主张,适合于时势的要求,发生了很大的影响。可是柏林大学教授萨维尼(Friedrich Karl von Savigny,1779—1861)却反对提波的主张。他在这一年发表了《立法及法学上之先务》一书,说法律是可以成立的东西,不是可以造作的东西。譬如国语,是在民族中自然发达而来的,绝不能编纂大字典来作为民族通用的语言。同样,法律是民族精神的表现,从国民的"法律确信"产生出来的,绝不能编纂一般法典,以统一民族的法律。所以要想谋德国民族之法律的统一,必先统一德国民族的法律思想。若靠编纂一般法典来达到民族统一的目的,这正和编纂大字典来统一国语一样。萨维尼这种主张,对于提波的主张,是一个有力的反驳。因此,提波的主张,在当时未能实现。不过萨维尼本人,也是主张编纂法典的,他只认为在编纂法典之前,应就德国历史上的固有法和继受的罗马法,作一番历史研究,理解了法律的民族精神,然后才能着手。所以提波的法典编纂论与萨维尼的反对论,都根源于民族的自觉,不过前者以自然法主义之世界的纯理论为根据,后者以民族的精神为根据,反对自然法主义,而提倡历史的方法,故成为历史学派。萨维尼即是这派的巨子。

历史学派法学的内容,可说是民族精神的法理论。这种法理论,主张民族精神的发现,根源于"民族的法律确信"。法律确信,即是法规存在及有效的确信。这是民族的心理状态。"法律确信"这种民族心理状态,便是法律的本质。习惯、学说、判例、法律条文等,只是民族法的发现。例如习惯法,不是因其为习惯才成为法律,而是因其为法律才成为习惯。这派认为法律是应与民族一同发生、一同发展、一同消灭的。

历史学派的特征,如美国学者庞德(Roscoe Pound)所说,可概括为下列四点。第一,这派注重于法律的过去,而不甚注重于现在;第二,认定法律不是由意识造成的,也终究不能由意识造成;第三,法律的权威,是人类的服从性、同群的好恶心、群众感情、舆论或社会的公平标准所造成;第四,真正的法律,是习惯,或造成法律惯例与判例之习惯的判决方法。总起来说,历史学派的法理学,可说是民族主义的法律观,对于德国法系之成立与德国法之统一,是有很大的功绩。这派廓清了从前自然法派之主观的虚构,清除了玄学派之神秘的原则,而专重于成法之历史的研究,在法理学方面,注入了历史主义的方法,这是一种积极的成就。但这派具有五个缺点。第一,注重于法律的过去,而忽视法律的现在与将来,其所得的结论,不能与现在之实际相一致,且不能适应于未来的法律与现实的发展。第二,这派囿于民族的界限,只能理解法律的民族性,不能理解法律的世界性。第三,习惯固可以说是民族精神的表现,但继受法与制定法则未必尽然。第四,法律若是"法律确信",必须先有法律,然后才有法律的确信,并不是先有法律的确信,然后才有法律。第五,这派仍是以玄学为根据,所以先定一个武断的形式的标准,用纯演绎的方法,从历史上的成法以推论法律的性质,其结论不能正确。

历史法学之在德国,到 19 世纪末叶的德国统一法典告成之日,已完成其历史的使命,以后只留下一个方法为各国法学家所采用而已。

第三节　分析学派

一、布拉克斯顿与克里斯襄

分析的方法,是一般法学上通用的方法,是最旧而又最新的方法。任何时代,任何国家,凡属研究现实法的学者,都应用这个方法。单就欧洲方面来说,罗马自《十二铜表法》颁布以后,罗马的法学家,都用了分析的方法研究法律。往后到了 7 世纪至 11 世纪的期间,罗马法输入意大利以后,当时的法学家都用了分析的研究方法,实行注释,因而形成了注释学派(Glossators)。

注释学派特别注重概念的定义与区别,其主要的目标,是法规之完全的论理的定型化,务期使一切法规都能适合于严格的论理形式。这种方法,本是法学上一种初步的必要的研究方法,所以称它为一种法术。直到 17 世纪自然法学勃兴之时,注释方法被视为简陋的东西,认为不能探求法理,就被法律哲学家所鄙弃了。

可是自然法学说,虽然引起了法国的革命,而结果终于失败,以拿破仑的帝政而终局。因此这种假想的社会契约说,在 19 世纪初期,已不能引起当时人士的注意。于是,从前为自然法学派所压倒所轻蔑的分析方法,又从新成为法理学的治学方法,并且成立了近代的分析学派。这一学派,是在 19 世纪初期的英国产生的。

19 世纪初期的英国,经济上,产业革命已在顺利地进行;政治上,议会的民主主义早经实现；法律上，市民阶级的意志，已成为立法上的原理了。法国自然学派的政治的要求，德国玄学派的理想国家的憧憬，在英国早已成为事实了。英国市民的学者的势力，是在于造成发展自由主义的政治经济及法制的理论，以巩固市民社会的秩序。他们很可以直率地表现自己阶级的意志，无须像法、德两国学者那样，把自己沉溺于玄想的思索之中了。这是分析学派所以勃兴于 19 世纪初期英国的原因。

近代分析学派，与从前注释学派大有不同之点。第一，从前注释学派，以罗马法为对象，其时代的背景，是封建的政治与经济；近代分析学派，以现实法为对象，其时代的背景，是自由主义的政治与经济。第二，前者把法律与道德混为一谈；后者把法律与道德截然划分。第三，前者缺乏哲学的观点，专以注释为能事；后者具有哲学的观点，贯彻其自由主义的主张。所以分析学派，具有近代的特色。

分析学派的创始者，是英人布拉克斯顿（William Blackstone，1723—1780）。他的论著《英法释义》，是应用分析方法的。但他还不免受自然法学的影响。他在其原著的绪论中，把法律法则与道德法则混为一谈，即其明证。

布氏之后，有克里斯襄（Edward Christian，1758—1823）继起，对于布氏混合法律与道德一点，表示异议。他说道德法则上的正邪，与法律法则上的正邪，往往不必一致。所以严格划分法律与道德的区别，算是这一派的根本主张之一。

二、边沁与奥斯丁

分析学派的巨子，是边沁与奥斯丁。

边沁（Jeremy Bentham，1748—1832）继承布拉克斯顿的分析方法，却反对市民学说中道德的成分。边沁直率而坦白的说明法律是由于"依据国家实力处罚犯罪者的威吓"而实行之国家命令。这种见解，是分析学派的根本观念。

边沁虽属于分析学派，但他是一个功利主义者。他注重于立法学，不甚注重现行法。边沁的功利主义哲学，认为"快乐"与"苦痛"，是人类行为的两个主宰。依据这种观点，人们对于行为的赞美与否，要看那行为能否增加快乐而定。所谓功利，就是任何事物能增进人们的福利、快乐及善的性质；这种性质，又能阻止祸害、苦痛及恶的发生。行为者若是社会人群,关于这社会人群的功利,就是应取得人群的快乐;行为者若是个人,关于个人的功利,就是应取得个人的快乐。但社会是一个拟制,由分散的各个人组织而成。所以"社会的利益"是"许多组成该社会的分子"的利益总和。他认为空谈社会的利益而不研究个人的利益,决无实效。一个人的利益所在,即是取得"可以增加个人快乐的总和"的东西,或取得"可以减少个人苦痛的总和"的东西。一个人的行为,所能增加个人快乐的倾向,大于减少个人快乐的倾向,就合于功利原则。若用这个原则来衡量政府时,政府的行为增加社会人群快乐的倾向,大于减少人群快乐的倾向,便合于功利原则。他认为功利主义原则,是理性的判断。基于这种理论,边沁提出了"最大乐至最大量"的原则,作为法律的目的及立法的标准。

边沁认定各个人是他自身幸福的最好的判断人,所以主张法律的目的,应在于排除一切妨碍个人自由的限制。他这种个人自由主义立法学的原理,对于 19 世纪初期英国的立法,发生了很大的影响。这明明是当时英国市民实际要求的表现。

纯粹的分析学派的代表者,要推奥斯丁(John Austin,1790—1859)。奥斯丁在 1832 年出版了《法学范围论》一书,把法律与道德严加区别。他批评布拉克斯顿所谓"违反道德的法律无效"的主张,说这是可以陷于无政府状态的学说。他主张不好的法律也是法律。他有一个法律的定义,说"法律者命令也"。他还有一个关于法律学的定义,说"法律学是现实法律的学问"。所以这派法学的研究对象,是现实法,即人定法。至于法律学的任务,在于解答"法是什么"的问题,不在于解答"法应是什么"的问题。这派主张法律是立法者有意识的创造物,只有国家的命令才是真正的法律。国家是一个强制机关,国家的命令即法律,具有强制力为后盾。凡属没有强制机关的命令,都不能算是法律。

以上是分析法学的要点。这派法学,有几个优点,也有几个缺点。

分析法学的优点:第一,这派站在经验的实利主义的立场,排斥玄学的论理学的观点,主张"恶法亦法",把从前法理学上所探求的超现实的神秘的理想法、正当法,或所谓法是道德或正义——这一类玄虚,完全揭破了。第二,这派坦白说明法律是立法者有意识的创造物,不啻是表白法律是市民议会(即立法者)的意志的表现。第三,这派主张法律是命令,具有强制力,这也是直率表白,市民议会所制定的法律,经由国家颁布,便是命令,便要强制国民遵守。这种质直的表白,是其他法理学者所讳莫如深的。

分析法学的缺点:第一,这派谨守形式论理学的三段论法,根据法条判例,严格的做演绎工夫,所得的结论是否与社会的现实相合,无暇过问。第二,一切的新事物,都纳入于旧原则之中,法律进化的原理如何,他们是不懂的。第三,这派法学局促于法典与判例的范围,专事注释,至于法律以外的社会状况以及政治经济等,概不涉及。

第四章　社会哲学派与比较法学派

第一节　社会哲学派

一、社会功利派

19 世纪后期,是资本主义进到帝国主义的时期。政治上,无产者的政治的经济的斗争,日益剧烈,市民社会呈现动荡不安的状态。于是市民国家为了缓和阶级斗争的趋势,不得已开始了社会政策的立法,而其立法的原理,客观上是采用社会改良主义以代替个人自由主义,主观上仍保存着自由主义的精神。现实的社会上经济上政治上的大变化,使得市民的学者不能熟视无睹,并且有感于心。所以那些法理学家不能不就这时代的新背景,绞脑运思的去探求一种新的抽象的理想标准,以建立新妆的法理学。那类新的抽象的理想标准,既可以掩藏社会的真相,呈现超阶级的外表,而实际仍是市民的意志的产物。这一类的法理学,有社会功利派、新康德派和新黑格尔派。这里先说社会功利派。

社会功利派的法理学,是帝国主义的产物,与个人功利派异趣。这派的巨子是德国的耶林(Rudolf von Jhering,1818—1892)。19 世纪后期,德国历史学派的法学,离开了社会的现实生活,其由法学史上演绎而来的论断,已成为一种空洞的理论,对于现实的社会,毫无裨益。耶林精于罗马法学,想对抗历史学派的空论,建立一种实在性的法学。他在 1877 年发表了《法律上之目的》一书,附加了"目的是全部法律的创造者",而"权利被发现于斗争中"的标题。他认为法律并不是可以自由创造的东西,而是受人类意识所支配以达到人类目的的东西。他主张人类的行为,须受目的所支配。他说,当我解释外界事物之时,常用"因为"一语来说明,而论述行为之时,常用"所以"一语来说明。

"自然界的因果律虽是机械的，而人类意志上的因果律，却是心理的。"这意志上的因果律，即是功用律。人的意志，都有目的；人的行为，也都有目的。各人虽然都为自己的目的而谋利益，而人生却为自身目的与他人利益的结合。这种结合，是人为的。组织自我的目的为全体之目的，这是国家的作用，也是法律的效用。耶林根据这一理论，建立其功利主义的法理学。

耶林的法律的目的，即是社会的利益。这社会的利益，就是"法律的创造者"。这便是说，一切法律，只有一个根源，而这一根源，便是功用，便是社会的利益。一切法律，都是人类有意识的为了社会利益这个目的而创造出来的。所以他的法学，又可称为"目的法学"、"利益法学"。他这种功利论的方法，在法学上发生了一个重要的结果，即注意于由法律所取得的实在利益，而不重视由法律所取得的空洞的权利。法律的效用，在许可人们以行为。人们可由这行为，推测所谓权利之为物。行为既是行使权利的唯一途径，而权利又是享受法益的唯一手段。于是自然权利的问题，一变而成为如何保护法益的问题了。

耶林的社会功利主义与前述边沁的个人功利主义不同。前者是社会改良主义，后者是个人自由主义。在个人自由主义方面，认为法律的作用，不过调和个人的意志，使各个人都有极大的范围的自由行为。在社会改良主义方面，认为法律由社会所建设，各个人得由法律以取得其法益，并以受社会所承认者为限度。在此时以前，法学家们都以为法律是向社会请求得来的东西，自从耶林的创见发表以后，法律则变为由社会为社会目的而创造的东西，个人不过由法律取得一种手段，以保障他在社会所许可的范围内的利益。于是权利只是保障个人利益的手段，而个人利益的保障，不是他自身的目的，而是因为要达到社会利益保障的目的而采取的手段。今日法学上所宣称的"法律由个人本位推移于社会本位"的那种说法，耶林早已考虑到了。

耶林的"目的论"的学说，对于刑事政策方面，也起了很大的影响。李斯特（Franz von Liszt, 1831—1919）的"目的刑论"的思想，是受了耶林的"法律目的论"所启发的。

社会功利主义并不是个人功利主义的否定，而是个人功利的保存。同样，社会改良主义并不是个人自由主义的否定，而是个人自由原则的保存。社会实利原是个人实利的总和。个人实利的发达，即是社会实利的发达；反之，社会实利发达起来了，个人的实利必也已发达起来了。但后者的说法，是比较好听一些。其实所谓社会，仍是市民社会；所谓社会的利益，仍是市民社会的利益。法律的目的，无论是个人利益或社会利益，在缺乏生产手段的人们看来，随便怎样说法，都无关系。但在市民法学来看，"目的法学"，"利益法学"，在19世纪后期，算是一种新学说了。

二、新康德派

新康德派的法理学，是新康德主义的社会哲学在法律领域中的应用。所谓新康德主义，是康德哲学中的论理主义与形式主义的混合物。新康德主义的社会哲学，即是新康德主义在社会领域中的应用。

新康德主义法理学者，首推斯达穆拉（Rudolf Stammler，1856—1938）。斯达穆拉认定法理学是论证"人类社会生活合理性"的社会哲学。他所说的社会生活，不是实际的社会生活，而是受外部规律支配的社会生活。这外部的规律，是社会生活的形式。至于社会经济，是社会生活的实质（Stoff，即内容）。他的法理学，是采取社会生活的形式作为研究对象的。

斯达穆拉的"纯法律学"，以法律形式的法律观念为对象。他分别了法律的形式与实质，主张形式是普遍不变的，而实质是可变的。他以为"纯法律学"应先求得纯法律观念，才能论述法律的发达。他所说的纯法律观念，并不是实在的东西，而是人类心理的相互作用之一般的抽象的形式，即是所谓"不可侵犯的、自主的结合意志"。他根据法律的意志性，论证权利的主体与客体；根据法律的结合性，论证权利渊源与法律关系；根据法律的自主性，论证主权与服从；根据法律的不可侵犯性，论证合法与违法。这样说来，他的"纯法律学"，完全是形式主义的。

斯达穆拉在其所著的《公平法论》一书中，提出了批判法律的理想标准的问题。他认为这个标准，是"具有变化的内容的自然法"。自然法的意义，从前虽有种种不同的解释，而大致都认定那是永远绝对的公平或正义。自然法学派的学者，都幻想过要用抽象的空虚的公平原则去改造法律。这种空想之不能实践，已为一般法学者所厌闻，所以历史学派、分析学派和功利学派，各自另行探求其理想标准。可是他们的主张,仍然都是空洞的。并且 19 世纪后期市民社会的变化非常激烈,法学者们总不能漠不关心,所以斯达穆拉想出了"具有变动的内容的自然法",表示其法理学的创见。他认为自然法的形式是普遍不变的,而其内容却是可变的。如他所说,正义判断的形式不变,而正义判断的内容,常因国民性、时势或个人性格而有所不同。这就是说,从前法哲学家所幻想的永远绝对的公平或正义,是不可期待的,如今只能求得时代的相对的正义或公平。所谓"具有变动的内容的自然法",就是这种意义。

至于"公平法的方法"是怎样的呢? 斯达穆拉就把康德的空洞的形式的道德律,捧了出来,加上一定内容的理想,提出了四个原则,作为立法的主义。这四个原则是:(1)不要使一个的意志受他人武断的意志所压迫;(2)各个法律上的要求之容许成立,必当以对方负义务者仍能有同为人的生存为唯一要件;(3)无论何人,不得无理由地被摒除于共同利益之外;(4)法律所赋予的各种管辖权力,其平允与否,当以受管辖者仍能有同为人的生存为唯一标准。斯达穆拉认为这四个原则应成为立法的主义,使人们可以从法律方面去求得公平。

斯达穆拉所说的公平,是社会的公平,与康德的主张稍有不同。康德注重于各个人的自由意志,要设立法律上的公平,以法律为手段,达成个人自由的目的。斯达穆拉注重于各个人的自由意志所集合而成的团体,即所谓"自由意志人的共同团体",主张这个团体中应设立社会的公平,调协各个人的目的,使法律范围内一切可能的目的,都能得到相当的了解,而各个人的自由意志,在法律上也不能忽视。两相比较,康氏与斯氏的主张,显有不同。在这种处所,我们可以看出:康德的主张是个人自由主义的,斯达穆拉的主张是社会改良主义的;前者以个人意志为中心,后者以个人目的为中心。斯达穆拉上述公平四原则,在其形式主义的视野中,也曾模糊地看到了当时社会问题、劳动问题的严重性。所以他把法理学叫做论证"人类社会生活的合理性"的社会哲学。

斯达穆拉的法理学,如他自己所主张,是一种社会哲学。新康德主义的社会哲学,是社会论理主义,或论理的社会主义。这种哲学的目的,在于说明市民社会的形式是不变的,而市民社会的内容,依据于论理主义,是可变的。从上述他的法律学的要旨一看,社会改良主义的色彩是很鲜明的。

三、新黑格尔派

新黑格尔主义法理学的创始者是科勒(Joseph Kohler, 1849—1919)。科勒学说之哲学的观点,是黑格尔观念论哲学中之历史主义进化论与文化主义,而其治学的方法,是历史学派的历史方法。黑格尔主张法律并非普遍不变,而是进化的历程。这是历史主义进化论的观点。其次黑格尔主张国家不单是法的正义之实现,并且是最高道德的实现,而所谓道德观念的实现,不外是解决时代观念所发现的文化问题。这是文化主义的观点。科勒的法理学,从黑格尔接受这两个观点,把他展开出来。同时,他舍弃了黑格尔的辩证的方法,采用了历史学派的历史的方法,辅之以比较的方法,扩大其研究范围,显现为一种文化社会学的法理学的轮廓。所以他自己承认他的法理学,是对于法律进化历程之一种哲学的研究。他以为历史派法学与黑格尔的法学,都已包摄于他的社会哲学的法学之中了。

科勒对于法律所下的定义是:"法律是一种文化现象。"依据这个定义,法律是民族文化的产物。但他还附加了人为的努力,以为法律虽是文化的现象,却是经过人为的不断的修正,使其适合于现在文化的产物。这种主张与历史学派所说"法律不能由意识造成"的主张比较起来,确实前进了一步。他一方面承认人类有意识的努力可以修正法律,另一方面却又主张人类文化中的法律假设,在目前的时代,是不知不觉而成的,人们只能发现它,设法使现实的法律与它相合。这便是说,人类修正法律的努力有一定限度,不能超越时代文化的要求,也不能违反时代文化的要求。法律既是文化的一种现象,它便是动的,不是静的;是前进的,不是停滞的。所以修正的努力就不能缺少。他在所著《法律哲学》中这样写道:"法律决不常停滞于一种状态之中,而必须时时修正,使它能与任何时代的前进的文化互相适应。并且,法律必须这样修正,才能使文化方面各种不断的要求,时时可以有自己表现的余地。"

科勒不单认定法律是文化的一种现象,而且认定修正法律的人物及其努力,也是文化现象之一。他认为法律学者不应该"忽视造法方法之社会的旨趣"。因为历史既是民族全体所造成,则造法方面也不能只认为是少数造法者个人的力量。造法者是时代中的人物。他们"充满其时代的思想,浸润于其时代中的文化与当时的环境。他们的一切行为,都受当时文化所支配的观察与概念而进止。他们发表意见的文字或语言,也都有数百年历史的背景。其文字语言的意义,都经历了数千百年语言发展之社会学的历程,才得确定,绝不是一个人的人格所能左右的"。所以当着解释法律条文之时,不能依照立法者本身的意志与思想而解释,而"应当依照社会学的见地去解释,应当把法律作为全民族的产物去解释。造法者不过是这人群的喉舌而已"。

科勒治学的方法,是历史的方法与比较的方法两者并用。他认为研究法律学,必先了解一个民族的社会史及其与法律的关系;还要研究其政治史与法律系统的关系。他认为法律史最能帮助人们统一法律精神的全部。由于比较研究的结果,还要更进而研究世界的法律史,以探求法律在历史上发展的状况及其与文化史的关系;并可以知道"人类文化受法律约束以后,得到了怎样的结果?人类文化怎样受法律的影响?法律怎样才能促进文化的进行?"此外,法律学还应当与法律哲学、人类学、人种学、经济学等,发生正当的关系。他这样扩大法律学的研究范围,对于历史学派与分析学派,不啻给了一个有力的批判。那班局促于法典与判例之中专事注释的法学者们,可以得到一个很好的教训。

新黑格尔派法学,对于法学界积极的贡献,究竟在哪里?如上文所述,这派法学把法律作为一种文化现象,论究法律随同全部文化的发展而一同发展,立法者应按照时代的文化状况修正法律,使文化得以向前发展。这种法律进化的观点,是新康德派所缺乏的。其次,这派主张法理学的研究,应关联于民族史、法律史、世界法律史、法哲学史、政治史、人类学、人种学、经济学等部门的研究。这种方法,在法学方面,开辟了新的园地。这两点,可算是这派法学的积极贡献。

但是,这派所说文化现象之一的法律进化历程,究竟遵循着怎样的进化法则?对于这一层,它却不能进一步去探求。这完全是受了玄学的观点与历史的比较的方法所限制的结果。其次,所谓文化的意义是怎样,据科勒自己的解释:"文化是寄托于人类中的一种权力发展到使人类目的得以表现的形式。"这样对于文化的解释,实在太过于空洞而抽象了。社会学者斯莫耳(Small)解释德国人所用"文化"一词的意义,有这样的一段话:"德国人区别文化(Culture)与文明(Civilization)的不同。文明是社会对于人类原始的冲动方面所已有的继续增加的统御;文化是科学与艺术对于自然方面的统御"。从上述两种解释一看,所谓文化的概念还是很模糊的。若依照科勒自己的解释,法律便是权力发展的形式之一;若依照斯莫耳的解释,法律便是科学与艺术对于自然的统御之一。无论采取哪一种解释,都是观念论的解释;这样解释的文化,只是市民阶级的精神文化。

第二节　比较法学派

一、比较法学的由来

比较法学派,也是 19 世纪后期形成的学派。这一派也有几个分派,其共同之点,是就数种不同的法制作比较的研究,以探求其普遍性而构成其所谓法律本质论。专用比较方法去研究法律,甚至能够形成为一个学派,这是与前世纪后期的世界情势有密切关系的。第一,帝国主义势力,已经控制了整个世界。所谓文明国的法律系统,就与所谓落后民族的法律系统相接触了。第二,后进资本主义国家,也都在进行仿效拿破仑法典来编纂其自己的法典了。第三,帝国主义者对于殖民地的统治,是不肯适用本国那种"文明"法律的,不得不参酌该殖民地的法制与习惯,另行制定比较野蛮的法律,以实行其统治。第四,帝国主义者对于那些半殖民地民族的法律,是不愿服从其统治的,这是认识了那落后法律的结果。第五,那些落后的民族或尚有名义上独立的国家,也感到了"变法图强"的必要,斟酌各国的法制而"义取规随"了。第六,由于国际私法间的共同性之探求,而有所谓世界法运动的倡导了。以上这些情势,实是比较法学产生的背景。

比较法学之中,最初有两个分派,其一为比较立法,其二为人种学的法律学。据日本人穗积重远所说,其内容约如下述。比较立法学,是就文明各国的法制作比较研究的。这种研究,最初在法国很流行,其代表的学者,有朗伯尔(Lambert)与罗甘(Roguin)等人。对于这种研究更有大贡献的,是 1869 年在巴黎设立的"比较立法学会"和 1876 年法国司法部设置的"外国立法学会"。

这种性质的学会,德国和英国也仿照设立了。德国于 1894 年在柏林成立了
"国际比较法学经济协会"。英国于 1896 年在伦敦设立了"比较立法学会"。
这种比较立法学会的目的,在于探求各国立法的共同原理,其任务在于谋求国
际私法裁判上的便利,以供各国法制的修订或解释的参考。

人种学的法律学,流行于德国,其创始者是巴霍芬(Bachofen)。其后波斯
特(A.H.Post)写出几本着作,人种学的法律学才得以成为专门的科目。前文
所述的科勒,也可算是这派中心人物。这种研究方法,如果运用得宜,也能阐
明法律进化的原理。

比较法学也不仅限于两派。自从比较法被法学界认为是一种新颖的方法
以后,法学家多运用它来扩大自己所专攻的部门的范围,于是有所谓比较法律
学、比较法律哲学、比较宪法学、比较民法学、比较刑法学、比较犯罪学、比较法
制史等,各自成为一种专门学问了。

二、比较法学的前途

比较的方法,原是一切科学上所应用的方法。科学研究上的类同别异,就
是这个方法的应用,法学上应用比较方法,由来已久,希腊哲学派,早已开始应
用了。亚里士多德的政治学,研究希腊和其他许多野蛮国家的政体;他的宪法
论,是研究了一百五十多种不同的政体所得的结论。他这种研究方法,就是比
较法。其次,希腊人的自然法的假设标准,也是应用比较法的结果。因为希腊
半岛,山脉纵横,多数小城市国家,政体、法律与习惯各不相同。要想在许多不
同的人定法之中探求一种普遍法,只有假定一个正义观念,作为设立在多种人
定法之上的普遍的自然法。所以当时自然法这个假设,可说是应用比较法的
结果。

罗马帝国时代,版图辽阔,许多异种民族的法律习惯各不相同,后来经过
调查,从各种民族的法律习惯中,抽出了一些普通原则,制定了一种万民法。
这也是应用比较法的结果。

18 世纪孟德斯鸠(C.L.Montesquieu,1689—1755)的《法意》,大部分应用
了比较法,这是无须赘述的。

可是 19 世纪后期,法学界抬出了比较方法以后,却是风行一时,而被认为

是大陆法学上一种革命。弗里曼(Freeman)认为比较方法的发生是近代学术上最大的成功。在我看来,比较法学所以风行一时,其原因有二。其一是由当时世界情势的需要,已如前述。其二是比较的方法扩大了研究的范围,开阔了当时坐井观天的法学家的眼界与胸襟。基于这种原因,所以比较方法在当时被认为是最好的方法,而超出于其他方法之上。于是历史学派采用这方法了,分析学派也采用这方法了。并且哲学派也采用这方法了。如法律哲学家丹(Dahn),主张科学的法律哲学应当以比较法律史为根据,并且说哲学派的法学者,不应当只限于向罗马法与德意志法律史搜集材料,而应当利用一切民族的法律生活。还有意大利的法律哲学家芮尼(Nani)与丹采取同一态度,主张法律学应以比较人类学与人种学为根据。意大利还有一个法哲学家密拉格里亚(Luigi Miraglia)著了一部《比较法律哲学》。

法学上应用比较方法,确实可以开拓研究的范围。但单只应用这个方法,还是无济于事。第一,研究者要先有一定的哲学观点,然后在实行比较研究各种法制时,才能探求其普遍性与特殊性。第二,当比较研究各种法制史及其他各种历史时,必须有史学上的素养,兼用历史的方法,才能综观法律的精神。第三,分析的方法也是必要的,研究者如不能分析,就不能比较。亚里士多德和孟德斯鸠的学说,是兼用了历史的比较的分析的方法,并有其哲学的根据。

总而言之,所谓分析的,或历史的,或比较的方法,都不能单独的成为法学上的方法,而且都不能缺少哲学的观点。所以单纯应用比较方法的比较法学,是没有前途的。

第五章　社会法学派

第一节　准备期的社会法学

一、机械论时期

20世纪,是资本主义的矛盾充分暴露的时代,帝国主义的政治危机与经济危机,愈益趋于严重了。在这种时代中,各帝国主义国家的法制已不能应付国内阶级斗争的新局势,前世纪发展起来的法学方面的观念论的理想,已不能满足帝国主义需要了。于是市民的法学家被迫不能不面对着现实的社会,来考察出一种补偏救弊的理论,以讲求现实有效的方法,而达到其所谓社会的目的了。于是所谓社会学派的法理学,便登上了法学的论坛。

社会法学派的由来,据美国学者庞德所著《社会法理学的范围与目的》(即中译本的《社会法理学论略》)所论述,可分为四个时期:一、机械论时期;二、生物学时期;三、心理学时期;四、大成统一时期。若说第四个期是大成统一时期,则第一、第二、第三这三个时期,就算是准备时期了。这里特根据庞德的上述著作,并参考他书,就社会法学作一个批判的研究。

所谓机械论时期,应从孔德(Auguste Comte)的社会学说起。孔德被称为社会学的创始者。他的社会学之哲学的基础,是实证主义,而其科学的根据是物理学。所以他的社会学是实证主义的社会学,又叫社会物理学。他建立社会学的目的,是在于稳定当时市民社会的秩序以求其进步,所以他又把社会学叫做"人类社会的秩序与进步的科学"。他把知识作为社会发达的原动力,把知识的发达分为神学的、形而上学的、实证的三个阶段,另一方面,又把现实的历史,分为军事的、法治的、产业的三个阶段。产业的阶段,与知识的实证阶段相当。这就是当时市民社会的阶段——最高阶段。他所谓"社会的秩序与进

223

步的科学",即是关于市民社会的秩序与进步的科学。他的社会学的范围,包括了国家学、法律学、经济学等部门,范围很广,可说是一种社会科学总论。这里只就其与法学有关的方面,提出几点。他认为国家是社会的一种形式,法律是社会的一种现象,所以要把国家学和法律学包括于社会学之中。至于关于法律的见解,为后来法学家所称道的,是他的反个人主义,反权利本位主义。他认为个人只负有对社会的义务,无所谓个人的权利。这种见解,是受空想的社会主义者圣西门(Saint Simon)的影响。他所主张的"法律的出发点不是个人而是社会"的主张,影响于后来的社会法学,确是很大的。

被称为机械论的社会法学家有奥人龚普洛维奇(Ludwig Gumplowicz)。龚氏主张"社会现象是随人类的自然现象与人类相互关系间的自然现象而定的东西"。他根据这个观点,主张国家是"由社会元素(不是个人或家庭,而是社会阶级)的自然法则而发生的社会现象"。他的社会学,在于证实阶级是社会的元素。至于法律,他认为是由阶级斗争发生的,而法律的制定者,必然属于支配阶级。不过,法律虽由支配阶级制定,而支配阶级为维持自身的安全,当然要顾到社会共同利益;而法律的目的,自然要调和阶级的冲突。龚氏这种见解,反映了当时市民社会中阶级斗争的实况,但他的观点,却是机械论的。

其次,还有一个法学家亚当斯(Brook Adams),是属于这一派。他认为法律是最有力的社会阶级的意志表现,并由经济的动机所决定。所谓公平观念,完全不受理论上的发展与法律进化的影响。而法律条文,完全由有力阶级在能够以其意志加于社会的弱者的范围内,为自利的目的而设定。他这种见解,虽然是一种经济的法律观,而其学说的根据,却是力学。他在所著《集中化与法律》一书中,说法律是由生存竞争而引起的各种力的冲突之结果而成的东西。各人的要求,既然必有单一的喉舌使它表现,各种力就不能不混合起来。这样的混合,我们称它是主权者之意志。法律是主权者的意志,与由离心力和向心力牵制而成的恒星轨道相同。法律与行星轨道,都是必然的结果。两者之与公平是非的抽象观念,无疑是立于同样关系的。他认为法典即是力的冲突的结果。"法典的趋向,又必在支配一切的力的方面,依其势力之大小而定其角度。"他认为社会各阶级的势力互相角逐,而其结果则强者阶级制胜,法律就由这强者阶级的意志来制定。所以他又说:"社会中的支配阶级,不问其为僧侣、暴君、权臣、武夫或资本家,必然都要范型法律,使它便于自己。而每一时代的法典,也必求其与公平的理想接近。但所谓公平理想,又必对那时代中的支配阶级最为有利。"亚当斯这种经济的机械的法律观,把市民社会的法律中的阶级关系表现得直率而肯定。但一般法理学者,对于这种学说,却认为是否认立法者和执法者的职务,斥之为一种消极性的偏见,而与分析派的命令说相同(如庞德所批评),因而加以抹杀。这种直率的说明,头脑复杂的法理学者是最忌讳的。

机械论时期的社会法学,虽然是幼稚的,其中却有一部分认识了法律的阶级性。但社会并不是机械,把力学的原则应用于社会方面,是不合于科学的。

二、生物学时期

19 世纪中叶,达尔文的《物种起源》一书问世,在科学界产生了很大的影响。社会科学的领域也都采用了他的学说,于是有生物学的社会学出现。法律学者也多采用进化论的学说。基于这种趋势,产生了生物学的社会法学,可以分为三支,一是有机体说;二是人种学说;三是社会达尔文主义。

有机体说,由斯宾塞(Herbert Spencer)所倡导。斯宾塞吸收当时进化论的学说(主要的受了拉玛克的影响),创立了生物学主义的社会学,其中含有法律的见解。他主张社会是一个有机体。他以为动物的有机体只有在其细胞增加而分化为两群细胞时,才有进步。第一群是外的细胞,对于环境的影响,实行摄取或排除;第二群是内的细胞,摄取营养,实行加工。所以在进步的社会群团中,有军事团体与劳动团体。但自有机体进步以后,除了内外两群细胞以外,更有其中间细胞群,形成营养液分配的血管。所以在进步的社会有机体中,除军事阶级和劳动阶级以外,还有商人阶级。军事阶级发展为支配阶级,便成为国家。这种军事形态的社会,往后就转变为由自由意志结合的产业形态的社会(即指市民社会)。营养、分配及支配这三个机关,互生作用,维持生命的发展。有机体越是发展,三者的作用越是复杂。所以社会的生命受进化的法则所支配。又个体神经系统,是意识知识的机关,与这种机关相适应的社会的共通知识机关,即是僧侣阶级。社会进步以后,不能不有法律调剂。这法律的制定,是人类的精神作用,即论理的知识在社会秩序上最初的应用。于是社会不单受自然法则所支配,并受精神法则所支配了。

这样的社会学,是利用进化论来证明阶级的分化、支配与被支配、剥削与被剥削的关系,是合乎自然法则的。这种市民的社会学,对于所谓社会法学,给了很大的影响。

人种学的法律观,是生物学的社会法学的一支。人种学派对于法律的见解,大概有两种。第一种主张白色人种是世界上最优秀的人种,有色人种是最劣的人种,即白色人种的奴隶。白色人种的法律是理性,有色人种的法律是本能的习惯,两者不能有共同的性质。这是帝国主义者奴役有色人种的学说。第二种见解,主张法律是社会的事实,是人群的产物,由群的方面放射而出的思想,不受生理学方面的影响。"白种、黄种或黑种,若果有相同的发展而处于同一地位,必然产生毫无区别的法律。"这是托都龙(Tourtoulon)的主张。这种主张是比较正确的。可是以大成统一期的社会法学家自诩的庞德,对于托都龙的主张,不表同意。庞德说:"认法律为丝毫不受人种方面之影响者,是无异对于一群醉人所通过之法律,而认以为与各人之醉不生关系也。此派之说,犹未能尽其研究之能事乎?"(见前揭庞氏原著)。在我看来,托都龙的研究,固然没有尽其能事,但庞德把有色人种比做醉人,也未必尽了社会法学家研究的能事!

社会达尔文主义,是生物学主义社会学的变种。这一学说,对达尔文学说作恶意的解释,把生存竞争、自然淘汰及适者生存等进化论的范畴,搬进社会领域中应用,借以证明市民社会斗争及竞争的必然性。依据这种学说,社会群斗争的结果,必然优胜劣败,弱肉强食。资本家对于劳动者、帝国主义者对于弱小民族的压迫和剥削,正是天演的公例。

应用这种学说于法律方面的见解,可归纳为下列三种。第一种主张法律是保护社会上的优者阶级的。例如尼采(Friedrich Nietzsche)主张社会的优者主义,说国家与法律的任务,在于指导自然淘汰及助长适者的生存。第二种主张法律应当保护社会上的劣者阶级。第三种主张法律应当保护人类全体,以调和阶级的冲突。例如范卡路(Vaccaro)认为法律都是由于社会阶级竞争到最高地位才产生的东西,主张法律的功能,是决定人群互相生存的条件,使人人都能适应社会的环境。这原是从前法学者的旧主张。

所谓自然科学的法律观,名义上虽号称为社会学派,而其实并未能了解社会与自然的区别。社会是受社会法则所支配的,这一派全无理解。

三、心理学时期

19 世纪末叶,社会学与法理学,又转而入于心理学的领域。当生物学的社会学正在流行之时,社会学者沃德(L.F.Ward)却以心理学作为社会学的根据,提倡心理学的社会学。他发表了《动态社会学》一书,主张社会的本质是心理力,而社会力应以精神方面为其骨干。他说:"心理力之与物理力,同为实在的,且为自然的,而一切社会现象之真实的原因,即是心理力。"所以社会学的基础,不应求之于生物学,而应求之于心理学。社会学的终极目的,在研究其应用自然力于社会目的之有意识的心理作用。沃德这种学说,在当时社会学界开辟了一个新生面。从前生物学的机械的社会学,只注意于社会的静态,而沃德的社会学,则兼究社会的动态,并以心理力为社会发展的原动力。

沃德的心理学的社会学,对于当时牵强附会的机械论及生物学的社会学,给了有力的批判,同时又把当时陷于绝境的市民社会学,救了出来,使之在精神的王国中找到了比较安稳的地盘。此外,这种学说,对于社会学,也具有很大的贡献。

心理学派社会法学家,首推德国吉尔克(Gierke)。他是"德国法派"的历史学者,原是历史学派的嫡系,但他的治学方法,却能超出历史学派的玄学方法及其顽强的旧习,而用社会心理学的方法研究法律。他著了一部《德国团体法论》,首先表明其社会学的态度,反对从前以个人意志为出发点的法理学。他说:"人之所以为人,在于合群。"他主张团体自有其人格,其人格的成立,不是法律的拟制,而是明确的事实。团体又自有其意志,并且不同于此群内个人的意志。他又主张法律不能创造人格,而只能就已有之人格加以承认,犹如人之为人,法律只能承认而不能创造。至于团体的行为能力,也与个人的行为能力相同,法律只能承认而不能创造。吉尔克这种学说,不但引起了法人说方面的革命,而且还为最大的团体——国家,创造了新的论据。这种团体意志、团体人格之研究,是对于 19 世纪初期个人主义法律学的否定(但实质上仍包含着个人主义的精神),并且对于当时的政治学与法律学方面之心理学的运动,也引起了很大的影响。

其次,还有一个法律哲学家冯特(Wundt),也提倡这样的研究。冯特在所著《法律哲学概要》一书中,注重于团体意志、团体心理。他以为法律的历程,即是民族心理的历程,这一种学说的影响,产生了社会心理学的权威论。耶利内克(Georg Jellinek)认为法律之得以成立,全靠有心理的效率为之保证。即是说,政治的权力者,当立法之时,有社会的心理力做后盾,使他所立之法,能够生效,而成为行为的动机,所以虽与个人的动机相冲突,却仍能成为法律。这种见解,即是社会心理学的权威论。

心理学派社会法学家,还有一个著名的人物,是法国的塔尔德(Gabriel Tarde)。沃德主张心理力为一切事物的动因,而塔尔德却更进而研究这动因的内容,追求那支配这动因的根本法则,这种原则,实是宇宙哲学之一。他认为那种内容,是普遍的重复作用,其在社会方面的形式,就是模仿性。他把模仿性作为社会的基本事实,说言语、美术、法律制度等一切文化的发达,都根源于人类的模仿性。他于是建立了"社会即模仿"的命题,并且更进一步去探求模仿性之心理学的与社会学上的命题。

塔尔德的模仿说之提倡,在社会学与法律学方面,曾经掀起了一个大波澜,法学家们到现在还相信这一学说。这也是有理由的。现今世界各国的法律之修订,大都模仿最进步的法律,每逢一国有进步的法规制定出来,其他各国莫不起而仿效,以谋改进。这岂不是"模仿即为法律发达的动因"么?但是我们要问:最初的法律,最初制定的进步的新法律,又是向什么处所去模仿的?再则现今最落后的民族,其经济还停顿在封建的或古代的阶段,也能够模仿帝国主义国家的法律么?模仿虽是社会的事实,然模仿者必有被模仿者,那被模仿者是从何处去模仿?可是这被模仿者,即是创始者。那创始的事实,必更有其所从出的根源了。并且模仿与被模仿之间,也必还具有约莫相同的条件,才能发生关系。

社会心理的研究,对于法学家、立法家与执法家,都是重要的。他们对于法律的认识、制定与执行,当然都要懂得社会心理才行。但社会心理是社会现实生活的写照;要懂得社会心理,还须懂得社会的现实生活。离开了社会现实生活的社会心理的学问,对于法律的研究,是没有用处的。

第二节　统一期的社会法学

一、统一期社会法学的形成

如前所述,社会学的趋势,由物理学派进到生物学派,又由生物学派进到心理学派。各派的内容复杂,又有许多分支,各有其一偏之见。到了心理学派出现,好像为社会学找到了精神王国的地盘,发生了相当的影响。但是这派社会学创始者沃德,还是感到有些不妥当,感到和以前各派社会学一样,仍不免有一偏之见。他认为各派社会学的一偏之见,都可算是"社会学中合法的部分",却不能窥知社会学的全貌。他认为各股细流如能汇合起来,可以"合而为一条大河",所以他主张把各派社会学的研究综合起来,成立一种综合的社会学。又如社会学者斯莫耳也说:"社会学仅能有一种,不能有多种。将来的社会学,应以统一从前各派社会学的研究为特征。所以我们应当利用经验所得的部分的片段的琐碎的知识,来建立更适合于全部经验的总论"。这是主张建立统一的社会学的见解。这在社会学方面,算是大成统一期(19 世纪末叶到 20 世纪初期)。

社会学方面综合统一的倾向,影响于法律学的研究,同样也酝酿着社会法学的综合统一的倾向。社会法学家也觉察到本派各支的学说,"都不免有窥一斑而执为全豹之弊,与夫各主其说而趋于极端之非是",又觉察到"法律学因为与其他社会科学相隔离而独守一隅以自满之不宜"(庞德语),于是各派社会法学也感到有综合统一的必要,而向着这个方向前进。这派学者,否认从前各派法学所用的种种方法之自足的态度,而主张采用社会学的方法;另一方面,否定法律学本身之自足态度,而主张把法律学作为社会学的一部分。他们主张法律学不应当只注重于法规的研究,而应使法律与社会的目的相并行,使法律生活与事实生活相一致,所以必须以社会学的方法为主,使法律学成为社会学的一部分,脱离概念法学与论理法学的领域,而应当成为目的法学与利益法学,务使法律成为实际生活法则的"活法律"(Das lebend Recht),他们认为这样成立的法学,才是社会法学。

二、统一期社会法学的要旨

社会法学的研究要旨,据庞德所综合,可归纳为下列六点(采用穗积重远的节录):

(一)研究法律制度与学说所及于实际社会的效果。例如关于成文法的各种规定及其学说的各种主张,则研究如此规定与主张于社会有何利益? 又研究其如何反对的规定或主张,于社会有何损害? 或须就法规的社会现象作统计学的调查。

(二)关于立法准备之社会研究。从来的立法准备,以内外法制之分析的比较研究为主。但单只法律自身之比较研究,还不充分,所以法律的社会作用之研究,更为重要。

(三)研究使法规发生实效的手段。法规之要,在于施行。但法律施行方法之学问的研究为从来法律学所缺乏。若缺乏此种研究,不但不能够达成各法规当然的社会目的,并且不能保障法律全体的社会目的。

(四)社会学的法律史之重要。法制史不应如前单以法规史为限。法律学史也不应单以学说史或方法史为满足,必须注重于研究那法规或学说与当时社会状态、经济状态的关系,即以社会史为主。

(五)对于各种诉讼事件,作合理而公平的判决。从前的法学,为了挽救法规的论理而牺牲其适用的平衡。所以社会法学者主张法律的公平应用,认为法规只是裁判官的指南针,法官应可以在一定范围内便宜行事,以处理各种案件而实现公平。这种主张,就是所谓"自由法说"。瑞士民法规定司法官可以根据确定的学说与前例而自为立法者;德国刑法准许类推解释,是这一学说的影响。

(六)法律目的之有实效的成就。上述各项,仅涉及其手段,而本派之目的,则在于使法律所以设立的本旨,得以实践。

以上六点,是社会法学的纲领。归结起来,社会法学是想把法律的典章制度与原则作为社会现象来做比较的研究,并就其与社会状况及社会进步的关系而加以论究的。

至于社会法学的内容,与各派法学相比较,如庞德所说,有下列五个特征:

（一）此派注重于法律的作用，而不着重于其抽象的内容。

（二）此派把法律看作是人类智力所能改良的社会制度，而以助长并指导这种智力为任务。

（三）此派注重于法律在社会上之目的，不注重于法律的制裁。

（四）此派主张律例应视为指导执法者，使能达到社会的公平之用。

（五）本派的哲学观点，颇为复杂，但庞德则主张实验主义哲学应为社会法学的基础。

如上所述，是所谓大成统一期的社会法学的梗概。这派法学，比较从前各派的法学，是确实前进了。从前各派的法理学，在 20 世纪世界的社会实际状况中，已经暴露了他们自己的破绽，不能再为市民社会服务了。同时，现实的市民国家的法律，也暴露它的落后性和顽固性，已不能应付新的社会现实。那些浸透于旧法律思想的立法者，也不能改定切合于实际状况的法律；而墨守成规的司法者，也不能活用法律以处理社会中所发生的新事件。基于这种情形，社会法学才应运而生，其目的在使落后的法律与前进的现实相调剂。这是社会法学所以风行一世的原因。

但是社会法学却有下述三个大缺陷：

（一）社会法学，是以"国家即社会、法律即社会现象"这个前提做根据，而把当作社会现象的法律作为研究对象，以运用其社会学的方法的。但国家和社会是有区别的。国家只是社会的上层组织，并不就是社会；法律是社会现象的一部分而不是全体。法律现象与其他社会现象有关联，却又互相区别。研究法律现象而考察它与其他社会现象的关系，这当然是正确的。但法律现象本身却自有其固有的性质，这却不容忽视。因而法律本身的法则就与其他社会现象的法则具有质的差别。社会法学家把国家与社会视为同一，显然是大错了。

（二）这派把法律学当作社会学的一部分，也是错误的。市民社会学，到现在还不曾找到研究的对象。沃德虽把心理力作对象，而建立其心理学的社会学，但实际上只是一种社会心理学。所以沃德自己不能自信，而企图综合各派社会学的结果，以建立所谓综合的社会学。这是表明他们的社会学还不曾找到对象的明证。这种综合的社会学，仍不免有"百科辞典社会学"的徽号。

社会法学,是否也成为"百科辞典社会学"的一部分呢!

（三）庞德是主张用实验主义作为大成而统一社会法学的哲学基础的。但所谓实验主义,是美国的功利主义。这是"以效用之有无为真理标准"的思潮的一个倾向。真理以对象的认识与认识的对象是否一致为问题,而其标准是实践,只有实践才是真理的唯一标准。至于效用,是不能成为真理的标准的。真理固然是有用的东西,但有用的东西却不一定是真理。社会法学如采用实验主义作为哲学的基础,固然可以使法律发生实际的效用,但未必能成为法律的科学。

第六章 各派法理学的总批判

第一节 各派法理学的总结

本篇对于各派法理学的内容,已经撮要的评述过了。现在再综合起来,试做一个总批判。

前面的评述,依着时代的顺序,首先提出了纯哲学派。这种纯哲学派,包括了古代希腊罗马到中世纪的法理学。因为这纯哲学派,是近代各派法理学的先导。近代各派所论究的中心问题,几乎都是纯哲学派所提出了的东西,不过依照时代的情势。变更其内容和方向,而题目还是旧题目。

希腊法理学的思想,萌芽于公元前 6 世纪的伊奥尼亚派。当时自然哲学家赫拉克利特早已提出了一切法律都由神法而生、神法和宇宙真理统一一切物类的主张。

往后智者派针对当时民主政治的实况,直率的说明了"强权即公理",而"法律是由强者依着利己心所创造,原是不公平"的。他们还提倡"个人主义"和"政府契约说"。

苏格拉底、柏拉图和亚里士多德,反对智者派的学说,提倡法律即道德即正义的理论,并确认有立于人定法之上的自然法存在。

希腊晚期的伊壁鸠鲁,提倡功利说,主张法律即正义,在于保障自己的安宁与幸福。

罗马人在法理学方面没有创见,法学家们只是反刍了希腊人的哲学和自然法。

中世纪神学派,提出了神法和人法的区别,说起了神法、自然法和人法的关联,完全带有宗教的性质。

到了近代，16—18 世纪的自然法派，从人性的自然状态出发，把古代人所提起的自然法与契约说，改变其形式与内容，加上了市民利己性的愿望，展开了人民主权的学说。

自然法派的目的，在探求永久不变的原则，而使法律与它相适合。他们梦想法律可依照空洞的原则而随时完全改造，全无历史的根据。这派学说，自从法国革命以后，大部分成了现实。19 世纪的市民们，再也无须利用这种工具了。于是法理学沿着两条路线即德国的与英国的路线而发展。

在德国方面，先有玄学派起来，重新把古代希腊人所主张的法律即道德即正义即理性的观念，捧上精神的王座，用神秘的逻辑，迂回曲折的推论自由的原则，建立玄学的法理学。但这玄学的法理学的反响甚微。因为玄学派根据神秘的原则解释宇宙现象，用纯抽象的正义或道德原则判断一切，而对于法律上一切实际方面，不能予以切实的批判，只徒然拘泥于抽象论。

德国历史学派是玄学派的反动。历史学派，根据德国民族精神去探求德国法律的历史，以期建立统一的德国法以统一德国民族。但到此派的使命完成之时，其学说的漏洞也暴露出来了。这一派的弊端有三点：其一，承认一种玄学的方法，从一个假定的根本观念（民族的法律确信），探求其全部的法律制度，再从历史上所发现的原则中，严格的运用其演绎法；其二，拘守于学说上的旧东西，专从罗马法旧籍中作历史的探索；其三，否认人类对于法律的发展能做有意识的助长。这种学说，对于 19 世纪后期法律与现实的关系问题是不能解决的。所以社会功利派和社会哲学派代之而起了。

社会功利派，提倡"利益法学"、"目地法学"，对于当时德国的新现实与新立法作了一些新贡献。这种法学，又可说是社会法学的先导。

新康德派认为社会功利派太过于注重现实，而玄学派的公平、正义等观念，还是可以掩藏当时社会的真象的。同时，德国当时的立法，也设定了种种原则，如所谓善意、公平、善良道德标准等，使司法者有广大斟酌的余地。所以新康德派就起而提倡所谓"社会的公平"，又从旧观念中拈出"自然法"，加以"可变的内容"，构成了所谓"可以变动内容的自然法"，以期实现依据于法律的公平。

新黑格尔派沿着历史哲学的路线和黑格尔的文化主义，建立了一种新法学,主张立法者应随着文化的发展以修订法律,使文化得以向前发展。这种学说,展开了玄学的新面目。

在英国方面,成为自然法派的反动而起的,则有边沁的功利主义,主张把功利主义作为立法的原理,对于当时个人自由主义的立法,有过积极的贡献。其次是分析派,对于现实法律作分析的研究,构成了概念法学。分析派之后,又有历史派、比较派随着发生。

进到 20 世纪,从前各派的法理学,除了历史的、分析的、比较的方法还为法学家所应用以外,对于时代的现实生活,已不能为市民国家服务了。于是法学的论坛,几为新起的社会法学所独占。而社会法学本身的科学的性质,却还是问题。

然而市民时代法律发达的趋势,都多少受了各派法理学说的推动,这是毋庸置疑的。如自然法派的学说,几乎全部被采用为法国法律的立法原理;玄学派、历史学派及社会功利派法学又成为德国法律的原则;分析派对于英国立法也有很大的贡献;社会学派的学说,对于美国司法界也有很大的影响。各派法理学对于各自时代的法律都有相当的贡献,后起的各派对于先起的各派,都有其补偏救弊的功能,但同时又各自暴露其自身的矛盾,暴露其所主张的学说都不是科学的。各派法理学所以都不能形成科学的法律观,是由于它们都有许多共同的缺陷。

第二节　各派法理学的共同缺陷

各派法理学所以都未能构成一个科学的法律观,据我的考察,是由于各派都有下述四个共同的缺陷。

第一个缺陷是:各派法理学的哲学基础,都是观念论。古代哲学派、中世纪神学派、自然法学派、德国哲学派、社会哲学派等,都是观念论的流派。历史学派的哲学观点,是黑格尔的观念论。分析学派的哲学观点,是功利主义和实证主义,都是观念论。比较学派的哲学观点,是实验主义,也是观念论。社会学派的哲学基础,是实用主义或社会的观念论。一切观念论者,都是主张思维规定存在,在法律领域中应用起来,就是从主观的构思中,假设一个标准作为考察法律的根据,而使现实的法律生活与其头脑中的假想相符合。这种玩弄观念的法律观,既可以粉饰现实,化腐朽为神奇,又可以用精制的公平原则,供做市民立法者的参考。至于自己的学说有无科学的根据,那是在所不计的。因为他们宣称哲学不是科学,用不着科学的称号。

第二个缺陷是:各派法理学都没有历史主义的观点。各派学者完全不懂得人类社会的历史,不懂得国家是社会发展过程中必然的产物,因而也不懂得法律与国家的关系,以及法律与国家随着社会的发展而发展的过程。他们大都把国家看作和社会是同一的东西,把法律看作和社会规范是同一的东西。自然法学者虽然假想着把人类社会史划分为自然状态与国家状态,而其所假想的自然状态,纯属虚构而缺乏历史的根据。历史学派虽标榜历史的方法,但也只限于研究法律的历史,而专从罗马法旧籍中去探求民族的法律确信,并不能理解法律的起源。社会法学派虽然宣称法律现象是社会现象的一部分,而其所根据的市民社会学,并不能说明国家与法律的起源及其发展的过程。这一切法理学者,因为缺乏历史主义的观点,所以主张国家和法律是观念或精神——神、上帝、观念、"自然"、绝对理性、世界理性——的产物,而应用其抽象的逻辑,以演绎法律的原理。他们甚至应用现代市民的法律观念,以推论市民社会以前各个历史阶段上的法律,甚至推论原始茹毛饮血,穴居野外的时代也曾有法律存在。这样建立起来的法理学,当然没有科学的性质。

第三个缺陷是:各派法理学都缺乏社会现象互相联系的观点,不懂得法律在社会诸现象中所处的地位。他们不懂得法律与国家的正确关系,也不懂得法律和国家两者同经济生活的关系。例如近代私法的绝大部分,都是规定财产关系的,其他公法的大部分,也与财产有关。这明明表示着法律与经济的关系是十分密切的。但他们认为研究法律而涉及经济,便是粗陋的说法。他们只主张法律是意志的表现,而与经济没有关系。至于阶级关系的问题,他们便三缄其口。即使有人率直地谈及法律与经济的关系及阶级关系,他们却认为浅陋,予以抹杀或鄙视。他们所讨论的是一般权利义务的问题、法律的公平正义的问题,最大限度也只是说起个人的及社会的利益或法益的问题。对于市民国家的社会立法,则用抽象的社会的公平原则,因而发挥其抽象的不着边际的议论,表示其学说的渊博与精深。但若对于他们的学说,仔细加以考察,仍只是巩固市民秩序的论据。法律原是随着现实的社会生活的变化而变化,但他们却不愿意理解现实社会的真象,而与社会的现实相隔离。

第四个缺陷是:各派法理学都是站在不公平的基础上去觅求公平的。柏拉图和亚里士多德,双脚踏在奴隶的背脊上,大叫法律是正义,是公平。中世纪神学的法理学家,站在农奴制的基础上,宣称法律是正义,是公平。近代法理学家,站在雇佣奴隶制的基础上,提倡法律是正义,是公平。所以各派法理学家所寻求的法律公平或正义,只是不公平中的公平,不正义中的正义。

总起来说,市民的法理学,只是想把自己阶级的意志加入于统治万人的法律之中。他们的意志之根本的性质与方向,是受他们的阶级的存在之经济条件所决定的。

第 三 篇

法律之论理的考察

第一章　法律与国家的关系

第一节　国家的目的与法律的作用

一、各派法理学的国家观与法律观

本篇就法律作论理的考察,研究法律的概念,阐明其本质与属性,借以探求法律的发展法则。

在从事于法律之伦理的考察时,有一个先决问题,必须予以解决,才能进行研究。这个问题,就是法律与国家的关系如何的问题。法律与国家,具有不可分离的有机的联系,离开国家,法律就不能存在。关于这种联系,我在绪论中,曾经提出如下的论纲:

> 法律制度与国家形态,是一体的两面。国家是法律的形体,法律是国家的灵魂。法律是实现国家目的的工具,是发挥国家机能的手段。法律是附隶于国家而存在的。有国家必有法律,有法律必有国家。历史上没有无国家的法律,也没有无法律的国家。世界上有什么样的国家形态,必有与之相适应的法律制度。

从上述论纲一看,可知法律与国家的联系的密切。若果切断法律与国家的联系或不能正确地理解两者的关联,对于法律的性质与功能,也就无从理解。

从来各派的法理学者,在描写其法律本质论时,大都先叙述其一定的国家观。从这一点说,也足以证明:如果离开了关于国家的考察,就不能阐明法律的概念。

这里,先检讨各派的国家观与法律观,然后再展开上述的论纲。

从来法理学者的国家观与法律观,大致可归纳为下述四种。

第一种是神学的国家观与法律观。神学的国家观,主要的说明世界是神所创造的,国家也是神所创造的。神为了支配国家,特地遣派了代理人做国王。这个观念,是初期国家时代的人们的观点。在西方不但中世纪基督教徒这样主张,即古代希腊学者,也曾这样主张。中国古代所流传的"天生民而立之君",以及所谓"天子者,天之子也"这一类话,都是神学的国家观。这样的国家观,中世纪神学的法律学者,做了有系统的说明,如第二篇所述奥古斯丁之类便是。国家既是神所创造的,国家的法律当然是基于神意所制定的。所以奥古斯丁说,国家与法律,是上帝用以惩罚人类的罪恶的,原是不得已的恶事。这是宗教的国家观与法律观,是统治者的神道设教,其荒唐无稽,用不着加以批判。

第二种是绝对主义的国家观与法律观。这种国家观,是主张君主即国家的学说。欧洲中世纪末叶,市民阶级逐渐得势,但羽毛尚未丰满,他们不能不仰仗于封建的君主,使国家脱离教会而独立,使王权升高到教会权力以上,并把当时分立的封建诸侯的领土并合起来,建立一个强有力的民族统一国家。这种国家,比较中世纪神权的国家,是能够适合于当时市民的要求的。所以那时的法律学者布丹(Jean Bodin,1530—1596),主张君主国体是最好的国体。"臣民遵守君主的法律,君主遵从自然的法律,这样,臣民的本来的自由与财产就得到保证。"这样的主张,正是反映 16 世纪当时法国市民的要求,而期望法国那样世袭的国王,变为保护市民的自由与财产的国王。其次,霍布斯说:"国家是由一社会中各人相互间的契约而集结他们的意志为一体的一个人格,这个人格,为了社会的秩序与和平,得自由行使社会中一切的权力。"他所说的国家人格,即是"机械化绝对化的君主人恪"。国家既然即是绝对主义的王权,法律当然也是君主的命令了。法王路易十四所说的"朕即国家",以及当时所流行的"王之所欲即为法"、"君言即法"的谚语,正是这种国家观与法律观的具体化。

第三种是民约论的国家观与法律观。这种国家观,是市民阶级革命的国家理论,是绝对主义国家观的否定。17、18 世纪以来,市民阶级势力已经壮大,有掌握国家权力的能力了。他们感到绝对主义的政治障碍着资本主义的自由发展,并使他们的生命自由与财产得不到保障,所以市民的法理学者,就向着另一方向去探求国家的起源,而从"人类的自然状态"的假设出发,引出了社会契约说,作为国家成立的根据。社会契约说的集大成者是卢梭,这在前篇中已经述说过了。依据这一学说,国家的构成,是由人民互相同意缔结契约而来的。所谓国家权力,即是在人民的直接政治中发现的普遍意志。法律正是这个普遍意志的产物。这个国家观与法律观,虽然已经由法兰西革命把它实现了,但那学说本身,既不是历史的,也不是论理的。它只是市民的权利宣言。

第四种是玄学的国家观与法律观。这种国家观,是德国黑格尔所创造的,可说是因为不满于契约说的一种相反的学说。如同前篇中所述,这种国家观主张国家是"绝对理性"的最高发展阶段,是"论理的观念的实现",因而法律就是"实现伦理的观念的国家规范"。这是法国革命的德国理论。

以上各种国家观与法律观,其发展的路线,是从天上到地下,从神意到人意,从君意到民意、到绝对理性,可说是逐步前进的。这些学说,各有其时代的背景,各各反映其各时代的特殊阶级的利害。神学说反映古代和中世纪的统治阶级的利害,绝对主义反映当时势力薄弱的市民阶级的利害,契约说反映革命的市民阶级的利害,玄学说反映 19 世纪初期德国市民阶级的利害。但这玄学的国家观与法律观,为市民阶级的国家与法律加上了神秘主义的外套,而其内容是精练了的宗教的与伦理的化合物。这可说是市民的国家观与法律观的最高峰。

上述各派的国家观与法律观,虽是各该时代的产物,虽是反映着各时代特殊阶级的利害,但从理论的角度看,它们都是主观的,不是客观的;是玄虚的,不是科学的。并且,这些学说,不曾理解国家与社会的区别,也不能阐明国家的本质,因而不能阐明法律的本质。以下,我想略述科学的国家观与法律观,指出法律与国家的正确关系,然后再进而检讨各派关于这一问题的议论。

二、科学的国家观与法律观

依据晚近社会、历史学说的研究,国家是在氏族社会崩溃以后才产生的东西,是人类社会史发展过程中必然的产物,是社会分裂为阶级以后阶级冲突不可调和的结果。私产的形成,阶级的分裂,是国家产生的根本的前提条件。当社会分裂为独占生产手段的阶级与丧失生产手段的阶级对立之时,阶级间必然因经济利害的关系而引起阶级斗争。斗争发生以后,丧失生产手段的阶级,势必侵犯生产手段的独占,因而有破坏社会既成秩序的危险。于是独占生产手段的阶级,为谋确保其经济上的利益,就不能不利用其特殊的势力,建立国家这种权力机关,借以镇压那些占人口多数的直接生产者的阶级,把阶级斗争固定于经济的领域,即所谓合法的形态。所以历史上一切的国家,都是阶级统治的机关。古代国家,首先是奴隶主阶级统治奴隶的机关。其次,封建的国家,是封建领主统治农奴及隶农阶级的机关。近代的代议制国家是市民阶级统治勤劳大众的机关。

成为社会发展产物而出现的国家,是阶级社会之政治的上层建筑,其基础是阶级的经济结构,即阶级的生产关系之体系。一切政治的上层建筑,结局总服务于生产,结局由当时社会的生产关系所规定。从根本上说来,国家的目的,就在于保障特定的阶级的经济结构。

国家为要保障其特定的阶级的经济结构,必须履行两种基本的任务。第一种基本任务,是对内镇压被统治阶级的叛乱(即镇压内乱),防止经济结构的破坏,而把其他一切经济上的利害冲突,纳入于国家秩序的界限之中。第二种基本任务,是对外防卫外来的侵略(或准备对外开疆拓土的侵略),以维护经济结构的安全。

国家为要完成上述两大基本任务,首先必须有一定的物质力的强制装置。这种强制装置,即是公权力。这公权力的内容,即是军队、宪兵、警察、法庭,监狱等一类东西。在社会没有分裂为阶级以前,即在氏族社会时代,为防卫外来的袭击,全社会的人员都自动的武装起来。这是氏族人员自治的武装组织。但是进到了阶级社会,那种自治的武装组织,就改变为阶级的武装了。权力的独立化的真实背景,就在于武装性质的阶级化。

国家为要掌握公权力,就必须有行使公权力的人的机关。这行使公权力的人的机关,即是由官吏们组成的政府。官吏享有特权,站在社会之上,与民众相隔绝。他们具有无上的权威,不可侵犯,还强使人民尊敬他们。文明国家中最低的警吏,具有比氏族社会的一切机关的总和还要大的权威。但文明时代最有势力的王侯,却比不上最微弱的氏族长老所能得到的人们自发的尊敬。

国家为要组织公权力和行使公权力的政府,就必须有维持公权力的物质手段和人的手段。于是赋税与徭役就成为必要。国家向人民征取租税以及租税的种类和分量等,都受社会经济发展的特殊性所决定。至于徭役的制度,也因时因地而有所不同。

国家为要组织公权力和掌握公权力的各级政府机关,以行使其统治权,就必须厘定各种组织的规则。这些规则,与以前氏族社会的规则不同。在氏族社会中,没有公权力,只有其所属人员的自动的武装组织,由各氏族人员全体参加,一切都按照传统的习惯等组织而成。至于国家,是以领土区分人民的,和氏族之以血统关系区分其所属人员的方法不同,而是按照地区规定所出兵额的。并且最初担任兵役的人,只是自由民一阶级,奴隶是不许武装的(往后才容许被解放了的奴隶参加)。至于宪兵、警察、法庭、监狱等一类,完全是新设的东西。所以在组织公权力一方面,国家必须厘定出种种新的规则来。其次,行使公权力的政府机关,也与从前氏族的共同机关完全不同。氏族社会的各级机关,由氏族人员全体参加,对内对外的一切共同事务,由氏族人员共同推选氏族长或种族长去处理。至于国家的各级政府机关的组织,却与氏族的机关不同。从古代希腊的初期雅典国家来说,一切权力,都掌握在所谓元老院手中。元老院的分子,都是所谓贵族。他们是在氏族社会末期独占了生产手段的特殊的氏族长老(如希腊雅典国家成立的初期,各氏族长都是元老院的分子,他们都被称为贵族)。一切官职就任权,都归属于他们。国家的元首,也都由他们拥戴出来。所以政府各级机关的组织,以及统治权行使的各种规则,都完全是由新成立的国家拟定出来的。

再次,就要说到国家保障阶级的经济结构的各种规则了。阶级的经济结构,是在氏族社会崩溃时形成的。在此以前,主要的生产手段即土地,属于氏族公有,因而经济是平等的。自从社会被分裂为独占生产手段与丧失生产手段的阶级以后,形成了阶级的生产关系,随着也就发生了与它相适应的私有制的新习惯,而与旧日公有制的旧习惯相对立。于是利害相反的两阶级互相冲突。独占生产手段的阶级以新习惯为利益,丧失生产手段的阶级以旧习惯为利益。冲突的结果,胜利归于前者,新习惯战胜了旧习惯。国家成立以后,就以确认私有制、保障阶级的经济结构为目的,因而就把那些新习惯制定为种种规则。基于保障阶级的经济结构的目的,对于从来的其他社会习惯,分别取舍,凡属适合上述目的的东西,就拟订容许的规则;凡属违反上述目的的东西,就拟订禁止的规则。

国家所拟订的上述种种规则,就成为人民行为的准绳。人民的行为,如果逾越了那些规则的范围,国家又用另行拟订的许多规则来处置他们,其后盾就是公权力。

以上种种规则的总和,就是国家规范——法律。所以法律的功用,从根本上说来,就是实现国家的目的。法律是附隶于国家而存在的。

第二节　各派关于法律与国家的关系的曲解

一、混同国家与社会的谬误

关于法律与国家的关系之正确的认识,是理解法律的本质之重要的关键。各派法理学者,既不能理解国家与社会的区别,却凭主观的空想描述其国家观;既不能理解国家的本质,却又妄谈其法律的本质论。这种流弊,在最近的法理学著作中,表现得更为明显。那些著者局限于法律的领域中,专凭主观的见解论述法律与国家的关系,从而展开其法律本质论。这类错误的见解,实有予以纠正的必要。

第一种错误的见解,是把国家与社会视为同一,把国家规范与社会规范视为同一。例如:

宾丁格(Binding)说:"有法律则有社会。"

斯达穆拉说:"有社会则有法律。"

佐摩洛(Felix Somlo)说:"我们把服从特定规范的人类团体,叫做社会。"

比尔林(Bierling)说:"如果人与人间的相互行为,依法律而规制,则不问其人数为多为少,或不过二三人,又不问其行动的规律之为继续的或为一时的,这里必定形成了共同生活——即人类社会。"

美浓部达吉说:"所谓有社会即有法律的格言,实为贯通千古的真理。社会与法律,殆如形影之相随。"又说:"凡有社会的地方,不能不有法。如家族有家族的法,学校有学校的法,公司有公司的法。此外,无论为议会,为政党,工厂,交易所,亦各其特有的法。即如商人、伶人、力士等等,亦各有其内部的法。又如围棋、象棋以及棒球、高尔夫、扑克、麻将等游戏,在其实行之时,亦不能没有法。不但如此,即在国家所禁止的不法社会,如赌徒、暴力集团、秘密结社等,其内部亦有严格的法在规范着。"

上述那类见解,显然是混淆了国家与社会两个范畴,因而混淆了国家规范与社会规范两个范畴,把两者视为同一。这是很严重的错误。依据前节的研究,我们已经知道,国家是社会发展过程中的产物,是在氏族社会的废墟上成长起来的东西。国家是社会的上层建筑,并不就是社会。在氏族时代及其以前的数十万年历史中,都是没有国家状态的社会。至于有国家状态的社会,迄今不过4000年左右。国家是和社会截然有别的东西。国家并不就是社会。我们要把有国家状态的社会叫做政治的社会,那是同义异语,没有语弊。若把许多个人组成的团体叫做社会,因而把国家叫做许多社会中的一种社会,或把它看作至高形式的社会,那是市民的形式社会学的虚构。现代许多法律学者和政治学者,把国家和社会视为同一,都是受了市民社会学的影响,或与市民社会学有同一的渊源。其最大的作用,无非是把国家看作万古长存的东西。但在历史上,社会是万古长存的,而国家却是社会发展过程中一定阶段的产物。

至于所谓"有社会则有法律"那类格言,在历史上说来,也纯属虚构。原始社会初期,人类茹毛饮血,穴居野处。当时他们果然有过法律么?再就原始社会后期即氏族社会来说,当时的秩序是专靠传统习惯维持的,决没有像文明时代所说的法律。习惯是社会规范,法律是国家规范,两者并不是同一的东西。在没有国家状态以前的社会中,只有社会规范,没有国家规范。在有国家状态以后的社会中,除了国家规范以外,还有社会规范。就一般的方面说,各个阶段的社会中,各自有其一定的风俗、道德、习惯、宗教等的规范。就特殊的方面说,乡有乡约,社有社约,族有族规,家有家规,行有行规,帮有帮规。这些社会规范,与国家规范并不相同。又如现代社会生活,非常复杂,自然人所组织的团体,日见增多。这些团体,如果依法组织,就成为法人。法人依法制定规则,当然有拘束其团体成员的效力,并可受到法律的保障。但如果法人违反法律而制定规则,那便是违法,还得受到法律的取缔。所以,团体内的规章之能够具有其拘束团体成员的效力,是因为那规章合法,或者至少不违法,却不是规章本身可以成为法律。至于学校的规则,其所以有拘束学生的效力,是因为那法则合于教育法令,也不是那规则本身可以成为法律。又如商人间所通行的规则,或者依据于商事法规,或者依据于商务习惯。商务习惯如不与法律相抵触,当然有效。习惯之具有效力,由于它不与法律相抵触而又经法律所承认,并不是习惯本身即是法律。此外如各种游戏团体的规则,那是属于社会规范,绝不能称之为法。

像美浓部达吉等一类学者,想不至于不懂得法律的含义,为什么偏要滥用法律的概念呢?他们不但把游戏团体的规则看作法律,甚至还把赌徒、窃贼、强盗等集团的规则,也都看作法律。这样滥用法律的概念,无非是想借以证明其"有社会则有法律"之观念论的虚构,但在另一方面,却暴露了自己对于人类社会历史的无知。

二、法律的拘束力与国家的权力之关系

从来的法理学者,大都不能正确地理解法律与国家的关系,说国家有国家的权力,法律有法律的权力。至于国家权力与法律权力的关系如何?这大概有三种解释:第一种解释,主张国家的权力属于主权者,法律是主权者的命令,即法律的权力是由主权者得到的。如霍布斯与奥古斯丁等,是这样主张的。第二种解释,主张国家的权力与法律的权力是互相对立的。国家创造出法律,自己却又服从法律。这样,国家一方面是超法律的组织而成为法律的前提,同时国家又服从法律而以法律为前提。这是近代法律学的传统观念。第三种解释,主张法律的权力即是国家的权力,或者说国家的权力符合于法律的拘束力。所谓"法人国家"学说、"法治国家"学说、"法律主权"学说,都属于这一类。

上述各种学说的主要错误,是由于没有理解国家的产生及其发展的过程,没有理解国家之历史的性质及其使命,因而不能认识法律与国家的真实关系。国家是特殊阶级统治另一阶级的机关。所谓国家权力,即是公权力,即是统治

权,亦即近代所说的主权。所谓统治者,即是掌握公权力的特殊阶级(或其代表),即是所谓主权者。至于法律,是统治者为保障阶级经济结构而拟订的种种规则,是凭借公权力强制人民遵守的国家规范。法律本身是没有什么权力的。要说法律有权力,那是它背后的公权力。法律如果没有公权力做后盾,它只是一纸具文。所以法律的拘束力(或者说法律的权力),是从公权力发生的。

历史上一切的国家,都是独占生产手段的阶级统治丧失生产手段的阶级的机关。一切国家的法律,都是适合于特殊阶级的利益而制定的。古代希腊和罗马的国家,都是奴隶主阶级统治奴隶的国家。奴隶所有者阶级,在希腊方面,有贵族和普通自由民的阶层;在罗马方面,有贵族和平民的阶层。由于那些阶层的势力的消长,出现了所谓君主制或民主制的政治,其形态虽然复杂,而国家的本质并无变化,即仍是奴隶所有者的国家。这类国家的法律,是适合于奴隶所有者的利益的法律。其最主要的特征,是确定私有制,保障奴隶制的经济结构。其法律的制定者,在民主制之下,由奴隶所有者各阶层共同制定;在君主制之下,由君主及其臣僚所制定。而法律的基础,仍是奴隶制经济。

封建国家,是封建阶级统治农奴或农民的国家。封建阶级因其所领土地的大小,分为许多等级。其政治形态,也有中央集权的君主制与地方分权的民主制。封建的法律,是保障封建的经济结构的法律。各级领主,各自制定统治其所属领地人民的法律。最大的领主——国王,设有中央集权的统治机关,对于所辖各级领主,有一定的规定支配与服从的法律,并经由领主而间接的统治其人民。

到了近代,由于市民阶级经济势力的成长,民族统一的国家的形成,于是绝对主义的政权,变成了由封建国家到市民国家过渡的形式。这种政权,建筑在贵族僧侣与市民阶级的均势之上,专制的君主具有至高无上的权力,出现了"朕即国家"的现象。布丹等人所倡导的主权学说,正是这种状态的反映。当时的国王即所谓主权者,一面利用市民阶级以压抑贵族的势力,一面又和宫廷贵族制定种种不利于市民的新法律,显出了法律是主权者的命令的现象。实际上,在历史的发展过程中,市民阶级在当时已从旧日被统治的身份,跻升于三级会议,而加入于统治阶级之列了。可是当时国家的法律还不能适合于他们的利益,他们的财产还受到法律的侵害。所以他们很热烈的要求把国家的主权转移到他们的手中。卢梭的人民主权学说,就是当时市民阶级意志的表现。由于1789年的大革命,市民阶级掌握了国家的权力,他们变成了主权者。新国家的法律,名义上是基于所谓"普遍的意志",实际上只是市民的意志。法律仍然是主权者所制定的。但在所谓立法权属于全体人民而行政权属于政府这个意义上,国家的权力和法律的权力,仍然采取对立的形式。

降逮19世纪后期,市民社会进入了帝国主义阶段。由于资本的集积与集中,许多独占团体的组织,如卡特尔(Cartel)、辛迪加(Syndicat)、托拉斯(Trust)、康采恩(Konzern)之类,在各帝国主义国家中,像雨后春笋一般,到处林立。随着独占主义的发展,产业资本与银行资本相融合,就形成了金融资本,引起了金融寡头政治的支配。金融资本,操纵着一国的政权,变成了国家的事实上的主人。国家权力,变成了金融寡头政治的集中化的力量之表现,变成了这个寡头政治独裁之表现。金融资本与国家机关的紧密的融合,改变了市民国家之政治的外貌,金融资本豢养着议员和大官,操纵着国会和政府,操纵着一国的舆论。金融资本的意志,通过国会而成为法律,交由政府去执行。所以金融资本集团的权力,事实上超出于国家之上,不过利用国家机关以贯彻其意志而已。所谓法人国家学说等,实际上是说明国家也和独占团体一样,同属于法人的范畴。社团是一个法人。这即是说,社团是权利义务的主体,它的人格,是经法律所承认的。国家也和其他团体一样,也是一个法人,因为它也是经法律所承认的。所以国家不在法律之先,它和其他法人一样,是依存于法律的。国家从法律得到合法的权力,国家的权力适合于法律的拘束力。但是法律为什么有拘束国家的权力呢? 依据这种学说,法律之所以具有拘束力,是由于法律乃人民的正义感情和正义意识的表现。人民的正义感情和正义意识,是通过国会议员表现出来的。这类学说的实际内容,结果仍只是证明"法律是正义"。可是从今日市民国家的国会来看,那些议员们,都是由金融资本豢养着的(例如美国)。他们在国会中所表现的"正义感情"和"正义意识",结果仍是金融资本家的"正义感情"和"正义意识"。

近代国家,都是市民阶级的国家。就政权的形式说,虽有民主立宪与君主立宪的区别,而国家的权力总是掌握在市民阶级的手中。市民国家的法律,是适合于市民的利益的法律。法律的拘束力,仍是由公权力产生的。上述那些学说——所谓法律隶属于主权者、所谓法律与国家互相对抗、所谓国家权力服从于法律权力——只是曲解法律与国家的关系,借以展开其主观的法律本质论而已。

第二章　法律的本质与现象、内容与形式

第一节　法律的本质与现象

一、从法律的现象到法律的本质

任何对象,都是本质与现象的统一。关于对象的认识,就在于理解其现象与本质之统一。

现象与本质的统一,是矛盾的统一。两者的统一,是同一,又不同一;两者相适应,又不相适应。现象能完全显出本质,也不完全显出本质。但穷其究竟,现象由本质所规定。

现象是对象内部各方面的联系的表现形态,本质是现象中所蕴藏的根本的联系。现象以本质为媒介而存在,本质通过现象而发展。没有离开现象的本质,也没有不具本质的现象。现象代表对象的发展,本质代表对象之相对的安定。

现象与本质的矛盾,是科学的认识的前提。现象如果完全与本质一致,科学便变为无用的长物了。

现象是对象在感觉上直接的反映,本质却潜藏于现象的深处,要靠思维能力才能发现出来。所以认识对象,不能停滞于现象的表面,而要透入到现象的深处,发现其潜藏的本质。从现象中发现本质,这是科学的认识的始点。

现在,依据上述的提要,考察法律的现象与本质的关系。

所谓法律的现象,即是人类的社会关系在国家规范领域中的表现形态。简单点说,法律现象,即是法律关系的表现形态。所谓法律的本质,即是法律现象的各种形态中所潜藏的根本关系。为要发现法律的本质,必先考察法律的现象。

最初一看,法律的现象,表现为个人自由的保障。在宪法上,一切公民都享有人身自由、居住自由、工作自由、财产自由、意见自由、集会自由、结社自由。在民法上,一切自然人都享有各种自由权利,各人在法律范围内,都可以自由追求物质的、精神的幸福。一切法律行为,都以意思自由为基础。权利和义务,都是自由意思表示后的报酬和负担。各人的人身权和财产权,如果受到不法的侵害,自由便受到了侵害,那侵害者便要受到法律的制裁。所以,从表面上这个角度看去,法律是实现个人自由的。

再看一看,法律的现象,表现为人人平等的实现。在宪法上,全体公民,无分男女、宗教、种族、阶级、党派,在法律上一律平等。任何人民,都享有基本的权利,都应尽基本的义务。任何人都不能享有特权,都不能免除公民的义务。在民法上,一切自然人,都一律平等。任何自然人都享有人身权和财产权。凡属侵害他人人身权与财产权的人,无论是谁都不能逃避法律的制裁。所以,从表面上这一个角度去看法律是实现人民的平等的。

总起来看,法律的现象,表现为自由的保障与平等的实现。这正是所谓:"一人的自由,与他人的自由,依据一般规则,互不侵害"(康德语);"平等的人享受平等的待遇"(Bodenheimer语)。这正是所谓"正直生活,不害他人,各得其所",而符合于罗马法学家所说的"法律是善良公正之术"。法律即公道——这是我们在法律现象上所得到的感性的认识。

但从上述感性的认识,稍加反省,看是如何?

第一,法律果然是实现一切个人的自由的么?我们知道,法律是规范个人的社会关系的。法律好像是一张网,罩在社会关系之上,那一个个的网孔,即是各个人的行为的范围。各个人的行为,在那些范围以内是自由的,若跨出那些范围之外,便是不自由的。所以法律替一切个人划定了自由和不自由的界限。个人的自由,只能是法定界限以内的自由。

更进一层,把自由的内含分析一下,便可看出,自由有形式的与实质的两种。宪法上所赋予人民的自由,如人身自由、居住自由、信仰自由,意见自由、集会结社自由等,都是形式的自由,是人人所同有的。只有财产自由,才是实质的自由,是一部分人所专有的。形式的自由,要有实质的自由,才有内容,才有意义。但财产自由,只是有财产者的自由,至于无财产者却是不自由的。其次,就民法上的自由权利来说,人身权是形式上的自由权利,财产权是实质上的自由权利。财产权是人身权的基础,人身权是财产权的担当者。但有财产权的人,同时是有人身权的人;而有人身权的人,却不尽是有财产权的人。照这样,有财产权的人,是有实质的自由权利的人;无财产权的人,是只有形式的自由权利的人。在前者,财产权与人身权结合为一体;在后者,财产权却离开了人身权。所以在法律行为上,有财产权的人,表意是自由的;无财产权的人,表意是不自由的。

第二,法律果然是实现一切个人的平等的么?依照上述同样的分析,平等的内涵也有形式的和实质的两种。宪法上所规定的人民的平等,只是法律上的平等。并且,由于财产权的保障之规定,间接的确定了经济上的不平等。法律是形式,经济是内容。在两者的关系上,形式上虽然平等,而内容却是不平等。民法上所规定的人身权是一切自然人所平等享有的,而财产权则反是,它并不是一切自然人都能平等享有的。这即是说,民法上也是规定形式的平等与实质的不平等的。

依着上面的考察,法律的现象中,又潜藏着个人的不自由与个人的不平等的规定,因而所谓"法律是善良公平之术"的定义,显然有了破绽;所谓法律即公道的说法,也不是颠扑不破的真理了。我们也可以这样说:用抽象的思维能力去考察,法律是实现不自由基础上的自由、不平等基础上的平等,因而是实现不公道基础上的公道的。

让我们更深入地把法律关系分析一番。法律关系,可以分为两个方面。第一个方面,是国家对人民、人民对国家的关系。这是公权上的关系。国家的公权,是立法权、行政权、司法权等等;人民的公权,是自由权、参政权、行为请求权等。公权上的关系,是统治与被统治的关系,即是政治关系。第二个方面,是自然人与自然人、自然人与物的关系。这是私权上的关系。自然人与自然人的关系,是债权关系;自然人与物的关系,是物权关系,债权关系与物权关系,是基于财产权而发生的关系,是财产关系。公权上的关系,是基于私权上的关系而成立,并且保障私权上的关系的。公权关系的体系,即是国家形态。

法律上的财产关系,即是经济上的生产关系,并且是基于生产手段的私有而结成的生产关系。生产手段私有,是阶级社会的前提。基于生产手段私有而形成的生产关系体系,即是特定社会的阶级的经济结构。这样说来,法律上的财产关系体系,即是特定阶级的经济结构在法律术语上的别名了。因此,法律关系中最根本的关系,即是阶级关系。如前章所述,国家的目的,是在于保障特定的阶级的经济结构,而法律是实现国家目的的手段。这便是说,法律是国家的统治者用以保障特定阶级的经济结构的许多规则之总和。因此,我们可以知道,法律的本质,即是阶级关系,即是阶级性。而法律的功用,是保障特定阶级的经济结构的。

二、法律的本质的显现过程

现在,我们来说明法律的本质的显现过程。在社会历史上,阶级的经济结构,经历了古代奴隶制、中世纪封建制及近代资本制三种顺序发展的阶段。法律的本质,在古代是奴隶所有者与奴隶对立的阶级性,在中世纪是封建领主与人民对立的阶级性,在近代是资本与劳动对立的阶级性。那三种阶级性,分别包含在奴隶制、封建制及资本制三种经济形态之中。基于这三种经济结构性质的差异,法律的本质所显现的形态也随之而各不相同。

在奴隶制社会中,生产手段归奴隶所有者所独占,奴隶被主人当作牲畜一样,过着牛马一般的生活,像役畜一样为主人作生产的劳动。主人与奴隶之间的生产关系,即剥削与被剥削的关系,十分单纯而透明。所以奴隶所有者的国家(如希腊罗马的国家),赤裸裸地表现着是奴隶所有者统治奴隶的国家。国家的公权力,对内是镇压奴隶的叛乱,对外是防卫外敌的袭击(或对外实行掠夺的战争),以保障其奴隶制的经济结构。奴隶是主人的财产,不但不被当作市民看待,并且不被当作人看待。所以奴隶绝对没有人身权、财产权和公民权。国家的法律,是奴隶所有者阶级划分财产范围与政治权利的章程,对于奴隶全不适用。不要说保护人身的其他法律,就是关于杀人的法律,对于奴隶也不适用。因为对奴隶的生杀予夺之权,完全操在奴隶所有者之手。所以古代法律的阶级性是很显然的。可以说,这种法律的本质与现象是同一的,是互相适应的。

其次,在封建制社会中,作为主要生产手段的土地,归封建领主所独占,人民被束缚于领主的土地之上,成为农奴或隶农,从事于农业和手工业,对领主缴纳地租并履行各种义务。封建阶级与人民之间的生产关系,即剥削与被剥削的关系,也比较单纯而透明。所以封建国家也直接的表现为封建阶级统治人民的国家。封建的公权力,是对内镇压农民叛乱、对外防御外敌侵袭(或对外开疆扩土),以保障其封建的经济结构的。农奴或隶农,是半解放的奴隶,比较奴隶是稍有自由的,在封建的法律上,也具有一定限度内的人身权与财产权,却没有政治上的自由权利。并且封建时代人民的人身权与财产权,也没有确实的保障。因为封建的法律是君主或领主的命令,是官僚处理人民的民刑事件的备忘录。那种命令,君主或领主可以依照自己阶级的利益而随时改变,对于人民的生命与财产,具有生杀予夺的最高威权。所以封建法律的阶级性,仍是很明了的表现着。法律的本质与现象,仍是同一的,并且是互相适应的。

近代资本主义社会,是历史上最进步的阶级社会。生产手段归市民阶级所独占,劳动大众却是一无所有。资本主义原是商品主义,一切的东西都是商品化了。人与人的关系,出现为物与物的关系,即商品关系。所以市民阶级与劳动大众间的生产关系,即剥削与被剥削的关系,采取了商品关系的形态,并不像古代与中世纪的生产关系那样单纯而透明,确是不容易透视的。因而法律现象也和商品交换的现象一样,隐藏着人与人之间的真实关系,使人们不能容易透视出法律的本质。可是无论市民国家的法律现象怎样与法律的本质相矛盾,而法律的本质,仍然要通过现象而发展,并且明白地表现出来。

近代市民阶级对于封建国家革命的胜利,是资本制经济结构对于封建制经济结构的胜利,是市民的所有制对于封建的所有制的胜利,是民主政治对于专制政治的胜利,因而是市民的法律对于封建的法律的胜利。在这里,只以市民的国家与法律为问题,借以表明市民法律的本质的显现过程。

民主主义的根本原则,是所谓"自由"与"平等"。这自由与平等两原则,在市民国家的宪法中,是当作人民的基本权利被规定了的东西,是所谓法律上的平等以及参政权与自由权。市民阶级依据这些形式上的自由和平等的原则,实行国家的改造,使一切市民都站在平等的地位。不论个人有多少资本,有多少土地,或者是一无所有,全无关系,一切人在法律面前完全平等,法律用同一方法保护他们。市民阶级依据这种形式上的平等,宣称现代社会已不是阶级社会了。但在实际上,市民阶级只废除了奴隶制与封建制时代中身份上的差别,却并不曾废除社会阶级的差别。所以法律面前的平等,绝不能掩蔽市民社会的阶级的差别。

其次,市民国家所揭举的自由,原是废除封建的压迫的意思。但一切的自由,要以所有权的自由做基础。人们如果没有所有权的自由,其他一切的自由,都只是形式的。市民国家的宪法,把所有权的自由和其他形式的自由并列着,这不啻表明了:有了所有权的自由的人们,可以取得一切的自由;缺乏所有权的自由的人们,就不能实现一切的自由。这便是表明市民阶级的自由与勤劳大众的不自由。

市民国家宪法所宣布的自由和平等,虽是基于资本制的自由和平等,但和封建时代的人民全无自由并处于被压迫的不平等身份的那种状态比较起来,确实是一个很大的进步。在市民国家之中,任何人已不能公然把别人当作奴隶或农奴看待,任何人都不被束缚于封建领土之上,而有身体、居住、迁徙等自由了。这是市民革命胜利带给勤劳大众的幸福。这可以从法国革命后的《人权及公民权宣言》知道的。但在当时曾经参加革命的勤劳大众,却不满意于这种形式上的自由和平等,而要向市民阶级争取所有权上的自由和平等,并不断地向前奋斗过。可是这个斗争,因市民阶级和封建残余的勾结,终于失败了。于是法国市民的国会,就在所谓《人权及公民权宣言》中,于自由平等两个原则之外,更加上了"财产既得权确认"的原则,并且还规定了所谓"积极公民"与"消极公民"的差别。往后 1791 年的宪法,更规定了财产的等级选举制。1793 年 3 月,市民国会又通过了"私产制神圣不可侵犯"的议案,凡是企图颠覆私产制的人,都处死刑。同年 8 月 10 日,国会又颁布新宪法,从新宣告私户制的神圣不可侵犯。这些史实,表明了市民国家对国民所约定的自由和平等是以私产制为基础的,凡属侵犯私产制的一切自由和平等,国家是用权力去禁止的。1804 年的《法兰西民法》,就是法国市民国会根据上述原理所制定的。《人权及公民权宣言》是近世公法组织的基础;《法兰西民法》是近世私法组织的基础。今日各市民国家的宪法和民法的精神,和前两者并没有多大的差别。

19 世纪以来,以法国的宪法和民法为蓝本的市民各国的法律,大致可以分为一般的与特殊的两方面。一般的方面,是万民所适用的法律,市民和勤劳大众一样,一律享有公法上的自由和私法上的人身权。特殊的方面,是市民所适用的法律,他们享有公法上的参政权(财产的等级选举制的结果)和私法上的财产权。所以市民国会所制定的法律,可说是这两个方面的混合物。于是市民国家的法律的本质,显现为市民的自由与大众的不自由,显现为市民的平等与大众的不平等。

降至 19 世纪后期,资本主义发展到了帝国主义阶段,阶级的矛盾日趋于尖锐化,无产者普遍的厉行经济斗争与政治斗争,大有摇动市民国家的国本的趋势。于是市民的国家为客观的情势所迫,不能不对无产大众让步,实行了社会政策的立法,即在不损伤资本制的范围内,实行改良主义。同时,市民国家又容纳大众的要求,取消了财产等级的选举制,实行了普遍选举制,让勤劳大众选举代表送进国会。于是市民们宣称实行了议会制和普选制的国家,已是自由的国家,是代表一切人民利益的国家了。但帝国主义阶段上的市民国家的权力,早已由国会转移到了行政机关,一切国策和立法方针,专由金融贵族决定,国会不过是议员们唇枪舌剑的战场。不管国会议出了什么议案,行政机关却是另一样的行使其统治权。在民事法方面,市民们也宣称有了很大的原则上的改变,如所谓契约自由原则的限制、过失损害赔偿原则的变更,以及所有权行使的限制等,好像是表示着市民国家的法律有了飞跃的变化。但我们稍微注目一下,就可以知道这是假象。特别是所谓所有权行使的限制,是从所谓"社会职务说"而来的。这种说法,认为财产权是根据于所有者的一种社会职务,因而享有财产权的人们,有运用其财产的义务。1919 年德国的宪法规定着"财产负有义务"。于是法律就认为财产是一种义务而不是权利了。这便是说,资本的所有,对于资本家只是义务而不是权利,资本家是为了对社会尽义务才去剥削劳动者的剩余价值的了。这些,明明是一种假象。假象也是现象,仍是表现本质的。所谓契约自由的限制,所谓无过失的赔偿,都是改良主义的推行;所谓财产负有义务,也只是规定有产者应尽量运用其资本以增殖财富而已。法律的本质仍是不变的;其在现象上的表现,仍是自由与不自由、平等与不平等、公平与不公平、正义与不正义。

三、法律的本质与道德

法律的本质是阶级性,其功用是保障特定的阶级的经济结构,这在前面已经说明了。现在,让我来检讨各派法理学关于法律的本质的学说,看是如何。

各派关于法律的本质的学说,各不相同。神学派主张法律的本质是神意。这是宗教的法律观,全无科学的意义,毋待批判。

分析学派主张法律的本质是主权者的命令。这种主张,只说到了法律的创造者,并不曾触及法律的本质。

自然法学派(如卢梭)主张法律的本质是"人民总意"或"普遍意志",这只是说明法律是市民阶级的意志的表现,也不曾说明法律的本质。

历史学派主张法律的本质是"民族确信"。这至多也只是说到了习惯法的由来,也不曾说明法律的本质。

其他各派关于法律的本质的学说,大都主张抽象的道德观念。例如希腊纯哲学派主张法律的本质是道德;德国玄学派主张法律的本质是"无条件的道德命令"(如康德)或"论理的观念的现实"(如黑格尔);社会哲学派主张法律的本质是"社会的公平"或"内容变动的自然法"(如斯达穆拉);社会学派主张法律的本质是"社会心理力"(如心理学派)或"公平"、"正义"(如庞德)。一般地说来,所谓法律的本质是正义,或道德,或公平,或社会的公平——这种见解几乎成了法理学史上传统的见解。说法律的本质是抽象的道德观念,这好像是不易攻破的学说。如前段所说,近代的法律,在表面上是表现着公平的,但若深入的加以考察,所谓公平仍是立脚于不公平的基础之上的。因此,我在这里,特别提出法律的本质与道德的关系如何一问题,加以论究。

一切道德原则,都不能离开人类的本性去考察。人类的本性是什么?人类的本性,不是善,也不是恶。人类是高等的物质的生存形态。所谓人类的本性,乃是人类之内在的、永久的自求保持并改进其物质生存形态的倾向。人是社会的动物。人的这种倾向,即是人的社会性,人类必须在社会之中,才能维持并改进其物质的生存形态。

人的本性在其行为上之具体的表现,因其所生存的历史的社会的环境之不同而异其形式。若要拿道德标准来鉴别人类的行为,第一,必须根据于人们之物质的生存形态,第二,必须考察那种物质的生存形态在各个特定历史阶段上的社会中的变化。

在历史的初期,人类结成原始群团而生活。他们为了自我与群体的保存,就共同采集自然物,共同消费;同时,为了保障自己的经济结构,对于外界的袭击而实行共同的奋斗。往后由于生产力的逐步发展,原始群团就蜕变而成为氏族,社会的组织更趋于紧密了。当时,生产手段属于公有,他们共同生产,平等分配——这是当时人们维持并改进其物质的生存形态的根本原则。人们其他一切行为,都以这原则为依据。我们若用文明时代所说的道德标准来观察当时人类的行为,那就可以说,平等、公平、互助、相爱等,确是当时万人共同遵守的普遍的全面的道德。这普遍的全面的道德,是太古社会中一切人的行为的规范,并且具有保障平等的经济结构的功能。

自从生产手段变为私有而社会分裂为主与奴、富与贫的阶级对立以后,人们自求保持并改进其物质生存形态的趋向,就显出两种根本不同的形式了。在主人与富人一方面,为维持并改进其物质生存形态,就只有尽量占取生产手段以尽量剥削另一阶级剩余劳动。在奴隶与穷人一方面,为维持并改进其物质生存形态的一切努力,就陷于绝望的境地了。于是普遍的全面的道德,就变为偏颇的阶级的道德了。于是奴役他人、剥削他人、变为特殊阶级的新道德了。而在缺乏生产手段的一阶段,却毋宁是以旧日分配平等的普遍的全面的道德为有利的。所以当时阶级利害的冲突,在新旧道德的矛盾中也表现了出来。随着国家的产生,统治者首先把那种奴役他人剥削他人的新道德,编订为国家的法律了。至于旧道德之中,凡属认为有妨害奴隶制经济结构的功能的部分,就制定为禁止或命令的法规;认为有保障奴隶制经济结构的功能的部分,就制定为容许的法规;至于其他与经济结构不相抵触或无关重要的部分,统治者认为无强制实行的必要,或因其性质不适于强制实行,就放任人们自由遵守。于是道德规范中,有一部分变成了法律,其余部分仍当作社会规范存留着。

所以对于法律与道德两者,要用抽象的方法加以区别,是没有必要的。不但古代或中世纪的法律与道德不分,就是现代的法律,也没有与道德截然区别。法律中有道德的成分,道德中也有法律的成分。法律与道德的区别,只是国家规范中非道德部分的法律与道德规范中未经法律化的部分的道德之区别；又可以说是包含了道德的法律与未经采订为法律的道德之区别。那些已被采订为法律的道德，是借公权力强制实行的；那些未经采订为法律的道德，是不借公权力的强制而放任社会自由遵守的。至于已经采订为法律的道德，其本身已是法律，当然保持着法律的本质。

降逮封建时代，阶级关系，是封建领主与庶民对立的关系。封建的等级编制，有如塔形。最下层是庶民阶级，庶民阶级以上是封建阶级。封建阶级之中有许多阶层或等级。最上级是"富有四海"的大领主，其次是"百里"、"七十里"、"五十里"、"不及五十里"的各级领主，在这种社会中，属于领主阶级的人们，为维持并改进其物质生存形态，第一是巩固其领地的统治，或从事于开疆拓土，以谋增加其私土子民；第二是对于领地的人民，厉行其超经济的强制与剥削。领主们是以这一类的行为为道德的。但在庶民这一方面，为维持并改进其物质生存形态，第一是忍受领主的强制与剥削，第二是努力增进其生产，非到不能聊生之时是不背叛领主的。他们主要的道德，是忍辱负重，克俭克勤。

封建阶级的道德观，与其物质的生存形态相适应，他们认为等级制度之维持，便是道德。

中国封建时代，有所谓"礼治"与"法治"、所谓"德主刑辅"的原则。孝经说："安上治民，莫善于礼。"孔子说："道之以德，齐之以礼，有耻且格。"又说："古者有礼然后有刑，是以刑省也。"荀子说："礼也者，法之大分，群类之纪纲也。"司马迁说："礼禁未然之前，法禁已然之后。"依据儒家主张，礼治为主，法治为从，即所谓"德主刑辅"，大致不差。礼之本体是"道德仁义"，礼之功用，就是"序尊卑贵贱大小之位，而差外内远近新旧之级"。这样看来，礼是有维持等级制度的功用的了。礼是要求各等级的人各守其等级，各安其分位。无土地的农民要尊敬有土地的领主，贡献其力役、粟米与布帛。小领主各依次尊敬其上级的大领主。人民若不遵守这样的礼，便是犯上作乱，就要被刑所制裁。这便是所谓"出礼入刑"。荀子说得对："礼起于何也？曰：人生而有欲，欲而不得，则不能无求；求而无度量分界，则不能不争。争则乱，乱则穷。先王恶其乱也，故制礼义以分之，以养人之欲，给人之求，使欲不必穷乎物，使物不屈于欲。二者相待而长,是礼之起也。"所以礼这种道德规范,确能维持封建的等级制度,保障封建的经济结构。事实上,礼式规范已被中国的封建王朝采用为法律,外国学者说中国的旧法律多含有道德的分子,这话是正确的。

欧洲中世纪支配人心的道德,是基督教的爱与行善的精神。基督徒以爱与行善的说教,教导人民服从封建的法律。保罗说:"凡掌权的都是神所命的。所以抗拒掌权的,就是抗拒神的命。抗拒的必自取刑罚。作官的原不是叫行善的惧怕,乃是叫作恶的惧怕。""所以你们必须顺服,不但是因为刑罚,也是因为良心。你们纳粮,也为这个缘故。""凡人所当得的就给他。当得粮的,给他们粮。当得税的,给他上税。当惧怕的,惧怕他。当恭敬的,恭敬他。凡事都不可亏欠人。因为彼此相爱,要常以为亏欠。因为爱人的,就完全了律法。像那不可奸淫,不可杀人,不可偷盗,不可贪婪,或有别的诫命,都包在爱人如己这一句话之内了。爱是不加害与人的。所以爱就完全了律法。"(《新约·罗马书》第 13 章)基督徒在中世纪所宣传的爱与行善,确有维持封建的经济结构的功能。"爱就完全了律法",道德就完成了法律。

近代社会各阶级,关于自求维持并改进其物质的生存形态的趋向,各不相同。市民阶级的趋向,在于追求利润以增殖其资本。这是他们的一切行为的动机。他们的最高道德,是勤、俭与贪(积蓄)。反之,勤劳大众的趋向,是要求缩短工时,增加工资,并改善其工作条件,更进而要求废除剥削制度。他们的最高道德,是刻苦、耐劳、同阶级的互助与亲和。

市民社会的道德规范,约有下述三种特征。第一种特征,是各阶级间已没有通用的道德原则。所谓公平、正义或公道等,只适用于同一阶级内部各分子之间,而不能适用于各阶级相互之间。这即是说,只有在环境相同、条件相同的人们之间,才能适用所谓公平、正义或公道的原则。并且,就是关于善恶与正邪的道德观念,各阶级间也都有矛盾的解释。往往一种行为,在一方面认为是道德,而在他一方面却认为是恶行。

第二种特征,是市民社会的道德规准,对于个人的行为,只能作局部的估价。从某一角度去看,一个人可以具备一些美德,不失为道德上的好人。譬如一个绅士,态度和蔼可亲,对于自己的企业,最是勤勉。他孝敬他的父母,爱怜他的妻儿;他对于朋友,很是信用诚实,对于苦人也常常解囊救济。他的确可算得是一个有道德的君子。但是当他走进自己的工厂,遇到工人向他诉说工作过于劳苦,损害了健康,请他减少工时;或者诉说物价高涨,不够养家糊口,请他增加工资。在这种时候,他的和蔼可亲的态度,立刻从脸上滑去了。他不但对工人的诉说不予考虑,反而要讲求对付的手段了。因为他在这种关头,若要做一个道德上的好人,就等于取消了他自求维持并改进其物质生存的形态,即等于取消了他做绅士的资格,这是不可能的。

第三种特征,是道德在市民社会中,包含着商品的性质。所谓良心、爱情、贞操、名誉、信用、诚实等,也都化成了商品,都是有价格的。

以上,是市民社会的道德的内容。在这些道德的内容中,凡属具有保障市民经济结构的功能的东西,如所谓公平、善良、善意、诚实、信用之类,已经铸入于法律之中了。

综观本段的说明,可知各派法理学者所强调的"法律是道德"的传统见解,确有片面的真理。不过所说的"道德"二字之上,省略了"特殊阶级的"这个形容词罢了。

第二节 法律的内容与形式

一、法律的内容与形式的统一

法律的本质,是结晶于法律的内容,包含于一定形式之中而表现(现象)出来的。所以我们研究了法律的本质与现象之后,再进而研究法律的内容与形式。

内容与形式的范畴和本质与现象的范畴,是同列的。对象的本质,常在一定的形式中,结晶于一定的内容,在现象上出现。所以当分析任何对象时,必须探求一定形式的现象中之一定内容的本质。任何对象,都具有一定的内容与形式,都是内容与形式的统一。内容常是一定形式的内容,离开了这形式就不存在;形式常是一定内容的形式,离开了这内容就不存在,并且也没有发展。形式由内容产生,又是内容的成分。内容向形式的推移是形式,形式向内容的推移是内容。两者互相推移,互相转变。所以内容与形式,虽是矛盾的,却是统一的。而两者统一的基础,是内容。

形式由内容产生，并受内容所规定。所以内容对于形式，具有优越性。

内容通过形式而发展。所以形式对于内容，不只有受动性，还有能动性。

形式的能动性，对于内容，能够成就其独立的发展。形式在其发展上，能够促进其内容的发展，也能阻碍其内容的发展。但当形式的独立发展到了障碍其内容之更进一层的发展时，内容与形式就发生矛盾，内容终于冲破旧形式，克服形式的抵抗，而要求适合于其发展的新形式。于是对象的发展，就转变为具有新内容与新形式的统一。

内容与形式的矛盾，是对象本身发展的原动力。认识对象时，必须理解这内容与形式的矛盾。

以上是内容与形式的矛盾统一的法则。这里，我根据这个法则，就市民国家的法律，来说明法律的内容与形式的关系。

所谓法律的内容，如前节所分析，即是法律关系的内容。法律关系的内容，是财产关系，其基础是生产关系即经济关系。所谓法律的形式，即是生产关系或经济关系在国家规范中所采取的形式。因而法律本身，即是摄取经济关系的内容而具有成文或不成文形式的国家规范。

社会的经济结构，是自然人与自然人的经济关系的总体。自然人是经济结构的构成分子，是经济活动的主体（是权利的主体）。国家保障特定的经济结构，首先要保障作为经济主体的自然人。

自然人是一个有机的生命，即是法律上的人格。人格具有种种属性，如身体、精神、劳动力、自由、名誉、信用、秘密、贞操等，都是自然人的属性。国家要保障自然人，必须保护自然人这一切属性。

第一，自然人的劳动力和精神力，寄于健康的身体，所以自然人的身体，不许他人伤害，并且也不许自行伤害。凡属可以损害身体的健康的一切行为（如吸食毒物或对未成熟男女为性的侵害），国家一律予以禁止。凡属老弱残废或有疾病的不健康的自然人，也须由其有扶养义务的人扶养。幼年人的管教养卫，须由有亲属关系的人负责。

第二，个人之参加于社会的经济的活动，必须具有各种必要的自由，如身体自由、居住自由、迁徙自由、秘密自由、信仰自由等，国家必须给以合法的保障，自然人才能充分发展其个性。

第三,名誉和信用,是自然人从事于经济活动所必具的条件。名誉是社会对于自然人估价的标准,信用是自然人经济活动的名誉。国家保护自然人,必须保护他的名誉与信用。

第四,贞操是节制性生活的规准。性生活虽是人类的本能,但如没有节制,便为害于社会。贞操在未结婚的男女,是自己的自由;在已结婚的男女,一方是权利,他方是义务,国家保护自然人,必须保障他们的贞操不受第三者侵害。

第五,自然人的生命,始于出生,终于死亡。死亡是生命过程的终结,但其遗骨及其埋葬处所,仍受国家所保护。

以上是国家对于自然人的各种属性之保护。

人中的另一种是法人。法人虽不是自然人,却也是经济活动的主体,也有其自由、信用、名誉和秘密等属性。法人没有有机的生命,但它是由法律所造成的,所以国家对于法人的各种属性,也要予以保障。

以上是关于人的各种属性之保护。国家实施保护的目的,在于使一切自然人都成为健全的经济活动的主体,使能够和平的安定的努力于物质的精神的活动,以促进经济的发展。至于规定这类经济内容的法律形式,就是那些关于保护人格权的各种法律的概念或条文。

自然人的来源及其生命的延续,有待于男女两性的结合。而男女两性的结合,又建立在夫妇关系的基础之上。从个别的男女到夫妇关系,要经过一定的过程,要受种种的限制。第一是亲属的限制。为了血统关系、伦常观念和种族健康,各国法律都禁止在一定范围内的亲属间通婚;第二是国籍的限制;第三是年龄的限制等。在上述各种限制之外,男女间的订婚,要遵守一定的条件。订婚之后,如果解除婚约,也要具备一定的理由。订婚之后,实行结婚,要遵守结婚的条件,才能发生结婚的效力;如果离婚,也要具备离婚的理由,并履行一定的条件。

有夫妇然后有亲子,因而又发生了亲属关系。亲属关系,与财产关系相联系。夫妇间的财产关系,亲子间的财产关系,以及遗产的继承等,都渊源于婚姻关系与亲属关系。规定这些关系的法律形式,是所谓亲属法与继承法。

上述关于身分权的法律的形式,主要的是基于经济主体的世代绵延这种内容而产生的。

以上关于人身权（即人格权与身分权）的各种法律的形式，都是基于经济主体这个内容而形成的。其中除了关于遗产继承，对于勤劳大众无重大关系以外，可说是一切阶级所共同适用的法律。市民国家所宣称的法律上的平等，是指这一类法律说的。

成为经济主体的自然人，必须加入于社会的生产过程，从事农工商业等部门的经济活动，以取得其自身的物质生活资料。但自然人从事于经济活动，必须有物质的凭借，即必须有物质的生产手段。在私有制度的社会中，一切生产手段，都属于财产权的范畴。财产权是国家所保护的对象。

基于私产制度，自然人的经济活动，产生了利害相反的两种倾向：即具有财产权的自然人的经济活动与缺乏财产权的自然人的经济活动。在市民社会中，两者形成对立的统一。

其一，具有生产手段的自然人的经济活动——财产权的社会机能之发挥。

具有生产手段的自然人，是财产权的主体。

财产权是物权和债权的总称。物权的对象是物，即动产与不动产；其内容是物的支配权，即物的使用、收益、处分及占有。债权的对象，是特定人的作为或不作为，其内容是对于特定人的特定的作为或不作为之请求权。

支配权是私产制度的内容。请求权以私产制度、个人责任、契约自由、劳动力商品化等原则作基础，也是私产制度的社会机能发挥的结果。

规定财产权的法律形式，是物权法、债法及土地法的一部分。

财产的移转，采取互易、赠与、买卖等形式，以自由意思为动机。如果妨害财产所有者的意思自由，而取得其财产上的利益，那便是窃盗、抢夺或强盗；如果财产所有者因受他人欺诈而自愿放弃其财产上的利益，这在表面上虽似是自由意思，而实际上因为受了诈欺，即意思自由受了妨害。关于财产上的侵害，国家对财产所有者是予以保障的。

具有财产权的人们，基于私产制度的社会机能之发挥，就可以取得种种经济的利益。在商品主义社会中，一切财产都变成了商品。独占生产手段者，可利用生产手段，买进劳动力，从事于商品生产，以取得利润。

商品生产出来以后，就被投入于流通界，可由商人去完成其流通的机能。

商品的生产与流通,即是财产权的社会机能的发挥,采取等价交换的形式,以自由意思为基础,以契约为方法。

契约是要约人与承诺人之间意思表示的一致。契约用书面作成,便是文书的一种。在商品的生产与流通过程中,私人间所作成的文书,还有多种,如股票、债票、账簿、收据、发票及其他票据等——这些文书,与关系人的权利义务,大有影响,国家禁止他人假冒、伪造或改造。

商品的生产与流通,需要货币作交换的媒介。货币由国家铸造发行,私人不得伪造。同时,还要有法定的度量衡,作计算商品价值的单位。

以上关于财产权及其社会机能发挥的各种法律,是民法、特别民事法规以及一部分刑法。

其二,缺乏生产手段的自然人的经济活动——劳动力的商品化。

缺乏生产手段的人们,其私有财产,只限于自身的衣物与锅灶盆甑,除此以外,只有劳动力。他们要取得生活资料,只有把劳动力当作商品出卖。他们出卖劳动力,必须与雇主缔结雇佣契约。这种契约的缔结,在自由主义原则之下,是基于自由意思的。但在迫于饥寒而出卖劳动力的人们,对于劳动条件的决定,意思是不自由的。他们常在价值以下出卖其劳动力,所得的工资,不够维持其自己与家庭的生活。劳动力是活的商品,比较普通商品不同,雇主可以加强其劳动的强度。所以劳动者被强制着提供其必要劳动以外的剩余劳动。基因于这种不利的契约,他们不得不陷入于痛苦的深渊。同时,由于资本主义的发展,出卖劳动力的人数相对增加起来,造成了相对的过剩人口,形成了产业预备军,因而发生了严重的社会问题。由于劳动者的阶级斗争,资本制的经济结构呈现了动摇的征象。市民国家为稳定其经济结构,不得不顾虑劳动者的利害,以缓和阶级的斗争。因此,为规定最低工资,缩短工时,保护女工童工,承认劳动者的团体行动,调解劳资双方的利害系争等,便制定了劳动法。又因为社会问题的日趋严重,国家为救济无财产者的失业、贫穷及疾病等,又有社会政策的立法。这一类法律,主要就是对缺乏生产手段的阶级所适用的。

以上所述各种形式的法律,其内容是经济生活,是非常明显的。但是关于政治结构的法律,其内容是否也是经济生活,这里应当加以说明。

政治是经济之集中的表现,所以基于一定的经济结构,便成立了一定的政治结构。于是除了直接保障经济结构的法律以外，还有一系列的维护政治结构的法律。当组织国家的时候，必须有组织的法律来规定国家与人民的关系。人民在国家之中，可以享受哪些权利？人民对于国家应尽哪些义务？政府各机关如何产生？由什么人员组织政府？那些人员如何产生？立法、司法、行政等机关如何组成？中央与地方的权限如何划分？各级政府机关的系统如何厘定？如何组织？国民经济制度如何厘定？教育方针如何树立？人民系争如何处理？政权如何行使？治权如何行使？——这些都是组织国家政府之时首先要决定的问题。而规定这些组织或关系的法律形式，首先是宪法，其次是行政法、各级政府机关组织法、法院组织法、刑法以及民事诉讼法等。这些都是维护政治结构的法律，都是从经济内容发生，并表现经济内容的。

近代市民国家，一面施行着经济统治，一面又经营经济事业，也可说是集合的经济主体。在这种意义上，政府各级机关的组织，是为了实行经济上的控制（各种经济政策、金融政策、国债政策的执行）而形成的。规定这种经济内容的法律，是各种特别的经济法规。

政治之经济的内容，由金融贵族的寡头政治，表现得异常明显。金融资本与国家机构的融合，使国家的经济（即国家资本主义经济）商业化，使私人资本主义经济政治化。因而国家全部的经济政策，比较以前具有更为统一的特征。这种特征，是由金融资本的霸权所授予的。在从前，市民阶级未组织的大部分，常以国家为媒介，利用禁止卡特尔法案或禁止托拉斯法案，对金融资本的势力作有效的斗争，但到现在，国家对于独占的发展已经公认了。现在，各帝国主义国家所实行的资本集中政策、金融政策、租税政策及价格政策，都完全由独占资本的代理人所厘定，并制定为各种特别的经济法规了。

总起来说，市民国家一切关于政权与治权的法规，都是保障资本制经济结构的法规，其内容仍是经济。所谓政治是经济之集中的表现，看了上述的说明，就很容易了解了。

二、法律的内容与形式之矛盾的发展

法律的形式，最主要的是习惯法、判例法与成文法。从历史的见地来说，法律的形式，是由习惯法发展到判例法到成文法的。法律的形式的发展过程，由法律的内容的发展过程所规定,而法律的内容是通过形式而发展的。

法律的最初形式,是习惯法。我们可以说,初期的法律,大都是由习惯形成的。习惯和习惯法不同。习惯是社会规范,习惯法是国家规范。习惯法有公权力的强制作后盾,习惯却不一定都需要公权力作后盾。习惯法是习惯中之经由公权力确认其有法律效力的部分。所以一切习惯法都是习惯,而一切习惯却不一定都是习惯法。

在国家未发生以前的氏族社会中,当作社会规范的习惯,大概可以分为两个部门。第一是基于生产手段公有与平等的分配而发生的习惯,文明时代所说的民事习惯,属于这一类。第二是基于经济活动主体的保存与血族复仇而发生的习惯,文明时代所说的刑事习惯,属于这一类。在氏族社会中,因为生产手段的公有与分配的平等,人与人之间的利害冲突是很少的,纵使有系争发生,氏族的组织可依据习惯去处理,不致有多大的问题。至于种族人员(经济主体)被杀伤的事件,就依据复仇的习惯去实行报复。杀伤的事件,如发生于一种族与其他种族之间,其复仇的习惯,是种族战争;如发生于种族或氏族内部各家族之间,其复仇的习惯,是"以眼还眼,以牙还牙,以杀伤还杀伤,以生命还生命"。所以在氏族时代,决没有所谓公权力的强制,没有所谓警察、法庭和监狱存在。这时的习惯是社会规范,不是国家规范。习惯是习惯,不是习惯法。

但在氏族社会崩溃的时期中,由于生产力的发展与剩余产物的增加,产生了把战俘充作生产的奴隶的事实,因而产生了奴役他人的新习惯;由于农工业的分离、商业的出现与私有制度的成立,就有了商品的生产和贩卖的事实,有了货币息借的事实,因而产生了剥削他人的新习惯。往后,更由于土地平等分配的终止,就产生了土地私有和土地买卖抵押的事实,因而又产生了与文明时代的物权和债权相当的新习惯。于是氏族社会的经济平等消灭,代之而起的是不平等的奴隶制经济,而主奴与富贫的阶级利害冲突就激化了。随着上述的演变,复仇的习惯也有了种种的限制和变化,产生了限制复仇和赔偿金或赎罪金的新习惯。于是氏族社会告终,奴隶制社会代兴,而建筑于奴隶制社会之上的初期国家出现了。

初期国家成立以后,统治者就从社会的习惯规范,选择其具有保障奴隶制经济结构的功能的部分,掺合当时的宗教与道德的规范,针对自己阶级的利益,制定为国家规范,用公权力强制其实行。例如在民事方面,确认财产的既得权,承认奴役他人剥削他人的习惯有法律上的效力等。在刑事方面,实行禁止复仇,并采用赔偿金或赎罪金的习惯,又加入制裁侵害财产的犯罪等项,制定为刑法。从此以后,社会规范的习惯中,有一部分经国家所承认而成为法律即习惯法了。习惯和习惯法也有分别了。

所以法律的最初形式是习惯法。最初的判例法,是由司法或行政机关处理民、刑事件所作的判决或处分等先例,汇集而成的。同时,习惯经司法或行政机关的反复援用,也便成了习惯法。这便是最初的判例法和习惯法的相互关系。

习惯法的内容是经济生活。各个历史时代,各有其不同的经济生活,各有其不同的习惯,因而形成了不同的习惯法。从历史上说来,古代的习惯法,以奴隶制经济结构为内容;封建的习惯法,以封建制经济结构为内容;近代的习惯法,以资本制经济结构为内容。各阶段的经济结构,各有其不同的发展过程,不断地产生新习惯去代替旧习惯,所以各时代的习惯法,不断地增加其新内容。但这三个阶段的习惯法,虽然各不相同,却有一个共同特征,即三者都确认私有制。各阶段之中,虽然都不断地产生新习惯,甚至能够产生与旧习惯相反的新习惯,却绝对不能产生否定私有制的新习惯。因为三者都是维护私有制的。

法律的内容,对于法律的形式,虽然具有规定性,但在另一方面,法律的形式,对于法律的内容,又具有其能动性。法律的形式之由习惯法发展到成文法,一方面是法律的内容通过形式而发展,是经济发展的结果;另一方面,又是内容对于形式斗争的结果。

特定的国家,依据特定的经济结构,制定出一定形式的法律,必然能够助长当时经济的发展。但那种法律一经形成之后,就离开它的内容,获得相对的独立性,成就其独立的发展,它最初虽能促进经济的发展,但往后却又能障碍经济的发展。

法律的内容之通过形式而发展,常常伴随着内容与形式的斗争。这内容与形式的斗争,又表现为阶级的斗争。关于这一法则,可就习惯法到成文法的发展过程来说明。

前面说过,初期国家的法律形式,是习惯法,并且是不成文习惯法。那时的法规,是统治阶级的上层制定的。这种法律,一方面虽适应于当时的经济生活,同时更适应于特殊阶层的利益。当时执行这种不成文习惯法的机关,操纵于特殊阶层(如贵族及僧侣)之手。这种不成文习惯法,是一种秘密法。法律的知识,是少数贵族僧侣或法曹的专业,一切先例和故习的保存,也由他们所执掌。他们利用这种秘密法,自便私图,兼并了土地,占尽了便宜。其他普通的自由民或平民阶层(虽也是奴隶所有者),不但没有法律的知识,并且也不懂诉讼的程序,所以到处受到不法的侵害,他们的经济利益,得不到法律的保障(在这种处所,也表现着形式对于内容的矛盾)。所以他们为了自身的经济利害,就对特殊阶层作要求颁布法的斗争了。

由秘密法到颁布法的过程,即是由不成文习惯法到成文法的过程,曾经历了相当的年月。因为随着经济生活的发展,不成文习惯法的项目逐渐加多,特殊分子单靠记忆来保守秘密,也感到困难。他们为了节省记忆之劳,必然把那些法规、先例和故实,造出法律的术语、概念或条文,或者作成法谚、偈语或格言,用文字记录出来。但在最初,那些记录还是私文书,不易泄露,当然还没有法律上的效力。在这种时候,法庭的裁判,不用文书公告,败诉人也不知道究竟违反了什么法条,这就引起人民的愤懑。所以,执行机关渐渐的用公文书记录裁判和公事,或者笔述习惯。这种公文书,只是习惯之公权的记录,还不能称之为成文法。

古代希腊罗马的法律形式之由不成文到成文,由秘密到公布,伴随了阶级斗争。如雅典于公元 621 年所颁布之《杜拉科(Drako)法典》及其以后梭伦(Solon)的立法,都是普通自由民对于贵族斗争的结果。又如罗马《十二铜表法》的制定颁布,也是平民对于贵族斗争的结果。

习惯法之由阶级斗争而发展为成文法,在封建时代也有其实例。中国历代封建王朝所颁布的法典,大都是封建革命以后的产物。最初的成文法,是由习惯构成的。以后各朝的成文法,大都沿袭前朝的成文法,依据儒家学说,并摄取经济生活的新习惯而制定的。在欧洲方面,如瑞典之《西哥达法典》、《东哥达法典》、挪威之《克刺丁威罗德尔法典》(Zakon Vinodolski),法国国王查尔七世用詁敕纂集之《成文习惯法》,13 世纪英国国王颁布之《大宪章确认法》、《官版法令集》、《校订法令集》等,都是用公文书记录的不成文习惯法的成文法,都是当时被统治阶级斗争的结果。

18 世纪以来,市民阶级推翻了封建阶级的统治,建立了近代的国家,依据个人自由主义的原则,整理从前的地方习惯法,编纂了于自己阶级有利益的法典,这类法典,大都以明文否认将来习惯法的产生及存在。特别是在刑法方面,采用罪刑法定主义,使刑法不依据于习惯。例如 1786 年奥国的《约瑟夫法典》,1794 年《普鲁士普通国法》,1804 年法国的《拿破仑法典》,都属于这一类。在这个时代,显出了"尊重成文法、压抑习惯法"的现象,变成了成文法万能的时代。就是在素以习惯法和判例法为基本法的英国,成文法的势力也显然增大了。

但是随着资本主义的发展,新习惯随着经济生活的更新而形成,仍能成为成文法的资料和渊源。所以后来的趋势,各国法律仍承认习惯法的存在,承认习惯法对于成文法有补充的效力或变更的效力。近来各国民商法的法例中,多承认习惯法的补充效力,并且有规定"法令得就特殊事项承认习惯的变更效力"的。例如日本商法第二条的规定:"关于商事,本法无规定者,适用习惯法;无商习惯法者,适用民法。"这不但承认习惯法对于商法的补充效力,并且承认商习惯优先于民法了。在这种处所,可以看出:新习惯可以变更或废止旧成文法;新成文法也可以变更或废止旧习惯法。成文法与习惯法的相互转变,其主要的原因,是由于内容的变动,即经济生活的变动。

法律的形式对于内容的拘束或障碍,在习惯法、判例法和成文法方面,也可以看得出来。

第一,就习惯法来说。在以习惯法实行统治的时代,一切都受习惯法所支配。但一定时代习惯法的内容,是当时的经济生活状况。而经济生活状况是不断变迁的。基于变迁着的经济生活状况,必然产生出新习惯。但执法机关固执于先前的旧习惯法处理一切纷争,而以旧习惯法为利益的人们,也必坚持旧习惯法。这时的旧习惯法已不能促进经济生活的发展,反而变为它的桎梏,即所谓恶法了。于是以新习惯为利益的人们,势必主张新习惯而对旧习惯法进行斗争。依照历史的公例,斗争的结局,新习惯必然起而代替旧习惯而形成为新习惯法。

第二，就判例法来说。判例法国家(如现代的英美)的判例法，是由法院的判例所构成的国家规范。每一判例成立之初，或系针对当时经济生活的内容而做成的，但经过一定的时期，经济生活变动了，而法庭对于人民系争的判决，仍然援用旧日的判例。司法者头脑守旧，对于新发生的事件，仍向旧日判例中引经据典以下判决。这种判例法，事实上已成为死法或恶法，障碍着经济生活的发展。因此以针对新事实的新判决为利益的人们，必然提出反对的要求。结局，那种判例亦不能不有所变功。英国的衡平法，主要的是调剂旧判例与新事实而形成的。

第三，就成文法来说。成文法最初大都是根据特殊阶级的利益，并采用从前的习惯法、判例法及其他法源，编定而成的。成文法制定的当时，因为适合于特定的经济结构，当然能助长那种经济的发展。但在那特定的经济结构发展到一定的高度时，各阶层的经济生活状况，必发生显著的变化，而感到成文法的拘束了。在这种时候，那些感到自身的生活受成文法拘束的阶级，势必为自身生存而奋斗，而要求成文法的改定了。就市民国家的法律举例来说。资本主义的经济关系，在封建社会的母胎中，早已孕育完成，并且有了相当的发展，但封建时代的法律，却处处障碍着资本主义经济的发展。于是市民阶级终于推翻封建政治，掌握国家权力，制定了适合于资本主义经济发展的法律。从此，资本主义就很顺利的发展起来。这便是说，法律的形式很能促进内容的发展，而内容也很顺利的通过形式而发展。

但是资本主义过度发展的结果，经济结构中发生了许多新现象、新的严重问题——社会问题。从前市民阶级所制定的便于殖产兴业的法律，变成了制造贫富不均的酵母，变成了障碍生产力发展的桎梏，因而资本制经济结构陷于动荡不安的境地。于是直接生产者阶级，为了自身的生存，就要求市民国家制定容纳自身经济利益的法律，即要求摄取新内容的新形式。19世纪中叶以后，市民国家为了稳定资本制的经济结构，维持社会的安宁，经过一系列的绵延的斗争，才一点一滴地容纳无产者的要求，制定了一些可以和缓阶级斗争的法律，如劳动法及其他社会政策的立法之类。这是法律的内容通过形式而发展的实例。

法律的主要形式，虽是习惯法、判例法和成文法三种，但从别的方面来看，法律又采取命令与法律对称的形式。这里所说的命令，是指现代以前的中世纪及古代的法律说的；所说的法律，是指近代意义的法律说的。中世纪及古代的国家，立法、司法和行政集中于统治者的一人或数人手中，统治者的命令就是法律。这是所谓任人不任法的时代。近代市民的国家，立法、司法与行政三权分立，法律是由市民的立法机关之国会制定。这是所谓法治国时代。

中国古代及封建时代的法律，不论是不成文或成文，都是统治者的命令。这在欧洲也是一样。欧洲中世纪流传着所谓"国王者活法律也"的格言。德意志的法谚说："皇帝者法之父也，国王者活法律也，君言即法也。"法兰西的法谚说："王之所欲，法之欲也。"英吉利的法谚说："神作王，王作法。"（见穗积陈重《法律进化论》）一般地说来，中世纪和古代国家的法律，不论是不成文或成文，都是统治者根据自己的意思，利用当时宗教、道德或习惯，用命令的形式做成的，或者是命令臣僚做成的。统治者处理民刑事件，都以自己的意思作成判决或处分，就是有了成文法，也不受那成文法所拘束。可以说，被统治者的生杀予夺之权，完全操在统治者之手。

至于近代则不然。法律是由市民阶级的代表的国会制定的。虽然也有委任的立法，却不超出法律所授权的范围。成文法国家的委任命令和习惯法国家的判例，虽然都是命令，却不能超出授权的法律所定的范围。所以近代的法律，根本上是由立法机关制定的。虽然也有委任的命令，以及刑法上所许可的类推解释和民法上所准许的扩张解释与自由立法，而这类命令仍是根据于法律，其与近代以前的统治者的命令，是截然不同的。从历史上看，法律之由命令的形式进到法律的形式，都是经济结构进化的结果，即法律的内容通过形式而发展的表现。

第三章　法律的属性

第一节　法律的规范性

一、当作行为规范看的法律

以上两章,主要阐明了法律的本质;说明了法律的本质,结晶于一定的内容,并采取一定形式而显现的过程。现在,再进一步阐明法律的各种属性。

法律的各种属性,渊源于法律的本质,并受本质所规定。属性与本质,有不可分的联系,同时又与本质有区别。本质是特定对象中的根本的性质,是决定那对象所以能够自行存在而又能与其他对象有区别的根本的关系。一个对象,如果丧失了它的本质或根本关系,它本身便失其存在。至于对象的属性,却有多种。各种属性,受本质所规定,包含于对象之中,在那对象的发展的各阶段上逐渐表现出来,并在那对象与其他对象关系上,反映出对象的本质。属性是可变的,本质是相对安定的,属性的一种或数种纵有变动,不但不影响于本质,反而更显现出本质来。例如,当作元素看的金属,其本质是由其原子的内在的构造所规定的,但金子的属性,如可锻性、强韧性、重、光泽、传热、导电等,是由上述的构造所规定,并在金子的变动上,在金子与其他元素的关系上,反映出金子的本质。依同理,当作规范看的法律的本质,是阶级关系;但法律的属性,如规范性、命令性、强制性、等价性等,由阶级关系所规定,并在法律的机能的发展上,在法律与其他社会现象的关系上,反映出阶级关系。法律的这些属性,在法律现象的发展过程中,有的在前一阶段上展开而在后一阶段上减退,有的在前一阶段上萌生而在后一阶段上展开。但那些属性的变动,都表现着法律的本质。

由于上述法律的属性与其本质的关系,所以在阐明了法律的本质以后,更进而阐明法律的各种属性。这里先研究法律的规范性。

法律是国家规定个人行为的规范,它是与其他的社会规范不同的。规范是多数规则的总称。法律的规范,即是规定个人的作为和不作为的许多规则。

个人的行为,与他的意思相联系,行为是意思在外部的表现,因而所谓行为,又可说是意思的行为。意思是什么?意思是从人性发生的。前面说过,所谓人性,是人们自求维持并改进其物质生存形态的倾向。从人性发生的意思,即是物质的动机化了的精神作用。所谓意思,即是物质动机化了的意思。法律上所规定的意思,是以国家生活为前提的。

人们为了取得物质生活资料而参加于社会的生产的活动,这便是物质动机化了的意思向外部的表现。可是物质动机化了的意思,是自由的,同时又是不自由的;因而这意思表现于外部的行为,是自由的,同时也是不自由的。

物质动机化了的意思行为,以物质为目的,又以物质为手段。因而意思行为的自由与不自由,又与物质的手段有必然的关系。在国家未发生以前的社会(即氏族社会)中,生产手段公有,社会的人员,在共同生产与平等分配的原则之下,各人的意思的自由与不自由,其程度是平等的;各人基于自己的意思而从事于取得物质资料的行为,其机会也是平等的。换句话说,各人的意思行为,不至于侵犯他人的利益,侵犯其所属社会的利益。因为当时社会的利益,同是个人的利益。所以氏族社会规范个人行为的规则,主要的是维持生产手段的公有与分配的平等。

但在国家发生以后的社会中,生产手段已归私有,阶级分配已经形成,社会的人员,分别被编入于一定的阶级之中。因此,各人的物质动机化了的意思的自由与不自由,以及作为意思的外部表现的行为,也因其所属的阶级的不同,其程度与机会也都不平等了。于是各人的意思行为,常不免侵犯他人的利益,侵犯其他社会集团的利益。从此,形式上的社会的利益,实质上的阶级的利益,其与个人的利益已不一致了。从此,规范个人行为的规则,已不是自然形成的社会规范,而是人为的国家规范了。这国家规范,主要的是维持生产手段的私有与不平等的分配。这是法律规范的原始性质。

法律规范,是规定意思自由与不自由的许多规则。这些规则对于各个人的行为,划定了自由与不自由的界限,即划定了"应为"与"不应为"、"能为"与"不能为"的界限。在自由的界限以内,各人的意思行为是自由的;超出了那个界限,便是不自由,便是违法。在自由的界限以内,各人的意思行为,不但是自由的,并且那行为如果具备了一定的形式要件,便取得法律上的效力,否则纵不违法,却是无效。

在规则的范围以内,有"应为"与"不应为"的界限。"应为"的意思行为,是自由,是义务也是权利;"不应为"的行为,是不自由,是违法,即是义务的违反,权利的消失。

在规则的范围以内,又有"能为"与"不能为"的界限。"能为"的行为,一面是权利,另一面是义务,即是自由;"不能为"的行为,一面不发生权利,另一面不发生义务,这也可说是不自由。

所以法律规范,一面以意思自由为前提,一面又限制意思自由;一面赋予自由意思以效力,一面又加自由意思以一定条件。前面说过,法律是划定个人意思行为的自由与不自由的界限的规划,这话大致是没有错误的。

但是个人的意思,原是物质动机化了的意思。基于这种意思的行为,其目的在于取得物质生活资料。为要取得物质的生活资料,又必须以物质的生产手段为前提。在物质的生产手段私有的社会中,各人的意思行为的自由与不自由,显然是不平等的。即是说,独占生产手段的集团,比较缺乏生产手段的集团,其意思行为的自由范围是广泛得太多了。反之,后者的不自由的程度,比较前者也厉害得多了。从这个角度看,有物质手段的人们,其意思行为是自由的;无物质手段的人们,其意思行为是不自由的。法律的规范性,在这种处所,意味着前者的自由与后者的不自由。

二、法律规范的普遍性、特殊性与个别性

前段说明了法律规范的意义,这里进而说明法律规范的普遍性、特殊性与个别性。

法律规范,是概念和判断的集合。如绪论中所说,概念和判断,含有普遍性、特殊性和个别性,所以法律规范也具有这三种属性。

法律是行为的规则,规则由概念和判断所构成。就这些规则实行论理的加工,顺次把低级的概念和判断,综合为高级的概念和判断,就构成了论理的体系——法律的体系。

法律上的概念和判断,是法律的形式。这些形式,是关于法律的内容的形式。法律的内容,是特定社会的经济生活,是特定经济结构中人与人的相互关系,所以法律上的一切概念和判断,都是关于特定社会的经济生活或经济关系的形式。法律上的概念和判断的类型,依存于特定社会的经济生活或经济关系的类型。

就现代法律规范举例来说,现代法律规范,如前章所述,可分为维护经济结构的规范与维护政治结构的规范两大类。关于维护经济结构的规范,又可分为两种:一种是关于经济主体的规范,这是把规定人身权的各项目的许多个别的及特殊的规则综合而成的;一种是关于经济主体相互间及其与物质手段的关系的规范,这是把规定财产权各项目的许多个别的及特殊的规则综合而成的。关于维护政治结构的规范,是把关于统治与被统治,即政权与治权的各种规则综合而成的。综合这些规范的总体,就构成了法律规范的全部体系。

所以各种规范,是由许多个别或特殊的规则构成的,包含着个别性、特殊性与普遍性。综合各种个别和特殊的规范,构成各类的规范;又由各类的规范,综合为规范体系。从这里,可以看出由个别、特殊到普遍的推移,可以看出规范体系的普遍性。例如所谓"法律的命令必须服从"、"契约必须遵守"、"他人的财产不可侵犯"、"各人的自由与他人的自由,依一般规则互不侵犯"等,即是法律规范的普遍性。

普遍性的规范,对于多数个别的人或个别事件,当然都可以适用。因为个人的意思行为,多是类型的,凡属同样情形下的同样行为,当然可以适用同样的规范。但各个人的行为虽是类型的,却也有程度上的差异。有时个人的行为,也有例外。所以对于特殊的人或特殊事件,难于适用同样的规范。例如土地所有人虽都应纳地税,但某处遇有天灾,亦得减免。又如刑法规定"杀人者处死刑、无期徒刑或十年以上有期徒刑"。这个规定虽是一般的(即普遍),但这三种处刑究应如何判定,就要考察杀人犯的特殊情况了。从这里,可以看出由普遍到个别和特殊的推移。

法律规范的普遍性、特殊性与个别性,都只是相对的,不是绝对的。个别的人的意思行为,既然多是类型的,当然没有绝对的个别性的规范。其次,特殊的个人的特殊事件,也多少是类型的,当然也没有绝对的特殊规范。至于普遍性的规范,只是比较抽象的、内容贫弱的、不完全的规定,在一定程度内,可以适用于一定类型的个别或特殊的人们和事件,并且要以那些人们或事件的具体性为根据。若果普遍性的规范,可以绝对的无条件的适用于一切人们的意思行为,它便失其存在的根据。换句话说,绝对的、完全的、无条件的适用于一切个人的法律规范是不存在的。

在习惯法、判例法和成文法方面,也可以看到个别性、特殊性和普遍性的相对性。习惯法对于成文法,是相对的个别性的规范;判例法对于成文法,是相对的特殊性的规范。成文法国家的成文法,虽然是网罗习惯法、判例法与法理等而构成的,但也只是相对的普遍性的规范。判例法国家的判例法,大致是因为对于特殊事件没有习惯可资依据而由所谓"衡平法"所作的判决,当然具有其特殊性,但也只是相对的。

就其原始的意义来说,初期国家的习惯法,主要的是个别的规范,往后集积而成为相对的一般的规范。判例法最初主要的也是特殊规范,往后逐渐集积而成为相对的一般的规范。至于成文法,是经由明文制定的一般规范,虽然概括了习惯法与成文法,但也只是相对的。

随着经济生活的发展,社会上产生出新习惯和新判例,可以补充成文法的空白,或被编入成文法,扩大了成文法的普遍性。所以成文法的普遍性,只是相对的。在法律的实际应用上,常因经济生活迅速的发展,而对于新起的事件,常遇到许多困难。所谓"衡平法"、"自由立法"或"法理",正是补充一般规范的困难的。

法律规范的普遍性、特殊性与个别性,表现着法律的内容与形式,并受法律的本质所规定。它们是与阶级性有联系的。远在初期国家时代,无论是个别性、特殊性与普遍性的法律,都只是奴隶所有者集团的各阶层所适用的法律,对于奴隶是不适用的。这时的法律,是只适用于特殊阶级的法律。在这种意义上,初期国家的法律,可说是特殊法与个别法。其次,封建国家的法律,形式上稍有进步,农民阶级的人身权和财产权,是不被尊重的。一切民刑事件,听凭领主擅断。至于规定领主各阶层间的关系的法律,是不适用于农民的。所以封建的法律,多是个别法、特殊法,决没有适用于各阶级的一般法。近代国家的法律,比较中世纪与古代,是一步巨大的跃进,这是资本制经济的发展与市民革命的产物。近代国家,废除了从前身份上的差别,规定了各阶级人们在法律面前的平等。但法律上的平等,只是形式的。法律中的一部分,是适用于各阶级间的一般法;其中另一部分,是适用于特殊阶级的特殊法。前者是关于人身权的法律,后者是关于财产权的法律。

第二节　法律的命令性与强制性

一、法律的命令性

法律既然是国家对个人的行为划定自由与不自由的界限的规则,必然的变成了国家的命令。个人的行为如不遵守那些规则,那便是违反了国家的命令;国家必然要予以制裁。所以法律规范,必然含有命令性和强制性。这里特就这两者加以检讨。先论法律的命令性。

关于法律的命令性,从来的法理学者,聚讼纷纭。近代主张法律的命令说的学者,首推霍布斯。霍布斯说:"法律是国家用语言文字或别的表示意思的符合来命令各个人民的规则,用来作是非的区别;就是说,什么是和这规则相反,什么是和这规则相合的。"其次,边沁也说,法律是由于"依据国家实力处罚犯罪者的威吓"而实行之国家命令。再次,奥古斯丁有一个法律的定义,说"法律者,命令也"。法律的命令说,是分析学派的根本见解。这派主张国家是一个强制机关,国家的命令即是法律,具有强制力为后盾。凡属没有强制机关的命令,都不能算是法律。早期英国市民法学家,确认市民代表的国会所立之法,即是命令,可说是直率而坦白的。但是所谓命令性,只是法律的一种属性。法律的这种属性,虽反映出法律的本质,却并不是法律的本质。分析学派把命令性当作法律的本质,只是一偏之见。

关于法律的命令性,除了分析学派强调过以外,以后的法理学者很少提及。德国的宾丁格(Binding)和比尔林(Bierling)等人虽曾主张"法律设定权利的结果,不外是对于其他一般人不得侵害其权利的命令",但在社会哲学派和所谓大成统一期的社会法学①。

----

① 以下书稿遗失。——编者注

附录:韩德培序言①

我想很多人都知道李达同志是我国杰出的马克思主义哲学家、理论家,但恐怕很少人知道他还是我国少有的马克思主义法学家。

早在 1928 年,他就将日本穗积重远所著《法理学大纲》一书译成中文,以李鹤鸣(他的号)作笔名,由商务印书馆出版。1947 年春,他应聘到湖南大学法律系任教授。当时在国民党特务机关的严密监视下,他不顾个人安危,依然坚持用马克思主义的观点讲授社会学、经济学和法学。他以极大的毅力,克服严重的胃溃疡的折磨,在一年的时间里写完他的《法理学大纲》讲义。1949 年全国解放后,他曾担任政务院文化教育委员会委员、政务院法制委员会委员及新法学研究院副院长等职务。从 1953 年起,他来武汉大学担任校长。我由于工作关系,时常和他接触。他虽然担任了校长,仍孜孜不倦地从事学术研究和著述。他虽将主要精力倾注于辩证唯物主义和历史唯物主义的研究和著述,但他对法学的兴趣仍不减当年。1954 年我国第一部社会主义宪法公布后,他为了帮助人们学习和了解这部宪法,曾在百忙中抽出时间写了一本《谈宪法》和一本《中华人民共和国宪法讲话》,付印问世。

1966 年 8 月,他因受林彪、"四人帮"极左路线的残酷迫害,不幸含冤去世。后来从他遗留的文稿中,发现了他的这本《法理学大纲》讲义,可惜只剩一部分,至今仍找不到全文。所剩的这一部分,共有 3 篇,12 章,最后一章还不完全。但这剩余的部分,在今天看来,仍然是我国法学战线上的一份珍贵遗产。在他的这部残存的著作中,除论述了法理学的一些基本问题,如法理学与

---

① 本文原标题为"序言",系韩德培为 1983 年 11 月由法律出版社出版的李达的《法理学大纲》所写。——编者注

世界观及社会观,法理学的对象、任务与范围,法理学的研究方法,法律与国家的关系,法律的本质与现象、内容与形式等而外,还以一整篇的篇幅对西方各个法学流派的学说,作了简要的介绍和深刻的批判。从这部著作中可以看出,他是力图运用马克思主义的观点为我国的法学研究开辟一条新的路子。他在五十多年以前,就已开始这样做了。我们不妨说,他是我国最早运用马克思主义研究法学的一位拓荒者和带路人。他的这部讲义,是我国法学研究中的重要文献,也是他对我国法学的重大贡献。

多年以来,由于极左思潮的影响,法学在我国没有得到应有的重视和正常的发展。特别在十年内乱期间,我国的法制建设和法学研究都遭到十分严重的摧残。党的十一届三中全会以后,经过拨乱反正,全党和全国人民都深刻地认识到加强社会主义法制和开展法学研究工作的重要性,因而我国法学界现在已经出现了前所未有的欣欣向荣的景象。不过,当前的法学研究工作,还远远不能适应社会主义法制建设和社会主义现代化建设的需要。对马克思主义法学理论作深入的系统的研究和对外国法律学说进行科学的深刻的分析,更是我们的薄弱环节,需要加倍努力进行这方面的工作。李达同志的这本《法理学大纲》,虽然其中的论述并非没有可以讨论、补充或进一步阐发的余地,但却为法学研究工作提供了很好的范例,值得有志研究法学者学习与参考。

李达同志的这本书是三十多年前写的,书中的有些用语是现在不常见的,例如"形式论理学"就是指"形式逻辑","客观论理学"就是指"辩证逻辑","市民社会"就是指"资本主义社会","市民社会学"就是指"资产阶级社会学",等等。书中所说的"现行新法律体系",当然是指作者写此书时国民党统治区的法律体系而言。在整理时,我们尽可能保存本书的原貌,没有轻易加以改变,只对有些外文译名和个别字句作了必要的改动。

武汉大学法律系何华辉、王应瑄、李双元等同志参加了本书的整理工作。法律出版社编辑部十分关心本书的整理和出版工作,给了大力的支持和帮助。我们应向上述诸同志和法律出版社编辑部表示感谢。

韩德培

1983 年元月于珞珈山

货币学概论[*]

（1949.7）

---

　　[*]《货币学概论》是 20 世纪 30 代前期李达在北平大学法商学院任教时撰写的教材，因抗日战争爆发，当时未能公开出版。1949 年 7 月生活·读书·新知三联书店将该书列入《新中国大学丛书》首次公开出版，署名李达，并于 1950 年 1 月再版。该书曾被收入人民出版社 1984 年 9 月出版的《李达文集》第三卷。——编者注

第一章　货币的本质

第一节　货币与商品

一、货币的现象与本质

（一）货币现象

最初一看,货币表现为神秘不可思议的东西。

货币是使人非常喜爱的东西。

　　金,黄色的、光辉的、贵重的金!

　　只要有那么多,就使黑变为白;丑变为美;

　　邪变为正;贱变为贵;老变为少;怯变为勇。

　　……诸神啊! 这是什么? 为什么这个

　　会把你们的神官和下仆从你们方面分开,

　　会把壮健的人的枕头从他的头下抽去?

　　这黄色的奴隶,

　　会把诸宗教结合又解开;祝福被诅咒的人们;

　　它使癞病人受崇敬;位置盗贼,

　　给他们地位,跪拜并称赞,

　　连同在座席上的元老院议员们;这个东西,

　　使可悲的寡妇再嫁。可厌恶的现世啊,

　　你,人类共通的娼妇。

　　——莎士比亚:《雅典的隐者》。引自英译《资本论》第 1 卷第 148 页。

货币又是使人非常憎恶的东西。

> 因为在人所造作的东西之中,任何东西,
> 没有像金钱那样坏的东西。
> 它破坏都市,把人们逐出屋外。
> 它用邪说迷惑人们,
> 使正派的心向着邪恶,
> 引诱人们到一切的狡猾方面,
> 教导人们做违背神灵的行为。
>
> ——梭薄克列斯:《学者的晚餐》。引自英译《资本论》第 1 卷第 149 页。

我们看到,货币这东西,可以和无论什么商品相交换。凡是人们所生产的一切东西,都可以拿到市场去换成货币。人们只要有了货币,什么东西都可以换到手中,甚至那些没有价值的无形的商品,如人格、良心、名誉、地位等,都可以用货币买取。

我们又看到,货币之中,除了金银等硬币以外,还有银行券和纸币一类的东西,也有和现金同样通用的能力,可以买得到和同额的现金所能买到的同价值的商品。银行券有时可以由银行兑付现金,有时停止兑现,变成了强制通用的纸币一样的东西。纸币这东西,只是红红绿绿的纸片上印上了几元几角字样的东西,它却能在市场上流通。一张纸币,今天所能买到的商品,会和昨天所能买到的同样商品的分量不同,或者是昨天的三分之一或二分之一。有时纸币充满于市场,有时纸币一钱不值,等于废纸,以致发生金融恐慌。

我们又看到,有的人把货币窖藏起来,有的人又把窖藏着的货币拿出去购买商品。

我们又看到,在国内通用的货币,和在国际通用的货币不同。在国际上,有些国家用金,有些国家用银。在用金的各个国家中,又有用金镑、用金元、用法郎等的区别。国际上交换商品时,货币的授受之间,会有许多的变动,那些金镑、金元、法郎、银元之间的互相兑换,会有许多的汇兑行情,今天和昨天不同,晚上和早上不同。

货币这东西,不但是个人与个人之间竞争的对象,并且又是国家与国家之间竞争的对象。就个人说,谁取得了大宗货币,谁就能支配他人的命运;就国际说,谁取得了大宗货币,谁就能掌握世界的霸权。

以上所述,都是货币这东西在我们面前表现出来的现象。

然则我们怎样去认识货币的现象呢?

许多皮相的观察者、货币理论家们,大都飘浮于货币的表面,拘泥于货币的假象。有些人们,震惊于货币的魔力,认定货币是万人命运的主宰,把它当作财神崇奉,因而变成了货币拜物教的信徒。

有些人们,把那种"黄色的、光辉的、贵重的金属"本身的价值,看作货币的本来的力量,因而把纸币当作无价值的纸片,认为是一般的反自然的东西。这种见解,就是货币学上的所谓金属学说。

有些人们,把货币现象的另一方面即价值的纸表章,看得特别重要,以为纸币之所以当作货币通用,是由于国家权力所规定的缘故。因此,他们把没有使用价值的纸币看作理想的货币,而完全否定与货币本身相结合的金属本身的价值,并把价值完全的金属货币也看成单纯的表章。这种见解,就是货币学上的所谓名目主义。

有些人们,认为商品价格的高低,由货币数量的多寡所决定,认为物价增高是货币数量减少的结果,物价低落是货币数量增多的结果。这种见解,就是货币学上的货币数量学说。

像这一类关于货币的见解,是极其肤浅的庸俗的东西。这些见解,只滑过货币现象的表面,拘泥于假象,当然不能深入地去认识货币的本质(关于这些见解的批判,留待后章说明)。

(二)由货币的现象到本质的推移

货币学是研究商品经济的经济学的一部分。货币也和其他的经济学的诸范畴一样,同是表现特定社会的生产关系的范畴。经济学的目的,在于暴露特定社会的生产关系的发展法则。因而货币学所要暴露的货币的发展法则,即是特定社会的生产关系的发展法则的表现。货币为什么能够自己运动、自己发展呢? 货币的运动也和其他一切东西的运动一样,同是由于它本身的内的矛盾、对立物的斗争。所以货币学要探求货币的运动法则,就不能不去理解货币的本质，即在货币的诸现象之中去把捉其一般的、主要的、统一的东西，必然的合法则的联系。因为货币的现象中的本质的发现，与货币的运动法则的发现，具有极密切的关系（法则原是各种本质的联系或各种本质间的联系）。换句话说，货币学，对于货币的认识，在其发展过程中，从货币的现象进到货币的本质，从比较不深刻的本质进到比较深刻的本质，从第一秩序的本质进到第二秩序的本质，因而暴露出表现商品社会的运动法则的货币运动法则。

可是我们怎样从货币的现象透入于它的本质呢？

我们已经看到，货币的现象是极其错综复杂的混沌的东西，它的本质并不直接浮现于表面，我们不能用感性的认识去把捉它。为要把捉它的本质，就要运用抽象的思维能力，在货币的诸现象之中，把捉其一般的、主要的、统一的东西，必然的内的联系。货币诸现象中的一般的、主要的、统一的东西，必然的内的联系，就是商品与货币或货币与商品的联系。在这一点，我们可以说，货币的现象，就是商品与货币及货币与商品之联系的运动形态或运动的联系形态。货币的本质、自己运动的源泉，就存在于商品与货币及货币与商品的运动的联系之中。但是，在现实上，我们看到，一切商品生产者，都把所生产的商品换取货币，在换得货币之后，又或迟或早地把货币换取别的商品。这样看来，商品与货币的联系及货币与商品的联系，客观上又结成为商品——货币……货币——商品的统一的联系，即商品——货币——商品的统一的联系。在现实上，我们又看到，货币这东西，在商品买卖过程中，常是由甲手交给乙手，乙交给丙，丙交给丁，丁又交给戊，等等，一直是在运动着。我们从商品与货币间的这类联系的运动，再深入地考察起来，就可以看出货币是商品与商品相交换的媒介，而货币的运动，通过商品的运动而实现，成为商品运动的结果。所以就商品——货币——商品的联系的运动，在其全面的统一的联系上考察起来，结局归着于商品——商品的联系的运动。换句话说，货币与商品的关系，结局归着于商品与商品的关系。而商品与商品，是互相矛盾，互相对立的。商品间的这种矛盾或对立，通过货币而形成统一，而暂时得到解决。所以货币的运动，由于商品的运动而发生，而成为商品的矛盾的运动形态。因此，货币的本质，它的内的矛盾、自己运动的源泉，必须在商品之中去探求。即是说，要探求货币的本质，必先分析商品。

商品是现代社会的细胞,是现代商品社会中所固有的、最单纯的、最普遍的、不断重复的现象。这种成为现代社会的细胞的商品,是研究现代社会经济的发展法则的经济学的始点。而成为经济学一部分的货币学所要暴露的货币运动法则,是表现现代社会经济的发展法则的东西,所以货币学的研究,也必然的从商品的分析开始,去探求货币的本质、内在的根据,追寻由于商品的运动而形成的货币的运动及其法则,借以表现出现代社会经济的发展法则。因此,我们也得到同样的结论:要探求货币的本质,必先分析商品。

二、由商品的分析到货币的本质之追求

(一)商品的二重性

现在,我们来分析商品。

商品是人们以拿到市场交换一事为目的而制造的劳动生产物。

"商品第一是满足人们的某种需要的东西,第二是与别的东西相交换的东西。"商品首先是因其自然的性质(力学的、物理的、化学的、生物学的,等等),而满足人们的各种需要的东西。商品的这种有用性,使商品具有使用价值。即是说,在它满足人们的需要这一点,商品是使用价值。

任何商品都必须有使用价值,但单只有使用价值的东西,还不能成为商品。并且,"使用价值只在消费过程中实现"。所以使用价值只显现于人与物的关系之中,它只表现人与物的关系,并不表现社会的生产关系。因而使用价值不能成为经济学的研究对象,而只能成为商品学的研究对象。

任何有使用价值的生产物,必须在人们把它拿到市场去和别的生产物相交换之时,它才成为商品。因而一切生产物要成商品,不仅出现为使用价值,并且必须出现为交换价值。在生产物采取商品形态的商品经济之中,使用价值出现为交换价值的物材的担负者。

交换价值,首先出现为一种使用价值与他种使用价值相交换的量的关系,量的比例(例如 X 量的 A 种商品与 Y 量的 B 种商品相交换,即 $XAW = YBW$)。从这一点看来,我们可以知道:交换价值,只存在于一种商品与别种商品的关系之中,并表现着使用价值不同的两种商品的某种同等性。这种同等性,证明着各个商品具有某种共通的东西,因而具有互相交换的能力。

因此我们可以知道，一切商品，在我们面前，都出现为两个契机的统一，即使用价值与交换价值之对立的统一。如果没有这两个对立契机的统一，就不是商品，而只是单纯的生产物。

可是，各种商品的某种同等性，即共通的东西，究竟是什么？

各种商品之中的共通物，当然不是商品之几何学的、物理学的、化学的，及其他自然的属性，即不是它的使用价值。因为两种商品（例如一担米与十六丈布）互相交换，其使用价值各不相同。使用价值的质不相同的东西，当然在量的方面不能互相比较。所以"当作使用价值看，各种商品首先是不同的质，但当作交换价值看，各种商品只能是不同的量，所以也不含有使用价值的一份子"。因此可以知道，商品的使用价值与交换价值，是互相制约、互相排斥的东西。使用价值排斥交换价值，交换价值排斥使用价值。当作使用价值看的商品是异质的东西，当作交换价值看的商品是同质的东西。

所以诸商品之中的共通物，必须在交换价值之中去探求，不能在使用价值之中去探求。这种共通物，是表现为交换价值的诸商品中内在的东西，即是量有差异而质却同等的东西。在使用价值各不相同的诸商品之中，如果舍去了那些不同的使用价值的自然属性以外，所剩下来的共通的东西，就只有劳动生产物的社会的属性了。所以要在各商品之中探求量有差别而质皆同等的东西，就是这个劳动生产物的共通的属性。即是说，各商品所以能在量的方面互相比较，就因为它们都是劳动生产物。

然则劳动生产物为什么变为商品呢？这是要由社会的一定的经济构造来说明的。劳动生产物，必须在商品生产的社会之中，才能转变为商品。商品生产的社会，是建筑在社会的分业与生产手段的私有这种根据之上的。在这种社会中，各个生产者，依着私有财产的原则，私有着生产手段，各人冒着恐怖和危险，为自己的利害而劳动。但在各生产者之间，存有一定的分业，他们各自分任社会的劳动的一部分，各人用自己的劳动生产一定的生产物，因而他们不能不互相结成一定的关系（交换关系），互相交换其劳动生产物，否则各人就不能维持其生活（如农夫没有衣穿，织匠没有饭吃之类）。所以各个商品生产者，不能不通过交换，把自己的劳动生产物变为商品。因而在这种社会中，各生产者是互相依存的，又是互相背反的。这种相依性与相反性，形成矛盾，出现为生产与消费的矛盾。

根据上面的说明,我们可以知道,劳动生产物在商品经济之中,演出一定的社会的机能。商品或商品交换,把各个分散着的生产者,结合为一个统一的全体,即商品社会。人与人的关系,表现(即体现)于商品之中。所以商品这东西,不是单纯的物品,而是有表现人与人的关系的机能的物品。人与人的这种关系,就是各个分散着的商品生产者间的关系,即是在一个社会中互相为别人而劳动的人们间的社会的劳动关系、社会的生产关系。在这样的社会的劳动关系之中,就存在着我们所要探求的一切商品的共通物。这个共通物就是:一切商品都是商品社会中各个商品生产者的劳动生产物。当作这样特殊的社会的劳动生产物看的商品,即是价值。价值是把商品作为被比较的东西的共通物。

"在商品的交换关系或交换价值中所显现的共通物,是它的价值。"因而价值的基础是劳动(交换价值是价值的现象形态,关于这点,后面再加说明)。

(二)劳动的二重性

由于以上的说明,我们知道,商品是使用价值与交换价值的统一,更正确的说,商品实是使用价值与价值的统一。这种统一,是种种契机的统一。使用价值与价值,是实际上全不相同的东西,是互相对立的东西,但两者统一于一个商品之中,形成同一商品的两个方面。两者互相排斥,互相制约。在贩卖人看来,商品必须是价值;在购买人看来,它必须是使用价值。一切的商品,在其供给者看来,必须是价值而不能是使用价值;反之,在其需要者看来,必须是使用价值而不是价值。所以,使用价值与价值统一于商品之中,有密切的不可分离的联系。

然则商品的这种二重性,究竟是从什么地方发生出来的呢?为要说明这一点,我们不能不更加深入地去暴露商品的二重性所由发生的根据。我们在前面已经知道,价值表现商品的质的同等性,而价值那东西是由劳动所决定的。在这个基础之上,商品的同等性,事实上是商品的生产所消费的劳动之质的同等性。可是,各种使用价值不同的商品,是由质不相同的各种的劳动生产出来的(如米、布、衣、帽、鞋、袜等生产所费的劳动,是质不相同的劳动)。这样看来,各种商品,在其使用价值各不相同这一点,是各种质不相同的劳动生产出来的,但是当作价值看,各种商品,又必须是由同质的一样的劳动生产出来的。于是,在商品是使用价值与价值的统一这个事实之下,显然又存有另一种矛盾。即是说,生产商品的劳动,必须是异质的东西,同时又必须是同质的东西。

于是我们就看到,商品的二重性,又以劳动的二重性为前提。这劳动的二重性,也是要由商品经济的特性来说明。在商品经济中,各个生产者因私有财产而互相隔离,一切的劳动,都直接地表现为私的劳动、个人的劳动。当劳动在价值中被表现之时,它才不能不表现为社会的劳动,表现为在一个社会中互相为而工作的人人的劳动。而个个商品生产者间的社会的劳动关系,是在价值之中反映着。于是生产商品的使用价值的劳动,同时必须是生产价值的劳动;直接地成为私人劳动的劳动,同时又必须是社会的劳动。劳动的二重性,是在商品的二重性之中隐藏着。商品的二重性,即是劳动的二重性之反映。

一切生产关系的体系,都构成人类劳动的一定组织形态。如果人与人之间没有劳动的联系,没有生产的劳动关系,人类社会就不存在。所以无论在什么性质的社会之中,个个劳动者的劳动,都构成为当时社会的细胞,为社会的劳动的一部分。在这种意义上,个人的劳动,同时必须是社会的劳动。

但是个人的劳动之成为社会的劳动,因为社会的性质不同,而能有直接的与间接的差异。在非商品的社会中,个人的劳动直接出现为社会的劳动;反之,在商品社会中,个人的劳动,必须通过商品的交换,才能表现为社会的劳动。

在商品经济之中,各个商品生产者生产使用价值的具体的劳动,直接出现为个人的劳动,即出现为各自分散着的生产者的劳动,为私有财产所有者的劳动。但是各商品生产者之间,并没有直接的联络(因为无政府的、无计划的经济)。他们之间的联络,必须通过市场,通过交换,才间接地显现出来。因而各商品生产者的劳动之社会的性质,也只有通过市场,通过交换,才间接地显现出来。在这种意义上,各商品生产者的劳动,是采取商品的形态而互相交换的(即人与人的关系,采取物与物的关系的形态而显现)。

商品的交换,表现着商品的同等性。而商品的同等性,即是由劳动所决定的价值的同等性。因而各种商品生产者的劳动同等性,采取商品的同等性而在交换上显现的。例如一担米与十六丈布相交换时,表示着农夫的劳动与织匠的劳动,有完全的同等性。所以在商品与商品相交换之时,商品生产者的个人的劳动,转化为社会的劳动,具体的劳动转化为抽象的劳动。换句话说,当商品与商品相交换之时,各个分散着隔离着的生产者的劳动,从各个生产者的见地看来,是生产使用价值的个人的劳动、具体的劳动、异质的劳动,但在交换这种社会的见地看来,就被还原于抽象的人类劳动了。

于是我们把前面所说起的价值由劳动所决定的命题,更正确的加以规定,即价值由抽象劳动所决定。

但是具体劳动之所以被还原于抽象劳动,是商品交换过程中自然发生的结果,并不是我们意识中的抽象作用的产物。劳动的具体性的抽象,是在商品生产中客观上发生的东西,与人类的意志、意识和希望全无关系。人们思维上的那种抽象,只是现实本身中发生的客观过程之反映。

（三）价值的质与量

如上面所说,在商品经济中,个人的具体的劳动,直接出现为私的劳动。具体的劳动,在特殊形态上,在抽象劳动的形态上,变为社会的劳动。决定商品价值的东西,是抽象劳动,不是具体劳动。

但是,在市场上直接交换的东西,是商品与商品,并不是劳动与劳动,因而商品生产者间的劳动关系,在交换上并不明显的在外面显现出来,而是隐藏于物与物的关系的背后的。所以劳动的同等性,在交换上显现为物的同等性,而价值显现为互相同等的物的性质。实际上,市场上的商品同等性的背后,隐藏着采取抽象劳动形态的各种类的人类劳动的同等性。所以价值不表现商品（即物）的同等性,而表现各商品的生产所耗费的劳动的同等性。换句话说,价值不是商品之自然的性质,而是抽象劳动之物的形式。

所以抽象劳动与价值的关系,是内容与形式的关系。抽象劳动是价值的内容（即价值的对象性）,价值是抽象劳动的表现形式。形式与内容,不可分的结合着。价值只由抽象劳动形成,而抽象劳动只在价值的形式中存在。

如上所述,抽象劳动,是商品生产者间的社会的生产关系的产物。因此,成为抽象劳动的表现形式的价值,变为生产关系的表现形式,是各个商品生产者间的生产关系之物的表现形式。更进一层的说,价值就是采取物的性质的形式的商品生产者间的社会的生产关系。所以价值是社会的、特殊的历史的范畴,即是暂时的(非永久的)、商品经济所固有的范畴。

以上所说明的东西,都是价值之质的方面。这一方面的说明,是在于规定价值的质,规定价值与商品社会的其他现象的区别;换句话说,就是阐明"价值的对象性"。而构成"价值的对象性"的东西,是抽象劳动,因而价值具有社会的性质。

但是,具有一定的质的特殊的东西,必有一定的量的特殊性。价值也是一样。价值的量,就是价值的大小。所谓决定价值的大小,就是决定那形成价值的抽象劳动的量(或简称为劳动量)的意思。

价值的大小(抽象劳动的量),由社会的必要劳动所决定。所谓社会的必要劳动,是在平均程度的技能与强度之下、在生产的社会标准条件之下、商品单位的生产所耗费的劳动量。而劳动量的本身,是由劳动时间测量的,因而社会的必要劳动,是由社会的必要劳动时间测量的("社会的必要劳动时间,即是在社会上正常的生产条件,与劳动的熟练及强度的社会的平均条件之下,生产一种使用价值所必要的劳动时间")。于是测定价值的大小的社会单位,就是社会的必要劳动时间。

如上面所述,价值的大小即是形成价值的抽象劳动量,而社会的必要劳动,又是在一定的诸条件下商品单位的生产所必要的劳动量。然则所谓社会的必要劳动决定价值的大小,就是意指着社会的必要劳动量决定抽象劳动量了。究竟社会的必要劳动与抽象劳动是同一的东西或是有差别的东西呢?抽象劳动与社会的必要劳动,绝不是两种不同的劳动,而是决定价值的同一的劳动。这同一的劳动,在规定价值之质的方面时,它是抽象劳动;在规定价值之量的方面时,它是社会的必要劳动。简单点说,社会的必要劳动,是表现价值的量的同一的抽象劳动。所以价值的大小,是由社会的必要劳动(或社会的必要劳动时间)去测量的。因而社会的必要劳动,也是社会的范畴,是商品经济所固有的东西。

商品价值的大小,既然由社会的必要劳动或社会的必要劳动时间所决定,它必然随着社会的必要劳动时间的变化而变化。社会的必要劳动时间越是减少,商品价值越是减低;反之,商品的价值就增高。因而商品价值的大小,与一定商品的生产所费的劳动量为正比例。

在另一方面,一切商品的价值,又与劳动的生产性为反比例。劳动生产性越是向上,一定商品的生产所要的劳动时间越是减少,因而价值就相应地减低;反之,劳动生产性降低,商品生产所要的时间就增多,因而价值就相应增高。

劳动生产性的向上,由于生产力的发展,而价值大小的变动,是反映商品社会的生产力的运动的。

第二节　价值形态的发展与货币的发生

一、价值的现象形态

(一)从本质到现象的过程

前面的研究过程,是从现象到本质的推移过程。我们在前面已经说明了,我们对于货币的研究,是从货币的现象开始的。货币的现象,在我们的初步的分析上,是当作货币与商品的运动的联系来规定的。而货币与商品的关系,结局归着于商品与商品的关系,因而货币的本质,就潜存于商品交换之中。所以为要追求货币的本质,就首先分析商品。我们分析商品,首先发现了商品的二重性即使用价值与交换价值(其本质是价值)。商品的二重性,形成商品的内的矛盾。分析得更进一步,发现了在商品的二重性的背后所隐藏着的劳动的二重性,知道了商品的二重性是商品中所包含着的劳动的二重性之外的表现。生产使用价值的劳动是具体劳动,生产价值的劳动是抽象劳动。具体劳动,直接出现为个人的劳动,通过交换,才变为社会的劳动,变为抽象劳动。因而构成价值的对象性的东西,是抽象劳动。分析再往前进行,就暴露了劳动的二重性及其内的矛盾,又是社会的分业与生产手段私有(即社会的生产与个人的占有)这种矛盾的显现。社会的生产与个人的占有,是商品经济的根本矛盾,是劳动生产物转化为商品的根据,是商品的二重性及内的矛盾所由显现的根据。

所以我们的研究,采取了如次的顺序,即商品的二重性——劳动的二重性——社会的生产与个人的占有间的矛盾。从这个顺序的一方面看来,是交换价值——→价值——→抽象的劳动。在这些对立的契机之中,规定的契机,是社会的矛盾、商品经济所固有的社会的生产与个人的占有间的矛盾。这个根本矛盾的发展,必然出现为劳动的二重性。而劳动的二重性又表现于商品的二重性之中。从交换价值——→价值——→抽象劳动这顺序说,抽象劳动是规定的契机。这抽象劳动,采取劳动生产物的价值那种形式,而价值通过交换价值而实现。

依照上面的方法,我们能够把捉了隐藏于现象之后的本质。商品的价值是由抽象劳动决定的。价值是抽象劳动的表现形式,是商品生产者社会的生产关系之表现形式。

以上是由现象深入于本质的过程,即是分析的过程(下降过程)。

从这里起,我们应当回过头来,再由本质回到现象的过程,即开始综合的过程(上升过程)。综合过程的始点,是分析过程的终点。所以我们要从社会的生产与个人的占有这根本矛盾开始,追迹根本矛盾的发展,采取怎样的具体形态;追迹价值采取怎样的现象形态而顺次发展起来;探求货币发生的过程;阐明货币的本质;说明货币的运动过程及运动法则。只有依照这样的方法,才能理解货币的现象与本质的统一。这是往后进行研究的过程。

(二)价值与交换价值(价值形态)

根据前面的研究,我们已经知道,价值即是在商品中体现了的抽象劳动。可是,商品的价值究竟怎样的显现出来呢?

价值虽由劳动所决定,虽然似乎能够直接由劳动时间去测量。但在无政府的商品经济之中,那种计算商品的生产的社会的必要劳动量的机关,是不存在的,并且也不可能存在。各个商品生产者要计算在商品中体现的社会的必要劳动,也是完全不可能的事情。

价值是把人的关系在物的形态上表现的东西。价值只有通过商品这种物的关系,即通过商品交换才能发现。这物的关系,表现人的关系,因而它自身是社会的关系。

所以价值的现象形态是交换价值,即是一商品的价值要用别商品来表现它的那种形态。例如一担米与十六丈布相交换,就是说一担米的价值要由十六丈布来表现它,因而一担米的交换价值是十六丈布。

交换价值,是价值之必然的唯一发现形式。因此,交换价值又是商品生产者间的关系之外的表现形式。

一切商品,如果一个个地分散地孤立起来,绝不能有交换价值。一个商品,只有在它与别的商品相接触(交换)之时,才采取交换价值的形态。"交换价值,至少要在两个价值现存的场合才存在。"

所以交换价值,是一商品的价值通过其他商品而被表现的东西。这就是价值形态。

价值与交换价值有别。因为价值是在商品中对象化了的抽象劳动,而交换价值是一商品对于其他商品的关系,两者并不是同一的东西。但价值与交换价值同时又形成统一。这个统一,是本质与现象的统一。所以交换价值与价值,不能混同。如果把交换价值还原于价值,看作和价值一样,那就不能理解商品交换的意义,也不能理解货币的本质。反之,如果把价值还原于交换价值,看作和交换价值一样,那就湮灭了价值的社会性,陷入于把价值解释为在交换中发生的物物关系的那种俗流的谬见。此外,如果切离价值与交换价值的关系,就会演出下述的错误:把价值看成非历史的范畴,把交换价值看成历史的范畴。

价值和交换价值有内的联结,而形成一个统一。价值只能通过交换价值而发现,交换价值只当作价值的发现形态而存在。

（三）相对价值形态与等价形态

如上所述,一商品的价值通过他商品而表现的形式,叫做价值形态。价值形态,可用下述方程式表示:

XAW=YBW(X 量的 A 种商品等于 Y 量的 B 种商品)

用实际的数字写出来,就是:

1 只羊=5 斗米

在上述方程式中,羊用米表现其价值。用别的商品表现自己价值的商品,是相对价值形态(例如方程式左边的羊),因为这个商品是通过它与别的商品的关系而表现自己的价值的。至于表现第一商品的价值的商品,是等价形态(例如方程式右边的米),因为它对于第一商品是等价。

站在相对价值形态上的商品,与站在等价形态上的商品,其使用价值必然是不相同的。当作使用价值看的商品的差异,是显现出商品的价值的必要条件。

相对价值形态与等价形态,互相结合,不能分立。羊如果不与米相交换,就不成为相对价值形态;米如果不与羊处于对立的地位,就不是等价。两者形成对立的两极。站在两种形态上的两种商品,也演着对立的作用。站在相对价值形态上的商品(羊),出现为价值;站在等价形态上的商品(米),出现为使用价值。在米与羊相交换时,羊的价值,是用米的使用价值表现的。当作使用价值看,羊与米不同;当作价值看,羊现在与米相同。商品的有形物(米),变成羊的价值的镜子。

等价形态的特色,就是其中的使用价值成为它的对立物即价值的表现形式。当作全体看的价值形态,是相对价值形态与等价形态的对立物的统一。

我们已经知道,一切商品是使用价值与价值之对立的统一。到了交换之时,商品的内的矛盾,就在外的对立中表现出来。这个外的对立,就是两个商品的对立,相对价值形态与等价形态的对立、价值与使用价值的对立。于是商品中所包含着的使用价值与价值的矛盾,就依靠两个商品的关系而表现出来了。

等价形态上的商品,由于它本身的物质的对象性,即由于它的使用价值,表现出相对价值形态上商品的价值。这种现象,表示着等价的商品有表现别种商品的价值的属性。但是等价的商品(米)所以能表现羊的价值,是因为它对于羊处在社会的关系之中。表现羊的价值的米的能力,并不是米的自然的属性,而是当作商品看的米的社会的机能。正因为米表现羊的价值,畜牧业者与农民的生产关系才显现出来。

所以等价形态这东西,隐蔽着人与人的关系,它使人与人的关系,采取物的自然属性的假象。

等价的商品,由其使用价值表现相对价值形态上的商品的价值,——这是等价形态的第一特性。

其次,使用价值是由具体劳动造出的,价值是由抽象劳动造出的。在等价形态上,具体劳动变成它的对立物的抽象劳动的表现形式,——这是等价形态的第二特性。

还有，在商品经济中，具体劳动直接出现为个人的劳动，抽象劳动是社会的劳动。在等价形态上，个人的劳动变为它的对立物的社会的劳动，——这是等价形态的第三特性。

价值形态之分裂为相对价值形态与等价形态，是现实的商品社会中之实在的事实。商品社会的生产关系以及社会的生产与个人的占有之矛盾，是在这两个价值形态之中显现的。

于是我们知道，在这个价值形态中，使用价值与价值的矛盾。具体劳动与抽象劳动的矛盾、个人的劳动与社会的劳动之矛盾，是照上面那样被表现并被解决的。

以上只说明了价值形态之质的表现，现在再说明它的量的表现。

价值形态之量的表现，与相对价值形态上的商品价值的变化为正比例，与等价形态上的商品价值的变化为反比例。

就 XAW＝YBW 这个方程式举例来说，可以有下列几种情形：

第一，A 商品的价值变动而 B 商品的价值不变时，A 商品的交换价值的变动，与 A 商品本身的价值的变动为正比例。

第二，A 的价值不变而 B 的价值变动时，A 的交换价值的变动，与 B 的价值的变动为反比例。

第三，A 和 B 的价值同时以同样比例向同一方向变动时，A 的交换价值不变。

第四，A 和 B 的价值同时向着不同方向变动时，或者虽循着相同方向而以不同的比例变动，A 的交换价值就有种种变动。

所以价值与交换价值有区别。商品的价值不变，而其交换价值可变；有时价值变动而交换价值不变。

二、价值形态之发展与货币之发生

（一）单纯的价值形态

如上所述，价值形态，表现商品的社会的生产关系。但商品社会的生产关系是变化的，发展的，因而价值形态也随着变化，由单纯的形态发展到复杂的形态。

最单纯的价值形态，是两个不同的商品直接交换的形态。这种形态，又叫做个别的或偶然的形态。因为在这种形态中，劳动生产物，偶然的、例外的与别的劳动生产物相交换而变为商品。这样的商品性，这样的商品形态，是偶然的东西，也可说是商品的萌芽形态。所以单纯的价值形态，与交换的发生、交换的萌芽相适应的东西。这种价值形态的方程式就是前面所列举的，即如：

1 只羊＝5 斗米

单纯的价值形态，从历史上看来，是属于人类的幼稚时代的东西。当时人类的生产，还带有极自然的性质，人类还在原始共同体之中生活着。当时人类所生产的生产物，还只能维持自己的生命。即令偶然有一点剩余生产物，也还是自然的蓄藏着，或者任其腐朽。直到一个共同体遇到别的共同体，而这共同体也偶然有别种剩余生产物存在之时，才偶然的把各自所有剩余生产物（在农业共同体是米，在游牧共同体是羊）互相交换。这两种过剩的生产物，也只是偶然的采取商品形态。但这时商品与商品之量的交换关系，也完全是偶然的。因而这样的生产物，只是抽象劳动的有限制的、一面的凝集物，还没有成为真正的商品。

但是，在这种单纯的价值形态中，商品的内的矛盾，得到了一种解决，即商品的使用价值，通过交换而出现。商品对于它的所有者实现为价值，对于买者实现为使用价值。个人的具体的劳动与社会的抽象的劳动间的矛盾，在等价形态上得到"解决"。不过所谓矛盾的"解决"，并不是矛盾的消灭，而是暂时解决矛盾，并创造新的矛盾，使矛盾更加发展。

在单纯价值形态中，一种商品（羊）只和另一种商品（米）相交换。一种商品"与其他一切商品的质的同等性和量的比例性，还不能表现出来"，这是单纯价值形态的缺点。

（二）扩大的价值形态

单纯价值形态发展起来，就转变为总计的或扩大的价值形态。扩大的价值形态，是一商品和其他许多商品相交换的形态。这就是在相对价值形态上站着一个商品而在等价形态站着多数商品的价值形态。可以用下述的方程式表示出来：

$$1\text{ 只羊} = \begin{cases} 5\text{ 斗米} \\ 50\text{ 斤鱼} \\ 12\text{ 丈布} \\ 4\text{ 架犁} \\ 60\text{ 斤油} \\ 10\text{ 分金} \\ 8\text{ 钱银} \end{cases}$$

扩大的价值形态,从历史上看来,是原始共同体的劳动生产力比较发达了的结果。因为随着生产力的发展,那在原始社会中已经萌芽了的自然的分业,就逐渐地发展起来。最初出现了的显著的自然发生的社会的分业,例如是农业氏族与游牧氏族的分业。往后又发生了手工业。社会的分业与氏族的财产(就最初情形说,氏族与氏族之间各有其自己氏族的财产。这氏族的财产,虽是全氏族的公产,而对于他氏族说,却是该氏族所有的东西)的发达,又增大劳动生产力,能够生产出超过自己的消费以上的剩余生产物。于是畜牧氏族就经常地把羊供给于农业氏族或渔业氏族,换取羊以外的东西(如米与鱼等)了。往后,氏族共同体之中,发生了私有财产,于是社会的分业在私有制之下发展起来,从前仅在氏族共同体相互间实行的交换,现在也在氏族内部的个人相互间出现了。于是物物交易日趋频繁,交换渐渐变为经常的事业了。于是交换过程,已不是从前那样的单一商品与单一商品相交换的关系,而一个商品能够与其他许多的商品相交换了。这种交换,已不是偶然的例外的现象,而是经常的有规则的现象了。总之,生产力的发展,促进社会的分业与私有财产的发生发展,而私有制之下的社会的分业的发展,又促进生产力的发展,因而扩大了交换的基础——这是单纯价值形态转变为扩大了的价值形态的由来。

在扩大的价值形态上,一个商品,在具有种种使用价值的其他许多商品中,表现自己的价值。价值之社会的本性,在这里比较在单纯价值形态上更加明显。一商品的价值用许多不同的使用价值来表现,这正是证明价值对于具体表现着的使用价值的特殊形态是全无关系的。因而相对价值形态上的一个商品与等价形态上的许多商品之间所具有的共通物(即抽象劳动),也比较可以容易地看出来。这种事实,虽然还没有充分明了的显现着,但站在等价形态上的各商品的各种具体劳动,表现同一的无差别的一般人类劳动(即抽象劳动），因而显现出各种劳动的同质性。

（三）一般的价值形态

但是，随着商品生产与交换的发展，商品的种类和数量不断地增加起来，商品经济中扩大了的诸矛盾，就不能在扩大的价值形态中得到解决。因为扩大的价值形态，含有以下的三个缺点：第一，站在等价形态上的商品，随着新的商品的发生，可以引申到无限的排列，所以站在相对价值形态上的商品的价值表现，在这时绝不能算是完全的东西。第二，这种价值形态，是由于种类不同的种种价值表现的混合而成的。第三，各商品的相对价值，都用扩大的形态表现出来，各商品的相对价值形态，就与其他各商品的相对价值形态，成为不同的价值表现的无限排列。相对价值形态的这种缺点，也反映于等价形态之上。因为等价形态是由许多种类的商品占领着，必须要这些商品集合起来，才能变成一个抽象劳动的现象形态。如果单取等价形态上的诸商品中的任一商品来看，还不能成为抽象劳动的完全的现象形态。这些缺点，暗示着价值形态，不能不向前发展。然而扩大的价值形态，也包含着和它相反的关系。就上例说，一个商品所有者，把自己所有的羊，和米、鱼、布、犁等许多商品相交换，而羊的价值由其他一列的商品所表现时，其他许多商品所有者，也必然地把他们的商品和羊相交换，他们的种种商品的价值，就由羊这种同一的第三商品所表现了。扩大的价值形态中所包含着的这种相反的关系，用实例表现出来，就得到如下所示的方程式。

$$
\left.
\begin{array}{l}
5\ 斗米 \\
50\ 斤鱼 \\
12\ 丈布 \\
4\ 架犁 \\
60\ 斤油 \\
10\ 分金 \\
8\ 钱银
\end{array}
\right\} = 1\ 只羊
$$

这是一般的价值形态的方程式。这个方程式，在表面上看来，或者在数学上看来，好像和扩大的价值形态那个方程式是一样的，但在经济学上看来，却有不同的社会的意义。

在一般的价值形态中，第一，各商品已没有价值的长系列，只用一个商品表现它的价值，因而价值表现的方法，非常简单。第二，一切商品，现在都用同一的商品表现其价值,因而各商品的价值具有同一的表现。这里一切商品的价值形态,是简单的,是共同的,因而是一般的。

一般的价值形态,是"商品世界的共同事业的成果"。因为在单纯的价值形态中,一商品的价值用不同的另一商品表现它;在扩大的价值形态中,一商品的价值,用许多商品的排列表现它,因而"每一商品给自身以价值,是那一商品的私事,它不得诸商品的协力,不能成就"。至于一般的价值形态,一切商品的价值同时用共通的等价物表现出来,得到了一般的价值表现。

商品世界的一般的价值形态,必然对于那种与诸商品相对立的一商品,即成为等价的商品,给以一般等价物的性质。现在我们来说明一般等价物的这种性质。

由于一般等价物的出现,一切商品都表现为与一个特殊商品(就前例说,即是羊)等质等量的东西。一般等价物(即商品羊),以其自然的形态,具体的表现出其他一切商品的价值;一般的人类的劳动、抽象劳动都在一个具体物之中显现出来;一切私的劳动都在一个私的劳动生产物之中,表现为社会的劳动。换句话说,一般等价物(商品羊)之中,体现了私的劳动,变成表现社会劳动的一般形态。于是商品生产的诸矛盾,就在这一般的价值形态中得到解决(矛盾的解决,不是矛盾的消灭,前已说明)。

但在一般的价值形态中,一般等价物,并不固定于特定的一个商品。演着这种作用的东西,有时是甲商品,有时是乙商品,有时是丙或丁等。

由于商品生产与交换的向前发展,发生了要求固定的一样的一般等价物的事实。于是,适应于那种社会的要求,商品世界便分化出一种特殊的商品,去充当固定的一样的一般等价物。这就是货币商品。从此一般等价物就固结于货币这种特殊商品形态了。于是货币这种特殊商品,在商品世界中,演着一般的等价作用,而这种作用,就变为商品的特殊的社会的机能,因而成为社会的独占。

三、货币形态

(一)货币的价值形态

当着贵金属一类的商品出现为一般等价物的商品而独占着一般的价值形态中的等价形态的位置时,一般的价值形态就推移于货币的价值形态。在货

币的价值形态完全发达的处所,独占着一般的等价形态的东西,"在历史上是特定商品,即金"。其方程式如下:

$$
\left.\begin{array}{l}
1\ 只羊 \\
5\ 斗米 \\
50\ 斤鱼 \\
12\ 丈布 \\
4\ 架犁 \\
60\ 斤油 \\
等等
\end{array}\right\} = 10\ 分金
$$

从单纯的价值形态到扩大的价值形态,从扩大的价值形态到一般的价值形态时,都显现了本质上的变化。但货币的价值形态,除了金代替羊采取一般的等价形态一点外,它与一般的价值形态并无差异。货币形态中的金,与一般价值形态中的羊,还是同一的东西,即同是一般的等价。货币形态比较一般价值形态进步的地方,就是:一般的等价形态,现在依着社会的习惯,结局变成与金这种特殊的现物形态相合成了。

金曾经当作商品,与其他诸商品相对立,所以现在当作货币而与一切商品相对立了。金也曾经和其他一切商品一样,发生过作用,后来渐渐地在或小或大的领域中,去尽一般的等价的机能了。金在商品界的价值表现上一旦独占这种地位时,就变为货币商品;在它成为货币商品的瞬间,货币形态才与一般价值形态发生区别,而一般的价值形态就推移于货币形态了。

货币形态的理解上的困难之点,只限于一般的等价形态的理解上面,也就是限于在一般的价值形态的理解上面。一般的价值形态又从新把它自己分解为扩大的价值形态,而其构成要素,却是单纯的价值形态,即 1 只羊 = 5 斗米或 XAW = YBW。所以单纯的价值形态就是货币形态的萌芽。

第三节　货币的本质

一、金银成为货币的由来

(一)货币的历史

贵金属为什么能成为货币呢? 这个原因,首先要从社会、历史中去探求,即是要从商品经济的发展过程中去探求。

这里我们再回头看看货币的历史，就可以在那些尽了一般等价物的作用之中，发现在价值形态理论所给予的抽象的合法则性。货币的出现，与商品交换的发生及发展相结合。在人类发达的黎明时代，交换最初发生于各原始共同体之间，劳动生产物之成为商品而互相交换，只是偶然的、例外的。与交换的这种萌芽相适应的东西，是单纯的或偶然的价值形态。

随着商品生产与交换的发达，偶然的例外的交换变为经常的有规则的交换，即各种商品都与其他许多商品相交换了。与交换的这种阶段相适应的东西，是扩大的价值形态，于是一商品的价值在其他许多商品之中表现出来。往后，更因为私有制之下的社会的分业的发展、生产与交换的更进的发达，以及商品的数量与种类的增多，扩大的价值形态就转变为一般的价值形态。在交换的这种阶段上，一方面，生产物的一部分专为交换而生产，即当作商品而生产，另一方面，某种特定的商品，专尽一般等价物的机能了。

至于怎样的商品成为一般等价物，这完全由具体的历史条件所决定。在各种具体的历史条件之下，什么商品最普及，它比较别的商品更明显表现出生产之社会的性质，它就能尽一般等价物的作用。这样的商品，也许在狩猎民族间是兽皮，在游牧民族间是家畜，在渔业民族间是贝壳，在农业民族间是米麦。这类的商品，在历史上曾充用为一般等价物。这类曾经暂时独占过一般的等价形态的商品，就是货币。就历史上显著的事实举例来说：古代雅里安人的货币是家畜。古希腊人的货币是牡牛，金银的价值都用牡牛的数目去计算（如荷马史诗中所说，甲胄是用牡牛表现其价值的）。俄国古代的一般等价物是貂皮。墨西哥古时的货币是椰子、棉布、金砂、铜、锡等。此外还有用武器或奴隶为货币的。"人类常常把人类自身当作奴隶，作为原始的货币材料。"17世纪时亚美利加的倍几尼亚州曾把烟草当作货币；1732年亚美利加梅里兰州曾宣言把玉蜀黍作为法货。日本古代的货币是谷米，到了懿德天皇时代，才禁止用谷米做货币，而改用美石宝玉。现在美洲有些土人，还使用蛋、木棉、玻璃珠、贝类为通货。现在南洋雅卜岛所用的货币，是一种叫做蝶贝的珍珠贝。

中国古代曾以珠、玉、龟、贝、布、帛为货币。中国货币二字，从贝从巾，这是说明造字当时或以前曾用贝与布为一般等价物的事实。凡属与物品的授受有关系的诸字,如买、卖、价、贩、贸、质、赁、费、贮、资、赐、赉、赏、偿、赎、贿、赂、赠、赢、贼、赛、赈、财、宝等许多和经济有关系的诸字,都从贝旁。甚至于贫、贱、贵、贤等字也从贝旁,好像表示着这些都与贝之多少有关。又如布字,广义的说来,有巾帛的意思。币字从巾,表示着布、帛、巾等曾通用为一般等价物;如市、帑、帐等与财货有关的诸字,都从巾旁,这与买卖诸字从贝旁,有同样的意义。贝、布等之曾充作货币,在中国历史上都有确实可靠的证据。

如以上所说,什么种类的商品先成为一般的等价物,以至固定为货币商品,这是由历史的、社会的、地理的诸事情所决定。如前面所见,曾经有过很多的商品,尽过一般等价物的作用。一般等价物的这个发展阶段的特征,就是由什么商品去尽这种作用的一件事。并且这些商品,除了一般等价物的作用以外,还和其他一切商品一样,直接满足各种具体的需要。

商品生产更进一步地发展起来,交换变成了各生产者间的唯一的联络形态,自然经济变成了商品经济。于是矛盾的解决更加困难,因为直接的交换已不存在,并且私产制之下的社会,如没有交换是不能继续存在的。于是商品的矛盾,要求新的解决方式。商品世界终于发生了最后的分裂,而一切商品所共通的一般等价物就分离出来,就与某种特定的商品固结不解的合为一体了。这样的商品即是金或银。所谓货币形态,就是与交换的这个阶段相适应的东西。原来是商品的一般等价物,就变为货币了。

（二）金或银成为货币的原因

然则金或银特别的成为货币的原因是什么?

这个原因,必须在货币的社会的机能与金银的自然的性质之统一中去探求。

我们已经知道,货币是固定了的一般等价物,是商品经济的发展的必然的产物,——这是首要的问题。至于什么样的商品的自然性质适宜做货币的材料,——这是次要的问题。所以金银何以适宜于做货币材料,这个问题的说明,"不要在生产关系的一般的联系中去探求,而要在金银的特殊的物质属性中去探求"。所以要说明金银成为货币的原因,就要说明金银适合于货币的社会的机能那种自然的属性。

前面说过,货币商品是一般等价物,它有表现一切商品的价值的大小的机能。但价值的基础是抽象劳动,因而各商品之中所体现的抽象劳动是同质异量的东西。所以包含着表现价值的机能的货币商品,必须具有下述两种条件:第一,它的一切部分必须是完全同质的东西;第二,它本身必须是可以由人们分割为任意的大小,却又可以再行结合起来,并且又是可以长久保存、便于流通、而比较不容易磨损的东西。"金银,在具有这些特质上,是优秀的东西。"第一,金或银的本身各部分都是同质的,其同一的分量常有同一的价值,所以它本身中最完全的体现着价值之质的分量,即同质的抽象的人类劳动。第二,金银不容易耗损其价值,可以任意分割或结合,在较小的体积中保存较大的价值,既便蓄藏,又便携带,所以它最能表现价值的大小。

从这一切性质说来,金银是适宜于尽一般等价物的社会机能的最优秀的货币材料。因此,交换的发展过程本身,就给予金银以货币的作用。随着商品生产的发达,商品世界就分裂为商品与货币。货币的分离过程本身,又淘汰了货币的材料。自然经济一旦转变为商品经济时,货币的作用,就固结于金或银这种特殊商品而合为一体了。"金银本来不是货币,而货币本来是金银"(所谓"货币本来是金银"的意思,就是说,金银的现物性质,适宜于货币的机能)。

二、货币的本质

(一)货币的本质

综合上面的研究,我们可以把货币的本质,作如下的简括的说明(为把说明弄简单一点,这里专以金为货币)。

货币首先是商品,但它不单是商品(如果以为货币单是商品,就会误会只要是商品就能成为货币,因而金这种商品之成为货币而与其他商品有区别,就变得只是偶然的事情了。再则,如果单只注重货币与商品的区别,忽视货币原是商品,这仍然是不理解货币成立之历史的必然性,因而不能理解货币的本质)。

货币是尽一般等价物的作用的商品,并且这种作用,社会的固结于货币,专属于货币。

货币商品,也像一切普通商品,具有使用价值。

货币的价值,是金本身中所包含的抽象劳动。金是货币,它能与其他一切商品相交换,这是我们已经知道的事情。但一磅的金值几何,这一点我们还不知道。"金也和其他各商品一样,只能相对的通过他商品而表现自身价值的大小。金自身的价值,由金的生产所必要的劳动时间所决定,由凝集着等量劳动时间的其他各商品所表现。金的相对的价值大小的这样确定,是由金生产处所的生产物直接交换而显现的。所以,金当作货币进到流通界时,它的价值已经预先给予着了。"

货币的使用价值,是二重的存在(因为货币是特殊商品),一是特殊的使用价值,一是一般的、社会的、形式的使用价值。这特殊使用价值,是充用为美术品、装饰品、药品及其他各种东西的材料的东西。这一般的、社会的、形式的使用价值,是充用为诸商品的一般等价物的东西。货币的这两种使用价值,是不可分离地结合着。固然,货币的特殊使用价值,也和其他一切商品的特殊使用价值一样,是在流通界以外实现的。但若货币(金)的特殊使用价值在生产或享用方面充作消费之用,它就失掉了做货币的资格,即已经不是货币了。所以货币的特殊使用价值,是与它充用为一般等价物的使用价值是不可分离地存在于流通界的。正因为这样,货币的使用价值,才与其他一切商品的使用价值有区别,货币才能充用为一般等价物。

各商品的使用价值,在各个人看来,在出卖者与购买者看来,其意义各不相同。但是当作一般等价物看的特别商品即货币,在交换过程中,对于一切的人们,都具有同一的使用价值,即一切人都认定它是一般等价物,可以拿它去交换任何商品。换句话说,货币商品的社会的使用价值,能表现其他一切商品的价值,即货币能成为一切商品的价值的镜子。这种事实,与单纯价值形态中用一个商品的使用价值表现另一商品的价值,是不同的;与扩大价值形态用多数商品的使用价值表现一个商品的价值,也是不同的。

这样看来,货币商品用它本身的价值造出使用价值(即社会的使用价值),因而使用价值与价值,在货币商品本身中,互相渗透,互相融合,而形成统一,两者的矛盾在它本身中解决了。这样的商品,即转化为货币的商品,才是"现实的商品"。

由于货币商品的出现,商品经济中的具体劳动与抽象劳动的矛盾,以及表现这个矛盾的商品中的使用价值与价值的矛盾,就在货币的价值形态中得到解决。我们已经知道,在商品经济之下,人们虽由于私有财产而互相隔离,而事实上是互相为而劳动的。所以各个生产者的劳动,含有社会的意义,具备社会的性质。但各生产者的具体劳动,直接出现为私的劳动,其劳动之社会的性质(即当作抽象劳动看的)却被隐蔽着,只有通过交换才发现出来。现在,货币商品出现了。一切商品都在货币这种一般等价物之中表现其价值,于是各种劳动之质的差异,消解于货币形态之中,一切劳动都被还原于货币商品中所包含着的单一的、无差别的、同质的劳动。而货币商品本身生产所费的劳动,却把一切种类的劳动,表现为同质的劳动、为抽象劳动、为社会的劳动。于是一定的私的、具体的劳动,在货币中出现为社会的、抽象的劳动。正因为这样,抽象劳动在货币中发现最优良的表现形态;正因为这样,货币是抽象劳动的特殊的独自的存在形式。

概括起来,货币是一般的等价物,是商品价值的一般的体化物,是商品生产者的社会的生产关系之物的表现,是商品经济的矛盾之必然的运动形态,——这是货币的本质。

(二)货币的本质现象化的过程

货币的内的本质,前面已经说明了,现在再说明货币的本质现象化(显现)的过程。

前面曾经说过,商品由于转化为货币,才现实的成为商品。这句话的意思,就是说,一切商品之现实的成为商品,即是它现实的变形为货币。现在来说明这个过程。

我们已经知道,变为货币的金(或银),有两重的使用价值,即特殊的使用价值与形式的使用价值。货币的特殊使用价值,与其他一切商品的使用价值相同,但货币的形式的使用价值,却与其他一切商品的使用价值不同。货币的形式的使用价值,与它的价值相一致,是表现其他一切商品的价值的东西(即镜子)。货币的使用价值与价值的矛盾,在它的本身中得到解决。正因为货币有这样的本质,所以它能解决商品交换的矛盾。

商品的使用价值与价值,在其所有者手中时,是互相矛盾互相排斥的东西。任何商品,在其所有者看来,一方面在实际上当作使用价值存在,他方面在观念上当作由货币表现了的价值存在（所有者在观念上用货币决定自己商品的价格，这是由于货币现实的存在的缘故）。所以一切商品都在货币形态中，互相交换，互相出现为交换价值。即商品所有者在观念上用货币估评了的自己商品的价格，要在交换过程中才能证实，换句话说，商品要在与货币交换之后，才能现实的成为商品，才能与其他任何商品相交换。所以货币出现以后，商品与商品的交换即 W——W′，已不是直接的交换，而是间接通过货币而实行的交换，即先要拿商品和货币交换即 W——G。商品所有者卖出商品换得货币之后，然后才能拿货币买进别的商品，即 G——W′。只有这样，一切商品才能现实的成为商品，才能全面地互相交换。所以 W——G 与 G——W′，这两段的过程，合成为 W——G——G——W′ 的过程，即 W——G——W′。在这过程中，W——G 是贩卖，G——W′ 是购买。在 W——G 或 G——W′ 的任何方面，都表现着使用价值与价值的统一体的商品与商品的对立。但在 W 一方面，其价值只在观念上当作价格存在，而在 G 一方面，却当作形式的使用价值存在。换句话说，使用价值与价值的对立，在 W——G 或 G——W′ 方面，成为互相排斥的两极，一方面的商品，出现为要在货币上实现其价值的使用价值，而与货币相对立；他方面的货币，出现为要在商品中体现其形式的使用价值的价值，而与商品亦相对立。于是商品世界分裂为商品界与货币界，而商品中所包含着的使用价值与价值的矛盾，出现为商品与货币的矛盾。而一切商品之内的矛盾，就在货币形态中得到解决。

所以货币形态中商品的内的矛盾的解决，同时就是商品世界分裂为商品界与货币界的事实，即新的复杂的矛盾发生出来的事实。因而矛盾的"解决"，并不是矛盾的消灭，只是得到了使矛盾更趋发展的条件，得到了矛盾的运动形态。

以上是货币的本质现象化的过程。

于是我们重新回到了货币的现象。但在经过了长途的旅行，由货币现象深入于货币的本质，再追溯货币的本质如何出现于表面（即现象）的过程。从此我们对于货币现象的认识，已不复是直观的，而是科学的了。即是说，我们能在货币现象的背后，去发现它的本质，发现商品生产者的社会的生产关系了。

（三）商品拜物教

然而货币的现象，与它的本质是不一致的。货币这东西，乍看起来，好像具有能与任何商品相交换的不可解的能力，好像是金或银那种东西本身的属性。并且，在商品经济中，人们自身也依存于货币。他和他的家属的幸福，他在社会上所受的尊敬的程度，甚至他自身的生命，都由他手中所有的货币的多少来决定。究竟这是什么原因呢？这个原因，在商品生产者看来，是不能理解的。他们以为货币这东西，具有神秘不可解的能力（它能福人，也能祸人），因而在货币材料的金或银之中去探求货币所以能为福为祸的原因，而把货币当作偶像、当作财神去祈祷、去跪拜。像这样的现象，叫做货币拜物教。

货币拜物教，是由商品拜物教发展而来的。要理解货币拜物教，不能不简单地说明商品拜物教（详细的说明，属于经济学的范围）。

我们已经知道，各商品生产者的劳动，直接出现为私的劳动，出现为由私有财产所隔离的人们的劳动。私有财产分散他们，而社会的分业却结合他们。所以私的劳动之社会的性质，必须通过商品的交换即物与物的交换，才能发现。于是采取抽象劳动的单一形态的各种类的人类劳动的同等性，就在商品（即物）在市场上的同等性之中显现出来。各种类的人类劳动的这种同等性，只是人类间的客观的实在的生产劳动的联结之表现，只是人类间的生产关系之表现。因而物的同等性，反映出人类间的这种生产关系。换句话说，商品经济中的生产关系，采取物与物的关系，即生产关系的事物化。物与物的关系，表现人与人的关系，因而物与物的关系本身，体现着人与人的关系。所以在商品社会中，人的关系变为物的关系，物的关系变为人的关系。即是说，生产关系事物化，物的关系人格化。

但是商品社会的生产关系，隐藏于物的关系的背后，不是肉眼所能看见的东西。这种生产关系在交换上显现出来的现象，采取物的关系的形式。例如，就价值说，商品生产者间这种物的表现形式，表面上出现为商品（物）的内的自然属性，出现为以一定比例互相交换的某种"能力"。这在等价形态上更明了地显现着。还有，商品生产者间的生产关系，同样在货币形态中表现出来，但货币直接地出现为货币材料的金银的自然的属性。

于是在商品交换的现象上，人们直观的只能看到物的关系，不能看到物的关系背后所隐藏着的商品生产者间的关系，因而认定物（即商品）的本身中具有某种不可解的"能力"，具有某种神秘性。这是所谓"错觉"。

这种"错觉"，由于商品经济之矛盾的发展而加强。我们知道，商品经济，是自然发生的、无计划的、无政府的经济。商品生产者把商品送到市场时，能不能遇到购买者，他的商品落到谁人的手中，这完全是由市场的自然力所决定。即是说，他的商品的命运，甚至他自己的命运，也由市场的自然力所决定。于是在商品经济之下，人们自身不能支配生产关系，反受生产关系所支配。所以以商品生产为基础的一切社会的特殊性，就是人们在那种社会中丧失了支配他们自身的社会关系的能力一件事。

照上面所说的看来，在商品社会中，生产关系支配着人们。商品社会的生产关系，必然地采取物的关系的形式。于是，在商品生产之下，物支配人，人不能支配物，人用手造出的物，反而决定人自身的命运。

因此，在商品生产之下，因为人的关系采取物的关系的形式，物的关系表现人的关系并支配人们，所以人们便把某种不可解的"能力"，某种特别神秘的性质附加在物（商品）上，把自己手造的物（商品）当作偶像来崇拜。

宗教上的神，是人们的头脑的产物，宗教上的偶像是人们泥塑木雕的东西，可是人们俯伏于它的面前，焚香顶礼。同样，商品生产者也把自己手造的东西（商品）当作物神去礼拜。

上述关于商品的现象的一切，叫做商品拜物教。

但是，商品的拜物教，不是人们的主观的心理的现象，也不是不能在物的关系背后看出人的关系的人们的虚伪的幻想的表象。实际上，商品拜物教，是客观的特殊的社会的现象，是离开人们的意志、意识而独立的客观的实在。换句话说，商品拜物教的现象，是商品生产者间的生产关系的假象。这种假象，是客观的存在着的东西。这种假象的背后所隐藏着的东西，是商品生产者的社会的生产关系。只要是商品社会继续存在，生产关系必然的采取物与物的关系的形式。正如商品是客观的实在一样，商品拜物教这种假象也是客观的实在。我们所要研究的问题，是要用科学的思维能力，去在这种假象中暴露它所隐藏着的本质——即商品社会的生产关系。但商品的拜物教仍旧存在，并不因我们暴露了它的本质而消灭。

（四）货币拜物教

于是我们再回头来说明货币拜物教。

货币拜物教，是商品拜物教的一种，是商品拜物教之进一层的发展。

当生产关系在商品交换上采取物的形态时，当一切商品成为"反映人们自身的劳动的社会性给人看的镜子"时，商品拜物教就映在任何商品之上。但在货币形态上，人的关系之物的表现，采取更复杂的错综的姿态。因为货币形态比较别的价值形态，更浓厚的隐藏私的劳动之社会的性质，隐藏商品生产者间的生产关系。

在现实上，一切商品都用金或银表现其价值，而金或银又成为一般的等价，与其他一切商品相对立。这种事实，使人们想到表现价值的货币的能力，注重它的特殊的自然的属性。

在现实上，商品所有者手中的商品，出现为二重的存在，即一方面当作使用价值存在，一方面当作由观念上的货币表现了的价值存在，这是前面已经说过的。这种在观念上以货币估评商品价格的事实（即商品生产者事先把自己的某种分量的商品定价为金几多，而现实上并未与货币交换），更助长了人们注重货币的特殊自然属性，认定货币有特别的权力。所以"随着商品流通的扩张，货币的权力，就增大起来。金子是可惊可叹的东西，有金子的人就能支配他所希望的一切。人还能依靠金子把灵魂送到天国去"。

金银这东西，实际上具有能与任何商品相交换的属性和权力，但金银所以有那样的属性或权力的原因，存在于商品经济的生产关系之中；由于这种关系的对象化，才使金银成为货币。所以货币拜物教这东西，明明是商品拜物教的一种。货币拜物教与商品拜物教的根柢中，存有同一的东西，即生产关系的对象化或事物化。但货币因为能与任何商品相交换，所以人们之依存于货币，比较人们之依存于商品，更加明显。"货币偶像的谜子，是商品偶像一般的谜子。这个谜子，不过更强烈地映在眼帘，令人目眩而已。"

所以货币拜物教，也和商品拜物教一样，同是客观的实在。我们的任务，在于从货币拜物教这种假象之中，去暴露它的本质，暴露商品社会的生产关系。但货币拜物教依旧是客观的存在着，绝不能因为我们揭开它的假面，暴露真相，就失其存在。

在商品经济存在之时，在抽象劳动是历史的范畴之时，在抽象劳动是特定的生产关系的表现之时，货币也和商品一样，同是历史的范畴。货币不是物，也不是物的属性，而是商品生产者的社会的生产关系之物的表现。货币形态，只是它背后隐藏着的生产关系的现象形态。所以货币是历史的范畴，是商品经济所独有的范畴。

货币是商品经济的发展过程中的产物。它随着商品经济的发生而发生（货币萌芽于物物交换），并且一同发展，最后它随着商品经济的消灭而消灭。

在商品经济存在的限度内，货币决不消灭，货币拜物教也不消灭。那些讨厌"可鄙的金属"即货币的人们，那些要在货币中看出一切罪恶的根本原因的人们，在过去和在现在，都是很多的。那些人们，有的主张废止金银货币而保存私有财产；有的主张保存商品生产而废除货币；有的主张保存货币而废除商品生产，——这类见解，完全不理解货币的历史性，不值得详加批判。

习题一

一、货币学为什么要从货币现象开始研究？

二、货币学探求货币的本质，为什么先要分析商品？

三、商品的使用价值与交换价值的关系如何？

四、劳动生产物在什么社会条件之下变成商品？

五、价值的基础是什么？

六、商品为什么能表现人与人之间的生产关系？

七、商品的二重性为什么以劳动的二重性为前提？劳动的二重性是什么？

八、在商品经济中，具体的劳动如何转变为抽象的劳动？个人的劳动如何转变为社会的劳动？

九、价值的大小如何决定？

一〇、商品的本质是什么？商品中隐藏着商品经济的哪一些矛盾？

一一、价值与交换价值的关系如何？

一二、何谓价值形态？相对价值形态与等价形态的区别如何？

一三、等价形态的特性如何？

一四、何谓单纯的价值形态？何谓扩大的价值形态？

一五、一般的价值形态与扩大的价值形态之差异何在?

一六、货币形态与一般的价值形态之差异何在?

一七、一般等价物的特性如何?

一八、在金银成为货币以前,有哪些东西曾经充用为货币?

一九、金银为什么能成为货币?

二〇、试说明货币的使用价值与价值。

二一、货币的特殊使用价值与形式的使用价值之区别如何?

二二、货币何以能表现商品社会的生产关系?

二三、试就货币的本质作概括的说明。

二四、何谓货币拜物教? 它如何发生? 如何才能消灭?

第二章　货币的机能

第一节　当作价值尺度与流通手段看的货币

一、价值尺度

(一)当作价值尺度的货币

前章我们已经在货币的现象背后,了解了货币的本质,知道货币是一般的等价物,是商品价值的一般的体化物,是商品生产者的社会的生产关系之物的表现,是商品经济的矛盾之必然的运动形态。由于货币的出现,商品经济之内的矛盾,得到了解决。但如前所述,矛盾的解决,并不是矛盾的消灭,而是在新的形态上创造矛盾,促进商品的运动(商品流通)。我们要理解货币解决商品经济的矛盾并创造新的矛盾以促进商品经济的发展,就不能不研究货币的各种机能。

货币具有种种的形态或机能。货币的机能,是货币的唯一的本质的表现形态。所以货币的机能从货币的本质发生,而货币的本质,绝不是从货币的机能发生。并且,货币的本质,也不是货币的各种机能的总和。

要理解货币的机能,必须分析货币与商品的运动,即分析商品以货币为媒介而被交换的过程。货币与商品的运动,叫做商品的流通过程。商品流通过程,在形式上与商品直接交换过程有别。货币的机能,便是把商品流通过程从商品交换过程区别出来的东西。所以只有从货币的侧面去考察货币与商品的运动,才能理解货币的机能。

货币具有当作价值尺度的机能。这是货币的第一个机能,并且是最重要的根本的机能。货币的其他各种机能,都由这个根本机能分化而出。所以要理解货币的诸机能,必先研究价值尺度的机能。

货币首先是尽着一般等价物的作用的商品,而金子(或银,但为说明简单起见,这里只把金子假定为货币商品)是具有最适宜于尽这种作用的东西。金子变成货币商品以后,其他一切商品都和货币相交换了。一切商品,都在等质异量的金子中表现其价值了。譬如一担米值金九分,一丈布值金一分,一吨煤值金十二分,一双皮鞋值金五分,等等。这些商品,可以互相比较其价值。于是当作一般等价物的金子,能把一切商品的价值,当作质相同而量能比较的同一称呼的大小表现出来。这就是金子发挥价值尺度的机能的意思。

商品本身,原来含有价值尺度。因为商品是质相等而量能比较的抽象劳动的具体表现形态,其中所包含的抽象劳动量,都由社会的劳动时间去测量。这社会的劳动时间,就是价值尺度。所以商品本身,是能在量的方面比较的东西。金子本身也是商品,同样也含有价值尺度。然则全商品世界为什么把一切商品的价值尺度的机能交给金子呢?

(二)货币成为价值尺度的原因

这个问题,还是要从商品经济的特征来说明。

当我们说起一担米值金九分时,只是说明一担米与九分金都含有同量的社会的劳动时间,并不是说明米中所含有的社会的劳动时间真正用时间的尺度(时、分、秒等)去测量。又如说一担米与九丈布同值九分金,这也只是说明一担米与九丈布都含有同量的社会的劳动时间,并不是说明两者中的劳动时间真正用时间尺度测量过。实际上,商品中究竟含有多少劳动时间,商品的供给者与需要者都是不知道的。这究竟是什么原因呢?

在商品社会中,各个商品生产者的劳动,在其种类、生产性、难易程度及其劳动力的支出诸问题之上,千差万别,各不相同。所以商品社会中的总体的社会的劳动,无计划、无意识地、并且自然地分配于各种商品生产的部门,要计算某种商品的生产究竟费了多少劳动时间,费了多少劳动力,事实上是不能计算的。所以在商品生产的诸条件之下,商品生产者不能直接地绝对地规定商品生产所费的社会的劳动量,也不能用时间的尺度去测量它。商品中的社会的劳动量,只有间接地相对地与别的商品相比较,才能知道。例如人们说起一担米等于九分金之时,只能知道两者中含有同一的社会的劳动量,此外什么也不能知道。所以一担米构成相对的价值形态,其中所包含的劳动量,在劳动时间中并没有绝对的规定,只是由于与别的商品相比较而相对地被决定着。

货币是表现其他一切商品的相对价值的唯一商品。换句话说,各商品中所含有社会的劳动的相对量,要与货币相比较,才能明白。所以商品与金子的真的价值尺度虽是劳动时间,却不能直接地显现出来。商品社会中用一个商品间接地相对地测量其商品生产所费的社会的劳动时间,——这种方法,是商品生产者无意识的自然的使用着的方法。这个方法,正因为是间接的,是相对的,当然就是不完全的,不充分的。但在商品社会中,这是唯一的方法,除此以外,不会再有别的方法。这种方法,实际上与商品社会的生产方法相适应。

货币这东西,正是间接的相对的表现一切商品生产所费的社会的劳动时间的特殊商品,所以它是表现商品所固有的价值尺度(劳动时间)的特殊的并且必然与商品生产相适应的表现方法。当着一切商品都用金子测量而表现其价值时,金子就变为一般等价物,而发挥其价值尺度的机能。

(三)观念上的货币

商品的货币表现,显出质的方面与量的方面。一切商品,在质的方面,是同一的人类劳动的具体表现形态。同时,一切商品,在与一定量的金子相等时,完全表现为一定量的劳动。

用货币商品表现了的商品的价值,是价格。即是说,价格是价值之货币的表现。价格是商品的价值的必然的现象形态,是商品的矛盾发展的产物。商品在价格上,出现为具体化的一般的人类劳动的一定量,出现为质相等而量能比较的东西。全部商品世界,除了货币这种特殊商品以外,其他一切商品都有价格。货币没有价格。因为货币的价值不能用货币自身去表现。例如说1金镑=1金镑,这完全是无意义的。货币的价值,只有在与它相交换的无数商品中,才发现其相对的表现。

当作价值尺度看的货币,还是观念上的货币。

前面已经说过,商品要变形为货币,才是现实的商品。商品要成为现实的商品,必须进到流通过程,与货币相交换,它才现实的成为商品。但在商品进到流通过程以前,有一个观念的准备过程。这个观念的准备过程,是与商品的现实的流通相对立的。这观念的准备过程,即是现实上当作使用价值而存在的商品,在观念上首先采取当作交换价值而存在的形态。这种形态,即是价格形态。商品要在价格形态中,用一定量的金子表现自己的价值,准备走进流通过程。但在这个准备过程中,商品还没有和现实的金子相接触。商品在价格上,只是观念上转变为金子的一点。商品生产者,估定自己手中的商品的价格时,在观念上定价为若干金。在这个时候,并不需要现实的金子,只要有观念上想象着的金子就可以了。譬如商店在商品上标明价格出卖,是不需要现金的。所以商品的价格形态,是与它本身的物质存在形态有区别的观念的存在形态。因而一定量商品的价值之与一定量金子相等,可说是头脑上的作用。

照这样,当作价值尺度看的货币,只是想象上的东西。所以,价格是在观念上的金子中表现了商品价值,发挥价值尺度的机能的金子本身是观念上的货币。

但价值的测定过程,是本源的客观的过程。这个过程,在商品生产者方面,要看作是意识上用金子测量商品价值的过程,却是超越了商品生产者的本源的社会的计算。所以价值测定的过程,绝不是价值的主观的测定过程。

但观念的货币,是现实的货币之映像。如果没有现实的货币存在,绝不能有观念的货币。在商品流通的这个准备过程中(即价值测定过程中),金子首先转化为价值尺度、观念的货币。因为金子现实地成为货币材料而存在,表现一定的生产关系。价格是依存于表现商品价值的现实的货币材料的。如果说起一双皮鞋由五分金子所表现,这就是说明一双皮鞋与五分金子中含有同量的社会的劳动。如果银子发挥价值尺度的机能时,一双皮鞋就用五分金子的70倍(三两五钱)的银子表现其价值,而一定量银子中所包含的劳动量,恰为同量金子中的劳动量的七十分之一。于是,银三两五钱与一双皮鞋中所包含的劳动量相等。

所以,商品在流通上暴露出自己的二重性:在其使用价值上是现实的,在其价值的表现的价格上是观念的。具体劳动,表象为使用价值;一般的劳动时间,在观念上表象于价格之中。在商品生产者实现商品的价格,取得货币以后,他的私的劳动实现为社会的劳动。在当作价值尺度看的货币的机能中,商品的运动还不存在,因为商品的价值虽说用货币去表现,但这还是观念上的作用。商品生产者虽然知道自己商品的价格,而他的手中却还没有货币。商品生产者相互间的联络,在这时还不曾实现。概括的说来,在货币的价值尺度的机能中,商品的矛盾只是准备着走到解决的途径,而矛盾的解决却还不曾实现,即商品还不曾运动。

(四)价格本位的机能

前面说过,当货币发挥价值尺度的机能时,商品的价值,是用想象上的一定金量去表现的。这种想象上的种种金量,即是价格。在价格中,诸商品的价值表现为一定的金量,只当作一定的金量而互相比较。

但价值的尺度,必须有尺度的单位。这恰与衡量物体的重量要有计算重量的单位(如斤、公斤、磅等),测量物体的距离要有计算距离的长短的尺度(如尺、米突等)是一样的。价格虽是想象上的金量,但在比较金量的多少时,就不能不有计算的单位即价值尺度的单位。这完全是计算技术上的必要。

例如一个商品,有 ABC 三种大小不同的分量,因而就有三种大小不同的价值。若用想象上的金量表现其价值,就有三种大小不同的价格。为要精确的测定这三种多少不同的金量(即价格),就不能不有计算的单位,这是很明白的。但这个单位究竟是什么? 这个单位,因为是比较金量的多少的东西,它必须是特定分量的金子。就前面的例子说,一丈布值金一分,一双皮鞋值金五分,在这里,一分金子成为计算的单位了。因而价值尺度的金子,成为价格标准,而发挥价格标准的机能了。

成为价格的计算单位的一定金量,究竟怎样规定的呢? 这种规定,因时因地而各有不同。从历史上看来,被当作贵金属的金银,在成为货币以前,已存有计算其重量的单位。这样的单位,在金银成为货币之时,通常是照旧沿用的。最初的货币标准或价格标准,是用重量单位的。例如英国的金属重量单位为镑,后来用银一镑作为价格的计算单位(中国从前银币以两为单位,这"两"原是重量单位)。

这样看来,成为货币的贵金属,其货币名与重量名原来是一致的。所谓货币名,就是对于规定为价格计算单位的金属量而给予的名称,即是对于成为货币本位的东西所命的名称(如镑、两之类)。在这种场合,价格标准的名称和重量单位的名称是相同的(如镑或两,同是重量名与货币名)。

但是,具有金属的重量名的货币名,往后逐渐与最初的重量名相分离。货币名与重量名相分离的原因,大概可以分为以下三点:

　　第一，外国货币输入后进入国家，同样能够通用。那种名称，与从来国内所用的重量名不同。

　　第二，发挥价值尺度的机能的金属，在许多场合，大概最初是铜，其次变为银，最后变为金。于是铜或银，被金所驱逐，因而具有银的重量名的货币名，就与金的重量名不一致了。例如镑，原是具有银一镑重量的货币名，后来变为金镑。而金镑本身的重量，并不是一镑金子的重量，而是约为十五分之一镑的金子的重量（按照当时金银的比价约为 1∶15）。

　　第三，权力者对于不纯货币的铸造，以致货币的重量，比较以前的名目减少，只留下从前的名称。

　　所以货币名与重量名之分离，是由历史过程中民族的习惯所促成的。

　　货币本位或价格标准，一方面带有习惯的性质，同时又必须是为一般人所通用的东西。所以这种本位或标准，常由国家的法律所制定。在这种场合，国家完全实行着形式的技术的处理，这只是就商品社会的习惯加以法律的规定而已。至于货币材料本身，是由社会的历史的诸条件产生的。国家虽用法律制定货币本位，而货币的价值并不受法律所规定，货币的流通也不受法律所统制，——对于这一层我们要特别注意。所谓"货币国定学说"的错误，主要地是由于不理解上述事实才发生的。

　　因为价格标准由国家的法律所规定，所以随着国家的不同，发生了各种不同的货币本位。例如把一盎司金子分割成若干部分，采取若干分之一作为特定分量，给以英镑、美元、法郎、马克、日元等名称。中国曾是用银的国家，从前规定以库平七钱二分作为一个银元，定为货币本位。当作一个单位决定的特定金量，又可分割为若干等分，取其若干分之一，给以种种名称（在英国是先令、便士、花星等，在中国是角、分等）。这类英镑、美元、法郎、马克、日元、银元等，是货币标准的计算上的名称，只在一个国家中强制国民承认，但一进到世界市场，就消失了它们的姿态，各种货币标准，再回到重量名称。

　　由于货币本位的制定，价格的称呼也改变了。从前用一定金量表现商品的价值，现在改用法定货币的名称去表现了。例如从前说一顶草帽等于金四分，现在说它等于美金一元；从前说一本书等于银七钱二分，现在说它等于一个银元了。即是说，商品价值的大小，已不用金银的重量名去表现，而改用货币名去表现了。在商品的价格,用货币标准的计算去表现时(例如说五斗米的价格是六元二角五分时),货币只是供作计算之用的东西。在这种场合,货币又变为计算货币。

(五)价值尺度与价格本位两种机能的统一及其差别

如上所述,商品价值之货币的表现,通过了两种契机。即:第一,商品的价值体现为一定的金量,这是价值尺度的机能;第二,这一定的金量,由某种特定货币单位去测量,这是价格本位的机能(并且,这价格本位的机能,又转化为计算货币的机能)。这两个契机,实际上是合为一体的。

货币的价格本位的机能,是从价值尺度这种根本机能分化而出,并完成价值尺度的机能的东西。至于计算货币那种机能,又是由价格本位的机能转变而来的。所以货币能够发挥价格本位的机能,更由于这种机能的转变而能够发挥计算货币的机能,这两者完全是由价值尺度的机能产生的。因为价格本位与计算货币这两种机能,都根源于价格是观念的东西这种事实。当货币发挥计算货币的机能时,商品的交换并不需要现实的货币,买卖双方只在观念上用特定价格本位计算自己商品的价格就够了。所以当作计算货币看的货币,一般的只能在观念上存在。这种计算货币的机能,直接的由价格本位的机能发生,间接的由价值尺度的机能发生。

价格本位的机能,虽由价值尺度的机能发生,但两者之间,却有差异之点。这种差异之点,绝不能轻轻看过。反之,如果把两者混同起来,就会冒犯俗流经济学所冒犯的谬误。

当作价值尺度看的货币与当作价格本位看的货币,其差异之点,究竟在什么地方呢?

价值尺度的机能,从商品经济的本质发生;它表现商品生产者间的生产关系。价格本位的机能,是一般等价物的作用固结于金或银以后才发生出来的东西。"货币,当作人类劳动之社会的具体化来看,是价值尺度;当作确定了的金属量来看,是价格标准。当作价值尺度看的货币,能使不同的商品的价值转化为想象上的金量的价格;当作价格标准看的货币,是秤量那种金量本身的东西。使用价值尺度时,商品是被当作价值秤量的,反之,价格标准是用一个金量秤量各种金量,并不是用他种金量的重量秤量一个金量的价值。"

价值尺度的大小,依存于金子的价值。金子因为自身中含着社会的劳动,所以能发挥价值尺度的机能。就价格标准说来,其要点在于把一定量的金子规定为秤量的单位。这秤量的单位越是稳固,金子越是能够发挥价格本位的机能。但价格本位的机能,与金子的价值无关。金子价值的变动,并不变化秤量单位与其他金量的关系。如果把秤量单位定为一分金子,无论一钱金子的价值如何变动,仍是一分金的 10 倍。又如把七钱二分银子定为秤量单位,无论三两六钱银子的价值如何变动,仍是七钱二分银子的五倍。但是,金或银的价值的变动,对于金或银的价值尺度的机能,则非绝无影响。这种变动,贯穿于一切商品,价格因之而有高下,而商品之相对的价值,并无变化。

（六）货币的价值与商品的价格

现在我们进而说明货币价值的变动与商品价格的变动的关系,即说明价值与价格的关系。

价格是价值之货币的表现。价值是商品之内的属性,价格是商品之外的属性。所以价格是价值之外在表现。

价格形态虽具有上述性质,但我们却不能以为价格形态能够十分精密表现商品的价值,能反映一切变化。价格随着商品价值的变动而起变化,也随着货币价值的变动而起变化。在货币价值不变的场合,价格表现商品价值的变动。反之,在商品价值不变的场合,价格依存于货币价值的变动。假如金的价值,由于采金企业的劳动生产率增大的结果,减少了一半之时,金货币的价值就减少了一半。这时一切商品的价格,纵令它的价值不变,也增加为两倍了。反之,假如货币价值不变,而商品的价值减低了一半,这时商品的价格就减低一半了。最后,货币的价值与商品的价值,有同时增高或低落的时候,也有一方增高而他方同时低落的时候。在两者同时以同一比例增高或低落之时,价格当无变化。在两者同时以不同的比例增高或低落之时,价格的低落或增高的程度,由两者的差额所决定。有一方增高而他方同时低落之时,价格另有不同的变化。

所以在价格运动之中,有两种倾向的变化:一是与商品本身的价值的变化相结合的变化,一是由货币价值的变化所引起的变化。这两种变化,是不相同的。就价格本身看来,与商品本身的价值相结合的变化,是本质的变化(因为价格是价值的表现)。

但是,价格形态原是价值之外的表现形态,所以在现实上,在商品市场上,由于所谓需要与供给的变化,常常显现出价格与价值的不一致的现象。价格与价值的不一致,可以分为量的方面与质的方面来说明。

先就价格与价值的量的不一致来说。在商品市场中,商品的需要与供给,常有变动,商品生产者相互间常起竞争,所以商品有时在其价值以上出卖,有时在其价值以下出卖。例如一双皮鞋卖得银六元,但因市场情形的变动,同样一双皮鞋有时能卖得七元,有时只能卖得五元。在这种场合,价格就与价值相分离(即不一致)了。因为五元、六元或七元,都是一双皮鞋的价值之货币的表现,是商品对于货币的一定交换关系的表现,所以是价格。

价格所以与价值不一致的根本的原因,究竟在什么地方呢? 这个原因,首先是由于商品要通过货币的媒介而与他商品相交换,而同时商品的价值要用货币的数量去表现。再追溯它的根源,实是商品经济的矛盾和生产的无政府性。因而价格从价值分离的可能性,存在于价格形态本身之中。这种不一致,并不是价格形态的缺点,而是商品社会中的必要的机能之一。换句话说,这是价值法则的作用。

商品的价格超出价值以上时,必然引起反对的价格运动(即低到价值以下的运动);反之,当价格低到价值以下时,必然引起超出价值以上的反对的价格运动。价格以价值为中心的上下的这种动摇,价格之倾向于价值的引力,是照下面那样实现的:当某一生产部门(例如纺纱业)发生过剩生产,即供给超过需要时,由于出卖者之间的竞争的影响,这部门商品的价格就低落,会降低到价值以下。但若别的生产部门(例如织布业)的生产不足,即需要超过供给时,这部门商品的价格就增高,会超出价值以上。在这种场合,经营织布业就有利可图,纺纱业者必会停止纺纱而经营织布业。但不久布这种商品就要发生生产过剩,必引起价格的低落,而渐渐接近于价值,渐渐低落到价值以下。而经营织布业的人们也会改营别种比较有利的企业了。

商品社会,是依照价值法则去分配及再分配社会的必要劳动的。所以商品的价格,常以价值为中心而上下动摇,显出价格与价值之量的不一致的现象(像那样以价值为中心而变动的价格,叫做市场价格;变动的价值叫做市场价值。这种市场价值或价格,是不能与价值混同的)。

　　价格形态中,不单含有价格与价值之量的不一致的可能性,并且还含有两者的质的不一致的可能性。我们已经知道,价格是商品价值之货币的表现,但在价格形态中,却还含有并不表现价值的价格。换句话说,商品世界中,没有价值的东西(即不体现劳动的东西),也能有价格。这类东西,除了土地(不是由劳动创造的东西)以外,还有所谓人格、良心、名誉、贞操、国会议员、官位等,其本身虽没有体现着劳动,即不是有价值的商品,却是有价格,可以换得货币。在这种场合,价格并不表现价值。这是价格与价值之质的矛盾。这种事情,证明了:商品关系浸透了人的关系的全部,浸透了一切私的生活,浸透了一切人的灵魂。这种事情,在我们面前表现货币是一种财神,它具有神秘的权力(如第一节开首所标出的诗句中的那种权力)。

二、流通手段

(一)当作流通手段的货币

　　商品的矛盾,是在交换过程之中解决的。前面说明价值尺度的机能时,只是指示了商品进到流通过程的准备过程。在这个过程中的商品,还不是现实的商品。商品要现实的成为商品,必须由上述的准备过程走进流通过程,把自己转形为货币。所以在这里要进一步去说明商品之现实的变形的过程,即商品的流通过程。而商品的流通,要用货币做媒介。于是货币又成为商品流通的媒介,而具有流通手段的机能。为要理解这种机能,必须考察商品的流通过程。

　　商品之现实的交换,采取下述的形式而实现:例如织布匠,把所织的每匹布定价为银五元。这时,他的布匹并不曾卖出,布匹只是在想象上得到货币形态。直到织布匠遇到买主,才以每匹银五元的价格,把一匹布卖给他。这时织布匠手中的一匹布,变成为银五元了。商品的这种变形,已不是想象的,而是现实的了。即是说,商品已经现实的成为商品,它已经实现了想象过的货币形态(商品的价格),银子已由观念的货币转变为现实的货币了。但是,织布匠用卖布所得的银五元,向米店买进了四斗米。于是他手中的货币变为米,变为别人所生产的、有别种使用价值的商品了。布的货币形态又转变为商品形态了。织布匠手中的一匹布,转变为四斗米了。

这样看来,商品的交换,是这样进行的:最初,劳动生产物的商品形态,想象上采取货币形态(价格的决定);其次,现实的采取货币形态(贩卖);其次,再由货币形态转变为商品形态(购买);于是商品的流通,采取商品(W)——货币(G)——商品(W′)的形态而显现。但就其物材的方面来看,是一匹布与四斗米相交换,即采取商品(W)——商品(W′)的形态。商品的交换,进行着两个对立的转形,即采取商品——货币与货币——商品的形态。结局是商品——货币——商品,简单点写来,是 W——G——W′。货币在商品的流通中,发挥着流通手段的机能。

流通过程,是劳动生产物转变为货币形态、货币形态转变为商品形态的过程。换句话说,直接的私的生产物及其中所包含的劳动,现实的表现为社会的生产物;其次,采取反对的方向,现实的表现了的社会的生产物,又转变为私的生产物。这种变形,只有在商品经济的诸条件之下,才能实现。在这里,货币发挥着流通手段的机能。一切商品,只有靠它做媒介,才能互相交换。货币的这种机能,把私的劳动生产物的交换,弄得社会化,因而使商品与劳动暂时的直接的在质与量的方面采取社会的形态。所以流通过程中的货币的机能,仍只是一般等价物的机能。如我们所知,商品如不在社会的形态上表现出来,就不能直接交换。这是一个必然的过程。在这个过程中,货币尽着媒介的作用。

在流通过程中,商品所有者们,相互的出现为买者与卖者。于是分散着的商品生产者们之社会的联系(即生产关系),就在流通中显现出来,而商品生产者间的这种关系,在流通手段的货币之中就被对象化。这种生产关系,是在商品的生产过程中形成,而只在交换的时间中显现的东西。所以这种生产关系,就个个交换行为说来,虽是暂时的,但就总体的商品与货币的全部流通过程说来,却是经常的。

(二)**流通过程与直接交换的区别**

在 W——G——W′的过程中,货币是商品交换的媒介物,因而它成为流通的手段。但货币虽"出现为商品交换的单纯手段",却不是"交换一般的手段",而是"由流通过程给以特征的交换的手段,即流通手段"。在这种处所,表明着商品的流通过程与生产物的直接交换过程,是有质的差别的。

商品的流通过程,是 W——G——W′的过程;生产物的直接交换过程,是 W——W′的过程。这两种过程显然是不同的。但如前面所说,织布匠卖出布匹,取得货币,又用货币买进米粮,就物材的方面说,其实是布与米的交换,货币在这里只尽了媒介的作用。因而 W——G——W′的过程,结局是 W(布)——W′(米)的过程。这种场合的布与米的交换,在皮相的观察上,好像是物物交换,即生产物的直接交换,而流通过程与直接交换好像只是有无货币做交换的媒介一点形式上的区别。但商品流通之与直接交换,不但有形式上的差别,并且有本质上的差别。两者的质的差别,可分为以下几点来说明:

第一,就直接交换来说,一只羊与五十斤鱼相交换或一把斧与两张弓相交换。在这种场合,各人把对于自己没有使用价值的东西,去交换那种对于自己有使用价值的东西。这样的交换,只是一次的行为就完结。反之,就商品流通来说,出卖(W——G)与购买(G——W′),是两个对立的行为。并且这两个行为,并不是同时实行的。这两个行为之间,存有时间的距离。

第二,在直接交换,有羊的人要把羊换鱼,而有鱼的人或许需要米而不需要羊,于是卖羊人就得要访寻卖米买羊的人,把羊去换米,然后才能拿米去换鱼。这样的直接交换,是非常困难的(这是商品生产与交换的发展,必然的产生货币而使直接交换转换为商品流通过程)。但在商品流通方面,直接交换的上述的困难就被克服,即商品的矛盾在货币形态中得到解决。因而直接交换之地方的限制也被打破了。

第三,在直接交换方面,商品的交换,采取 W——W′的形态。在这里,只有两个极点(即 W 与 W′)和两个登场人物(即站在 W 和 W′之后的两个人物)。但在商品流通方面,商品的总变形,采取 W——G…G——W′的形态,在这里,有四个极点和三个登场人物。这可用图式表示于下:

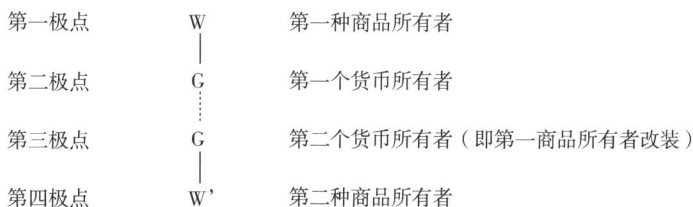

第一极点	W	第一种商品所有者
第二极点	G	第一个货币所有者
第三极点	G	第二个货币所有者（即第一商品所有者改装）
第四极点	W′	第二种商品所有者

这个流通过程,是由贩卖和购买两个互相对立而又互相补充的形态构成的。于是一切商品,都采取这个形态而流通,而同形态的交换的连锁,可以引申到无限。于是一切交换都以货币为媒介,货币变成了唯一的一般等价物,帮助一切商品的交换,变成商品流通所不可缺的一环了。于是织布匠把布卖给买布的人,这买布的人有没有米出卖,是无关系的。又,卖米的人,买布不买布,都无关系,他只要把米卖给买米的人就可以了。所以,在商品流通方面,商品的交换,打破直接交换之个人的、时间的及场所的限制,展开人类劳动的代谢机能,使一切人们都必然地卷入于自己所不能左右的商品生产关系。

以上是商品流通与直接交换之间的本质上的差异。现在我们来分析商品流通过程。

(三)流通过程的分析——贩卖与购买

流通过程,分为两个阶段,即 W——G 的贩卖阶段与 G——W′ 的购买阶段。在 W——G 阶段上,商品转变为货币;在 G——W′ 阶段上,货币转变为商品。由商品到货币、由货币到商品的这种转变,叫做商品的变形。但变形的各个阶段,同时是贩卖行为及购买行为。甲卖出商品,即是乙向甲买进商品;甲买进商品,即是乙对甲卖出商品。

商品变形的两个阶段,即 W——G 与 G——W′,其意义并不相同。第一步的贩卖即商品到货币的变形,对于商品是很困难的难关。事实上,商品所有者在走到市场以前,还不能知道他的商品是不是恰是市场上所需要的东西,也不知道他所支出的劳动是不是社会所必要的劳动。这些事情,要等进到了市场才知道,即是要在 W——G 的行为上才能知道。这种行为,在商品生活上是决定的行为。商品生产者为要使商品变形为货币而把商品交到消费者手中,这是一种困难的事情。商品的矛盾,就显现于这种困难之中。所以 W——G 的阶段,被称为商品之"拼命的飞跃"。反之,G——W′ 的购买阶段,却不表现什么困难,因为货币随时可以变形为商品。所以,在交换的各个行为中,货币能解决商品的矛盾。但是一切新的商品,又不断的再生产出来,那些再生产了的商品的矛盾,又由货币来解决。于是矛盾不断的运动,不断地发展。货币就是这种矛盾的运动形态。

在 W——G 与 G——W′ 这两种相反的行为之中,我们看到商品经济之更进的发展。生产了的商品,不能不贩卖出去。在这里,交换上实现了的生产的社会性,就显现出来。但在贩卖之后,不一定立即有购买行为接着发生。在这里,占有的个人性,就显现出来。因为商品生产者把商品变形为货币之后,他可以自由地处理所得的货币,可以不买进别的商品。照这样,交换的连续性,因而中断,虽然生产并不因此而停顿。

变形的第一行为 W——G,是贩卖。商品当然要卖给有货币的人。可是别人的货币从什么地方得到的,他当然是由于卖出了某种商品才得到的。一切商品生产者,都是由于卖出商品才取得货币的。只有卖出了自己的商品的人,才能买进别的商品。所以一个商品的最初的变形(W——G),同时是别种商品的最后的变形(G——W′)。例如,织布匠把布匹卖给农夫,从农夫领得货币。这就布匹这种商品看来,是布匹的最初的变形。但农夫买布的货币,是卖米得来的。他用卖米所得的货币去买布。这就米这种商品看来,是最后的变形。即是说,米这种商品,已经总变形为布了。所以单就织布匠卖布一事(即 W——G)说,虽是布的最初变形,而在卖了米的农夫看来,却是米的最后变形。

所以 W——G⋯G——W′ 这个过程,是 W——G 与 G——W′ 两个阶段之对立的统一。W——G 与 G——W′ 这两个阶段,虽然统一于 W——G⋯G——W′ 的过程之中,但两者是互相对立的。W——G 与 G——W′ 之间,存有相当的时间的距离,在这种场合,两者互相分离而孤立。在这种分离的孤立之中,潜藏着恐慌的可能性。这种可能性,只有在资本主义的商品经济之下,才转变为现实性。所以"货币流通,没有恐慌也可以发生,而恐慌如没有货币流通,不能发生"。

(四)货币的运动

在说明了商品流通过程之后,我们再看一看货币的流通即货币的运动。货币运动是商品运动的结果。如前面所说,商品的总变形,在其最单纯的形态上,采取 W——G——W′ 的过程。这一过程,是 W——G(贩卖)阶段与 G——W′(购买)阶段之对立的统一。现在就商品流通过程举出实例,来看看货币的运动。假如农夫卖出一担米,得到十二元,他拿这十二元向布店买进十二丈布。布店又把这十二元向面粉店买进三袋面粉,面粉店又把这十二元买进十坛酒,酒店拿这十二元买进五张桌子,桌子店拿这十二元买进十方木板,木板店拿这十二元买进三丈绸,绸缎店拿这十二元买进四十两丝。像这样,我们可以看到货币运动的情形。如下式:

1 担米——12 元——12 丈布——12 元——3 袋面粉——12 元——10 坛酒——12 元——5 张桌——12 元——10 方木板——12 元——3 丈绸——12 元——40 两丝

若就每个商品的变形过程来看,可以将上式改写如下图:

1担米 →	12元	→ 12丈布
3袋粉 ←	12元	← 12丈布
3袋粉 →	12元	→ 10坛酒
5张桌 ←	12元	← 10坛酒
5张桌 →	12元	→ 10方板
3丈绸 ←	12元	← 10方板
3丈绸 →	12元	→ 40两丝
X ←	12元	← 40两丝

就上图看来,在商品流通的不断的长流中,各种商品都以货币为媒介,从卖方转移到买方,从生产者移交消费者,即从流通界走进消费界。商品一经移到消费界,它就供作消费之用,不再进到流通界了。但是,商品虽然进到消费界而与流通界绝缘,而货币那东西,在其性质上并不能消费,它只占据商品退去以后的空席,决不走进消费界。所以货币不断地在流通界运动,逐次与新的商品相交换,越发的远离于最初的出发点。

商品的流通,是一个循环运动。例如说:农夫手中的商品米之中所包含的价值,由于变形为商品布,仍然回到自己手中,这是一个循环运动。但由于这样的商品流通而引起的货币运动即货币流通,其形态正是循环的反对物,采取越发远离于最初出发点的直线的形态。这可用图式表示如下:

$$
\begin{array}{ccccc}
W & \!\!\!\!\longrightarrow\!\!\!\! & G & \!\!\!\!\longrightarrow\!\!\!\! & W_1 \\
& & \downarrow & & \\
W_1 & \!\!\!\!\longrightarrow\!\!\!\! & G & \!\!\!\!\longrightarrow\!\!\!\! & W_2 \\
& & \downarrow & & \\
W_2 & \!\!\!\!\longrightarrow\!\!\!\! & G & \!\!\!\!\longrightarrow\!\!\!\! & W_3 \\
& & \downarrow & & \\
W_3 & \!\!\!\!\longrightarrow\!\!\!\! & G & \!\!\!\!\longrightarrow\!\!\!\! & W_4 \\
& & \downarrow & &
\end{array}
$$

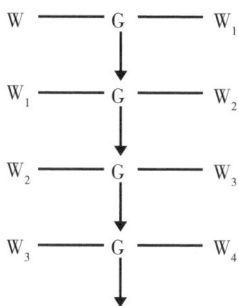

就上图看来,货币与商品相遇,商品暂时停留于流通界,而货币却永久停留于流通界。于是一切事态,呈现相反的反映。运动的连续性,落在货币的方面,因而货币的直线运动,代替商品的循环运动。货币运动虽是商品流通的结果,而在现象上却显现得商品流通反倒是货币运动的结果,好像是货币不但实现商品的运动,并且创造商品的运动。但如我们所知,流通界中的货币,出现为商品运动的媒介。货币的本身,寸步也不运动。只有在与它相交换的商品出现时,货币才从一个人手中转移到别人的手中。

所以在实际上,货币运动的原因是商品运动,而在表面上却好像货币运动是商品运动的原因。

在这种处所,我们看到货币拜物教的发展与强化。当作流通的外观的原因看的货币,完全隐蔽了商品运动中所表现的商品生产者的社会的生产关系。因为商品变形的循环性,因货币介在其间,以致隐而不显。W——G 与 G——W′,是商品总变形过程中不可分离的两个契机,但两者的运动在外观上好像是 W——G 与 W′——G(G——W′,在 W′的所有者看来是 W′——G)。因而 W——G 与 W′——G 好像是具有同一形态的两个独立的东西。于是 W 与 W′互相交替的本质的关系,即 W 生产者与 W′生产者的生产关系,在表面上就完全被隐藏了。商品生产者从 W——G——W′的连续形态,分离出 W——G,或 W′——G 的一个阶段,认为金银本身中具有能与一切商品相交换的神秘的能力,因而加强了货币拜物教的观念。

(五)流通所必要的货币量

如上所述,当作流通手段的货币,既然常停留于流通之中;但在流通中停留的货币,究竟要多少? 换句话说,商品流通所必要的货币量究竟怎样决定的呢?

在价格形态上,商品虽然还没有进到现实的流通中去与现实的金子相接触,但纵然是想象的东西,而与商品价值相等的金量,在价格形态中已经表现着。商品在价格之中,对于一定想象上的金量,已处于等位;实现各商品价值的必要金量,已在价格中给予着。金本身的价值,也已在价格中给予着。如果不是这样,金不能发挥价值尺度的机能,商品也不能有价格。所以,商品与其价格,货币与其价值,是一同进到流通界的。

如果商品的价值一定,价格的总计就依存于进到了流通过程中的商品量。流通所必要的流通手段的量,即货币量,由被实现的商品价格的量所决定。现在假定用 q 表示商品量,用 p 表示价格,用 g 表示与商品相交换的货币,于是在一定地域一定时期中,构成商品流通的个个买卖,可用下述许多方程式表现出来:

$$q \times p = g$$
$$q' \times p' = g'$$
$$q'' \times p'' = g''$$
$$\cdot \quad \cdot \quad \cdot$$
$$\cdot \quad \cdot \quad \cdot$$
$$\cdot \quad \cdot \quad \cdot$$

若把这些方程式总和起来,可得到下述的方程式:

$$(q \times p) + (q' \times p') + (q'' \times p'') + \cdots\cdots = g + g' + g'' + \cdots\cdots$$

由上述看来,商品流通所必要的货币量,即是 $g + g' + g'' + \cdots\cdots$。

但是,实际上,流通界绝不会有那么多的货币存在。因为货币在与一定商品相交换之后,仍旧停留于流通界,而媒介他商品的交换的。例如,一日之中,一元的货币,能够媒介许多种一元的商品的交换,从甲手移到乙手,又从乙移丙,丙移丁。例如,某一天,农夫卖出一元的米,又拿这一元去买布,布店又用这一元去买酒,酒店又用这一元去买肉。照这样,一天之中,米、布、酒、肉四种商品的价格共为四元,事实上只用这一元的货币做媒介,四者间的交换就实现了。这便是说,同一的一元货币,在一定期间,不单实现一个商品的价格,并且实现多数商品的价格,实行了数次的流通。

于是我们把一定期间中(例如一年),同一货币的平均流通速度,用 V 去表示,把流通所必要的货币量用 G 去表示,把商品总量用 Q 去表示,把一单位的商品的平均价格用 P 去表示。这样就可以得到下列方程式(用中文所写的部分,是该方程式第二行不用符号表示的形态):

$$PQ = GV$$

$$\frac{PQ}{V} = G$$

$$\frac{商品价格总额}{货币的平均流通速度} = 流通所必要的货币量$$

如上式,若以元表现 PQ,再以 V 除之,即是以元为单位的货币数量。这个方程式,在我们现在所研究的单纯的流通的诸条件之下,对于一定社会中商品流通所必要的货币量的表示,是有一般的妥当性的。就上列方程式考察起来,可以指出下述三种倾向:

第一,在商品价格(P)有一定之时,必要货币量(G),随着流通商品量(Q)的增加而增加,随着货币平均流通速度(V)的减少而增加;反之,随着 Q 的减少而减少,随着 V 的增大而减少。

第二,在商品价值(P)腾贵之时,如果商品量(Q)以与它相同的比率减少,或者商品量(Q)不变而货币流通速度(V)以同样比率增大,在这种场合,必要货币量(G)不变。又,如果商品量(Q)以比较价格(P)腾贵更大的比率减少,或者货币流通速度(V)以较大的比率增大,在这种场合,必要货币量(G)就减少,反之,商品量(Q)以比较价格(P)低落更小的比率增大,或者货币流通速度(V)以较小的比率减小,在这种场合,必要货币量(G)就增多。

第三,在商品价格(P)低落之时,如果商品量(Q)以与它相同的比率增大,或者货币流通速度(V)以同一比率减小,在这种场合,必要货币量(G)不变。又,如果商品量(Q)以比较价格低落更大的比率增大,或货币流通速度(V)以较大的比率减小,在这种场合,必要货币量增大;反之,如果商品量以比较价格低落更小的比率减少,或者货币流通速度以较小的比率增加,在这种场合,必要货币量减少。

总之,在一般的原则上,商品价格总额与货币流通速度,决定商品流通所必要的货币量,关于上述的方程式,在说及货币的他种新机能之时,还需有新的补充。

但在这里有必须注意的地方。正如货币运动由商品运动所决定一样,在单纯流通的诸条件之下,商品流通速度与商品形态的变化,也表现于货币流通速度之中。如果货币流通变得迟缓,其中就表现出商品变形的迟延,以及购买与贩卖间的距离的疏远。其次,上述方程式,与数学上的方程式,大有不同的地方。在上述方程式之中,成为起作用的原因的东西,集于左项,右项的 G,只是左项诸原因的结果。原因与结果是不能倒置的。如果以为:只要商品量与流通速度不变,一般物价就因流通货币数量的增减而腾贵或低落——这样的见解是大错而特错。这种见解,把流通货币的数量看成决定商品价格的东西。所谓货币数量学说的谬见,就是从这里发生的。因为,流通货币数量的增加,是由于商品价格的腾贵,——这是本质。但在外观上,好像商品价格的腾贵,是由于货币数量的增加,——这是现象。现象与本质,在这里变成对立物。货币数量学说的错误,是由于拘泥于这种现象而不理解那个本质。

还有,在金银的价值变动时,它也反映于价格,引起价格的变动。又,价格变动时,货币量也会变动;货币量一定时,货币的价值在价格中被表现着。

我们所研究的一般的法则,就是:流通所必要的货币量,由流通商品的总价格与货币流通平均速度所决定。这个法则,也可以用另一形式来说,即:商品的价值总量与商品变形的平均速度如果一定之时,流通货币或货币材料的多少,由它们本身的价值所决定。

(六)铸币

如上所述,货币是不断地在流通界运动的。货币既然不断地在流通界运动,而货币本身,究竟在什么时候,从什么地方走进流通界来的呢?在现实上,我们看到,任何商品生产者,都把自己的商品卖给别的商品生产者,从他领受货币。第一个商品生产者这样从第二个商品生产者领受货币,第二个从第三个,第三个从第四个,都是这样的领受货币。究竟这货币最初从什么地方来的呢?货币最初的来源,是金银的采掘。但最初采掘出来的东西,只是贵金属的金银,还不是货币。贵金属要变成货币,必先转变为铸币,即必先经过铸造。在现今世界中,通常铸造货币的机关是国家。所以,拿商品向金银采掘者换得了金银的人们,就把金银送到国家的造币局去铸成金币或银币。

金银一旦变成货币而发挥流通手段的机能时,就发生出把金银铸成货币而投入于流通的必要。所以金银的铸币形态,是从货币的流通手段的机能发生的。这种铸币形态,当然是适应于价格的本位而被造成的。

从前,充当货币材料的金银,在媒介商品的交换时,常用天平去秤量重量,这是很麻烦的事情。由于免除这种麻烦的技术上的必要,货币材料的金银必然的采取铸币形态。这也是商品经济发展过程中必然的现象。

把金银造成铸币的那种技术上的任务,在今日的世界中,都是由国家去担负的;换句话说,造币的权限属于国家。近代各进步国家都已采用过金本位,只有若干落后的国家还采用银本位。在金本位的许多国家中,各以纯金若干分或若干公分,作为货币单位,铸成种种的金币,如美元、日元、法郎、英镑之类。中国从前经法律规定含纯银 23.493448 公分的一元币为本位币。这类铸币,由各国自定法律规定,各具意匠,其通用的范围,以一国为限。铸币一旦超出国境而进到国际市场时,就要脱掉那"国民的制服",变为单纯的贵金属块。

金铸币与生金(或银铸币与生银),原来只有形式上的区别;前者用个数来计算,后者用天平来秤量;金币可以熔解为生金,生金可铸造为金币。但铸币在流通过程中,由于自然的磨损,逐渐减少其重量。银币的磨损,固不消说,就是金币的磨损,也很可惊。据过去的统计,1809 年在欧洲流通着的约计 3 亿 8000 万镑金币,在其后 20 年之间磨损了 1900 万镑。所以铸币在最初虽保有完全的重量,可是一进到流通界,就逐渐磨损,其实际上的内容必然与其名目上的内容不符。因而当作流通手段看的金子(或银),逐渐地变成不是商品的现实等价物,逐渐地变成观念上的名额的金币了。若果任其自然的磨损下去,当作流通手段看的金子,就会和当作价格本位看的金子绝缘。所以各国的货币条例,都规定本位币最轻的通用重量,如英国的法律,规定失去 0.747 公分以上重量的金镑,不得作为法币通用,即其一例(中国从前的货币条例也规定了银币的最轻的通用重量)。

但铸币的名目上的内容与现实的内容之差异,是不可避免的事情。这种与现实内容不符的铸币,在一定限度上,仍能当作一定名目的货币通用,——这种事实,就是表示着货币在发挥流通手段的机能时,可以用自己的象征或符标（Symbol）来代替自己的机能。因为失掉原有重量的一元银币，虽能十足通用，但它已不是现实的一元银币，而是概念上的一元银币，即是一元银币的象征或符标了。这样看来，货币之转变为象征或符标的事实，是包含在当作流通手段的货币本身中的东西，即是从流通手段的机能发生的东西。

由于上述的原因，代用货币或辅币就出现了。事实上，在用金的国家，小量商品的交易只需小额的货币做媒介就够了。但用小额的金子铸造小额货币，在技术上是很困难的，所以不能不使用比金子的价值更小的金属去铸造。这种小额的货币，叫做辅币，如银币、镍币、铜币、青铜币。

从历史上看来，用银币做本位币，比较用金币做本位币的时代还早。并且在以前还有使用铜币做本位币的。下级金属原有做价值尺度的机能。随着历史的发展，价值尺度的能力，由铜移到银，又由银移到金，但比较下级的金属货币，仍能发挥流通手段的机能，所以能成为辅币。

辅币在流通过程中的磨损的程度，比较本位币更大，因而辅币的名目上的内容与其现实的内容相差更远。事实上，一定数目的辅币可以当作本位币通用，但辅币中所包含的价值，比较同额本位币中所包含的价值还少。这样，当作流通手段看的货币的机能，在外观上逐渐离开价值尺度的机能而独立了。

（七）纸币

辅币的现实价值虽脱离其名目价值，却仍可以通用，这样一来，在材料上单是纸片的纸币，当然也可以有代替铸币的流通手段的机能了。因为货币常是运动于流通过程之中的东西，商品的买卖只用它做媒介，人们只要能够用它买到与其名目价值相等的商品就够了。辅币既然可以代替金币而流通，纸币当然也可以代替金币而流通，这并不是奇怪的事情。

于是纸币当作象征或符标而流通了。但这种象征，直接的是金（或银）的象征，间接的是商品价值的象征。纸币所以能发挥流通手段的机能，是在它代理金币（或银币）的限度以内。换句话说，如果纸片不是金币（或银币）的代理者，它绝不能有流通手段的机能。所以纸币是货币的符标或金子的符标。纸币只在代表价值量的金量时，才是价值的符标。

有人或许发生这样的疑问：磨损了的金币（或银币）和其他辅币，所以能够当作名目上的货币通用，是因为它本身中还含有着金属的价值，至于纸币那东西,不过在纸上印上了些字样,是没有什么价值的东西,何以也能当作货币通用呢?这岂不是因为国家用法律规定把纸币当作货币而强制人民通用的结果么?这就是所谓"货币国定说"的见解。这种见解,只把纸币当作单纯的象征,并不知道纸币实是金币(或银币)的象征,又是商品价值的象征。如前面所说,磨损了的铸币以及辅币和纸币,都是金币或银币的象征而代理其流通手段的机能的东西。当作流通手段看,铸币并不由其价值所左右。通货绝不是因其金属的内容和价值才成为金币(或银币)的象征,而是因为代理金币(或银币)的流通手段的机能,才具有那种象征的。通货的金属价值,当作金子(或银)的象征看,并无意义。纸币之所以能当作货币通用,并不是国家权力的作用;而是由于它在流通中成为金币(或银币)的代用物。不过,在金属的货币表现上,那种纯粹象征的性质,在某种程度上还被隐蔽着,至于纸币方面,那种纯粹象征的性质,就明了地显现出来了。所以纸币是由金属货币的流通发生,由流通手段的货币机能发生的。再重复一句:无价值的纸币所以能代理流通手段的机能,是以具有价值的现实金(银)币之存在为前提,如果这个前提不存在,那种代理货币(即纸币)也不能存在(什么国家权力都不能使它存在)。

至于纸币要能够与铸币并行的完成流通手段的机能,必须有一个极重大的条件。这个条件就是:纸币的数量,不能超过当时商品流通上所必要的货币量。这一层,在前段中已经提起,往后还要详细的展开。

货币的价值尺度的机能与流通手段的机能,我们已经考察过了。关于这两种机能的差别及其统一,现在再总括的说明几句:

一定的商品(金或银),如能充用为价值尺度与流通手段,就变为货币。当货币发挥价值尺度的机能时,即令是想象的东西,而金(或银)就强制地显现出来;但当发挥流通手段的机能时,金(或银)可以用象征代替,而货币出现为象征的金子(或银)。然而货币在这里要现实的出现,当作价值尺度看,货币虽是想象上的东西,却非有金(或银)不行;当作流通手段看,虽是现实的东西,而货币却没有金(银)也行。所以价值尺度的机能与流通手段的机能是有差别的东西。可是这两种机能,在货币中却是统一着的。这个统一,以现实的金(或银)之存在为前提。当作价值尺度及流通手段而发挥机能的特定商品

（金或银），即是货币。换句话说，成为价值尺度与流通手段的统一物，即是货币。正因为货币是这两种机能的统一，所以它才能使商品流通成为可能，而个个商品生产者的结合才能通过私的劳动生产物的交换而实现。商品社会的本来的存在条件，由于货币的出现而充实。

然而货币的机能，并不限于上述两种。随着商品生产者的社会的生产关系之发展，货币的机能也发展起来，展开出其他的各种机能。

第二节 当作货币看的货币

一、储藏手段

（一）本来的意义上的货币

前节已经说过，货币是价值尺度与流通史手段的两个机能之统一。当作价值尺度看的金银的存在，只是观念上的存在；当作流通手段看的金银的存在，只是象征的存在。观念是实物的观念，象征是实物的象征（符标是实物的符标）。所以价值尺度与流通手段这两个机能，只有在贵金属的实物的金银中，才形成统一。货币如不出现为贵金属实体的金银，绝不能现实的发生货币的机能。正因为货币是现实的金银的实体，所以它除了价值尺度与流通手段两种机能之外，又展开其为储藏手段及支付手段的机能。

在储藏手段和支付手段的机能之中，金银就不像在价值尺度方面那样只成为一个观念的存在，也不像在流通手段方面那样只成为一个象征的存在，它倒反不能不在其金银的肉体原状下面出现为货币商品，出现为其他诸商品的唯一的价值形态。金银的这样的机能，和价值尺度、流通手段的机能，是相对立的东西。在这种场合，货币是当作本来的意义上的货币（即当作货币看的货币）发挥机能的。关于这一点，在下面还要加以说明。

前面说过，商品的流通即 W——G——W′，是 W——G 与 G——W′即贩卖与购买两个过程构成的。但这两个过程，绝不是同时实行的，有不伴随购买的贩卖，也有不伴随贩卖的购买，即有时卖而不买，有时买而不卖。这样，W——G 与 G——W′之间，在时间上存有或久或暂的距离。在这种场合，货币的一部分虽仍发挥流通手段的机能，而其他一部分就处于休息状态。从全体上看来,一切的货币,都轮流的休息。在休息状态中的货币,就停止其流通手段的机能。

货币为什么能够休息呢? 这个理由,必须在货币与商品的关系中去探求。货币与商品的关系,仍可分为 W——G 与 G——W′两方面来考察。

第一,商品对货币(即 W——G)的关系,是价格上的关系。一切商品,都在其价格上表示着一定量的金银。而价格上所表示的金银,是观念上的货币。因为商品只在其价格上表示观念上的金银,所以商品只是代表金银的东西。像这样被代表着的金银,现在就成为唯一的现实的商品了。可是商品具有使用价值和价值,而在价格中出现的东西是价值,是一般的社会的劳动,即是抽象的财富。在上述的关系上,商品既然只是代表金银的东西,于是被代表着的金银,就变为抽象的财富之实物的存在了。

第二,货币对商品的关系,是货币能够和任何商品相交换的关系。在这种关系上出现的东西,不是抽象的财富,而是具体的财富,即是各种具体的使用价值。在这种场合,商品只表现为具体的财富的一个要素,一个方面;而货币却表现为具体的财富的全部,能与一切商品相交换,即成为一般等价物。这是货币所独有的形式的、社会的使用价值。正因为货币有这种社会的使用价值,所以它的金属肉体中孕育着一切种类的使用价值、一切种类的具体的财富。在这种意义上,金银代表着一切商品的使用价值,成为具体财富之物质的代表。

就上述货币与商品的两方面的关系综合起来,我们就可以知道,货币是价值的蓄藏物,它"在其形态上是一般的劳动之直接的体现,在其内容上是一切现实劳动之总体"。它是当作具体物的财富。

货币的上述的性质,是本来意义上的货币的性质,即是当作货币的货币的性质。货币所以能够休息的原因,就因为它是具体财富之物质的代表,而为人们所储藏。

(二)货币储藏

正因为货币是具体的财富之物质的代表,所以人们都努力想把货币弄到手中储藏起来。这样的货币,处在休息状态,暂时停止了流通手段的机能,"从可动的东西变形为不动的东西,从铸币(即流通手段)变形为货币"。于是人们贩卖商品的目的,为之一变。人们都努力想把商品的价值放在货币形态上保存起来。"商品这东西,不是为购买商品的缘故而被贩卖,它反倒变成了为要用货币形态代替商品形态的缘故而被贩卖了。这种变形(即商品到货币的变形),在从前虽是质料代谢的单纯的媒介,现在却变成它自己本身的目的了。"像这样把货币当作具体财富储存起来,使它脱离流通界而成为化石形态,——这就是货币的储藏。那种经过了"化石作用"的货币,即是储藏货币。

在商品流通的初期,人们的生产,以满足自己的消费为目的,拿到市场上去交换的生产物,大都是剩余生产物。正因为商品流通代替了直接交换,所以人们才把这些剩余生产物,拿出换得货币,把商品的价值放在货币形态贮藏起来,即是把剩余的财富当作抽象的社会的财富贮藏起来。这种货币贮藏,是最初的储藏形态,是"素朴的形态"。照这样把货币蓄积起来的人,叫做"货币储藏人"。

随着商品生产的发展,人们越发要靠购买别人的商品而生活,于是为谋生活的安定,就不得不常在货币形态上保持一定量的财富。这样一来,卖而不买的事情,就越发通行了,因而货币储藏就必然地越发增大了。

但是卖而不买的事情,必须有别人买而不卖的事情来补充,否则货币储藏便成为不可能的事情。这种买而不卖的事情,是由金或银的生产者实行的。因此,金银从其生产地流出,与卖而不买的人相接触,就中止流通而转变为价值的贮藏物即储藏货币。

由于商品流通的发展,商品的交换价值和使用价值相分离,商品生产者就能够"把商品当作交换价值保留起来,或把交换价值当作商品保留起来,——这种可能性一旦发生之后,人们对于金子的贪欲就被唤起来了"。于是,"货币的权力——那种采取随时可以供用的、绝对的、社会形态的财富的权力,——也就增加起来。'金子是一个可以令人惊叹的东西!谁有了它,谁就能支配他所希望的一切。甚至于人们还可以靠着金子把灵魂送上天国'"。

货币储藏的冲动,是无限的东西。因为货币能够直接与一切商品相交换,所以它是财富的一般的代表,在质的方面是无限的(即消解了一切商品的差别)。但现实的货币,却有一定的分量,因而只能购买有一定限度的分量的财富,即是说,在量的方面是有限的。于是这量的方面,就与质的方面相矛盾。

这种矛盾,就驱使货币储藏人发展其对于货币的贪欲。为努力实现这种贪欲,就不能不"克勤克俭"。只有勤勉,才能生产多的商品,拿去换取多的货币;只有俭约,才能实行禁欲,节省货币。所以货币储藏人努力地生产商品,并"认真地守着禁欲的福音","为黄金的物神而牺牲肉体的快乐"。"勤勉、俭约与贪欲,是他的主要道德;多卖少买,是他的经济学的全部。"

(三)货币储藏与资本蓄积

前面说过,货币储藏的最素朴的形态,与商品流通的初期阶段相适应。在这个阶段上,人们把商品转变为货币,并努力把商品在这种形态上保存起来。即是说,人们努力把用商品换得的货币窖藏起来。中国人所说的"银成没奈何",就是这种储藏形态。但到了现代社会,货币储藏的性质,起了变化。在现代社会中,那种为货币而实行货币储藏,已经大大地减少,而货币储藏越发受资本流通的过程所左右了。资本的蓄积,越发成长为货币蓄积,成长为国内的及国际的流通所必要的支付手段及购买手段的准备金了。

在资本主义的生产过程中,货币要当作储藏货币蓄积起来;那种常用货币形态保存着的资本部分,要当作支付手段及购买手段蓄积起来。"这是在资本主义生产方法下再现的储藏货币的第一形态。这在国内流通上,在国际流通上,都可以同样的来说。这种储藏货币,是不断地流通着的东西,不断地流入于流通界,不断地从流通界流回来。储藏货币的第二形态,是瞬时的游息着的、在货币形态中睡眠了的资本;而重新蓄积起来还没有投下去的货币资本,也属于这一种。""这是由流通过程分离了的贮水池。"

上述两种形态的储藏货币,在资本主义的生产方式之下,完全是必要的东西。这种储藏货币形态,与本来意义上的货币储藏形态,是质不相同的东西。因为资本主义的蓄积,与储藏货币的蓄积(即为货币而实行货币蓄积),有截然不同的内容。在前者的形态上蓄积货币的人是资本家,在后者的形态上蓄积货币的人,只是单纯的"货币储藏人"。就追求价值一件事说来,在资本家和"货币储藏人"两方面,原是共通的东西,即两者都在货币形态上保存价值。但货币储藏人,只知道努力从流通界取出货币,把它蓄积起来;而资本家却反复地把货币投入于流通界,以谋资本的蓄积。

资本主义生产过程的储藏货币,是剩余价值的存在形态。当剩余价值形态上的货币还没有达到机能资本的最低量之时,它还是机能的货币资本的蓄积部分。在到达于这个时期以前的期间,剩余价值形态上的货币,就被蓄积起来,只采取在形成过程中发育着的储藏货币的形态而存在。所以货币蓄积,在这种场合,出现为暂时与现实的资本蓄积相伴随的一个过程。这时的货币,还采取储藏货币形态,还没有当作资本发挥机能。换句话说,资本家实现了剩余价值的货币,在未达到一定量的机能资本以前,是被储藏在金库中的货币。这种场合中的货币,是"潜伏的货币资本"。在这种范围以内,"储藏货币,出现为货币资本的形态,储藏货币的形成,出现为暂行的与资本蓄积相伴随的一个过程。因为这种场合的储藏货币的形成,即在货币形态上存在的剩余价值储藏货币状态,是剩余价值转变为现实的发挥机能的资本时所应通过的……一个阶段。因为有这种目的,所以储藏货币成为潜伏的货币资本"。这种"潜伏的货币资本",在采取储藏货币的形态时,虽已具有货币资本的机能,却还是不曾发挥这种机能的"睡眠了的货币资本"。

随着资本主义的发达,那种"潜伏的货币资本,在未达到所必要的最低量以前,例如变为一银行的有息的存款,或变为汇票,变为其他种类的有价证券,能够采取产生货币的货币形态"。大体上说来,这样的货币,大都"集中于银行那种贮水池"里的。

(四)现阶段的储藏货币

但是,资本主义发展到现在的阶段,金银的货币,基本上已不流通了。金银被集中于银行的贮水池里了。就是说,成为国家准备金的储藏货币,已集中于所谓国家银行了。在资本主义的自由发展期,银行统制着资本家阶级全体的储藏货币,并想把它限制在发挥储藏货币的机能的必要的最低限度的。但到帝国主义时代,资本主义诸国之间与各国国立银行之间,就发生了夺取金银的斗争。

各个国立银行,都把金银作为斗争的资金,尽可能地把多量的金银集中在自己手中。于是银行中的金银的蓄积,其目的和使命虽有差异,却越发采取初期的储藏货币蓄积的形态了。这样的状态,已不是资本主义的蓄积,而是当作自己目的看的货币的蓄积,当作社会的财富看的货币的蓄积了。

在今日,金银虽被集中于中央银行,而货币或金银块之被埋藏于人民金库中的事实,仍然是存在的。在本位货币恐慌的诸条件之下,这样的埋藏越发明显。虽然在金银不流通的情形之下,人民仍能够用种种方法取得金银以及能兑换金银的银行券,埋藏在自己的金库之中。尤其银行券形态的货币的埋藏,其分量特别增加。在1933年以前,法国的农民和小市民所埋藏的银行券,约计已有200亿法郎。1932年2月3日,美总统胡佛即已声明美国人民储藏了约计13亿美金。此外,美国的存款,截至1931年12月底为止,减少了30亿美金。银行存款的提出与货币的储藏,表明着人民已不相信银行与资本主义制度。

像那样把金银和银行券储藏起来的事情,暴露了储藏货币的蓄积,已经采取先资本主义时代的特殊原始形态。金银被人们当作绝对的商品、当作绝对的社会财富去蓄积了。这样的现象,在其他各国,也可以同样的看到,不过有程度上的差别而已。

货币的储藏,在金属流通的经济之中,尽着种种机能:其第一个机能,是从金银货币的流通诸条件发生的。如前面所说,当商品流通的范围、速度、商品价格等发生不断的变动时,货币的流通量也随着不断地增加或减少。如果价格低落或流通速度增加时,储藏货币的贮水池就吸收从流通界分离了的货币部分。如果价格腾贵或流通的速度减小时,储藏货币就被开放,一部分又流回流通界。所以货币的流通量,必须是能够伸缩的东西。有时货币当作流通手段的铸币,就吸引着走进流通界;有时当作流通手段看的铸币,又要当作货币被反拨着而退出流通界。"所以,如果想使现实的流通的货币量,能够常常与流通界的吸收力相适应,就要使一国中存在的金银量大于尽着铸币机能的金银量。而满足这个条件的东西,即是采取储藏形态的货币。储藏货币的贮水池,是一种供作流通货币的流出流入的水沟的东西。"因而社会中分散着的货币总量,是流通手段与储藏货币两者的总和。而在流通着的货币与储藏着的货币之间,那种关系,是不断地变化着的。

二、支付手段

(一)支付手段的机能

金银这东西,当作价值尺度看,出现为观念的东西;当作流通手段看,虽由符标所代用,却出现为现实的东西。又当作储藏货币看的货币,虽是具有金银肉体的东西,它却离开货币流通而处于流通以外。最后,货币还有一种机能,即是货币在商品已脱离流通界而变形之后才进到流通界的那种机能。这种机能,不是当作媒介物看的机能,而是当作结果看的机能。这是所谓支付手段的机能。

在商品流通的直接形态之中,同一的价值量,常有二重的存在。即是说,它在一极上,当作商品而存在于贩卖者方面;在反对的一极上,当作货币而存在于购买者方面。但是随着商品流通的发达,而商品的让渡与价格的实现,在时间上分离的事情,也同时发达了。这种事情,是由于各种商品生产的时间有长短,生产的季节有先后,以及商品到达市场的距离有远近等原因,才发生出来的。因此,某商品所有者,在他商品所有者没有变成购买者以前,能够变成贩卖者。例如,布在农夫没有卖棉花以前,先把布卖给他。这时候,布商的方面有布,而农夫方面却没有现金。农夫以将来的货币的代表人买布,即是约定在收获以后把米粮换得的货币,支付给布商的。于是,卖布的商人变为债权人,买布的农夫变为债务人。在这种场合,商品的变形或商品的价值形态的发展,别开新的生面,货币也得到新的机能。这新的机能,即是当作支付手段的机能。

债权者或债务者的特性,在这种场合,是从单纯的商品流通发生的。单纯的商品流通的形态变化,给他们加上新的资格。于是成为债权者与债务者而出现的商品生产者间的这种复杂的生产关系,就在货币之中对象化,在支付手段的机能之中对象化。

在这种场合,商品的贩卖即 W——G,因交换契约而实现。这交换契约,采取如下的形式:商品—债务,债务—货币

所以就贩卖过程即 W——G 看来,商品与货币,已经不同时出现。在这个场合,第一,货币在贩卖商品的价格的决定上,尽着价值尺度的机能;把契约确定的商品价格,测量购买人的债务,即他在一定期间应当支付的货币额。发挥这种机能时的货币,只成为观念的存在而起作用。第二,货币尽着观念的购买手段的机能。这时的货币,在契约之中,只是观念的存在,现实上还没有存在,但它对于使商品移到另一个商品所有者手中一事,却尽过机能了。支付时

日满期之时,当作支付手段看的货币,才开始在现实上进到流通界,即由购买人移交贩卖人。所以货币之当作支付手段走进流通界,是在商品已从流通界退出之后,这时的货币已不是媒介流通过程的东西。

货币要完成支付手段的机能,第一它必须具有其物材的形态,第二它必须成为金银的形态。即是说,货币必须是"交换价值之绝对的存在",是"一般的商品",而独自的完结流通过程。因为债权人事前把商品交给债务人,随着契约的终结,他必须领受货币。这样的货币,是"本来的意义上的货币",绝不是价值的符标。

所以从布商赊买了布匹的农夫,在约定支付的期间到来之时,他为清偿债务,不能不卖出自己的米粮。商品的最初的变形的贩卖,在农民看来,是经济的强制,这与"货币储藏人"在货币形态上保存价值的行为是不相同的。农夫卖米的动机,是清偿债务,卖出商品而取得货币的行为,是由流通过程本身发生的必然。农夫也许要经过几次的贩卖,才能凑足还债的货币额。照这样,债务的清偿,必然的变为支付手段的货币的蓄积,变为准备金的生成。这种准备金的生成,由商品流通本身所决定,这和货币储藏过程之与流通本身无关,是不相同的。当作致富的独立形态看的货币储藏,随着近代社会的发达而减少;反之,在支付手段的准备基金那种蓄积形态上的货币储藏,却是增加起来。但它只限于必要的最少额。

(二)商品流通所必要的货币量之节约

在支付手段的机能之中,货币出现为商品关系发达的结果。在另一方面,货币本身又促使这种关系的普及。实际上,货币的这种机能,使具有种种色色的生产条件的商品生产者们,都能结成交换关系。同时,这种货币,正是使生产物必然成为商品的东西。因为它成为偿债的前提。

当作支付手段看的货币的机能,能引起流通手段的节约与支付的集中。于是商品流通所必要的货币量,就因为货币的这种机能而减少。

我们在前节中,曾经举出了流通所必要的货币量的方程式,即:

$$\frac{\text{商品价格总额}}{\text{货币平均流通速度}} = \text{流通所必要的货币量}$$

在这个方程式中,我们知道,流通所必要的货币量,是依存于现时流通着的诸商品的价格总额的。现在,我们考虑到商品的信用卖出与债务清偿之时,上述的方程式就不能不重新改正了。

第一,假如某一日(或一星期,或一个月)之中,商品的一部分不是用现金卖出而是用信用卖出之时,对于这些商品所应当支付的货币,在这一日是不必要的,因而用信用卖出的商品的价格,不得不从流通所必要的货币量中扣除出去。

第二,如果在这一日以前已经用信用卖出了的许多商品,都约定在这一日支付现金之时,那些商品早已脱离了流通界,这一日为了偿债,就需要与那些商品价格相当的货币。还有,人们因为在这一日履行纳税及偿还借款等义务,也是需要货币的。于是凡属在这一日应当还纳出去的货币量,都不得不加入于这一日的流通所必要的货币量之中。

第三,到期支付的一部分,也许由于债务人相互间的计算,不需要现金而互相抵消的(例如在这一日,甲要还乙 100 元,乙又要还丙 100 元,结局因为相互间的抵拨,甲直接交丙 100 元就可以了。于是每次 100 元的二次支付,一次就了清了)。这种互相抵消的支付,是不需要现金的。那些互相抵消的部分的支付总额,当然要从流通所必要的货币量之中扣除出去。

依照上述三点,流通所必要的货币量,由下列五项事实所决定:

一、现在市场中流通着的商品价格越是增高,必要货币量就越是增多;

二、哪一日用信用卖出的商品越是增多,必要货币量越是减少;

三、到期支付的总额愈多,必要货币量也愈多;

四、互相抵消的支付额愈多,必要货币量愈少;

五、市场中同位货币的流通速度愈大,货币必要量愈少。

于是流通所必要的货币量,可用下述方程式表示出来:

$$\frac{商品价格总额 - 信用卖出的商品价格 + 到期支付总额 - 互相抵消的支付额}{同位货币平均流通速度}$$

= 流通所必要的货币量

(三)支付手段的机能中的矛盾

"当作支付手段看的货币的机能,包含着一个矛盾,一个缺乏中间的媒介的矛盾。"例如甲对乙有债务,乙对丙有债务,丙对丁有债务,等等,而这些债务,假如都是同日清理的,于是相互间的债务互相抵消,不需用现金授受,至多也只是互相抵消的余额,才用一点现金去支付。"在各种支付互相抵消的范围内,货币只当作计算货币或价值尺度,去尽单纯的观念的机能。又,在实行现实的支付的范围内,货币就不出现为流通手段,即单纯的、瞬时的,媒介的社会的代谢机能形态,却要出现为社会劳动之个人的体化、为交换价值之独立的存在、为绝对的商品。"即是说,这时必须支付现金。像这样,货币在它不是现实的支付时,只是观念上的存在;在它是现实的支付时,必须是真正的货币的存在。——这是支付手段的机能中的矛盾。

这种矛盾,在恐慌发生之时,最尖锐地暴露出来,而货币的支付手段的机能的特殊性,也表现得十分明显。

在恐慌发生以前,商品生产者买卖商品,都想着债权债务能够互相抵消。但恐慌一旦发生,任何商品都跌价。甚至卖不出去。人们都感到现金的困难,希望取得现金,不再用信用卖出商品。所谓债权债务的互相抵消,在这时绝难谈到。于是货币那东西,在以前虽只是出现为计算货币,只有观念上的存在,但到现在,它却出现为"交换价值之独立的存在"、为"绝对的商品"、为真正现实的货币了。

"当作金融恐慌,被人们知道的生产上及商业上的恐慌",是只在"各种支付的连锁与清算的人工体系充分发展的处所发生的东西;当这种机构一般的被搅乱之时(无论它根据什么原因),货币就不依靠什么媒介而突然由计算货币那种单纯的观念形态转变为硬币形态。卑俗的商品,已不能代替货币的位置。商品的使用价值变为无价值,商品的价值在它自身的价值形态面前消灭了"。到了恐慌的时候,商品生产者们才知道"只有货币才是商品"。而"商品与其价值形态的对立,进而变为绝对的对立,货币的现象形态无论怎样也都合用了。即是说,无论是用金银支付,或用银行券及其他信用货币支付,对于金融上的饥馑,毫无影响"。

(四)信用与信用货币

最后,在这里再说明几句关于信用与信用货币的事情。信用与信用货币两者,后面另有专章讨论,这里只指出信用与信用货币发生的根源:

信用这东西,首先是从支付手段的货币机能发生的,首先出现为支付信用,换句话说,信用即是从 W——G 过程中 G 的延期支付一事发生的。在这种意义上,支付信用,可称为流通信用,也叫做商业信用。随着商品流通的发展,信用也发展起来,而支付手段的货币机能也一同扩大了。由于支付手段的机能的扩大,一个国家中现有的货币的大部分,就当作支付手段发挥机能。因而当作购买手段看的货币机能就缩小下去,当作储藏手段看的货币机能就更加缩小了。当货币在发挥支付手段的机能时,就接受特有的存在形态,这种形态,适应于商业上大宗交易的领域,而金币和银币却大都被驱进于小宗交易的领域了。

由于货币的支付手段的机能,就发生出信用货币。因为商品的信用买卖,大都由购买人把写明定期支付现金的票据,交给贩卖人。这种票据,虽然只是私人之间的契约,未经国家保证当作货币流通,但在一定的人们的范围以内,只要是出票人的保证可靠,它就能在这一定人们之间,当作流通手段或支付手段去流通。于是这种东西,便成为信用货币。

这种信用货币,与国家所发行的纸币不同。纸币出现的可能性,是从货币的流通手段的机能发生的;信用货币出现的可能性,是从支付手段的机能发生的。这种区别,我们务必要记住。关于信用货币,后面再详细的研究。

三、世界货币

(一)世界货币与价值尺度

前面我们当作问题研究了的东西,是国内市场,是国内的商品流通,是各个国家内部的货币的机能。但是随着商品生产与交换的发展,世界贸易便发生发展起来。当着商品的交换超出国家的境界而发展到国际贸易时,货币便得到一种新的机能。货币的这种新的机能,即是当作世界货币的货币。

我们已经知道,货币当着脱离流通领域而被人们所储藏之时,当着成为支付手段进到流通领域之时,它都是"当作货币看的货币"。到了国际贸易发生,货币就成为世界中的商品的一般等价物而发挥机能,它就变为"当作世界货币看的货币"了。在这种场合中的货币,成为世界货币而起作用。

货币一旦脱离国内的流通领域而在国际市场中活动之时,它就脱掉地方的形态(即价格标准、铸币、辅币、纸币等形态),而复归到本来的贵金属的金银块的形态。无论是英金镑、美金元、日金元、法国金法郎等一切国家的铸币,一旦在国外流通时,它们的名称如何全无关系,都一律当作实质的纯金(或纯银)看待,都采取赤裸裸的姿态而由衡量去称量。

于是货币的本质,明白地显现出来。它已不是只因为经过铸造才是货币,也不是只因为经过国家法律公认才是货币。浅薄的货币学说,或以为货币的本质只存在于铸币形态之中,或以为贵金属在其铸币形态上才变为货币。这种谬见,在货币出现为世界货币时,就被立即证明了。事实上恰恰相反,因为当作金银块看的金银,已经成为货币,所以国家只用法律公认,并为便利流通起见才把它造成铸币。

在一个国家内部的商品流通中,只能有单一的商品,成为价值尺度,成为本位货币。这种本位货币,在金本位的国家是金币,在银本位的国家是银币。但在世界市场中,却至少有两个商品——金与银充用为价值尺度。因为有些国家用金做价值尺度,有的国家用银做价值尺度,所以这二重价值尺度,是同在世界市场中发生机能的。例如从前中国用银表示商品的价格,美国用金表示商品的价格,两国实行商品交换时,中国要把商品的金价格改算为银价格,美国要把商品的银价格改算为金价格。价格上这种改算,依据于金与银的比价(金价值与银价值的比例)而定,如果这样的比价有变动时,依据于比价的计算也随着改变。

在目前的世界中,金与银两个贵金属,被用为世界货币。在这一点,我们看出世界货币的二重的价值尺度。但在现实上,金对于银已取得支配的地位,银差不多变成金的附庸了。

(二)世界货币的其他各种机能

世界货币不但有二重价值尺度的机能,并且还有三种别的新机能:其一是充当国际的购买手段的机能。世界货币的这种机能,在国与国之间的商品变形运动多少圆滑地进行着的时候,即在国际间的新陈代谢作用多少保持着平衡的时候,通常是不显现的。但在交换只是片面的场合,即在一方面的国家只买进而不卖出的场合,在各国家间的平常的物质交换被阻碍了的场合,世界货币的国际购买手段的机能便显现出来。例如某一国家因为遭逢大凶年或大地震的时候,或者某几个国家互相战争的时候,国与国之间的新陈代谢作用的平衡,就突然破坏。这样的国家,就不能不买进大宗商品,而金银就出动于国际市场,发挥其购买手段的机能了。在这种时候,金银已不出现为流通手段。

其二是充当国际的支付手段的机能。世界货币的这种机能,是在国际借贷的清算时显现的。国际间商品的交换,大部分也是信用的买卖,但到了买与卖、输入与输出有差额时,各国就必须用金或银去实行支付。所以国际间的商品交换越是发展,越是有规则地进行,世界货币就越发频繁地发挥其一般的支付手段的机能。

其三是充当"财富之绝对的社会的具体物"的机能。世界货币的这种机能,不是在购买或支付的场合显现的,而是在一国把财富移转到他国的场合才显现的。像这样的场合,在资本的输出或输入很盛行的时候,是很多的。财富的这种移转,虽常有采取商品形态的事实(但与商品的输出输入有别),但也有采取货币形态的场合。例如一个国家向外国借款,或支出赔款或战债时,常是使用金银的。财富的这种移转,不能采取商品形态而只能采取货币形态,于是金银就当作"财富之绝对的社会的具体物"发挥机能了。

国际的流通,也和国内的流通一样;能够扩大,也能够缩小。因而适应于国际流通的扩大或缩小的准备金,在任何国家都是必要的。于是,储藏货币就成为国际流通的通水路;各国的储藏货币的一部分,就充用为世界货币的准备金。所以"储藏货币的机能,一部分是从国内市场的流通手段及支付手段的货币机能发生的,一部分又是从世界货币的机能发生的"。但从世界货币的机能发生的储藏货币,只限于现实的金银。单从这一点看,也可以明白只有金银才是世界货币。

世界货币,在其金银块的本身中,出现为"本来意义上的货币",出现为价值的独有的具体物,出现为社会劳动的具体物。商品的交换在世界的规模上发展时,世界中一切处所的种种具体劳动都互相交换,而更加完全的转变为抽象的一般的人类劳动,因而金银也随着更完全的取得一般劳动时间的直接体现者的资格。于是货币变为世界的标准上的一般社会劳动的具体物。在这种场合,货币与商品才能成就完全的发展;"货币的存在形式,在这里才与其概念相一致"。

(三)世界货币的流通

世界货币为什么要采取金银块的形态呢？国际间为什么不能共同协议去铸造一种全世界通用的铸币呢？这个原因,是由于世界市场本身原是建立在国民经济与国民经济的对立之上的东西。这个对立,是社会的生产与私人的占有的矛盾在国际的规模上扩大了的结果。这个对立,不但不能融合,反而更趋于尖锐化。所以国际间不但不能有世界共通的铸币,并且除了金银块以外,也绝不能有别种任何国际的货币。

当作世界货币看的金银,在二重的潮流上,流通于全世界:第一,金银从其原来的出产地点开始流入于全世界市场。金银在这种潮流中,其各种大小的分量,由各国流通界所吸收,而流入于国内的各种流通的水沟之中。这一部分的金银,或补充已经磨损的金银币,或充用为奢侈品医药品等材料,或转变为储藏货币。金银的这种运动的开始,首先是劳动与劳动的交换。即是说,金银中所包含的金银出产国的社会劳动,与普通商品中所包含的他国的社会劳动实行交换,于是这金银就开始从其出产地流入于他国,以后就在这一国的流通界流通,而以一定的价值出现。金银的生产费如果有了变动,它在世界市场中,对于诸商品的价值比率上,就给以同样的影响。第二,是金银在各国流通界相互间的流通,而不断的往来于一国与他国之间。金银的这种运动,伴随汇兑行情的不断的变动。

概括起来,当作世界货币看的货币,是货币的新形态。世界货币的机能,不是货币的机能单单出现于世界市场的更广大的舞台,而是货币的新作用。这是适应于国内流通与国际流通间的差异的新作用。

世界货币的上述一切机能(价值尺度、一般的购买手段与支付手段、财富之一般的具体物),表现特殊的生产关系,表现种种国家间的商品生产者的关系(这种关系,虽然由国际规模上的社会的分工所联系,却因各有国界的国民经济体制所分离)。

在这种处所,我们看到商品经济的根本矛盾(社会的生产与私人的占有)之最发展的阶段。

第三节 货币的诸机能与商品生产关系

一、货币的诸机能的总括

（一）商品生产关系与货币的诸机能的关联

货币的各种机能——当作价值尺度、流通手段、储藏手段、支付手段、世界货币等的诸机能，我们在上面已经全面地研究过了。现在再就货币的各种机能，作一个总括的说明，并借以说明它们与商品生产关系的关联。

前面说过，货币的诸机能，都是从货币的本质发生的。而货币的本质，并不是它的各种机能的总和。但货币的本质，存在于商品生产关系之物的表现形态中，所以货币的诸机能，都表现商品生产关系。

当劳动生产物成为商品而出现于市场时，个人的劳动被社会公认为社会的劳动，其生产物被公认为商品，因而各商品的价值的大小就由社会的劳动来测量。这时候发挥价值尺度的货币，就把各商品生产者间的生产关系对象化了。但商品生产者的生产关系，在实际上又必须实现出来。于是各商品生产者互相出现为卖者与买者。买者与卖者间的这种关系之物的表现形态，即是发挥流通手段的机能时的货币。这时候，各商品生产者，以货币为媒介，互相交换其商品，实现他们之间互相依赖的关系，因而完成他们的生产与消费。他们为要完成其生产与消费，又必须有一种准备的手段，而能够充当为准备手段的东西，即是储藏货币。于是商品生产者，又成为货币储藏者，成为可能的购买者，而与社会发生特殊的关系。这种特殊关系，体现于储藏货币的机能之中，如果离开这种关系，就不能有货币的储藏。最后，当作支付手段看的货币的机能，是债权与债务两方的商品生产的关系之物的表现。

所以货币的这些机能，各有其固有的特性。在发挥价值尺度的机能时，货币出现为"在表象上存在的观念的货币"。在发挥流通手段的机能时，现实的金银货币，可由货币的符标所代表。在发挥其他的各种机能时，金银货币不能单只出现为观念上的货币，也不能由符标所代表。这时候，需要现实的金银货币。于是货币成为"本来意义上的货币"而发挥机能。"本来意义上的货币"，又是与当作价值尺度、流通手段看的货币有区别的东西。

货币的这些机能,虽然互相区别,同时却又互相关联,互相制约,一方的机能,基于他方的机能而成长而发展。这一切机能,都以商品及其内在矛盾的发展为基础而发展。货币的各种机能的关联与相互作用,表现出商品生产关系的各方面的关联与相互作用。流通手段的机能,以价值尺度的机能为前提(因为商品之现实的交换,包含着价值的测定)。储藏手段的机能,直接从流通手段的机能发生;另一方面,储藏货币是流通的贮水池。但货币的储藏又是价值的体化物的储藏,所以储藏货币又以价值尺度的机能为前提。至于支付手段的机能,又以其他一切机能——商品评价时的价值尺度、债务移转时的流通手段、债务支付准备的储藏货币——为前提。所以货币的诸机能的互相关联,表现出商品生产关系的各方面的互相关联。

(二)货币机能的发展与商品生产的发展

商品生产关系的发展,表现于货币机能的发展之中。货币机能的发展,表现商品生产的矛盾的运动形态。

货币的一切机能,在商品生产的比较低级的阶段上,已经互相关联的存在着。这些机能的发展,各与商品生产的发展阶段相适应。

货币的两个基本机能——价值尺度与流通手段,表现着交换发展到成为人的联系的支配形态的商品经济发展阶段。单纯商品经济的这个阶段,与自然经济分解及商品关系普及的时期相适应。在这个长久的时期中,生产者的直接目的,还是生产者的消费的满足。交换只出现为解决这种任务的方法。在这里,商品的矛盾,显现于最单纯的形态,即商品与货币的对立之中。这种矛盾,在当作价值尺度与流通手段看的货币之中发现和解决。

随着商品生产与交换的更深入的发展,商品的矛盾就成长起来,达到新的发展阶段及新的形态。于是,生产的直接目的,是价值的生产,是货币的追求。于是流通过程中的贩卖过程(W——G)与购买过程(G——W′)就必然分离起来。两者的分离,就要求保存价值的手段。这个发展阶段上的矛盾,在当作储藏手段看的货币中得到解决。

货币的储藏手段的机能,从交换的幼稚阶段起早已发挥着。但随着商品生产与流通的发展,这种机能也发展起来,储藏货币的蓄积也增大了。但在资本主义经济中的货币的蓄积,已不单是储藏手段的蓄积,而变为资本的蓄积,发生新的作用了。

商品生产的发展,与生产力的发展及生产关系的复杂化相结合。生产的种种条件,引起各个商品生产者在市场上的条件的差异。购买或消费,已不能只依靠现存的购买手段。社会的生产与个人的占有、生产与消费的矛盾,就更加深刻化了。这种矛盾,只有在信用中得到解决。信用是从货币的支付手段的机能发生的。生产与消费的矛盾,虽因支付手段的机能而解决,同时却又在更扩大的规模上发展起来。这种机能,在货币的诸机能中取得重要性之时,就是商品生产发展到资本主义的生产阶段之时。在商品——资本主义的阶段,信用契约变为契约的支配的形态,所以货币的支付手段的机能得到最大的重要性。

最后就世界货币来说,我们也可以看到世界市场与世界货币早已在其萌芽形态上存在过。譬如原始社会末期的种族共同体相互间的商品流通,是世界市场的萌芽形态;这时交换的媒介使用生金或生银,这是世界货币的萌芽形态。到了资本主义时代,世界经济各部分间的联系愈趋紧密,一直进到帝国主义阶段,帝国主义者输出资本征服他国,世界货币的机能更能成就最高的发展。所以世界货币的机能,比较支付手段的机能的普及,是更高级的东西,因而世界货币的重要性的增大,又以资本主义的较高发展阶段为前提。

从上面所说的看来,货币的各种机能,虽然各自与商品经济的各个发展阶段相适应,但这并不是说:在某一阶段上出现的货币的某种机能,随着那一阶段的消灭而消灭。"特殊的货币形态(单纯的商品等价物、流通手段、支付手段、储藏手段、世界货币),由于各种机能的范围的差异及相对优势的不同,指示社会的生产过程的不同阶段。"但这些形态,在商品流通的比较低级的发展阶段上,都能够成立,这是在经验上可以知道的。某一种机能的普及及其相对的优势,与社会的生产过程某一发展阶段相关联。因为商品生产关系的各方面,体现于货币的机能之中。在商品生产的各个历史的发展阶段上,生产关系的某一种类演着支配的作用。因此,社会的发展的种种阶段也互有区别。在特定的场合,支配的生产关系的某一种类,体现于与它相适应的货币机能之中,因而这种机能就比较普及,比较占据优势。

所以我们对于货币机能的发展的考察,纵令不能与货币机能之历史的发展恰相吻合,但在其根本倾向上,却反映出货币机能在商品生产的各阶段中发展的顺序。在这里,我们可以看到:研究之论理的顺序,反映着现实的历史的发展。

二、货币与资本

(一)货币的资本化

我们已经知道,商品是不断运动的。商品的运动必然地产生了货币。而货币由于媒介商品的运动,自己也运动起来。货币的运动即是货币流通。随着商品生产与商品流通的发展,货币也发展起来。所以货币的发展,反映商品生产的全面的发展过程。在商品生产的全面的发展过程中,商品的生产发展到一定的水准,就超出单纯商品经济的领域而转变到资本主义的生产的领域。这样的转变,由流通的新形态即资本形态所显现。于是货币就转变为资本。

我们观察商品流通在其中显现的经济形态时,就看到货币是单纯商品流通过程的最后的产物。"商品流通的这个最后的产物,是资本的最初现象形态。在历史上,资本无论在什么地方,首先在货币形态上,当作货币财产、商业资本、高利贷资本,与土地所有权相对立。""各种新的资本,首先当作货币,当作由一定过程转变为资本的货币,登上市场(商品市场、劳动市场或金融市场)的舞台。"

资本虽然从货币发展而来,并且在市场上采取货币形态,但资本与货币并不是完全同一的东西。

"当作货币看的货币,与当作资本看的货币,最初只由两个不同的流通形态所区别。商品流通的直接形态,是 W——G——W′,即是由商品到货币的转变以及由货币到商品的再转变。换句话说,是为买而卖。但与这形态相并行,还看到与它特别不同的第二形态。它是 G——W——G′,即是由货币到商品的转变以及由商品到货币的再转变。换句话说,是为卖而买。运动的时候,画出后一种流通的货币,转化于资本,变为资本,在其性质上已是资本。"

W——G——W′是单纯商品流通的形态,G——W——G′,是资本的一般的公式,是资本主义的流通形态。这两种流通形态,乍看起来,好像只是货币与商品的位置的颠倒上的差异,但实际上却有根本的差异。后者是为卖而买,前者是为买而卖。例如农夫把米卖给米商,把所得的货币向织匠买布之时,商品流通采取 W(米)—G——W′(布)的形态。这时农夫卖米的目的,在于取得布的使用价值;而米店用货币买米,再卖给消费者,他只注意于米的交换价值;至于织匠的目的,在于把布换取货币,以便用货币买进其他必需品。这时的货币是体现交换价值的东西。所以 W——G——W′ 的流通形态,是以货币为媒介的商品与商品的交换,两极的商品是使用价值不相同的东西。

但 G——W——G′ 的流通形态,是以商品为媒介的货币与货币的交换,两极的货币,必须是量不同的东西,因为货币在质的方面没有差别。因此,投入于流通中的货币额,必须变为比较增大了的货币额而从流通界脱离出来。换句话说,终点上的 G′ 必须大于始点上的 G,否则两种同额的货币互相交换,就全无意义。G′ 大于 G 的部分,我们用 g 表示它。于是上述的公式可改写为 G——W——G′(G+g)。这公式中的 g,叫做剩余价值。这剩余价值是由资本所产生的东西。货币,在它产生剩余价值之时,开始变为资本。所以"当作货币看的货币",是不产生剩余价值的货币,它和产生剩余价值的货币,即"当作资本看的货币",是不相同的东西。

(二)剩余价值的源泉

当作资本看的货币,为什么能产生剩余价值? 这剩余价值究竟从什么地方发生?

乍看起来,这问题好像很简单。人们或许以为这剩余价值是由于买卖商品得来的,即是从流通过程得来的。但剩余价值,不能从买者在价值以下买进商品的事实发生,也不能从卖者在价值以上卖出商品的事实发生。因为各人都互相成为买者与卖者,买方的损失是卖方的利益,卖方的损失是买方的利益,因而两个场合中的各人的利益与损失,就互相抵消,绝不能得到剩余价值。所以就资本家阶级全体说来,价值的增加绝不因这种流通而显现。

人们或许又以为剩余价值是欺骗得来的。但欺骗者虽能因牺牲他人而致富,但欺骗者与受骗者双方所有的总价值,即流通价值额一般,却决不因此而增大。而事实上资本家阶级的财富却是日益增殖,这便是剩余价值不是从欺骗的买卖发生的实证。所以"一国的资本家阶级全体,绝不能因自己欺骗自己而赚钱"。

价值的增殖,既然是不能由商品的流通而显现,而各国资本家阶级全体却逐年因占有剩余价值而致富,这究竟是什么原因呢？于是我们又回到剩余价值从什么地方发生的问题。为要理解这个问题,就不能不在资本家所购买的一切商品中去探寻那种能使价值增大的商品。而这种含有使价值增大的可能性的商品,首先必须是活的商品而不是死的商品。资本家必须取得这种活的商品来消费,靠它创造新的价值,增大最初商品的价值,才能得到剩余价值,这是自明的事情。这种能够使价值增大的活的商品,只有劳动力一种。劳动力寄存在劳动者的活的人格之中,只有劳动者才能增大那种被投入流通界的货币的最初价值,造出剩余的价值。货币的最初价值的这样的增大,就是劳动者所创造的剩余价值的实现。

资本家买进劳动力这种特殊商品,拿来放在生产过程中消费,才能把最初在工资形态上投下的货币的价值增大起来。劳动者为了得到货币(工资),才把劳动力卖给资本家,替他劳动,替他创造剩余价值。这剩余价值,是劳动者在工资形态上得到报酬的时间以上的劳动所创造的,而劳动力这种商品的价值,低于劳动者所造出的商品的价值。

所以货币转变为资本,要有一个根本的前提条件:这个条件,即是失掉了生产手段而仅有劳动力这种商品的劳动者之存在。在自有生产手段而使用自己的劳动力去生产的单纯商品经济之中,货币不能转变为资本。货币只有在把劳动者所创造的剩余价值添加于最初商品的价值之中,才转变为资本。换句话说,货币只有在购买劳动力用以创造剩余价值的条件之下,才变为资本。劳动力变为商品,是在资本家与劳动者的阶级关系已经存在的社会中,才成为普遍的社会现象。资本买进劳动力,是因为要使用它来创造剩余价值;劳动者出卖劳动力,是因为缺乏生产手段,只能以工资维持生活,被逼迫着为资本家生产剩余价值。因而劳动力与生产手段相结合,只有在劳动力变为商品的条件之下,才是可能的。所以剩余价值的源泉,不存在于流通过程之中,而存在于资本的生产过程之中(我们把资本的一般公式即 G——W——G′（G+g）分析起来,即是 G——W…W′——G′（G+g）其中的 W…W′ 是生产过程,剩余价值是在 W…W′ 过程中形成,不过在 W′——G′ 的过程中实现而已)。

从上述各点看来,我们可以知道:"货币和商品,其本身不是资本,而资本也不是单纯的货币和商品。"

由于上面的说明,所谓货币产生剩余价值的谜,即 G——W——G′(G+g)的谜,也就可以解开了。

下面我们进而说明货币的阶级性。

三、货币的阶级性

(一)古代货币的阶级性

现在我们再提出货币机能与生产关系相关联的另一方面,来说明货币在历史上的各种阶级生产关系中所演的作用,即说明货币在各种社会中的阶级的作用。

前面说过,货币是资本的最初的现象形态。就历史上看来,资本之最原始的形态,是高利贷资本及其孪生兄弟的商业资本。这两种形态的资本,在资本制生产方法的很久以前即已出现,并且是各种经济的社会形态中都存在着的东西,两者都"属于洪水前期的资本形态"。

当社会的生产物至少有一部分转变为商品,而货币随着商品交易的发达而发展其种种的机能时,高利贷资本、商业资本就能够存在,此外不须有其他的条件。我们已经知道,货币出现以后,必然的发生货币储藏。因为在商品生产比较不发达的阶段,货币这东西,与使用价值中的财富表现形态相对立,它越发出现为一般的财富。货币储藏是在这种处所形成的。但货币在采取支付手段的形态时,又是出现为商品的绝对形态。货币的这种支付手段的机能,又是促使利息的发生与货币资本的发达的东西。因为人们在购买商品或偿还债务之时,必需要现实的货币,即当作货币看的货币。但若向货币储藏人借取这样的货币,就不能不给付利息。于是货币储藏,在高利贷业方面,就"开始变为现实的东西,实现其梦想。货币储藏人所要求的东西,不是资本,而是当作货币看的货币。但这种储藏货币,通过利息,转变为自己满足的资本。即,它转变为掌握剩余劳动的全部或一部,同样又掌握生产诸条件本身(它名义上虽尚为他人的所有物而与它相对立)的一部的一种手段"。所以这高利贷业本身,沁入于生产的气孔之中。"当商品形态还没有发展为生产物的一般形态时,人们要取得货币,比较困难。所以高利贷业者,除了需要货币的人们的抵抗力即支付能力以外,绝对不知道什么限制。"

"高利贷资本,没有资本制的生产方法,却有资本制的榨取方法。"它寄生于各种生产方法之中,使生产方法穷乏化。它不使生产方法发展,反而使它麻痹。它使各时代的小生产者或直接生产者俯伏于它的权力之下,听它宰割。这是货币的阶级的作用之表现形式。

就古代奴隶制社会的情形来说。古希腊时代的雅典,在其建国初期,贵族的支配已经确立。"而其压迫一般的自由的主要手段,实是高利贷与货币。"贵族们兼营海外贸易与海贼行为,集中了货币财产,作为剥削一切生产者的工具。"发展中的货币经济,恰如破坏的硝酸,侵入了以现物经济为基础的村落的旧生活状态。"贵族的货币支配,发展了许多新的习惯法,保障债权,保障货币所有者对于小农的榨取。阿替喀的田野中,充满了土地抵押的标注。田地的大部分,都因为抵押期满而不能赎取,或积欠利息而不能偿还,而归于贵族高利贷业者所有。小农所有的土地的卖价如不够偿债,或因没有抵押品的借债而无力偿还之时,他们自身和儿女,就被贵族高利贷者没收为奴隶。

又如"罗马的贵族,用战争毁灭了平民。平民因为被强制着要服军役,不能把自己的劳动诸条件再生产出来,以致陷于穷困状态。但同一的战争,却用战利品的铜(当时货币)充满了贵族的仓库和地窖。于是贵族就不把必需品的谷物和牛马直接交给平民,却把自己所不用的铜贷给平民,乘着这样的状态,勒索了法外的高利"。这是罗马平民没落的主因。

大体上说来,在古代社会中,奴隶制的生产是奴隶所有者致富的手段,所以货币所有者就在高利贷资本或商业资本的形态上投下他的货币,换取奴隶与土地等物,借以占有他人的劳动。货币所有者照这样投下货币,是当作资本利用的,因而变为生利的东西。

高利贷形态上的货币资本,最能发挥破坏生产方法的机能。这种资本的特征的形态,分为两个种类:第一个种类以豪奢上流者们(本质上是土地所有者)为榨取的对象;第二个种类以小生产者们(农民及手工业者)为榨取的对象。高利贷业者促使土地所有者没落,并吸尽小生产者的膏血。结局,高利贷者一跃而成为社会的上层分子,变为奴隶所有者,变为土地所有者。

（二）封建时代货币的阶级性

高利贷资本在封建时代的末期,即在资本之原始的蓄积时代,由于剥削封建领主与农民,腐蚀了封建的生产方法,造出了资本制生产方法成立的前提。

由于货币经济的发展,封建领主们在其购买手段与支付手段的准备上,愈不能不依赖于商品资本,尤其依赖于高利贷资本。领主们取得货币的方法,最初是把在地租形态上取得的农产物卖给商人,换取货币;最后是把现物地租改为货币地租,向农民征取货币。但领主们的豪奢生活及其财政的、武备的支出上,单靠从农民榨取地租,往往是入不敷出的。于是就不能不向高利贷者借入货币。而借款的条件,是把封建的特许权交与供给货币人,此外就用土地作担保。欧洲中世纪的许多封建领主,都在高利贷资本的权力之下,因为不能支付高额的利息,而逐渐没落下去,这些都是历史的事实。同时,领主们因为高利贷的压迫,不能不多方设法榨取农奴,而农奴的负担因而加重,间接也陷于破产。

其次,高利贷资本与商业资本,对于小生产者的压迫,更是悲惨。农民们因为要用货币缴纳地租及租税,不能不拿农产物卖给商人。商人是货币所有者,一切的商品及商品生产者,不能不俯伏于他手中的货币之前。任何使用价值的财富形态,和货币比较起来,都只是一个假相。因此商业资本就操纵农产品的价格,买贱卖贵,农民们劳动的结果的一部分,就被商人所骗取。如果小生产者一旦需要借取货币而落在高利贷者手中之时,他们的生活资料的一部分,就不能不在利息的形态上被高利贷者所并吞。结果,小生产者或因此丧失其生产条件,或因此而不能以同样的规模继续其再生产。于是他们逐渐地丧失其生产手段,而转变为自由劳动者。

"高利贷业,在生产机关分散的处所,集中货币财产。它并不变化生产方法,反而成为寄生虫,附着于生产方法,使它变得悲惨。它吸尽生产方法的膏血,使它的气力衰弱,使再生产不能不在愈益惨淡的条件之下去实行。"但在资本之原始的蓄积时代,这样的高利贷资本,却成为资本制生产方法的前提(但资本制生产方法并非由高利贷资本所创造,这是要注意的)。

货币的作用,能使一方没落,使他方富裕,这是货币的阶级性。货币的阶级性,是从货币的机能发生,这在前面已经说明了。货币原是由商品经济所组织了的社会的劳动的生产物。这样的货币,在货币经济中,变为特殊阶级征服其他阶级的重要武器。

货币经济,是分化农民的基本的杠杆,它使农村人口分化为两个对立的阶层:第一阶层是富农,第二阶层是贫农及劳动者。两阶层之间的中间物是中农,其中一小部分有转变为富农的可能性,大部分有转变为贫农的可能性。富农的目的,在于经营商业的农业,以期收入大宗货币。至于贫农单靠经营农业,不能维持生活,必须出卖自己的劳动力。于是贫农不能不屈服于货币权力之下。他们因为要出卖劳动力以取得货币,所以他们的会计中的货币部分,越发演着重要的作用。他们越是贫穷,货币越是不进到他们的手中,因而就不能不永久的受货币所支配,即不能不永久的受农业资本家所支配。所以货币变成了农业资本家征服贫农大众的手段。货币经济的这种特性,不但在封建社会末期是这样,并且在现代社会中也是这样。

（三）现代社会中货币的阶级性

货币的阶级性,在现代资本主义社会中,表现得异常明显。占世界人口最大多数的勤劳大众,都被资本家手中所有的货币征服着,这是无须赘说的。我们在这里只提出资本主义最后阶段上的货币流通的法则性的问题,借以指示现阶段的货币之阶级的作用。

现代资本主义的货币流通,主要的以流通的信用手段为基础。其货币流通的法则,可以简要的列举于下:

第一,一方面,各个企业的票据,由各个银行所结算,这是信用货币流通的情形;另一方面,巨大的独占的银行,通过这种行为,支配产业资本,因而发展为"银行与大工商业之私的联合"。

第二,一方面,票据在各个独立的诸企业家之间,发生作用;另一方面,在由"参加"制度所结合的诸企业之间,发出票据。

第三,资本主义国家的中央发券银行依存于多数个别的企业家与银行家;另一方面,拥有数十亿货币的金融寡头支配、利用发券制度以谋自己的利益。

第四,一方面,发券银行以保证准备的形态,握有巩固的国家的有价证券;另一方面,金融资本的最重大行为,即有价证券之发行,浸透于一切银行事业,必然的依靠种种间接的(或直接的)方法,从那里吸取发券银行的资源。

第五,当作斗争手段看的货币制度,编入世界再分割的斗争之中,因此弱国的货币制度就隶属于强国的货币制度,各帝国主义国家之间,为了要利用这个杠杆,就发生斗争。

第六,由于上述事实,资本的输出,取得更进一层的意义。这种资本的输出,其目的在谋被压迫国家的货币之安定,而在其本质上,使被压迫国家越发隶属于帝国主义列强。

第七,资本主义的危机的成长,金利生活的发达,放款资本的过剩(因不能充分投资于生产)的部分,非常地加强放款资本的可能性,而成为摇动资本主义本位货币的安定性的契机。

第八,货币流通中所表现的帝国主义的特征,决不含有关于货币流通的计划性的意义。反之,金融寡头支配对于货币流通的利用,资本主义的不平衡的发展与资本主义的危机,使货币流通的本源性愈趋激化,引起了帝国主义下的货币制度的危机。这货币制度的危机,是资本主义生产的固有的矛盾激化的结果。

从上面各点看来,我们大略可以知道,在资本主义的最后阶段上,货币这东西,是帝国主义者宰割世界弱小民族、征服世界勤劳大众的工具,同时货币运动法则反映出垂死的资本主义的生产关系。关于上述诸命题的详细的展开,留待后面各章说明。

最后,货币这东西,在社会主义国家中,现时也还存在着。不过,社会主义国家中的货币与资本主义国家中的货币,其性质全不相同,并且货币之阶级的作用,又具有另一种意义。

习题二

一、货币的机能与货币的本质有何种区别与关联?

二、货币的价值尺度机能之意义如何?

三、货币何以能成为价值尺度?

四、货币在发挥价值尺度机能时采取观念的存在形态,其意义如何?

五、何谓价格? 货币的价格本位机能之意义如何?

六、价格本位与价值尺度两种机能,有何种区别与关联?

七、商品的价值与价格的差异如何？

八、在商品的生产上,社会的必要劳动不变时,这商品的价值能有变动么？又它的价格能有变动么？

九、价格与价值常不一致,其原因如何？

一〇、货币有价格么？

一一、货币的流通手段机能之意义如何？

一二、商品流通与商品直接交换之差异如何？

一三、商品要经过怎样的过程,才能现实的生成为商品？

一四、试说明商品变形的两个阶段。

一五、试列举货币运动(流通)的图式。

一六、试列出测定货币流通的必要量的方程式,并说明其意义。

一七、商品的价格由货币的数量所决定么？ 或者货币的数量由商品价格总额所决定么？

一八、纸币何以能成为流通手段？

一九、纸币能成为价值尺度么？

二〇、所谓"当作货币看的货币",其意义如何？

二一、货币为什么暂时退出流通界而采取休息的姿态？

二二、何谓"货币储藏"与"货币储藏人"？

二三、货币的支付手段机能之意义如何？

二四、货币在怎样的条件下才能完成流通手段的机能？

二五、在某一星期之中,某一都市流通了价格1000万元的商品,其中有400万元商品是以信用卖出的。这一星期中共缴纳了租税100万元,偿还了200万元的债款。但各种铸币的平均流通速度为三次。试问这星期必要的货币额是多少？

二六、支付手段的机能中的矛盾何在？

二七、何谓信用？ 何谓信用货币？

二八、信用货币与纸币的区别何在？

二九、纸币发行过多之时,金币首先退出流通界,然后银币、铜币依次退出流通界,其原因如何？

三〇、流通必要的货币量是 3 亿元,而此时国内有 1 亿元金币,5000 万元银币,2500 万元铜币流通着。试问在下列三种场合,货币流通各有怎样的变化?

(1)在发行 1 亿 2500 万元纸币的场合;

(2)在发行 4 亿 2500 万元纸币的场合;

(3)在发行 7 亿 2500 万元纸币的场合。

三一、各国的铸币一进到国际市场,就停止其为价格本位,其理由如何?

三二、世界货币的价值尺度机能之意义如何?

三三、世界货币的支付手段机能之意义如何?

三四、全世界通用的铸币能够成立么?

三五、货币机能的发展与商品社会生产关系的发展,其间有何关联? 货币的各种机能间之相互关系如何?

三六、试说明货币的资本化的意义。

三七、试说明古代的货币的阶级性。

三八、试说明封建时代的货币的阶级性。

三九、试说明现代的货币的阶级性。

第三章　各派货币学说

第一节　货币金属学说与货币名目学说

一、货币金属学说及其批判

（一）金属主义与名目主义谬误的根源

在前两章中,通过商品经济的细胞(生产物的商品形态)之分析,指出了这个细胞被分裂为商品与货币。商品与货币互相作用,使商品生产者的统一的生产关系(他们的劳动关系),体化于对象之中。随着商品生产与交换的发展,商品中的一种,担负货币的任务,开始完成了劳动生产物转变为商品的过程。所以货币表现商品生产关系的特殊发展阶段;由商品到货币的推移,即是由商品的那个胎儿到最成熟的货币形态的发展。由于货币的本质的探求,我们知道货币是商品社会的生产关系之物的表现,是商品经济的细胞。

我们又知道,货币的各种机能,都由货币的本质发生。货币的直接的最根本的机能,是价值尺度的机能。商品在货币之中,不单在质的方面表现为同质的人类劳动的凝结物,并且在量的方面,表现为采取一定量金的形态的一定劳动量。由于商品的这种内的可量性,就产出价值的尺度。从价值尺度的机能,首先分化出流通手段的机能,更由这个机能产出其他一切的机能。更正确地说,这一切机能都根源于货币的价值尺度的机能,根源于货币的本质(即:货币是一般等价物,是商品生产关系的对象化)。但这些机能,都依从于一定的顺序而继起,并且互相密切地不可分离地依存着。这一切理由,都在前章中说明过了。

现在,我们更就货币的诸机能的联系,指出货币之现实的存在与观念的存在的辩证法,借以暴露各派货币学说的谬误的根源。

由于前面的研究,我们可以知道,货币界与商品界的对立可以看作是物质的东西与观念的东西的对立。商品社会的生产关系的事物化的作用,产出劳动生产物的二重形态,即当作物品看的自然的存在形态与当作价值看的社会的存在形态。商品之自然的及社会的存在形态间的对立,在货币之中最明显的、最丰富地显现出来。当作价值尺度看,金子在商品价格中具有纯观念的存在形态,在商品所有者互相实行支付时货币出现为观念的计算单位。但货币的这种观念的存在形态,并不是说明货币完全脱离现实的金子的实质,而是以现实的金子之存在为前提。当作价值尺度看,金子虽是观念的存在,但商品的价值并不因价值之名目的无内容的单位而有所变动,也不直接的因劳动时间而有所变动,而是由于货币商品的金子的价值而变动的。所以,"在看不见的价值尺度之中,隐藏着现实的货币"。

至于当作流通手段看的货币,是纯粹象征的存在形态。货币的这种"纯粹机能的"存在形态,只是现实的贵金属的符标或代表。流通中的纸币量的界限,受现实的金子所规定。纸币量超过其所代表的金额时,纸币就跌价。

最后,在支付手段的货币机能中,当作计算的观念的单位看的那种存在形态,在互相实行支付的场合,是相对的。第一,债务不能互相抵消的余额,必须用现实的货币支付。第二,在互相计算的机构破坏之时,货币就不由什么媒介而突然的从计算货币那种观念的形态而转变为硬币形态。

以上是货币之现实的存在与观念的存在的辩证法。

正统派及其苗裔的经济学,完全不理解货币的两种存在形态的辩证法,不理解两者的相互联系以及由一方到他方的转变,因而创造了曲解现实、掩蔽真相的种种货币学说。所谓"货币金属学说"、"货币名目学说"与"货币数量学说",就是这类货币学说的代表。现在先就金属学说与名目学说作批判的检讨。

大体上说来,金属学说与名目学说,都是蜷伏于货币的物神性之前,拘泥于货币的现象,不知道从商品生产关系的分析去理解货币的本质,只知道把货币的某一种或两种的机能抬高到绝对的地位,而忽视货币的其他的各种机能,创造出片面性的货币理论。金属主义者只注重于货币价值尺度的机能与储藏手段的机能,而否认其他的机能;名目主义者只注视于货币的支付手段的机能与流通手段的机能,而否认其他的机能。换句话说,前者只注重货币之物质的存在,后者只注重于货币之观念的存在;前者只看到货币之物理的性质,后者只看到货币之精神的性质。因此,金属主义与名目主义,都不能理解货币的本质,不理解货币中所表现的商品生产关系,因而引出了只见部分不见全体、只见树木不见森林的货币理论。

(二)金属主义学说的内容

这里我们首先说明金属主义学说的内容,然后再加以批判。

金属主义,主张货币是具有着"固有价值"的商品。货币的固有价值,即是成为货币材料的贵金属的价值,即使用价值。依据这种见解,货币是价值的担负者,是交换的财货。货币也和一切商品一样,其本身中有绝对的或独立的价值。货币因为有这样的价值,所以能成为交换的媒介,发挥价值尺度及价值移转的机能。

金属主义者基于上述的见解,主张货币价值的安全与铸造货币的金银块相联系。因此,货币的名目价值与实质价值相一致,即名目价值等于实质价值,而货币具有其本身中所含有的贵金属的价值。具有这种固有价值的货币,常是本身中藏有它的价值的货币,即是用贵金属构成着的货币。只有这样的货币,才能与任何商品相交换。

贵金属的固有价值,与其他商品的固有价值一样,由生产费所决定。贵金属的生产费变动时,货币的价值也必须变动。例如发现新金矿的结果,金价值低落了,金币的绝对价值也随着低落。这是所谓货币生产费学说。正统派经济学者,对于这学说还有一点补充:"金银和别的商品一样,有内在的价值;它的价值,不是任意决定的,而是由于金银的稀少性,由于取得货币而投下的劳动的价值以及投资于金银矿山的资本的价值所决定的。"(李嘉图也是代表金属货币学说的人)正因为这样,货币才具有商品性,它才成为商品。

金属主义者由上述的原理出发,认为纸币是完全不具有充分价值的东西,它没有固有的价值,因而不能称为商品。纸币只有在它随时能与金属货币兑换的限度内才有价值,必须有金银或同样的某种价值做准备。因此金属主义者只承认兑换券为有效。纸币本身并无价值,它只有在随时兑换现金的条件之下,才成为由金银支付的票券。只有金银把自己的灵魂嵌入纸币之中,纸币才成为有充分价值的东西。在金属主义者看来,纸币恰与用装载的货物测定其价值的运货票相类似。如果把货物取去了,运货票就失去其价值。所以纸币必要有准备材料之存在,并且必须能够与金属货币相兑换。如果准备与兑换可能性这两个条件都不存在,纸币就变为无价值的纸片。所以金属主义者否定纸币本身,把纸币当作粗恶的、病理学的、劣等的货币,认为它不能与金属货币同列,它只是国家财政陷于紧急状态时的临时救治手段。

还有,金属主义者主张货币制度应不受国家干涉。依据这种见解,货币的流通是自动的显现着,国家无须加以顾虑。国家如不干涉货币制度而放任其流通时,经济就自然发展起来。例如物价腾贵时,银行券的需要也增加,中央银行也必斟酌这种经济上的要求,所以货币的需要增加时,商业本身自能筹措必要的金额,反之,当商业界不景气之时,支付手段的需要就自然减少。这是金属主义反对国家干涉货币制度的理由。

综合以上所述,货币金属学说的要点,可作如下的概括:

第一,金属主义在货币材料的贵金属的使用价值中探求货币的本质;

第二,货币由贵金属造成,因贵金属而保证其价值,所以,它是能够与任何商品相交换的商品;

第三,货币的价值,由金银块的价值即使用价值所决定,而金银块由其生产费所决定;

第四,缺乏固有价值的货币即纸币,应由金属所准备,并须随时与金属货币相兑换;

第五,不适合上述条件的货币(不兑换纸币),不能成为货币;

第六,国家不能干预货币问题。

(三)金属主义的批判

金属主义者跪拜于货币的物神性之前,漂浮于现象的表面,从货币材料的金银的自然性质,去说明货的神秘的能力,——能与任何商品相交换币的能力。他们不能理解货币的本质,不能在货币的金银中看到商品生产关系的表现,只知道注意于物与物的关系,即货币与商品的关系。因此,他们对于从货币的本质所产生的种种机能,不能在其有机的联系上去考察,而只是把它们分离起来,个别地加以考察。

　　金属主义者从货币的各种机能中,抽取价值尺度的机能,企图说明货币的一切现象。他们不知道货币是商品价值的一般体化物,也不知道价值与使用价值的区别。他们所说的商品的价值只是商品的使用价值。他们虽然也知道商品的价值是由劳动所形成的(如正统派经济学者所主张),但他们所说的劳动,实是具体的个人的劳动而不是抽象的劳动(他们不知道抽象劳动的范畴),是形成使用价值的劳动而不是形成价值的劳动,因此他们所说的价值即是使用价值。他们在商品之中只看到物与物或人与物的关系,不能看到人与人的关系。他们所说的价值尺度,和我们在前章中所说明的价值尺度,其意义全不相同。我们所说的价值尺度,是指明用货币商品中所体现的抽象劳动测量其他一切商品中所体现的抽象劳动。但金属主义者把使用价值看作价值,把贵金属的特殊使用价值看作货币的价值,因而他们所说的价值尺度是指用货币的使用价值测量其他一切商品的使用价值了。照这样说来,货币与商品的交换关系,即是一种特殊的使用价值与其他一切使用价值的交换关系。这样的交换关系,只是物与物的关系;经济学也就变为以物的关系为对象的科学了。

　　金属主义者把货币看作一般的商品,因而把货币与商品的交换看作单纯的商品与商品的交换。这种错误,是由于不理解货币的本质而发生的。如前章所述,货币虽然是商品,但它是特殊的商品,是一般的等价物,是商品经济的矛盾之必然的运动形态。货币是商品世界分裂为商品界与货币界的结果,是商品生产发展的历史过程中的产物。货币与商品形成为统一,这个统一,是等价形态与相对价值形态的统一。货币之成为一般等价物,是商品世界的统一体中的等价形态固定于金银的特殊商品的结果。金属主义者从已成的货币出发,不知货币的起源及其发展,而把货币看作单纯的贵金属,看作是商品生产者在交换商品时互相同意授受的普通商品。这种把货币与商品看作商品与商品交换的见解,仍只是物物交换的见解,既不理解货币经济的历史,也不理解商品生产关系发展的历史。

　　金属主义者,基于价值尺度之错误解释,主张货币即是贵金属,即是价值十足的贵金属货币,因而对纸币采取否定的态度,并主张纸币只有由金属所准备而随时兑换金属货币时才能成为货币。金属主义者除了货币的价值尺度的机能之外,不知道货币的其他的机能。他们不知道货币在发挥流通手段的机能时,能够由价值的符标或象征所代表;价值充足的货币,不但可由价值不充足的货币(即磨损了的铸币和辅币)所代表,并且可由全无价值的纸币所代表。纸币与硬币都是商品流通的产物。商品流通这件事本身,对于货币的流通手段的机能,给予着用金子的象征(或符号)代替金子的可能性。不过货币的符标,必须有客观的、社会的妥当性,而纸币的这种妥当性是由国家所赋予的强制通用力而得到的。纸币的数量,由纸币代表流通所"必要的"金量一事所决定。所谓"必要的"三个字的意思,并不是说纸币代表一国中存在着的(在储蓄银行中的)金子的意思(如果这样解释,那就错了)。单只在流通手段的机能上,一个国家中完全没有金子也是可以的(不过在别的机能上,需要金子)。但商品流通既然存在,就必须有金子,而这必要的金量由纸币所代表。所以一国的商品流通所必要的金子量,可以完全由纸币去代表。在这个范围内,完全没有金子也是可以的;在这个范围内,纸币无论兑换现金与否,都能成为价值充足的货币(不过纸币数量超过所代表的流通必要金量太多时,其价值就低落)。金属主义者不知道货币的流通手段的机能,因而否认纸币,这完全是错误的。

金属主义起源于 16、17 世纪之时。当时的资产阶级,由于对黄金的渴望,到处追求货币。因而货币主义(重商主义是这货币主义的变种)的创设者,就宣言金银即货币为唯一的财富。在这个时代,生产物的大部分还没有转化为商品,还没有出现为一般的抽象劳动的对象化,所以当作流通的目的物的货币,只是交换价值即抽象的财富。金银在当时成为社会劳动的直接体现,成为抽象财富的存在形态,而与其他一切商品相对立。这样的货币主义,到了资本主义商品经济确立以后,虽然失掉了它的时代性,但它的精神仍然是残留着的。新妆的货币金属学说,可说是与货币主义一脉相传的。

这种学说的代表人,与其说是正统派的经济学者,还不如说是历史学派的经济学者,如 Bruno Hildebrand,Willhelm Roscher,Gustav Schmoller 等人。这种学说,富有自由竞争主义的色彩(在主张国家不干预货币问题一点,可以看出来),在资本主义的初期时代,颇为流行。但是进到金融资本主义时代,资产阶级的这种货币学说,就为另一种学说即货币名目学说(或名目主义)所代替了。不过金属主义,在欧战以后纸币的洪水泛滥之时,又曾经暂时地复活起来,如德国学者 Kniens,Karl Diehl,Adolf Wagner 等人,都是金属主义的支持者。可是在金本位制崩溃的今日资本主义世界中,金属主义已不为资产阶级所注意了。

二、货币名目学说及其批判

(一)货币名目学说之由来

代替货币金属学说而起的学说,是货币名目学说(简称为名目主义)。名目主义,是现今资本主义世界中最流行的学说。名目主义完全与金属主义相反。金属主义注视货币之物质的存在形态,名目主义注视货币之观念的存在形态。名目主义是以货币之观念的存在形态为对象而主张货币是人类的意志、愿望及法律的产物的学说。

这种学说的起源甚早,希腊时代的亚里士多德早已建立了"货币是人人同意的结果"的命题。中世纪,有些法学家,早已应用"货币单是符标,贵金属的价值完全是想象"的见解,拥护了全中世纪国王的铸币伪造权。他们的忠实门生菲力布德伐洛亚(Philip of Valois)在一三四六年的一个布告中,这样说着:"铸币的制造、制定、供给,与其他关于货币的一切处置、一切流通,以及把我们所想与我们所认以为好的价值交给货币,——这一切只属于我们和国王陛下的权限。这件事,任何人不能怀疑,并且不可怀疑。"由皇帝的敕令规定货币的价值,原是罗马法的定说。从这两点看来,名目主义在经济学者以前,早已由法律学者提倡,并经中世纪的国王实行过了。

现代的名目主义,虽是中世纪的名目主义的传统,而其内容却与后者稍有不同,现代的名目主义,不从国王的布告去说明货币,而是从货币之观念的存在形态去说明货币,并且它是在资本主义商品经济的最后阶段发生的。在这一点就存有它的进步性。

现代的名目主义的代表者,是克纳卜(G.F.Knapp)、埃尔斯德(Ludwig Elster)、彭迭克孙(F.Bendixen)、里富曼(R.Liefmann)等人。他们都是主观主义者。他们的名目主义,与心理的经济概念有密接的联系。名目主义者,或把货币解释为价值符标,或解释为观念的计算手段,或解释为票券的支付手段,而其共通之点,就是主张货币没有价值,它不是商品,而只是价值的象征或符号。

(二)名目主义的背景

关于名目主义的价值观,留待下面讨论,这里先指出名目主义诞生之社会的、经济的根据:

第一,名目主义者理论的根据是纸币,他们认定纸币是理解货币的关键。事实上,20 世纪的资本主义世界,纸币流通的现象眩惑了名目主义者的眼帘。他们看到资本的价值在纸币形态上保存的事实,就引起了从纸币去理解货币本质的冲动。他们看到货币在其某种机能上可由符标或票券代替的事实,就创出了货币只是符号或票券的学说。因此,他们否认货币为商品,主张货币没有价值。

第二,资本主义国内的和国际的商品经济的发展,引起信用交易的无限制的发达。这种信用交易,往往不需要现金。债务互相抵消的余额,在一国内部,可用纸币或信用货币支付;在国际之间,才用现金支付,并且所用的现金,也是逐渐减少的。因为在独占的资本主义时代,随着银行资本与银行业务之强有力的成长,一般交易中的现金结账的部分日见减少,而不用货币结账的部分,却急速的发达起来。就 20 世纪前后的德国国立银行交易的统计看来,一般交易中的现金结账部分,在 1891 年,约占 24.7%,到 1913 年已减至 9.6%。又如美国,在 1871 年,用银行券和金属货币支付的部分,只占 12%,其余 88%,都用支票和汇票结账。到了 1881 年,全部支付额的 92%,都不用货币结账。至于战时的不用货币的交易的发达,以美国的材料为最多。伦敦银行与地方银行互相计账的交易,在 1914 年为 14665 百万镑,到 1916 年增至 21198 百万镑。像这一类无货币交易的手段,都是信用证券(即汇票、支票及其他类似的证券)。这类信用证券,乍看起来,好像是抽象的计算单位之观念的复合体。世界经济中无货币交易的发达,使得资产阶级经济学者发生这样的意念:货币在其本质上只是抽象的计算单位,在这种单位上,商品的价值和劳动的价值都可以计算出来。

名目主义者从国际间的相互计算结账的现象出发,还造出了组织完全社会的可能性的观念。在另一方面,名目主义者看到由自生的资本主义经济成长的信用关系,以一定的信用组织为前提,因此引起世界货币经济的表象以及关于组织化了的社会范畴的货币的表象。

依照上述理由,名目学说,不单是象征的货币理论,并且又是信用的货币理论。所以克纳卜把货币解消于支付手段的概念之中,又把支付手段解消于货币的概念之中,因而把货币看作票券的支付手段。

第三,随着独占的资本主义之发展,在贵金属的价格形成的领域中,也有有限制的独占的现象,即是贵金属也得由独占者给以独占的价格。由于这种事实,名目主义者就发生一种颠倒了的观念,好像货币不是从金银得到价值,反而是金银从货币得到价值。名目主义者从这种观念出发,造出了本位相互间的行市的理论。而这种理论,又归结于金银的价值由本位相互间的平价状态所规定的事实;主张平价这件事的本身又是由国家自动的活动所规定的。

以上各种货币现象,都是名目主义的理论所由发生的地盘,也是名目主义所以流行的有利条件。一般跪拜于货币物神性之前的广大的信徒们,都欢迎这一学说。我们现在来检讨名目主义的理论本身。

(三)名目主义的内容

名目主义的根本理论,是关于货币价值问题之特殊的解释。为要理解名目主义者关于货币价值问题的特殊见解,必先说明他们对于价值的解释。

名目主义者们,都把价值当作人与物的关系考察,当作人对于物的评价的心理现象去考察。

彭迭克孙曾说:"商品的价值,不在物质之中,而在人类的表象之中。"又说:"物的价值,是人类思维活动的结果。"

里富曼说:"在经济学上,一般的物与物的关系并不存在,所存在的只是人与物的关系。所以货币与财之间,不能有交换关系,只有'评价关系'。即一方面有各人对于财的个人的关系,另一方面只有各人对于货币的个人的关系。由于效用与费用的比较中的这些关系,就发生人们间的经济关系。"

依照名目主义者的见解,价值与价格完全是同一物。

名目主义者同样又由商品之已成的货币形态出发。商品的价格在评价人的意识上形成的问题,同时即是商品价值形成的问题。因而,价值与价格都是同一的心理行为的产物。在这里,价格问题代替了价值问题。

简单地说来,名目主义者对于价值之决定的观点,就是主张"商品的价值,是基于所取之财的效用而决定的个人的心理的评价的结果"。

名目主义者基于上述价值的观点,否定货币之商品的本质,因而否定货币的价值。他们认为价值是由主体(即人)把对象当作消费财评价的结果,而货币既不是消费财,也不是物质的实体,乃是抽象的计算单位,当然没有价值。换句话说,他们认定货币不是商品,所以没有价值。

但是名目主义者虽不承认货币有价值,而对于货币测定商品价值的实在事实却不能不加以承认。由于这一点,就发生这样的问题:没有价值的货币怎样能测定商品的价值呢?货币与商品之间,既没有共通的性质(即价值),能够用没有这种性质的货币去测量么?人们能够用天平测量物体的长短,用尺寸测定时间的距离么?

名目主义者们对于这个问题,想出了种种奇怪的答复。他们宣称测定的东西与被测定的东西之间不宜有共通的性质,如果用具有同一性质的东西去测定被测定的东西反而不是妥当的方法。

名目主义者齐美尔(Georg Simmel)很反对货币与商品的质的平等性的主张,创出了所谓"比例测定"的方法。据他所说,假定 n 是一定商品的价值,A 为全商品的价值额,a 为商品的价格,B 为全商品的价格额,于是就得到下式:

$$n:A = a:B \quad \text{即} \quad n = \frac{aA}{B}$$

这就是齐美尔的所谓比例测定法。但依照 n:A = a:B 的比例式看来,价值关系,机械的与价格关系相对比。究竟价值与价格之间,价值额与价格额之间,有什么实在的联系,这是完全不能理解的。齐美尔并没有指出这个联系,实际上也不能指示出来,因为他不知道这两个关系的现实的实体是社会的劳动时间。

另一名目主义者彭迭克孙,创造了"公分母"的学说。他说:"一种东西被评价之时,同时这种东西对于其余一切财的价值的关系,就被表现出来。"他以为各种商品的价值即是各种不同的分数。分数是分子与分母的关系。"由于公分母的成立,分子对于不同分母的关系就被解决,分子与公分母发生新的关系;同样,在交换关系上,对立的价值,由于这种关系,互相分解而被做成公分母;而这个公分母,把那些无限制的价值数的相互比较,弄得容易了。货币就是实行这种工作的。""所以货币是全价值的公分母。"

但在价值关系上的价值的分母,怎样转变为货币的公分母? 这一般的公分母,究竟怎样发现的? 彭迭克孙对于这一点并没有说明出来。如果各种价值的分母被通约为货币的公分母,那就价值与货币之间必有某种共通物。换句话说,货币必是一般等价物,它才能成为公分母,这是很明白的。但如果承认这一层,名目主义就陷于破产,因为它主张货币不是价值,而只是价值单位的名目。

还有一个名目主义者克纳卜,是以发表"货币国定学说"而著名的人物。但他的货币理论的精神,不在于那种"国定学说",而在于名目主义。他和其他名目主义者一样,主张货币不是商品,没有价值,他完全不理解货币的价值尺度的机能,而把支付手段的机能夸张到绝对地位。他主张"货币是法律制度的产物",是法定的票券的支付手段。依据他的见解,真的货币即是纸币。他主张价值的单位是"表现支付分量的单位"。而价值单位的支付能力,由法制所规定,与造出支付手段的物材无关。换句话说,法制所规定的某一单位的货币对于某一单位价值分量的支付,即是货币的支付能力。这种支付能力,是以法制为基础的票券的记号的个性。

克纳卜主张货币的支付能力,对于货币与商品的交换关系绝无影响,它只是由国家的法律所改变。因此,他主张商品价格变动的原因,常在商品一方面,而不在货币的方面。他依据这种见解,企图说明战时物价腾贵的原因。他说战时商品价格腾贵的原因,是由于生产事业的破坏,与货币流通的制度无关。换句话说,战时物价的腾贵,是由于生产的减少,与政府滥发纸币的事实无关。这种主张,是现在资本主义各国所实行的通货膨胀及纸币政策等理论的根据。

(四)名目主义之批判

名目主义的要点,可以概括如下:

第一,名目主义,主张货币是人们的意志愿望及其所制定的法律的产物,绝不是商品经济发展过程中自生的结果。

第二,货币是名目的价值单位,是价值的符号、象征或标识,它与贵金属无关。真正的货币是纸币。

第三，货币没有价值，所以不是商品，而是表示关于商品的票券的表象，是用以测定商品价格的计算单位。

第四，货币是国家及其法制的创造物，由法制给它以一定的名目价值。

总起来说，名目主义，是观念论的货币理论。我们已经知道，货币是自然的存在形态与社会的存在形态之统一，是物质的存在形态与观念的存在形态之统一。名目主义把货币的这两个方面分离出来，单单抽取货币之观念的存在形态一方面，作为它的理论的出发点。我们知道，货币是充当一般等价物的特殊商品，它是商品经济发展的必然的结果，绝不是人类意志的创造物。货币的价值，并不由人类的意志所决定，而是离开意志而独立的一定的东西。货币的价值尺度的机能，以现实的金银之存在为前提。国家及其法制虽能任意改变价格本位，却绝不能任意改变它与一定商品相交换的金量或银量。

至于纸币，是货币发展之自然的结果。纸币之与金银相分离，并不是纸币完全脱离了金银。纸币的特殊流通法则，只是从它与金银的关系发生的，只是从它成为金子代理者的事实发生的。这个法则，正确地说来，就归着于下述一点：纸币的发行额，由纸币所代表的金银在现实上流通的分量所规定。纸币所代表的价值，不是人们的意志自由决定的，也不是法律所能自由变动的，它完全依存于市场上流通的诸商品的实现所必要的金银。这金银的分量，由商品与金属货币的生产所支出的社会的必要劳动所决定，而离开人们的意志及其所制定的法律而独立。如果国家投入于流通的纸币数量，超过了流通上所必需的数量时，它所代表的价值，无论国家怎样用法律去强制，它必然的低落下去。这是显著的客观的事实。

名目主义者单只看到货币的价值符标的机能，把货币的本质看作表章，看作象征或符号，完全否定金银的内在价值的意义，甚至把价值充足的金银货币也当作表章、象征或符号去说明。他们完全不知道：他们自己所想象以为名目的表章，在事实上是金银的表章，是流通中发生的货币形态上的金银的表章，是代表流通中的金银的表章。

名目主义是观念论的货币论。这种货币理论是帝国主义时代的产物，这在上面已经说过了。名目主义，在第一次世界大战期中（及战后）的资本主义各国的通货膨胀政策中，可以看到它的强烈的影响。到了1922年，日内瓦会议曾把金属主义的原理采入于通货政策的基础中,又看到了金属主义的抬头。但自从 1929 年的世界恐慌爆发以后,名目主义盛行起来。庸俗的经济学者们,一方面认定货币与信用规定着全体资本主义经济的发展,一方面又认定金本位货币的安定并不能预防恐慌,于是提倡放弃金本位而创造所谓有统制的纸本位。于是名目主义者所支持的通货膨胀的思想,就盛行起来,而脱离金本位的主张就高唱入云,并先后都经资本主义国家所采用了。

名目主义肯定通货膨胀政策,并利用货币制度作为剥削劳苦群众的补助手段。由于通货膨胀而引起的物价的腾贵以及工资之相对的减低,在实际上即是降低了劳动力的价值。

第二节　货币数量学说

一、货币数量学说的由来

(一)货币数量学说的一般特征

本节我们来研究货币数量学说。货币数量学说,是目前资本主义世界中最流行最有势力的货币理论。

在货币数量学说之中,详细地考察起来,虽然有种种差异,但就其共通的主要的特征说来,它是主张商品价格的高低与货币数量的增减为比例的学说。这一学说的一般特征,如卡斯洛夫等所述,可归着于下述这段话:依据数量学说,货币没有内在的固有的价值。货币的价值是在流通中形成的。货币的购买力直接由货币的数量所左右。货币的购买力与货币的数量成反比例。货币的数量如果增加,货币的购买力就减少;货币的数量如果减少,货币的购买力就增加。商品的数量和货币的回转速度如果不变,货币数量的变动对于价格直接引起比例的变动。货币的数量增加时,商品价格就增高;货币的数量减少时,商品价格就减低。因此,货币的数量如果增加,货币的购买力就减少,而商品价格的水准就升高;货币的数量如果减少,货币的购买力就增加,而商品价格的水准就降低。

换句话说,价格水准的升高或货币购买力的减少,都由货币数量的增加而发生;反之,价格水准的降低或货币购买力的增高,都由货币数量的减少而发生。

因此，商品价格的水准或货币的价值，由货币数量所规定。

数量论者，只在货币一方面看到上述条件下的价格运动的原因。他们认定商品价格的运动，是货币数量变动了的结果；换句话说，货币的数量是价值变动的原因。货币回转的速度和商品的数量也能使价格变动，但依据他们的意见，价格变动之根本的终极的原因，还是货币数量的变动。

单从上述各点看来，我们可以知道，货币数量学说所处理的中心问题，是货币购买力适应于货币数量而变动的问题。

在检讨货币数量学说以前，我们还需说明这个学说的由来。

（二）货币数量学说的先驱

当 16 世纪之时，美洲新大陆发现以后，有大量的白银从新大陆流入欧洲，而由于银价的低落，引起了商品价格的腾贵。那时的经济学者被货币流通的现象所眩惑，失掉了自己的判断力。他们把金属货币看作铸币，把金属铸币看作单纯的价值符标。于是适应于价值符标的流通法则，建立了下述的命题：商品的价格，依存于流通的货币量，而流通的货币量并不依存于商品的价格。这种见解，在波丹（Jean Bodin，1530—1596）的经济学说中，已经有了表现。波丹在当时已经指出金银的增加是货币价值低落的主要原因。还有，17 世纪意大利的经济学者，也多暗示了这种见解。

洛克（Locke，1632—1704）对于这种见解，更有明确的规定。洛克把货币量假定为 M，把 P 假定为物价，把 Q 假定为商品量，因而建立了 $M = PQ$ 的方程式。他说，若果 Q 是自动的给予着，P 就因 M 而变化。

其次，孟德斯鸠（Montesquieu，1689—1755）最素朴的写出了数量学说的命题。他以为，商品价格，由全世界所存在的商品的全数量与金银的全数量之关系所规定。全世界的商品的集积体，与全世界的货币量相对立。

其次，休谟（D. Hume，1711—1776）对于这种货币理论，更加精制了一番。在休谟的时代，欧美人发现了丰富的贵金属的矿山，金属货币量的增加，引起了商品价格的腾贵。尤其是贵金属的生产的技术进步，生产贵金属所需的劳动时间减少，因而它的价格也趋于低落。当作价值尺度看的金子，不能不采取铸币形态进到流通界。休谟拘泥于这种表面上的现象，引出了数量学说的结论。他在金量增加与商品价格腾贵之间,造出颠倒的因果关系,说前者是原因,后者是结果。他与孟德斯鸠有不同的地方。孟德斯鸠主张商品价格与货币价值由商品与货币的绝对数量所决定;而休谟却主张商品价格与货币价值,由流通着的货币数量所决定。但休谟的结论,与孟德斯鸠的结论,并无多大差异,他仍是主张物价由货币数量所决定。

（三）李嘉图的货币数量学说

对于货币数量学说造出了理论的根据的人要算是李嘉图(David Ricardo,1722—1823)。在李嘉图的时代,关于货币本质的各种研究,已不直接的受金属流通的现象所影响,而是受了银行券流通的现象所影响。"1797 年英伦银行的正币支付的停止,往后发生的多数商品价格的腾贵,特别是 1809 年以来金铸币价格之低于市场价格,银行纸币的贬值"——这一切事实,是当时经济学者关于货币问题的理论斗争之根源。"18 世纪的纸币的历史,充当了这种论争的历史的背景。"当时的经济学者们,把银行券的流通与纸币的流通混淆起来,想在纸币流通中发现金属货币流通的法则。李嘉图的学说,也冒犯了这种错误。他的经济学说中的货币理论的部分,也是受了当时纸币贬值物价腾贵的事实的影响才造成的。

李嘉图首先认定:"金银的价值,也和其他一切商品的价值一样,由它所对象化了的劳动时间的量所决定。其他一切商品的价值,都由一定价值的商品的金银所测量。"这个命题,当然是正确的。可是他在后来的研究中,特别是在他的货币理论中,却不能贯彻这个命题。他的货币理论,显然地转到数量学说的方向,而努力把自己的命题与数量学说的基本命题(商品价格由货币数量所规定)相融合了。

李嘉图所以不能贯彻自己的命题而转变到数量学说的方向,其根本原因是由于不理解货币的本质,即不理解劳动的二重性。他虽然说起商品的价值由劳动时间所决定,但他所说的劳动只是意味着创造使用价值的具体劳动,而不是创造价值的抽象劳动。在他的经济学之中,并没有抽象劳动的范畴,因而他所说的价值实际上是使用价值。他完全不能知道商品的价值是商品生产关系之事物的表现。他所最注意的东西,是价值之量的方面,而不是价值之质的方面。

价值之量的规定性,是李嘉图所注意的中心问题。所以他对于商品之矛盾的发展、劳动之矛盾的发展、劳动生产物的商品形态之发展、价值的发展、商品世界之分裂为商品与货币的发展,以及货币成为社会劳动的具体物等事实,完全不能理解。他在货币之中,不能看到质的特殊性,只在价值上与货币上注意于其量的方面。

李嘉图由于不能理解货币的本质,因而不能理解从货币本质产生的各种机能和这些机能的相互关系。他在货币的种种机能之中,只看到流通手段的机能,因而把货币的本质归着于流通手段。他以为流入到一个国家中的一切金银,都存在于流通过程之中。他混淆金属货币的流通法则与价值表现的流通法则,又混淆银行券与纸币的流通。他既不理解货币的本质,也不理解货币价值与商品价格变动的法则,因而把自己的货币理论结合于数量学说。

如《政治经济学批判》一书中所说:"李嘉图所不能证明的事情,是商品价格或金子价值依存于流通的金子的数量。这个证明,又以应被证明的事实为前提。即以:充用为货币的贵金属,在任何分量上都不能不变为流通手段即铸币,因此又不能不变为流通诸商品的价值符标,——不管它在对于贵金属自身的内在价值的怎样比例之上,也不管流通诸商品的总价是怎样大——的事实为前提。"李嘉图从这个假定的前提出发,证明商品的价格由流通的金子的数量所规定。

李嘉图的货币学说的结论,用他自己的话来说,就是:"商品价格的高低,比例于货币的增减。我认为这是不容争论的事实。"这种主张,与前面所述的他的别种命题是自相矛盾的。结局,他和别的数量论者一样,只在货币方面看到价值变动的原因。

二、现代的货币数量学说及其批判

(一)现代数量论者的共通观点

现代(帝国主义时代)的数量学说的代表人物,有费雪(Irving Fisher, 1867—?)、卡瑟尔(Gustav Cassel, 1866—?)、凯衍斯(J. M. Keynes, 1883—1946)等人。他们都是资本主义世界中货币理论的权威,都是数量论者。他们的数量学说,虽然采取了新的姿态,但与他们的宗师李嘉图的数量学说比较起来,却是退化得多了。李嘉图的数量学说中,还含有劳动价值说的萌芽,而费雪等人的数量学说中,却连劳动价值说的影子都没有了。

现代的数量论者的错误思想,与他们关于资本主义本质的完全错误的思想有不可分离的关系。他们只知道把商品与货币的价值当作物与物的量的关系去理解,不知道把它们当作具有价值的商品与货币的关系去理解。

他们把商品价值的表现即交换价值,看作物品的货币与商品的比率、量的关系。

在他们看来,商品的价格是商品对于货币的关系之数量的表现。他们并不知道一定量商品所以与一定量金银相等,是由于两者之中所体现的劳动量相等。他们只能在价值之中看到物与物之间的量的关系,不能看到采取物的形态的人与人的关系。他们根据这样的观察,把价值看作算术的概念,只把某种分量、某种数量看作价格。

数量论者在现象的表面上看到数量关系。在他们看来,货币原是没有价值的交换手段,它只在表示对于商品的量的关系的流通过程中才以价格的形态取得价值。即是说,货币因为在流通中起作用,所以才取得价值,取得所谓购买力的那种机能价值。他们不能深入地理解事物的本质,而停滞于现象的表面,把现象误认为本质。他们对于货币现象的其他的理解,对于货币的整个的理解,都由这种肤浅的见解所规定。

依据数量论者的见解,在货币的购买力之中,除了货币与商品的数量关系以外,决不含有别的东西。至于价值的内容,在这里完全被排除了。他们绝不注意货币这种商品所含有的内在价值。他们对于货币之质的内容并不感到兴趣。他们只注意于货币之量的性质,注意于在交换中所表现的它的价值的大小。

（二）费雪的交换方程式

现代数量学说的大师费雪,基于上述的原理,发明了一个交换方程式。他主张货币购买力或价格水准由下述五个契机所左右:一、货币的数量;二、货币的回转速度;三、银行存款的数量;四、银行存款的回转速度;五、商业的规模。费雪把这五个契机中的各个契机对于货币购买力的关系,用一个交换方程式表现出来。他的世界的"名声",是靠这个交换方程式得到的。实际上,他对于数量学说,并没有添加什么新颖的、实质的内容。他只是应用数学的公式和依据于计量器的图解线的机械的图示,企图发展这个理论的原理。据他的见解,这个交换方程式,明白地表现出数量学说的原理。但在现实上,这交换方程式却更明白地表现出数量学说的庸俗性。费雪因为把数量学说说明得太过分了,所以越发地陷于庸俗化,越发暴露这种学说的愚笨。

费雪把上述五个契机,包含于一个方程式之中,然后根据数学的法则加以说明。交换方程式,由一切个别的购买的合计而成。方程式左边的货币部分,是货币量 G 与其回转速度 S 相乘之积,再加上存款 G′ 与其回转速度 S′ 相乘之积。方程式右边的商品部分,是中间的价格水准 P 与商品量 W 相乘之积。其式如下:

$$GS + G'S' = PW$$

上述方程式,原是 GS = PW 这个方程式的复杂化。费雪在其所著《货币的购买力》一书中所列的交换方程式原是 GS = PW,因为便于简单说明起见,上式左方之 G′S′ 一项可以省去。据费雪的主张,这是与货币量及其回转速度具有同一影响力的东西。所以依据费雪在《货币的购买力》中的说明,把上述方程式改写为下式来说明。即:

$$GS = PW$$

费雪对于上式,作下述三项说明:

第一,假如 S 与 W 不变而 G 依任何比例变动时,各个商品的价格 P,或均依同一比例变动,或其中有些商品的价格超过这比例,有些不及这比例,就互相补充,保持同一的平均数。

第二,假如 G 与 W 不变,S 依任何比例变动时,P 也依同一比例变动,其变动与第一项相同。

第三,假如 G 与 S 不变时,PW 也就不变。这时如各个商品 W 均依同一比例变动,各商品的价格 P 或均依反比例变动,或其中有些商品的价格超过这一比例,有些不及这一比例,就互相补充。

数量论者费雪,把方程式左边的货币数量对于价格水准的影响看得非常重要。一切数量论者,都把这一点看作是数量学说的核心,所以数量学说最主要的命题,就是:货币数量增加时,货币购买力就降低,一般的物价水准就高涨;反之,货币数量减少时,货币购买力就增加,一般的物价水准就减低,货币的这种影响力,显现于其他一切契机不变的场合。

费雪的交换方程式,表现着现代数量学说的基本理论,其他数量论者们(如凯恩斯等),也都有类似的交换方程式,但只是大同小异,并无根本不同之点,我们在这里不想详细列举了。

(三)费雪的方程式的批判

数量论者颠倒因果关系,把货币的数量看作原因,把货币购买力的低落及价格水准的昂腾看作结果。这一点是数量学说的基本的谬误。

实际上,商品价格本身的变动,受商品方面的原因、货币方面的原因以及双方的原因所左右。如果货币的价值没有变动,而商品的价值因劳动生产性的低落而增高或因劳动生产性的向上而低落之时,商品的价格也将增高或低落。又,如果商品的价值没有变动,而金银,即当作价值尺度看的货币商品的价值增高或减低之时,商品的价格也将低落或增高。原则上虽说是这样,但任何方面的货币价值的变动,并不一定精密的以同一比例使商品价格发生相反的变动。货币价值的变动,在商品价值同时变动的场合,就能够发生下述的形态,即:货币价值的变动作用,或因商品价值的变动作用而减少,或因而加强。

在金银的价值变动的场合,如果商品价值没有变动而金银的价值减低时,商品价格的总量就以同一比率增高;反之,金银的价值增高时,商品价格的总量就以同一比率减低。商品价格这样的增加或减低,由货币量的增加或减少而发生。在这种场合,变更货币数量的第一原因,是货币价值的变动。但货币的价值反映于商品的价格,所以由于商品价格的变动而引起的货币价值的变动,使得货币数量增加起来。

变更货币数量的第二原因,是商品价格的变动,这种变动又是货币价值的变动。"流通手段的量的变动,虽由货币自身发生,但它并不是从流通手段的货币机能发生,而是由价值尺度的机能发生。"

当研究流通手段的数量与商品价格的变动两者之间的关系时,我们必须从一定的货币材料(即金银)的价值出发。因为,金银当商品价格的决定之时,在商品的流通以前,即金银在一定商品的价格实现时发挥流通手段的机能以前,扮演着价值尺度的机能。

当商品数量达到一定规模之时，流通的货币量的变动，受价格的变动所左右，因为只有价格的变动才影响于商品价格总量的变动。如果商品价格没有变动时，流通的货币量由商品量的变动所左右而起变化。

货币流通速度的变动，在价格与商品量一定之时，反比例的影响于货币的数量，但这里必须指出的最重要的一点，就是：在货币流通的平均的速度一定的场合，价格的总体是原因，货币量是结果；在商品价值总量及其变形的平均速度一定的场合，货币价值是原因，货币量是结果。

数量论者完全颠倒这个问题中的原因与结果。这样的谬误，是由于不理解货币的本质，因而不理解货币的一切机能的事实才发生的。数量论者对流通手段的机能中的货币作皮相的考察，把货币作为没有价值、也不代表金银价值的交换手段；他们又不理解储藏货币是流通的金银的贮水池。因此，他们从这里也引出上述颠倒因果关系的谬误。

数量论者以为商品并不是先有价格才进到流通过程，而货币也没有价值，甚至于价格也只是计算上的名称的量。所以他们主张货币数量是原因，价格水准是结果。依据他们的意见，只有在流通之中，商品才得到价格，货币才得到购买力（他们主张购买力和价格相同）。在这里，数量论者把价值尺度看作得到了购买力的交换手段，因而以为货币能够秤量商品。

概括起来，数量论者主张货币数量是第一要义的东西、主动的东西，价格水准是第二义的东西、受动的东西。实际上，价格规定货币数量，而数量论者却主张货币数量规定价格。实际上，价格是在流通中被给予着，而数量论者却主张价格只是未知数，它比例于货币数量的变动而变动（因为他们任意的预定着：货币数量在其他一切条件一定时也能够变动）。

（四）数量学说在纸币的理解上的错误

货币数量学说，在关于纸币的理解上，究竟是不是正确的呢？

我们在第二章之中，也曾写出了计算流通所必要的货币量的公式。我们所列举的那个公式，与数量论者的交换方程式，究竟有什么差异？关于这点，我们刚才已经说明，数量论者与我们的见解完全相反。

数量论者只看到纸币流通的表面，并把纸币看作是与金银的价值完全无关的东西。纸币是金银的符标，是金银的价值的表章，是依存于金属货币的东西。价值符标所代表的价值的大小,由这符标所代表的金银量所规定、所左右。纸币流通的特殊法则,是从它对于金银的关系发生,从它成为金银的代表一事实发生。纸币流通的法则,归着于下述一点:即纸币的发行,不能超过纸币所代表的金子在现实上的流通量。

纸币,只有在它于流通内部成为金银的代替物的范围内,才是价值符标。

所以,通常的纸币量,由它所代替的金银量所规定。纸币本身,原没有价值,只有在它代表金银时,其价值由量所左右。这是很明白的。但所谓纸币价值由量所决定,并不是说单单纸币的量能决定价值,而是指着金银是第一要义的、根本的东西;只有在纸币代表某种分量的金子时,纸币的数量才决定纸币的价值。所以纸币的价值,实际上由自己所代表的金银的价值所决定。

例如在流通中代表金子的必要分量的纸币数量原为 10 亿元,现在如果其他一切条件不变,而把纸币的数量增加为 20 亿元,每元的纸币就只代表一元金币的价值的二分之一,因而每一单位的商品的价格就增加为两倍了。这是由于价格变动了的缘故,每元的纸币现在只代表着金量的二分之一。数量论者看到了这种现象,看到了纸币增加为两倍而物价也增加为两倍的事实,便断定物价的增高是货币数量增加的结果,并认为货币在流通之中(即货币与商品的交换的过程中)取得了价值,说货币的价值依存于货币与商品两者之量的关系。这种见解,暴露了他们并不理解价值,不理解货币的本质。

(五)数量论者对现代恐慌问题的见解

数量学说的基本原理,上面已经作了批判的说明,现在再说明数量论者所主张的克服恐慌的方法。

一切数量论者的共通的思想,都以为资本主义的条件之下能够实行有意识的统制。他们的货币学说,主要的是在于想达成这种有意识的统制的目的。他们主张货币是没有价值的交换手段,其购买力是在流通中由货币数量的变动所决定。他们从这种主张出发,力说流通的货币量是能够任意统制的。他们以这种假定为前提,更进而力说资本主义的一切经济活动都能够实行统制。他们把货币作为能够统制全资本主义经济的主要杠杆,认为这一点就是货币的本质。由于这样的理由,他们就努力要在货币方面发现经济生活的一切根本变动的原因。这是他们所以主张通货管理是解决一切经济问题的根本问题的由来。

他们因为认为货币的购买力由其数量所规定，所以主张统制的方法必须归着于数量统制的方法。

他们以为：如果用利率统制货币的数量与价格水准，就可以预防恐慌，至少可以减少恐慌的影响力。他们主张这种统制工作，应由银行去实行；银行实行这种统制的方法，是利用正确的信用政策。

依据费雪的意见，恐慌是价格腾贵的停止，这与货币的运动有关。他认为恐慌是由于银行的错误政策的结果而发生的，因为银行提高利率，减少了对于货币的需要。他认为银行如果实行很妥当的政策，就可以预防恐慌，至少也可以减轻恐慌的影响。他所认为问题的，是发现测量价格水准的最好的方法，发现预知变化而适当的增高或减低利率的最好方法。他以为要做到这种工作，就只有使数量论的原理以及交换方程式的知识，普遍起来，发展起来，才能有所成就。

卡瑟尔也主张恐慌的原因，是支付手段的补充的不充分。他说，支付手段的现状，如果与生产发达的步调不一致，就引起价格的低落，结局就引起世界经济的不景气。他用货币方面的两种现象——即信用的缩小与现金偏在——去说明物价的低落。因此他主张在金子的一定分量的基础上，扩大支付手段的一般分量，借以节省金子的利用。他反对通货紧缩，极力主张实行通货膨胀。

凯恩斯把现代恐慌问题归着于信用机构的缺陷。他在新的投资的速度不充分的步骤中，看到根本的弊害。他主张只有银行的合作能够逃出恐慌。他在1931年的一篇论文中，这样说着："在一切场合，最有效的疗法，就是三个债权国（指美、英、法）的中央银行，拟定恢复国际信用市场的信用的有决断的共通计划，依据这种计划，就会使企业家的积极活动复活起来，使一定期间的世界商业的车轮再转动起来，物价与利得也会提高。"

其他的经济学者与实业家也有同样的主张，这里不必一一列举。他们都依据同样的原理，企图克服恐慌。为了克服恐慌，就主张实行信用制度及货币制度的别的方法，如变更贴现率以统制信用、金融及价格运动。这些方法是否有效，已经由事实证明着。人们可以看到：银行仍是破产，金子仍由一国流入他国,物价仍然低落。他们根本不能理解而且也不想理解恐慌的真正原因,因而在对于现代信用恐慌问题的说明上,暴露了他们自己的无知。

(六)对于数量学说的总批判

末了,我们把上面的批判,再做一个总括的说明:

数量论者主张货币没有内在的现实的价值。基于这种主张,他们把货币的购买力作为中心问题。这种见解,与名目论者的见解相似,却又有不同之点。在名目论者看来,货币之观念的价值尺度的大小,在流通以前,已由法律的意思或人类的精神决定着;在数量论者看来,购买力形成于流通之中,形成于货币与商品的对立过程之中。

货币数量学说的核心,在于下述一点:货币的购买力及其反对量的价格水准,比例于货币数量的增减而生变化。数量论者,虽然也不否定商品量与货币回转速度的变动能够影响价格,但其本质的主要的特征,在于主张价格水准与货币购买力由货币数量所左右。

他们主张货币是没有价值的交换手段,购买是其唯一的机能。他们根本不理解货币的本质,不理解货币的机能及其发展。这完全是由于他们不理解商品经济的本质及其矛盾,不理解劳动的二重性。他们只在表面上,在商品流通过程中,在市场的交换行为中,去观察一切现象。他们因为皮相的考察流通过程,所以把货币看成一定的东西,看作完成了的形态。最主要的特征,就是他们专从交换的见地观察一切现象。他们只观察交换上所出现的现象,记述交换的外观,把外面的联系误认为本质的联系。由于这种见地,他们把货币作为资本主义经济的一切变动的根本原因,以为只要解决货币问题,便可以解决一切经济问题。

他们观察货币现象,注目于数量关系。他们以为在外观的现象中的交换上一切都是数量关系,所以他们只研究数量的比率。因此,数量论者把数学的方法作为经济学的唯一正确的方法。这种方法的特征,是反历史主义的。他们努力要发现永远的法则,想出一些机械的、无生命的图式,拿来镶嵌于现实的生命之中。因此,他们把资本主义制度看作合乎理想的永久的东西。

因为从交换的见地观察一切现象,他们就主张价值是在流通中形成的。他们以为商品在进到流通界以前原无价格,货币在进到流通界以前原无价值。

他们只把流通中的价格形态作为分析商品与货币的出发点,并在价格形态上表示价值。他们一方面混同价值与交换价值,一方面又混合交换价值与价格。他们把货币的购买力作为货币的价格。依他们的意见,货币的购买力由货币单位所购买的商品量所规定,与货币数量为反比例,又与一般价格水准为反比例。

数量学说之社会的阶级的使命,就是拥护资本主义的秩序,企图由通货管理去厉行全部资本主义的经济统制,以期免除恐慌或缓和恐慌,减轻恐慌。这种主张,在另一面,是维持资本主义的利润,提高对于剩余劳动的剥削。

习题三

一、货币金属学说的内容如何?

二、货币金属学说对于货币的价值尺度机能之见解如何? 又对于纸币的见解如何?

三、货币金属学说之历史的使命如何?

四、试述货币名目学说之起源。

五、现代名目主义的出发点何在?

六、现代名目主义之社会的背景如何?

七、现代名目主义的主要特征如何?

八、现代名目主义为什么是观念论的货币理论?

九、名目主义注重于货币的哪一些机能?

一〇、名目主义之历史的使命如何?

一一、货币数量学说之一般的特征如何?

一二、现代的货币数量论者的代表是哪一些人? 他们的共同观点如何?

一三、试列举费雪的交换方程式,并加以批判。

一四、数量学说对于纸币的见解如何?

一五、数量论者对于恐慌问题的见解如何?

一六、数量学说之历史的使命如何?

第四章　信用与信用货币

第一节　商业信用、资本信用与票据

一、商业信用与资本信用

（一）商业信用的概念

正如资本主义从单纯商品经济发生一样,信用的萌芽也在单纯商品经济中发生。信用与商品流通密切地结合着,它是商品流通的特殊形态。当商品的让渡与其价格的实现相分离的那种条件出现之时,信用就随着发生了。因为各种商品的生产过程有早晚的不同,并且各种商品的贩卖场所距离也有远近的区别,所以信用买卖变成商品流通的特殊形态。在这种场合,商品的买卖转变为借贷,而贩卖者与购买者的关系,转变为债权者与债务者的关系。这种信用关系,完全是从货币的支付手段发生的。这一层,在第二章之中已经说过了。

商品的信用贩卖,叫做商业信用。商业信用虽萌芽于单纯商品经济之中,但在资本主义的生产与商品流通的诸条件之下,却大大地发展起来,变为资本主义的商业信用。单纯商品经济中的商业信用,只是偶然的现象,而资本主义社会的商业信用,却是普遍的必然的现象。

资本主义之下的商品借贷,在任何工商企业方面,都成为商品资本之必然的实现形态。信用的必然性,是从资本主义的再生产之内的矛盾发生的。资本主义的再生产过程,是流通阶段与生产阶段之经常的交替。这两个阶段的交替的连续性,由流通界的商品和货币的经常的准备与生产界的生产准备所维持。这两种准备,是在再生产过程中可以起作用的资本的一部分。但是这种准备资本,虽属于资本家所有,却不是在生产上发挥着机能的资本。准备资本与机能资本之间的这种矛盾,是资本主义再生产过程内部所存在的矛盾。要解决这种矛盾,就不能不依靠于商业信用。

例如织布业资本家希望把织成的布匹,立刻换成货币,以便拿这宗货币去买进棉纱。但因为季节的关系以及送到市场的距离较远的关系,他不能急切地把布匹换得货币,于是他的资本就在商品形态上停滞着。照这样,不但资本的周转延期,利润率因而减少,并且他还缺乏买纱及其他原料的资本,以致不能继续织布。同时纺纱业资本家也因为没有人买他的纱而感到同样的困难。于是在布与纱(即 W——W′)之间,缺少了货币(G)做媒介。在这种场合,只有商业信用,能够促使商品流通与资本流通。

在这种场合,双方的资本家出现为债权者与债务者。债权者贷出商品资本,是这商品资本的实现方法,不过在一定期间以后取得代价而已。至于债务者,可不支出货币而取得再生产所必要的生产手段。所以商业信用能实现资本流通的连续性,同时又缩短流通界的资本停滞的时间。因此,资本的变形运动的障碍可以排除,流通阶段上的必要的货币资本可以减少,货币资本可以解放出来充作扩张生产之用。这样看来,商业信用一方面是商品的实现,另一方面又是资本的贷出,这是商业信用的二重性。

(二)资本信用的概念

商业信用,是资本的商品形态上的信用(即商品信用)。现在我们再说明资本的货币形态上的信用(即资本信用):

我们已经知道,资本是采取 G——W——G′ 的变形运动的。在这个变形运动中,资本有时停滞于商品形态,有时停滞于货币形态。在商品形态上的资本,叫做商品资本,在货币形态上的资本,叫做货币资本。

资本在货币形态上停滞的状态,是资本的休息状态(闲放状态),是资本不在生产上发生作用,即不产生剩余价值时的睡眠状态。休息资本的形成,可分为下述四种场合:

第一,在货币形态上收回了的资本的一部分,准备着在若干年以后补充消耗的固定资本之用的。在这种场合,资本处于休息状态。第二,流动资本的一部分,在资本的一定周转期内,处于休息状态。第三,准备作为工资的一部分,在这一定期间,也处于休息状态。第四,在剩余价值转变为资本的过程中,实现了的剩余价值在达到可以转变为资本的一定数目以前,需要相当的时日,所以这期间中资本也处于休息状态。

由于上述种种情形,产业资本家手中常存有休息资本。这项休息资本,在一定期间,不能被用于自己的企业以发挥其资本的机能,即不能产生剩余价值。但在另一方面,又有些产业资本家感到资本的缺乏,需要借入资本以生产剩余价值。在这种情形之下,缺乏资本的资本家,就向别的资本家借入那项休息资本,来生产剩余价值,提出所得的剩余价值的一部分,作为利息交给贷方的资本家,于是资本的借贷就成立。贷出的资本叫做放款资本,所收的利息,叫做放款利息。这种资本的贷出,叫做资本信用。

资本信用与商业信用不同。在商业信用方面,例如布业资本家,以信用向纱业资本家买进棉纱,自己再以信用把布卖给第三个资本家,叫第三个资本家在一定时期把货币支付于纱业资本家。在这种场合,当然也发生货币的贷借,因而发生货币的授受。但这种信用是支付信用。至于资本信用,最初由货币的授受而成立,它与支付信用不同,并且机能也不同。

在资本信用方面,贷出货币的人是休息资本的所有者,借入货币的人把货币当作资本使用,靠它生产剩余价值。所以资本信用,具有使休息资本转变为活动资本(即机能资本)的机能。由于这种信用,资本能除去货币形态的停滞。

借方的资本家缴纳于贷方资本家的那种利息,是在一定期间把货币作为资本使用了的代价。这种放款利息,是剩余价值的一部分。剩余价值,一般的出现为利润。利息的大小,由剩余价值的大小即利润的大小所决定。但资本信用是在金融市场中成立的,因而利息率又由平均利润率所规定。

利息率虽由平均利润率所规定,但随着资本主义的发展,货币蓄积的增加,也有离开平均利润率而独立低落的倾向,又在各种个别的情形,也有超出平均利润率以上的时候。一般说来,利息率的最高限度是平均利润率,最低限度是零;在两者之间的利息率的上下动摇,由货币资本的供求关系而定。在供求一致的一定时期,能成立社会的平均利息率。

平均利息率,由平均利润率所规定。资本主义越是发展到高级阶段,平均利润率就有低落的倾向,因而平均利息率也低落。在资本主义的后进国家,平均利润率较高,因而平均利息率也较高。更由于货币资本在国际间的移动,又成立国际的平均利息率。

二、票据与票据贴现

(一)票据

信用授予人提供信用时,通常总向债务人要求一种证券,作为支付的保证。这样的证书,叫做票据。

票据大约可分为期票与汇票两种。期票是债务人对债权人约定在一定时期后支付货币的证券。

汇票是出票人对于他人做无条件的委托,使在一定日期与地点把一定金额支付于第三者的信用证券。例如布业资本家,以信用向纱业资本家买进 10 万元的棉纱,同时又以信用卖出 10 万元价值的棉布于商人。在这种场合,布业资本家开出 10 万元的汇票,交给纱业资本家,叫他到商人那里领取票面上的金额,届时商人对于纱业资本家直接支付 10 万元,一举而结束两个信用行为。出票人的债务者,自己对于票据不为支付,而把支付义务转嫁于第三者的这种票据,即是汇票。

开汇票的人叫做出票人(即上例中的布业资本家),应当收受票据而付款的人,叫做付款人(上例中的商人),领受票面金额的人,叫做领款人(上例中的纱业资本家)。

付款人一经在汇票上签名盖章,承认付款,汇票就发生为证书的效力。若是期票,当事者至少为两人;若是汇票,当事者至少在三人以上。

但是票据的当事人,可以增加。例如纱业资本家从布业资本家领受了票据(不论是期票或汇票),他如果要向棉花商人买进与所收票据的票面金额相当的棉花,就可以不另出票据给棉花商人,只把布业资本家所出的那张票据交给他就行了。不过这时候纱业资本家必须在那张票据背面签名盖章(这叫做背签)。棉花商人还可以从新加上背签,把这票据交给第四者。但如付款人不为支付时,背签人要连带负责。

票据写在一定形式的纸面上,国家制定票据法,援助债权人向债务人索取票面金额。当追索票面金额时,法院并不调查付款人已否领受与票面金额相当的商品或货币,只要在票据上签名盖章,就非照数付款不可。这种办法,使票据的索兑非常简便。

此外还有所谓"融通票"(即空票),是最坏的票据,可是也能行使。这就是出票人并不曾领受金钱或商品而对他人开出某种金额的票据。收受这种票据的人,又在票上作背签的手续,以信用领取与票面金额相当的金钱或商品。但是期限到来,出票人无力付款,这种事情也是常有的。所以资本家常留心谨防空票,拒绝收受。

票据是最重要的信用的一种形态,它的意义很大。票据因为使资本容易流通,并使计算简单,因而常能免除现金的需要。

(二)票据贴现

资本家手中拿到尚未到期的票据,而因某种用途却又需要现金时,他可以到握有休息资本的资本家那里,把这个票据加上背签交给他,向他领取某种金额。货币资本家收受这个票据,等到期满时到付款人那里兑取票面金额。持票人在票据满期以前,用票据换取现金的那种行为,叫做票据贴现。

当货币资本家为票据贴现时,他不能支付票面金额的全部于持票人,要扣除票面金额的一部分,作为贴现的利息;因为他是在某种期间把一定金额贷给持票人,而这种票据贴现,只是放款行为的简单的特殊形态,他贷款于持票人之后,必须经过若干时日,才能向付款人兑取现款。

票据贴现,也可由出票人自己实行。例如布业资本家在 5 月 1 日开出 10 万元票据交给纱业资本家,约定 8 月 1 日付款。假使布业资本家在 7 月 1 日能够凑成 10 万元的现款,就可以拿这笔钱交与纱业资本家取回那张票据。但此时离开票据满期之时还有 1 个月,他可以扣去这一个月期间的 10 万元的利息。若当时贴现的利息是百分之六(年息)时,就要扣除:

$$100000 \text{ 元} \times \frac{6}{100} \times \frac{1}{12} = 500 \text{ 元}$$

照这样,布业资本家在七月一日自为票据贴现时,应扣去贴现利息五百元,只付出九万九千五百元就可以了。

票面金额中,除信用贷款的名目金额(即被让与的商品价格或信用贷款的货币数量)以外,还含有与信用期间相当的利息。所以当持票人在满期以前为票据贴现时,当然要损失一部分的利息。因为他如果把这个票据保持到满期之时,就能够取得利息的全部。但他在满期以前实行票据贴现,虽然损失了一部分利息,却能提前取得一批现金投入于流通界。

实际上,以信用取得棉纱的布业资本家,开出票据交给纱业资本家,这是商业信用的行为。因为这种信用,能助长那种在商品形态上已经发挥着机能的资本(棉纱)的流通。还有,持票人在到期前利用票据取得现款,这种行为,实际上就是承受了票据贴现的人在指定日期前贷出了某种金额。并且,在这种场合,承受了票据贴现的人手中原有着休息的货币资本,在贴现以后就被移到原持票人手中,转变为机能资本。

票据贴现的这种行为,能够扩大信用的范围,助长信用的灵活。但我们在这里所说明的,只限于商业信用与资本信用的范围,现实上,商业信用及资本信用却与银行信用相交错。为要明了资本主义社会的信用,我们必须说明银行信用。

第二节 银行信用

一、银行与银行信用

(一)银行

前面关于信用的研究,我们是从信用交易(即商业信用)开始的。信用交易,是在需要信用的资本家与拥有游闲资本或商品的资本家之间直接实行的。但是资本家之间的这种直接的信用交易,并不是随时随地都能够实行的。各种机能资本家,在一定的期间,虽然蓄积着休息的货币资本,虽然可以暂时贷给资本家去利用,但一个资本家手中的休息资本不一定能够达到个别资本家所需要的金额,并且所贷出的期间也是暂时的。于是拥有休息资本的资本家,虽然想把这笔资本贷给个别资本家去利用,而他所贷出的金额与期间不一定能满足别个资本家的需要。在另一方面,需要信用借款的资本家,其所需要的一定金额与一定期间,也不容易找到恰能满足他的需要的别个信用放款的资本家。所以资本家社会中的直接的信用交易,常常遇到种种的障碍。这一类的障碍,在资本主义发展的过程中,由于银行的出现,便被克服了。

　　由于货币交易资本的出现以及货币资本之与产业资本相分离,资本主义社会中便分化出一个特殊的资本家群。这种特殊资本家群,不单是保管各种机能资本家的货币,并且还专做放款资本的交易。同时,资本主义社会中,发生了特殊机关的银行。银行集中各个所有者手中的暂时休息的货币,用信用贷给各种机能资本家。

　　银行是特殊的信用机关。银行的存在,使信用更为灵活,能排除直接的信用交易上的种种障碍,扩大信用行为的可能性。

　　各个资本家手中的休息货币,不论数目怎样少而期间怎样短,只要集中于银行之手,就达到惊人的巨额;并且,只要提供这些货币的资本家们,不是一次性地把存款提尽,银行仍能在相当期间内把这项金额贷给机能资本家。于是需要货币的资本家,就无须直接找寻贷款给他的别个资本家,只要到银行去借好了。

　　所以银行是握有休息货币的人与需要货币的人之间的中介人。"银行业者的业务,在于把能够贷出的货币资本大量的集中于银行之手。因此,银行业者们不代表个个货币贷出人,而代表货币贷出人的全体,与产业上及商业上的资本家们相对立。他们变为货币资本的总管理人。在另一方面,他们又为全实业界借入款项,所以又与一切贷款人相对立,而集中借款人。"

　　银行促进信用的灵活,扩张信用的范围,因而助长资本主义的生产的集积,助长少数资本家的财富的成长,并助长对于劳动大众的榨取。银行的发展,使货币资本离开机能资本的过程更趋于发展,加强资本主义的寄生虫的性质,并使这些矛盾深刻化。

　　随着资本主义的发展,银行的作用大起变化。到了帝国主义时代,随着银行营业的发展及其被集积于少数的机关,而银行就从谦让的中介业者的角色而转变为一国或数国的霸权的独占者了。这种转变,正是资本主义转变为帝国主义的一个基本的过程。

　　(二)银行信用与商业信用的区别

　　现在我们再回头来说明银行信用及其与商业信用的关联。银行信用与商业信用有别,它是以使用休息货币资本并使它转变为机能资本一事为目的的另一种信用。

但是,商业信用在历史上比较银行信用发达得更早,并且银行信用以商业信用为前提,因为商业信用构成信用制度的基础。

银行信用虽以商业信用为前提,但与商业信用有区别。商业信用是投入于再生产过程的商品资本的贷出,但随着资本主义的发展,货币资本从产业资本分离出来,站在再生产过程之外,出现为货币形态上的放款资本。在商业信用方面,贷出商品资本的目的是商品资本的实现,而对于资本的让渡所受的支付,仅有次要的意义。至于放款资本的唯一目的,在于取得利息,因而参加于信用的人们就变动了。商业信用,只在从事于再生产的人们之间实行,他们相互的做债权者与债务者。但在放款资本从产业资本分离以后,资本家之间也起了分化。做债权者的人是放款资本家,做债务者的人是产业资本家。放款资本家把处在再生产过程之外的货币资本贷给产业资本家,借以取得利息,——这是资本主义的信用的新形态,即银行信用。

银行信用,表现着货币资本与产业资本的矛盾之更深刻的发展。在商业信用方面,放款资本采取潜伏的形态,与商品资本相融合,没有它自身的运动。在银行信用方面,放款资本采取一定的独立的运动形态,与产业资本相隔离;放款资本,在再生产过程以外,采取货币形态而存在,并不固着于一定生产部门;放款资本,能够出入于任何企业,它适应着对于资本的需要,流入于一切生产部门。

商业信用,采取生产与流通的矛盾的运动形态,是流通阶段缩短与生产扩大的方法,又是资本主义再生产的一种形态。资本主义的再生产,与商业信用相结托,因为商业信用能使商品资本转变为货币资本,能使资本由一个企业移到另一个企业,而促进资本的循环。至于银行资本,不但是从再生产过程分离了的放款资本的运动,并且这样的运动,也是资本主义再生产的一个形态;放款资本的运动,表现蓄积之货币的阶段,所以在当作放款资本的运动看的银行信用之中表现出资本主义的扩大再生产的过程。

二、银行信用与银行业务

(一)银行资本与商品资本的统一

银行资本,缩短扩大再生产之货币的阶段。银行信用如不存在,扩大再生产就受各该资本家所有的货币资本额所限制,因而生产的增大比较迟缓。商业信用,对于保证再生产过程之单纯的连续是必要的;同样,银行信用,对于扩大再生产的诸条件,也是必要的。

所以,商业信用,主要的与单纯再生产相结合;银行信用,主要的与扩大再生产相结合。在商业信用方面,信用与生产的结合,比较银行信用的方面更为密切,因而信用之依存于生产的事实也更为显著。在商业信用方面,放款资本与利息的萌芽已经出现。但在银行信用方面,放款资本与利息就成为独立的发展形态。在这种处所,我们可以知道,商业信用在历史上先行于银行信用。这种事实,在论理上反映出来,就是表明商业信用的分析先行于银行信用的分析。

就历史上看来,商业信用与资本主义初期阶段相适应。因为在这个阶段上,各种企业的规模并不很大,并且再生产的扩大过程也很迟缓,资本家通常活用自己的资本,对于信用的利用主要的是维持自己资本的运动与生产的使用两者的连续性,至于靠信用以吸收新的资本而扩大自己的再生产,还不是普遍的现象。其次,银行信用与资本主义的高级发展阶段相适应。产业资本家利用银行信用的目的,主要的是吸收新的资本,借以扩大再生产。但在发展了的资本主义的信用制度之下,商业信用仍是信用制度的基础,因为商业信用实现再生产过程中所投下的资本的运动,表现再生产过程中活动着的资本家相互间的信用关系。但银行信用,站在生产过程之外,在其运动上,处理产业资本支配下的放款资本。

商业信用与银行信用,虽有差别,两者却形成一个统一。它是资本主义的信用的两个形态,是所有资本与机能资本的矛盾的两个发展阶段的表现形态,因而两者形成一个统一。当作商业信用与银行信用的统一看的信用,是表现所有资本与机能资本的矛盾的资本主义再生产的一个形态。

随着放款资本范围的扩大,社会上就形成货币市场。我们已经知道,在商品市场中,介于商品的贩卖者与购买者之间的中介人,是商业资本家。同样,在货币市场中,介于货币的贷出人与借受人之间的中介人,是银行资本家。银行是资本主义社会中从事于放款资本的活动的银行资本家的企业。银行的发展,与货币资本的发展相结合。银行资本家,是从货币交易人或货币交易资本家成长起来的。在货币的交易上,货币交易资本家的任务,是管理生利资本或货币资本。他们的特殊营业,是货币的贷借。他们出现为货币资本的现实的债权者与债务者之间的中介人。银行的发展,在资本主义信用的发展上,是非常重要的契机。由于银行的出现,信用得到组织的中心,往后更发展而转变为影响于社会的全部发展的复杂的信用机关的制度。

(二)银行业务

资本主义银行的活动,种类很多,而在根本上是实行关于货币资本的搜集与分配的信用业务,但同时也实行计算机能(对于存款人的商业契约实行支付),发行信用货币,参加于公司组织的发起活动。

关于货币资本的搜集与分配的业务,可分为两大种类:第一是借入货币,这是银行的受动业务;第二是贷出货币,这是银行的能动业务。

银行的受动业务,即是受信用的业务,其主要的种类是存款与活期借贷的承受。存款分活期存款与定期存款两种。银行依据经验,除保留一定额度的准备金以备存户提取之外,其余的存款可以放出。于是社会的休息货币资本就由银行集中起来,给以转变为机能资本的可能性。关于活期存款使用上的便利,银行对存户发给支票簿。存户利用支票使银行代为实行货币出纳的事务。

银行在受动业务方面,从事于货币资本的蓄积。蓄积的源泉,第一是由机能资本家手中放出来的资金,第二是金利生活者的货币资本,第三是非资本家的人们的零细储蓄。不过银行存款的增大,不一定是现实的货币蓄积的增大。因为同一的存款额,能充用为几次的存款的手段。例如某甲今日拿 1 万元存入银行,银行可以当天把这 1 万元贷给某乙,而某乙拿这 1 万元付与某丙,某丙当时又把这 1 万元存入银行。于是银行存款簿中记入了 2 万元的存款,而现实的货币额却只有 1 万元。所以,银行无需增加现金,也可以用纯粹技术的手段把货币资本的蓄积膨胀起来。因此,再生产的扩大,脱离现实的货币;蓄积的约束,得到更大的伸缩性。同时,过剩生产的可能性也增大起来,恐慌因而容易发生。

其次,银行的能动业务,即是授信用业务,其主要的种类:是票据贴现,以商品或有价证券为抵押的放款,以及无抵押的放款。

票据贴现,在银行出现以后,大都归银行实行了。贴现利息,在银行蓄积多额的货币时,贴现率较低;在银行感到货币的窘迫时,贴现率就较高。这种贴现率的变化,叫做贴现政策,这是银行对于金融市场发生影响的手段之一。

银行在供给比较长期的信用时,多实行抵押放款。抵押放款是银行的能动业务的重要部分。抵押品主要的是有价证券,有时商业票据也可充用。商品也可做抵押品。当商业资本家或产业资本家来不及等待商品的卖出而急欲开始活动时,可以把手中商品做抵押品向银行借款,但这种放款能助长商品的投机。

活期借贷,在受动业务或能动业务的形态上都能存在。两者结合起来,就成立所谓相互借贷业务。相互借贷有下述两种场合,即:活期借贷的抵消余额,有表示银行多贷给于顾客的场合,有表示银行多向顾客借入的场合。这种业务,在银行业务中,有很大的意义。这种业务,使银行与企业的关系日趋密切。银行依据这种业务,能干预企业,更进而统制企业。

银行除了上述各种业务之外,还有其他种种业务。例如银行发行股票,发行公司债等,借以取得手续费或创业利润,这也是银行的业务。

概括说来,银行在受动业务上扮演着货币资本的蓄积者的角色,在能动业务上扮演着使可能的资本转变为机能资本的角色。

第三节　信用货币与信用的作用

一、商业票据与银行券

（一）汇票期票与支票

在前节论述信用之时,我们已经知道各种信用业务能够代替现金交易的事实。由商业信用发生的商业票据,不论是期票或汇票,可由持票人在票背签名盖章,从甲手交乙手,乙又能交给丙或丁。例如《资本论》中所举的实例,英国纤维业界曾经流通过有 100 人在票背签字的票据。这就是说,除了出票人之外,有 100 个人都保证了这个票据能够兑现。这样的票据,很能够发挥流通手段及支付手段的机能。在这种场合,商业票据是信用货币。

不但期票和汇票可以成为信用货币,并且支票也能成为信用货币。随着信用制度的发达,支票充当流通手段及支付手段的意义也增大。支票是开支票人指令银行把自己在银行中的存款(一部分或全部分)支付于持票人(或指定人)的一种证券。所以,支票是存款的结果。存款人自身也能因支付而提示支票,别人也能把它当作支付手段让与于另一人。在后一种情形,拿着支票的人,能依支票取得现金,如果他有临时存款,就把这笔现金(甚至直接用那张支票)存入银行。照这样,支票不单是存款人向银行领出存款的手段,并且是支付手段,所以支票(通用的期间,通常是十天)能够在许多人之间流通。

所以支票在一定的通用期间,能发挥独有的流通手段或支付手段的作用,因而在一定程度之下能代替货币而通用。不过,支票在某种程度上只是有条件的支付手段。如果开出支票的人,在银行中没有存款,那支票就不能流通。

不论是商业票据或支票,它能当作信用货币而流通,完全以出票人或背签人的信用为根据。因而它们的流通,也有一定的限度和范围。所以商业票据和支票,当作信用货币看,并不是很便利的东西。第一,出票人的信用是否确实,要详细调查,是一件麻烦的事;第二,票面金额或大或小,常有尾数,也很讨厌;第三,流通的期间,以期满为止,并且为期很短。因此,这类信用货币,只在有限的范围内流通,不能进到一般的流通界。

商业票据或支票,不仅有上述的不便,并且还有不能兑现的危险。特别是商业票据乃是信用交易的产物,如果商品的贩卖不能如期实现,或者一时卖不出去,资本的收回就发生障碍,因而出票人就有不能按期付款的事情。但资本收回的障碍,是资本主义生产的内在矛盾之表现,这是一个必然的现象。信用越是扩大,因资本的不能收回以致不能如期付款这种事实,就逐渐变为社会的一般的现象。每逢大规模的产业恐慌周期来袭的时候,就是最有良心、最有信用的大顾客所出的票据,或者有许多保证人的票据,也不能保证那些票据的兑现。当票据不一定能够兑现的事实出现时,票据的流通就大受限制。

由于上述的事实,就发生了用一种社会的保证代替票据本身所表示的个别的支付保证之必要。票据流通的扩大,引起了用比较一般的流通手段和支付手段去代替票据的必要。

(二)银行券

满足上述的必要的信用货币,是银行券。

银行券是银行所发行的信用货币,它以票据流通为根据。这就是说,各个的票据,在银行贴现,而转变为银行自己的票据即银行券。

银行自己所发行的票据即银行券,和种种商业票据相交换,替那些票据的出票人担任付现的事情。银行由票据贴现,把信用授给要求人,到了交付约定的金额之时,就从要求人领受信用,并把银行券当作领受信用的记号交给他。所以银行券只是一种信用证书。

从银行领受银行券的人,是把银行券当作信用领取的。从前当作信用证书领受了的商业票据或支票,再行流通,代替货币,所以现在当作信用证书领受了的银行券,也辗转的再行流通,代替货币。但银行券这种高度发展了的、特别的信用证书,却有好几个特征:第一,银行券不指定支付日期,随时可以换取现金;第二,票面金额为 1 元、5 元、10 元等整数,没有尾数;第三,银行的信用较大,所以银行券能进到一般流通界,代替货币。银行券首先代替货币发挥流通手段的机能;在银行信用安全的范围内,它又代替货币发挥支付手段的机能。

银行券在兑取金币以前,能从甲手移到乙手,辗转流通。它的本身,当然是无价值的纸片。因而它的流通,是以信用的表章而流通的,所以构成它的基础的东西是信用。而信用的基础中,存有现实的金币。银行券与发行银行的信用,由兑换现金的准备金来维持。银行对于所发行的银行券的准备金,第一是金银块或金银币,第二是有价证券和商业票据。商业票据和有价证券,只在能够转变为金银块或金银币的意义上,才成为准备金的一部分,当然没有金银块或金银币那样确实可靠。尤其在恐慌期中或动乱期中,这一点更为明了。

但是银行对于所发行的银行券,并不需要百分之百的准备金。如果那样,银行券就变为金银的收据,就失掉它充当信用的流通手段的意义,不能成为信用货币了。

发行银行券的准备金,在平时大都只与所发行的总额几分之一相当。所以银行所发行的银行券,其中有一部分是没有准备金的。这一部分没有准备金的银行券,银行可利用以取得莫大的利润(例如用以实行贴现或放款所得的利润)。

正因为有这样的利益,银行常常尽可能地增发无准备金的银行券,到了恐慌发生之时往往不能兑现。所以现代资本主义国家,对于银行券的发行,制定种种的法律,确定银行券的种类,规定准备金的定率,限制额外的发行,务使银行不超过兑现能力以外而发行其银行券,借以免除流通上的障碍。并且,还限定一个或几个特殊银行为发行银行。这种发行银行,常变为"银行的银行",或变为中央银行。

资本主义国家,常利用发行银行,以救济财政和金融。例如使发行银行担负承受国债的义务,企图应用利率政策以统制国民经济,援助汇兑银行及其他特殊银行,以及在恐慌时救济资本家等,都是尽量利用发行银行的。

二、信用的作用

(一)信用在资本主义生产上的作用

关于信用与信用货币的理论,我们在前面已经说明了。现在我们进而说明信用的作用,即信用在资本主义生产上的作用。

信用在资本主义生产上的作用,可分为下列四项:

第一,信用能助长利润率的平均化。我们知道,利润是由剩余价值构成的;所谓利润率,就是剩余价值与总资本的百分比。而利润率的平均化,是由资本自生的从一部门移转到其他部门的事实而显现的。资本之自生的从一部门移转到其他部门的事实,含有资本的再分配的意思。资本这样的移转,在资本主义信用的最初形态,即商业信用的形态上,已经局部地实现着,因为在商业信用中,生产的各部门相互的实行着商品资本的借贷。但是处理资本的商品形态的那种商业信用,只是结合着互相供给生产材料的同种的生产部门;至于银行信用,却实现自由的货币资本的移动。这种银行信用,能够造出更广泛的资本的再分配运动。银行实行放款,并且购买股票,因而对于某生产部门供给较多的资本,而对于别的生产部门却只供给较少的资本。在第一种场合,能促进生产的扩大;在第二种场合,能促进生产的收缩。于是资本更能自由地从利润率较低的部门移转到利润较高的部门。于是在一切的资本移转及利润率变动上,呈现出一定的倾向,即:相对的高的利润率向下,相对的低的利润率向上。结果,各个生产部门的利润率,在其不断的变动之中趋向于某种平均率。这是利润率的平均化。而利润率的这种平均化,是由银行信用所助长的。但资本的再分配并不是和平的进行的,这是资本主义诸企业间的竞争的形态,是资本家争取最大的信用的斗争形态。

第二,信用能加速货币流通的速度。我们知道,资本主义的生产是商品生产,商品生产的发展必然地与货币流通的发展相结合。但资本主义社会,从其成立的最初时期开始,已经遭逢着市场商品量的增大与金属货币流通的限制两者间的矛盾。这样的矛盾,在信用之中,在信用货币之中,得到解决。信用货币是根据商业信用发生的。信用货币的最初的不完全形态,只有凭借银行的援助,才成为一般的东西,才发展为复杂的信用的货币制度。于是帮助货币流通的发行银行,就从其他银行中分离出来。但信用的货币流通,仍然依存于金属货币,并不与金属货币绝缘。所以信用在货币方面的作用,虽能节省金属货币的流通,加速货币流通的速度,而在另一方面,却又削弱银行券与金银的联系,因而促进过剩生产与恐慌的发生。

第三,信用能实现资本的动员。信用搜集社会上一切阶级所蓄积的货币,把这些货币交到资本主义企业家手中,使它们转变为机能资本。在这种作用上,信用能解决私有资本规模的狭隘与生产的扩张之间的矛盾。银行信用吸收各种游离的资金,替资本造出增大的可能性。但向银行借入资本而扩张生产的资本家,比较只使用自己所有的资本而生产的资本家,当然能制胜于自由竞争。但银行这种信用放款,也能激发投机,促进各种投机的企业的发展,使资本主义的生产推进于过剩生产与恐慌。

第四,信用能资助股份公司的组织。银行把一切休息着的货币资本动员起来,使它转变为机能资本,而股份公司的企业就发生出来。股份公司的企业,是资本动员的最发达的形态,它是由银行信用的援助而组成的。

(二)信用对于股份公司的组织的作用

组织股份企业所必要的资本,靠贩卖股份来搜集。而股份的贩卖,多由银行承办。因为像股份企业那样的大资本,非依靠银行信用不能筹措。

买进股票的人,算是把资本投资于股份企业,因而变为股份资本家,也叫做股东。股东一般的是参加生产过程的货币资本家,他所得的利就是由股份所表现的资本的利息。

股东分能动的与被动的两种:被动的股东,是一些小股东。至于大股东,是股份企业的发起人和管理人。大股东的任务,是搜集货币,并管理他人的资本。但企业之技术的组织的指导的机能,随着企业规模的扩大,多用雇员主持。股份企业的发起人,实际上是信用组织者,因为他们把无活动的货币手段转变为机能资本。他们的任务,与集中货币资本的银行资本家相同。所以许多股份企业的发起人,都是银行资本家。

发起人与受动的小股东,在生产上所演的作用不同,因而对于股份企业所得的利润的分配也不同。小股东通常只能得到与银行利息大约相同的利润,而发起人的大股东却用种种方法攫取所谓创业利润。这种创业利润,即是股份企业所得的利润与利息之间的差额。所以股份企业的实权,掌握在少数大股东之手,能够操纵很大的资本。这些大股东,靠股份企业的经营,越发变为大资本家。

股份企业利用银行信用而成立,又利用银行信用而发展。股份企业的发展,打破个人的私有资本的界限,变资本之个人的所有为多数资本家之集合的所有,因而促进巨大的生产企业的成立与扩张。股份企业的组织,促进资本的集积与集中,发展一切生产部门的大企业,扩大各种企业之间的联系。因而生产之社会的性质,就由股份组织而更加扩大。

但是,生产之社会的性质虽因股份企业组织而发达到最高的阶段,而资本的所有却集中于少数大资本家之手,使资本所有之私人的性质也大大发展起来。所以随着股份企业的发展,生产的社会性与占有的私人性之间的矛盾,更加趋于尖锐化。

股份组织在一切生产部门中发展大企业,迅速地提高社会的生产力。但生产力的发展,意味着商品的增加。商品之无限制的增加,就与市场之有限制的扩张相矛盾。并且,资本的有机构成不断增高的结果,社会的消费力与生产力增大的步调不合,于是呈现一般的慢性的过剩生产的倾向,因而物价低落,利润率也随之低落。于是同种类的产业部门间的竞争日趋激烈,结果,大资本就逐渐并吞小资本。于是一定生产部门中的大企业互相联合,组织卡迭尔(Cartel),企图调剂生产与流通,而资本主义生产就达到了卡迭尔的独占形态。这是股份组织扩大了资本主义的根本矛盾的结果,而独占就变为想排除这种矛盾的手段了。

但卡迭尔有它的弱点。卡迭尔的弱点,就是卡迭尔内部的各企业在商业上和在生产上互相独立,并且缺乏遵守协定契约的保证。于是又发生一种新迪加(Syndicate),设立共同贩卖公司,排除所属各企业的商业独立性,企图用独占价格以实行无竞争的贩卖。但新迪加仍然不能废除所属各企业的生产上的竞争。于是托拉斯(Trust)必然地发生出来。在托拉斯的组织内,凡属加入的各企业,都失掉商业上、生产上及技术上的独立性,全部融合为一个企业。此外,还有康采恩(Konzern)的一种独占组织。康采恩是组合各种不同的生产部门的大企业,放在一个中央部的支配之下的企业。这即是由巨大的资本所支配所统制着的诸企业的结合。

与产业企业的集中化及独占化的倾向相并行,银行企业也发生集中化及独占化。几个很大的银行,把一国的货币资本总额的大部分,集中在它们的支配之下。这种独占的大银行,又对独占的大产业企业实行放款或投资,因而两者间产生紧密的利害关系。于是独占的产业资本与独占的银行资本,互相融合而形成金融资本。金融资本支配着全国民经济,操纵国家权力,使资本主义转变为帝国主义。

概括起来,信用在资本主义的生产上演着两种作用:一方面促进资本主义的生产力的发展,一方面又扩大资本主义生产的矛盾。信用的这两重作用,实是资本主义的私有与生产的社会性间的矛盾之表现。

习题四

一、试说明商业信用与资本信用的区别。

二、试说明银行信用与商业信用的区别及其关联。

三、试说明信用货币的种类。

四、试说明银行券与商业票据的区别。

五、试说明银行券的特征。

六、信用对于资本主义生产上的作用如何?

第五章　资本主义的货币体制

第一节　各种本位制

一、金本位与金银复本位

(一)资本主义货币体制之理论的说明

在前面几章中,我们已经说明了货币的本质和机能,指出了货币的运动法则,从本章起,我们顺次讨论资本主义各国关于货币流通的体制的实践过程。

依据前面的研究,我们可以列举下述货币的定义:

> 货币是因为当作价值尺度而起作用,所以用自己的肉体或其代用物而直接当作流通手段去起作用的商品。

从上面定义来看,货币首先必须是发挥价值尺度的机能的东西。而能够充当价值尺度的东西,它本身必须有价值。反之,它本身如果无价值,就绝不能成为价值尺度。在发挥价值尺度的机能时,成为价值尺度的东西,单是观念的存在。但观念上的存在,必须以实体上的存在为前提。所以货币要能够成为价值尺度,它本身的价值,必须是与一切商品的价值同质的东西,并且是能够被人们自由分割或结合而不失其价值的东西。像这样的能够成为价值尺度的货币,只有金子(很少的场合是银子)这种商品适合于这个条件。所以只有金子这种特殊商品,才是当作价值尺度看的现实的货币。

如果当作价值尺度看的现实货币即金子,是资本主义社会的货币流通的一切体制的基础,那么,货币流通本身就不能离开现实货币的金子而成立,并且也不能成立。

但是随着商品经济的发展,货币的价值尺度的机能所分化出来的其他各种机能也发展起来。在货币发挥其流通手段的机能时,它可以由价值不充足的金属货币(金属辅币)所代表,也可以由纸币所代表。在货币发挥其支付手段的机能时,它可以由信用货币(商业票据、支票、银行券)所代表。

在货币发挥其各种机能时,我们看到货币用它的肉体(金子)和它的代用物而直接流通的事实,即看到金属货币与它的纸表章(纸币和信用货币)一同流通的事实。但一切纸表章,都是金属货币的纸表章。这类纸表章,是在现实货币的金子所发挥着的各种机能中产生的,它不能绝对的与金子相分离。如果完全脱离了金子的纯粹纸表章,绝不能成为货币的代用物,绝不能成为资本主义所必不可缺的现实货币。

所以,在资本主义社会中,只有金子才能成为货币,才能成为一般等价物。在货币流通的资本主义体制中,只有金子(很少的场合是银子)是货币。在资本主义之下,纯粹的纸币体制是不可能的,因此高呼"金子退位"而想建立纯粹纸币体制的企图,绝对不能实现。但在另一方面,在资本主义商品的流通中,信用货币能成为通货的代表,具有流通手段的机能,因而所谓"纯粹的"金子流通,也是不能有的事情。

于是我们依据上述货币的定义,建立如下的命题,资本主义的货币体制以金子为基础,而与金子密相结合,在金子的基础上,站立着价值不充足的金属货币和纸表章。

基于上述的命题,进而说明资本主义各国的货币本位:

(二)金本位制

先说明金本位制。金本位制是资本主义国家的一种有代表性的货币制度。我们在第二章中论述货币的价值尺度与价格本位的机能时,已经说明了国家把发挥价值尺度的机能的货币商品即金子的一定分量当作货币本位规定的事实。国家把金子的一定量当作货币本位(价格单位或价格标准)而明确的用法律去规定的时候,这个国家就正式的采用了金本位制。某一国家采用金本位制,就是这个国家正式承认金子发挥价值尺度的机能,承认一定量的金子是货币本位,即承认一定量的金子做价格标准。这就是金本位制的根本的含义。

但一个国家采用金本位制的事实,根源于货币必然是金子这种自生的商品社会的发展过程。金子之成为货币,成为一般等价物,成为价值尺度,原是商品经济发展过程中必然的结果,国家不过就这种已成的社会现象,用法律加以明确规定,并不是国家能够任意把金子定为货币本位。

金本位制,在资本主义世界中,早已成为代表性的货币制度,一切资本主义国家早已都采用了金本位制。金本位制为什么那样普遍的为资本主义诸国所采用呢?要说明这一层,我们不能不回头去考察金子的世界货币的机能。金子之所以成为世界货币,就因为金子在世界经济中能充用为唯一的共通的价值尺度、一般的购买手段和一般的支付手段。任何国家的国民经济,都是世界经济的一环、一构成分子,有不可分离的关系,所以各个国家都不能不采用世界共通的价值尺度、一般的购买手段和支付手段的金子作为货币。现在还没有采用金本位的国家,只有后进国家或半殖民地民族。这种国家,因为金融力量的薄弱,事实上不能采用金本位制,所受的损失甚大。

金本位制这东西,不是一国所能自由采用,也不是一国所能自由废弃,甚至也不是各资本主义国家的共通协商所能废弃的。因为金子之成为货币,成为世界货币,原是商品——资本主义经济的内在矛盾的发展的必然产物。正因为金子最适宜于充当一般等价物,所以它能成为货币,成为世界货币。在世界没有比金子更好的一般等价物出现以前,各国资产阶级要协议废止金子做货币的事实,绝对不能实现。换句话说,在商品经济未消灭以前,金子充当货币的事实绝不消灭。

并且,在资本主义世界中,国与国之间实行着猛烈的经济斗争,各国都在努力的争夺金子,因而所谓废弃金子做货币的事实,绝不是什么协议所能奏效的。

第二次世界大战以前,各资本主义国家虽都已宣布放弃金本位制,而金子充当货币的事实,丝毫也没有变化。所谓放弃金本位,也只是宣布用代表金子的纸币作为国内的货币代用品,停止纸币的兑现,而事实上仍然努力把金子集中于国家手中,以保证国内纸币的流通。至于在国际上,却仍然流通着现实的金子。这便是说明放弃金本位并不是废弃金子做货币。关于这一层,后面还会说到。

（三）金银复本位、并行本位、跛行本位及银本位

在采用金本位制以前,各国曾采行过金银复本位制度。金银复本位制度,是以金银两者做本位货币制度,是两者都许可自由铸造,并用法律规定两者的比价的一种货币制度。就货币的本质和机能说来,同时用金银两种价值不同的贵金属作为价值尺度,原是一件矛盾的事情。国家虽然用法律规定金银两者同时充作价格的标准,但在流通过程中,事实上只有一方是货币,而他方是商品。国家虽用法律规定金银的比价,而金银的价值却不断变动着。例如生产力的发展,新矿山的开采,以及交通机关的变化等,都能引起两者的价值的变动。所以金银的法定比价,不断地与现实的比价相冲突,因而不断地引起价格的混乱。并且,金银的某一方的现实价值如果超出法定的比率以上时,这价值较贵的金属,反不如采取金块或银块的形态较为有利,于是它就被人们把它从流通界吸收出来,熔化为金块或银块而输出于国外。于是各商品的价格,就常是由法定比价以下的金属所表现了。在这种场合,金银复本位制就变为金银交互本位制了。

在金银复本位制之下,金银的比价虽经法律规定,而实际上发挥货币机能的东西,有时是金,有时是银。金银比价的变动,与金的价值为反比例,与银价值的增减成正比例。所以当金银的生产条件发生变动时,两者的相对的价值就发生变化,因而两者的现实的比价,是不断变化的东西。当两者现实的比价的变化,超出一定限度以上时,金银复本位制度就必然崩溃下去。

所以金银复本位制,在理论上是谬误的,在实践上也表示了失败的历史。

但是有一时期,美国曾企图回到复本位制。美国的购银法案,把白银也列入货币流通的商品准备之中,要用金三银一的比率增加白银,并规定银每盎司值美金五角以下的价格收买白银,收买的范围扩张于国外。这个法案,并不能算是恢复复本位。因为这法案只规定收买白银的最高价格,金银的法定比价并未固定,而是适应于现实的比价而上下变动的。美国的这种企图,无非是要提高白银的价格,提高中国、南美及其他亚洲各国的购买力,增加本国商品的销路,并借以控制用银国家的金融;而对于国内,又可以依靠白银的购买以增发通货,加强通货膨胀,企图解决恐慌问题。

在金银复本位制之外,有所谓金银跛行本位制。跛行本位制,是承认金银

均为法币,但只许金币自由铸造而禁止银币自由铸造的制度。这种制度,是由金银复本位制到金本位制的过程中的现象。因为在这种场合,银在名目上虽然还是货币,而实际上已成为一种普通商品。

但在金银复本位制以前,还曾经采用过银本位制。银本位制是以银为本位货币的制度。这种货币制度,在资本主义国家早已废绝,目前只有在落后的国家中还存在着。

二、各国金本位之历史

(一)金镑之由来

最初采用金本位的国家是英国。

英国的货币,以银币的流行为最早。银镑和银便士,在盎格鲁萨克逊时代以后,已被采用为本位货币。当时一镑货币,含有标准银一英镑(Pound Troy),每镑合银便士 240 枚。当时在事实上施行着银本位制。至于金币的铸造,始于 1257 年。从那时起,金银币的铸造流通都很自由。到了 14 世纪,实行了金银并行本位制。16 世纪以后,由于财政上的穷乏、货币滥造的结果,银币不断地流出于国外。到了 18 世纪,更因为金银比价与大陆诸国相差过远,于是依据造币厂长纽顿(Sir lsaac Newton)之建议,规定金银比价为:1∶15.25 (1717 年)。金银两币均得自由铸造,并为无限法币。但以后银价暴涨,银币被人藏匿;除少数恶劣银币以外,只有金币流通。1774 年,国会议决对于银币的法币资格加以限制:银子以 25 镑为限,得为法币;如超出 25 镑,即以生银计算。

到了 19 世纪,因为拿破仑战役,英国发行了多量的兑换券,并且正货币的准备也日见减少,于是采用金本位的时机就成熟了。所以 1816 年 5 月,英国首先采用了金本位制。

1816 年 5 月金本位制的要点,可概括为下述三项:

一、发行与 20 先令相当的一镑币(Sovereign)。1 镑币与 113.003 格令 (grain)纯金相当。

二、规定金币为无限法币,可以自由铸造。

三、银币为辅币,不许自由铸造。在 43 先令以下,可当作法币通用。

上项新金币,除英国本土外,在澳洲、海峡殖民地与加拿大等地均当作法币通用。

金币分 5 镑币(Five-Pound)、2 镑币(Two-pound)、1 镑币(Sovereign)及半镑币(Half-Sovereign)四种。

辅币有银币及铜币两类。银币分五先令币(Crown)、二先令六便士币(Half-Crown)、二先令币(Florin)、一先令币(Shilling)、六便士币(Six-Pence)及三便士币(Three-Pence)六种。铜币分一便士币(Penny)、半便士币(Half-Penny)及花星(Farthing)三种。

1 镑合 20 先令,1 先令合 12 便士,1 便士合 4 花星。

以上是金镑的由来。

(二)金元的由来

美国的旧币制,最早者当为 1792 年的铸币条例。从前的美国,还是英国的殖民地,各国的货币混合流通,没有固有的货币。1776 年独立以后,直到 1792 年,美国才颁布铸币条例,采用了金银复本位制。依据这个条例,金银的法定比价为 1∶15;1 元的金币以包含纯金 24.75 格令为标准;1 元银币以包含纯银 371.25 格令为标准。这种币制,到了 19 世纪初期,发生破绽。因为当时银价跌落,银币自由铸造之量逐渐增加,而金币自由铸造之量逐渐减少。于是金币藏匿,银币充斥,而美国币制名义上虽为复本位,实际上却变成银本位了。

1834 年 6 月,美政府颁布新条例,减低金币的重量与成色,把金银的比价改定为:1∶16。但依据新比价,银的现实的价值高出于法定比价,于是银币藏匿,而金币充斥。直到 1853 年 2 月又颁布新条例,减轻各种银辅币的重量,取消银辅币的自由铸造,限制银辅币的法币资格。这种币制,事实上已是金本位制。但南北战争爆发以后,美政府发行了不兑现的纸币,即所谓合众国纸币(United States Notes)或绿背纸币(Greenbacks)。于是国内纸币充斥,金属币绝迹。直到 1878 年,美政府又颁布新条例,采用复本位制,规定 125 格令的一元银币为无限法币。但是《1890 年休门购银条例》(*The Sherman Silver Purchase Act of* 1890)规定购银办法,由财政部发行国库券购买白银(每月 450 万盎司)。此项国库券,在当时发行了 15600 万元,以致引起现金流出国外的现象。这时银价只是暂时提高,不久仍复低落,而维持复本位制的努力,卒归无效。加以当时欧洲的奥地利和俄罗斯都采用了金本位,印度也禁止了银币的自由铸造,美国为大势所迫,不得已废除《休门条例》,于 1900 年 3 月 14 日,颁布了金本位制。

金币分一元币(Dollar)、二元半即四分鹰币(Quarter-Eagle)、五元币即半鹰币(Half-Eagle),十元币即全鹰币(Eagle,＄10)及二十元币即双鹰币(Double-Eagle)五种(但一元币仅含纯金 23.22 格令,体积过小,1890 年以来即已停铸)。

辅币有银币镍币铜币三类。银币分半元币(Half-Dollar,含纯银 173.61 格令)、四分元币(Quarter-Dollar)及一角币(Dime)四种。镍币为五分币(Five-Cents)。铜币为一分币(One-Cent)。

以上是金元的由来。

(三)金法郎

法国从 13 世纪以来,实行着银本位制。当时的本位货币是银利佛(Livres),一利佛合二十沙(Sous),一沙合十二顿尼(Deniers)。自从美洲新大陆发现,黄金大量流入于欧洲以后,金银比价的变动太大,因而引起币制的动摇。到了 16 世纪后半期,曾禁止外国货币流通,废止过银利佛制。但到 17 世纪初年(1602 年),又恢复旧制。直到 1640 年,事实上采用复本位制,实行路易金币、路易银币制度。但金银比价仍不安定,到 1726 年,规定金银比价为:1∶14.625,才进到安定状态;到 1785 年又改定为 1∶15.5。

1789 年大革命勃发以后,政府为了财政上的急需,不断的发行纸币,到 1796 年,达到 450 亿利佛的巨额,其价值几等于零,造出了空前的币制大混乱。

1803 年,法国新币制始见确立。这就是新的法郎本位制。依据新币制,法郎为本位币,每法郎合一百生丁(Centimes);金币和五法郎银币为法币,均得自由铸造;金银比价为 1∶15.5。这就是金银复本位制。但这种复本位制,往后因为银价腾贵,引起银币的熔化与流出,发生银荒的现象。1865 年,法国与比、意、瑞等国,缔结拉丁货币同盟,铸造同一重量与成分的五法郎本位金币,并规定银辅币的数量及其与本位币的交换。普、法战争以后,因为白银产量增加与各国采用金本位制的结果,又发生白银充斥、银价低落的现象。1873
年,限制银币的自由铸造;1876 年,又限制五法郎银币的自由铸造,而法国的
币制就变成了跛行本位制。

第一次世界大战发生以后,法国也禁止黄金输出。但从 1919 年起,法郎
价值大跌,而法郎的安定就变成紧急问题。普恩赉内阁,适应于世界资本主义
的安定化,采用了金本位制(时在 1928 年 6 月)。依据这新本位制,一法郎重
量为九成金 0.0655 格令(在跛行本位制之下,一法郎重量是 0.3225 格令)。

金币有五法郎、十法郎、二十法郎、五十法郎、一百法郎五种。此外还有五
法郎(含纯银 347.228 格令),也是本位币。

辅币有银币及铜币二类。银辅币分二法郎、一法郎、五十生丁、二十生丁
四种。铜币分十生丁、五生丁、二生丁、一生丁四种。

以上是金法郎的由来。

(四)日元的由来

日本在明治维新之时,鉴于德川幕府时代以来的货币流通的极度混乱状
况,首先于 1872 年 11 月采用了银本位制,把金币和铜币作为辅币,把从前所谓
"两"、"分"、"朱"的货币名称,改为十进法的"元"、"钱"、"厘"、"毫"的名称。

1874 年 5 月,日政府采纳伊藤博文的建议,改用金本位制,颁布新货币条
例。依据这个条例,纯金四分为一元,作为本位货币;另铸五十钱、二十钱、十
钱及五钱的银币,作为辅币,在十元的限度内当作法币通用,又有一钱、半钱、
一厘的铜辅币,在一元的限度内当作法币通用。此外还有一元银币,专作海外
交易之用。当时的金银比价为:1:16。但因为在金币以外仍有一元银币在一
定流通地带中无限制的流通着,所以这种金本位制实际上还是复本位制。

往后银价低落,金币外流,日政府为谋补救起见,于 1880 年废除从前一元银
币的流通上的限制,使一元银币与金币同为法币,于是完全变成了复本位制。

明治维新初年,因为财政上的支出过大,发行了许多不兑换纸币,于是纸
币充斥,价值低落,以致引起了通货膨胀的现象。

到了 1888 年,日政府设立日本银行,发行银行兑换券,收回从前所发行的
不兑换纸币。但当时银行券都规定用银币兑换,于是日本的币制,就变成了银
本位制。

1900 年,日政府又因为多年来银价继续低落的结果(当时金银比价为 1：23.6),颁布《货币法》,实行金本位制。

依据 1900 年的《货币法》,其要点如下：

第一,货币的铸造权及发行权,属于政府。

第二,本位货币称为"元",含纯金二分。

第三,金币分二十元、十元、五元三种;银辅币为五十钱及二十钱两种;白铜辅币分十钱及五钱两种;红铜辅币分一钱及五厘两种。

第四,货币之计算用十进法,称百分之一元为一钱,一钱之十分之一为一厘。

第五,金币为无限制之正币;银币以十元为限,白铜币以五元为限,红铜币以一元为限,均称为限制法币。

第六,人民得输纳生金,请求铸造金币。

以上是日元的由来。

本段只概述英、美、法、日四国金本位成立的经过,借以说明金镑、金元、金法郎、日元的由来。至于各国在以后放弃金本位的经过,留待后面详述。

此外德、意、比、荷等国的金本位采用的历史,在这里也只得略去了。

第二节　银行券流通法则

一、银行券的发行与流通

(一)正常状态下银行券的发行与流通

前节说过,当作价值尺度看的现实货币即黄金(很少的场合是白银),是资本主义各国货币流通的一切体制的基础。在这个基础之上,价值不充足的货币即铸币与纸币,可以代替现实货币发挥流通手段的机能。因而在资本主义世界中,不能有纯粹的纸币体制。但另一方面,在资本主义商品流通中,又有信用货币代表现实货币而流通,因而在资本主义之下也不能有纯粹的黄金的流通。

信用货币的最高形态,是银行券。最初银行券是银行所发出的普通票据,其流通原不受政府统制,但到后来,银行券的发行,就不能成为银行业者的私人事业,而变为重要的社会的机能了。从前银行券是由多数银行(包含私立银行)发行的,但随着资本主义各国的货币制度的重要性的增加,银行券大都由国立的中央银行发行了。从这个时候起,资本主义国家,就实行对于银行券的统制即通货统制了。

货币的流通,如前面所述,它受资本主义的商品经济的发展法则所支配,而资本主义国家果真能够用国家权力去统制货币流通么?在讨论资本主义的货币统制这个问题以前,我们应当先说明银行券的流通法则。

银行券流通法则,受现实货币的金子的流通法则所支配。银行券的流通量,随着通货的流通必要量的增减而增减。这流通必要量,在通货的流通速度一定时,由商品价格及支付总额所决定。归结起来,银行券的流通量,由资本流通及商品流通所决定。

银行券这东西,原是由商业票据产生的。因为商业票据,表现出交易上发生了货币的需要,所以银行发行的银行券,代替票据,以满足交易上这种货币的需要。这样的银行券,与产出商业票据的商品的价值相对立。商业票据是适应于商品实现的期间而发出的,所以商品实现之后,票据兑现,银行券必回到银行。于是商品被移到需要者手中,商品实现,因而对于一定的流通手段的需要,一经消失,货币就归还于银行。所以依存于票据流通的银行券,一旦失其必要,就自动的退出流通界。以票据为根据的银行券的发行,在资本主义诸条件之下,是满足补助的流通手段的需要的极有弹力的方法,在过剩货币立即回到银行的限度以内是调节流通的手段(但在银行券流通上,金子的需要仍是现实地存在着)。

以上只说及银行以商业票据为基础而发行的银行券,但是随着资本主义的发展,银行券本身也成就其一定的内在的发展,它不仅被利用为票据贴现的手段,并被利用为融通的一般手段。于是银行券的发行,大概有下述三种场合:第一是中央银行收受金子所有者的金子作为准备金而发行银行券的场合;第二是放款于一般银行而发行银行券的场合;第三是放款于政府而发行银行券的场合。

在第一种场合,金块所有者用金块换取银行券,因而中央银行要发行一定数目的银行券给他。这时他如果把这一批银行券作为机能资本,这是与资本流通及商品流通的需要相适应的。如果因为机会不便,不能使这一批银行券转化为机能资本,他就作为存款而存入于银行。

在第二种场合,普通银行因为放款或他种支付,或者拿商业票据到中央银行实行再贴现,或用抵押品要求发行银行放款,因而中央银行发行一定额的银行券交付于普通银行,而普通银行用这批银行券放款或实行他种支付。这批银行券显然是适应于资本流通及商品流通的必要而发行的。但等到票据满期、放款收回之时,这批银行券迟早要回到中央银行。

在第三种场合,政府为了国营企业的经营或财政上的支出而向中央银行要求放款,中央银行因而发行一定额的银行券。这时政府如为国营企业而借款,这就和资本家向银行借款一样,这一批银行券的流通,实际上和上述第二种场合相同。政府如果以公债为抵押而借款,或者无抵押而借款,中央银行总得要发行一定额的银行券。这一批银行券,本不是为了资本流通及商品流通的必要而发行的,但政府拿这一批银行券作财政上的用途,投入于流通界之后,他日又以租税等名目,从流通界把那些银行券吸收出来,交还中央银行。

在上述各种正常状况之下,银行券的流通量,是由资本流通及商品流通所决定的。

(二)非常状态下银行券的发行与流通

但是,中央银行也有被逼迫着自行破坏信用的原则,而多发银行券的事实。例如当金融恐慌之时,为了救济金融窘迫的银行,中央银行不能不发行一定额的银行券,作为对这类银行的放款。在这种场合,这类银行就把从中央银行借入的这批银行券作为支付手段,支付给提取存款之人,或偿还其他各大银行的借款。于是各存户为了安全起见,也把所提取的银行券存入于那些大银行。照这样,中央银行所增发的那一批银行券,就经过被救济的银行之手,直接或间接地流入于那些大银行,形成休息资本,不再归还于中央银行了。

又如,当政府为赤字财政上的用途,发行赤字公债,向中央银行押借巨款,中央银行不能不增发一定额的银行券交给政府。但政府对于这项借款,原是难以用租税收入偿还的。并且,政府把这批银行券作种种的支出,进入到社会上的各种资本家手中。那些资本家拿着这些银行券又作种种的支出,或者存入银行之中,也不一定存入于中央银行。于是那批银行券就变为各银行的存款,不一定再回到中央银行了。

还有,某一国家的资本家们因为大量贩卖商品于交战国而换得大批金子,或者因为收入国外投资的利息利润而获得大批金子。在这种场合,手中有大批金子的资本家或银行,就拿金子到中央银行换取银行券,于是中央银行就要增发一定额的银行券。这批增发了的银行券,并不依据于信用而发行的,当然不回到中央银行,而转变为存款,增加了休息资本。

由于上述种种的情形,社会上的休息资本即放款资本就增多,如果这大批放款资本不能转变为机能资本,就会引起金融停滞的现象。于是放款资本供给量的增加,就引起放款利率的低落。换句话说;银行券的发行数目如果超出了银行券的流通必要量以上时,那些多发的银行券,就从流通界游离出来,转变为休息资本,使放款资本增加起来,以致引起放款利率的低落。

放款资本的增加与放款利率低落的结果,就会引起下述两种现象:第一种现象是资本的逃亡,即资本由利润利息较低的国内流出于利润利息较高的国外。在这种场合,银行券会被兑成金子流出国外,因而引起银行券归还于中央银行的运动。

第二种场合,是商品交易的活泼与生产的增加。企业的资本家,因为利率降低的结果,容易借得资本来增加生产,以期获得更多的利润。于是那些在休息资本形态上的停留着的银行券,就进入到流通界运动起来。于是商品的交易活泼起来,而生产也增加起来。于是银行券的流通必要量就增加起来,而那些多发行了的银行券就渐渐能与商品流通和资本流通的需要相适应了。但在这种场合能够发生信用的通货膨胀的现象(后章另行说明)。不过,当利率低落之时,企业资本的利润究能增加与否,要依据当时的条件而定。如果商品价格低落而利润的总量减少时,资本家因利率低落而得到的利益就会消失。如果利润的总量不能增加,资本家的生产就失掉了刺激性,势必收缩起来。到了这种场合,银行券的流通必要量就减少。

二、银行券流通法则的基础

(一)银行券流通法则与金子流通法则的关联
由于上段的说明,我们已经知道,银行券的流通必要量,由商品流通与资本流通的需要所决定。银行券流通的这个法则,与金子的流通法则有密切而不可分离的关系。我们在第二章第一节之中已经说过,流通所必需的货币量与需要相适应,由货币流通速度所除的商品价格总额所决定。储藏货币,在没有需要之时,就吸收过剩的货币;在需要发生之时,就成为供给新货币于流通界的准备金。因而流通的金币,常停留于商品流通的一定规模上的必要的程度,这是金子的流通法则。金子流通的法则,是货币流通的现实的根本法则。一切代替金子去流通的货币的流通,都受这个根本法则所支配。这个根本法则,通过纸币而起作用,又通过信用货币而起作用。

银行券第一是信用货币的票据,第二是银行券所有者随时可以拿它换取货币的票据。所以银行券必须有随时转变为金子的可能性。银行券原是信用表章及金表章。

银行券的流通,并不是不需要金子的。事实上,在银行券发达的初期阶段上,银行券虽然专以商业票据做担保而发行,却也不能不需要金子。因为银行券这东西,原是商品经济的矛盾的产物,它本身的机能中必然的含有许多矛盾。银行券这种信用货币,是从货币的支付手段的机能发生出来的,银行券的机能中的矛盾,原是支付手段的机能中的矛盾。资本家由票据贴现而取得的银行券,不但在国内市场中被当作购买手段,并且还可以在世界市场中被利用为支付手段。例如资本家因为购买外国的原料而需要货币时,他可以用票据贴现的方法取得银行券。但要购买外国原料,不能不把银行券换成金子。在这种场合,银行券是金表章,它离不开金子。银行券在代表金子的限度内,它不仅能在国内的流通界,成为一般的价值表章,完全无限制的发挥流通手段的机能,并且能在国内发挥为支付手段与储藏货币的机能。

银行券离不开金子的事实,不但在世界市场中,并且在国内市场中,也都明白的显现着。例如,当恐慌发生、信用关系破坏之时,人们都努力取得一般的唯一的等价物的金子。在这种场合,只有能够自由转变为金子的银行券,才是现实的东西。所以银行券又叫做兑换券。

如前段所说,银行券不但依据于票据贴现而发行,并且还依据于商品担保及其他有价证券担保的信用而发行,有时还依据于政府财政上的通融而发行。在种种场合发行的银行券,金融机构本身并不能保证它们完全与国内流通现实的必要相适合。因此,银行券的信用统制必须由兑换而加强。

在银行券能够兑换,过剩的银行券能够转变为金子的限度内,在融通制度上发行银行券,其结果不致发生什么混乱的现象。所以,维持兑换,就是维持银行券的流通法则的保证。只要银行券能流回于银行,它就不仅能支付银行的债务,并且还不能不转变为一般等价物,转变为金子。

所以银行券的发行,必须有金子做保证。这是银行券的第一个条件。但金子的保证,也不是绝对的。如果银行券的发行要用百分之百的金子做绝对的兑换保证,这种当作信用货币看的银行券,就变为毫无意义的东西了。譬如银行先准备着 10 亿元的金子,然后发行 10 亿元的银行券投入流通界,这样的银行券就变为金子的收条了。实际上,银行如果发行 10 亿元的银行券,并不需要准备十足的金子做保证,只要用金子保证一部分的银行券就可以了,其他部分的银行券是可用信用做保证的。银行券的特色,就存在于这种地方。所以信用的保证是银行券的第二个条件。因为银行券有一部分是基于确实可靠的票据贴现而发行的,这一部分的银行券,与再生产过程的一定时期中商品交易的现实上的必要相适应。而这一部分的银行券没有金子做保证也是安全的。

兑换的保证与信用的保证,是银行券两个必要条件。银行券单用兑换做保证,固无意义,但单用信用做保证,也不充分。因为资本主义生产过程的矛盾之发展、银行券的票据基础的矛盾的运动、银行券本身的矛盾的发展及其外在的各种关系等,就不能不有兑换的保证。所以银行券一旦发行之时,为要能够满足现金上的交易的需要,无论如何,总得要以金子为基础。于是在银行券的这两个保证即信用与兑换之下,金子流通的法则就变为现实的东西。如《资本论》第三卷下册第三十三章所说:

> 在流通的速度与支付的节约一定之时,现实上流通的货币数量,由商品价格与交易数量所决定,这是考察单纯的货币流通时所已经论证了舶事情。同一的法则,也支配着银行券流通的场合。

换句话说,银行券流通的法则,与金子流通的法则相一致。

（二）银行券流通法则与人工统制

银行券的流通，受金子流通法则所支配。这个法则，就是说明银行券的流通量与流通的现实的需要相关联，即由流通必要量所决定。这个法则，是客观的法则，是资本主义商品经济的自然法则。银行券本身，虽由发行银行所发行，但发行银行却不能用自己的意志去左右它。因为"流通银行券的分量，根据于交易上的要求，过剩的银行券即时复归于发行者的手中"。银行虽然把自己所发行的银行券投入于流通界，却没有自由增加银行券的发行数量的任何机能。

银行券是在商品流通的信用制度中所发行、并由兑换所保证的东西。在兑换与信用所保证的前提之下，银行券的分量不能由发行银行的意志所左右，它与流通上的要求相适应。银行券的分量，既不能由发行银行的意志所左右，所以对于发行银行的准备金分量的规定，对于与银行的一定准备金分量相适应的银行券分量之规定，是有条件的，是相对的。现实上究竟有多少银行券拿到银行去兑换？银行券与准备金之间究竟存有怎样的相互关系和现实上必须有怎样的关系？这些事情，任何资本主义的银行都不能知道，也不能说明。如《资本论》第三卷下册第三十三章中所说：

> 银行券的流通，离英伦银行的意志而独立，同样，也离开该行地窖所保存的、作为流通银行券的兑换保证的准备金状态而独立。1846 年 9 月 18 日英伦银行银行券的流通额是 2090 万镑，其金属准备是 1627.3 万镑。1847 年 4 月 5 日，流通额是 2081.5 万镑，金属准备是 1024.6 万镑。即，600 万镑的贵金属虽被输出，而银行券的流通并没有什么收缩。

这段话的意思，就是说明银行券的流通离银行的意志而独立，而银行券的分量并不能正确地与金量的运动相适合。

所以在兑换与信用这两种保证之下，银行不能用强制力把过剩的银行券投入于流通界，也不能用强制力把现实上必要的银行券从流通界收回来。银行如果用强制力发行过剩的银行券，那些银行券就复归于银行，而与金子相兑换。如果交易上现实的要求着货币，而银行却用强制力把银行券收回来，就形成信用的收缩,结果就在存款的收缩及各种事业的破产上反映出来。

又如银行券停止兑换时,银行券就停止其为银行券的机能。固然,不兑现银行券那种信用货币,如果得到国家信用的保证时,也能成为一般的流通手段。例如在非常时期,政府或中央银行,现实的宣告停止兑换,但人民信任政府或中央银行结局必能兑换,而银行券仍照常流通的事实,也是常有的事情。但在这种场合,银行券所有者如果没有把银行券作为支付手段或流通手段去使用的必要时,势必把这批银行券作为存款储藏起来。于是银行券就变为与金币同样的储藏手段,因而银行券的流通量也不至超出必要量以上。

所以在普通的信用制度之下,不能发生银行券的通货膨胀;并且在兑换的条件之下,银行券的发行也不能引起价格腾贵的现象。如果发行银行对于别的银行给以过大的信用而增发银行券之时,或者在国家预算的融通制度之下增发银行券之时,只要所发行的银行券能够照常兑换,它仍不丧失其为银行券的性质。在这种场合,银行券转变为纸币的可能性已经存在,但这种可能性还没有转变为现实性。如果银行券被宣告停兑,不兑现的银行券已经变为不兑现的纸币,就受纸币流通的法则所支配。所以银行发行制中的通货膨胀,只有当作纸币的通货膨胀,才有可能。否则,绝不能有银行券的通货膨胀。

还有,在银行券兑现的范围以内,增发了的银行券,如果处于机能资本增加、商品交易增大的条件之下,在增大了的商品交易现实的增大了货币流通的必要量的条件之下,银行券的流通量就逐渐适应于这类需要而增加。在这种场合,实际上因为商品价格总额增加了,所以银行券的流通量才增大起来。在这种场合,银行券流通必要量的增大,绝不能引起价格的腾贵。换句话说,在银行券兑现的条件之下,银行券的发行绝不能引起价格的腾贵。因为兑换银行券,与它所代表的金子的价值相等,决不致减低其价值,所以只要是商品的价值不生变化,银行券的发行决不致引起价格的腾贵。

所以银行券流通的法则,是离开发行银行的意志而独立的客观的法则。银行券流通之一切人工的统制,只有在不违反这个法则的限度内,才是有效的工作。关于这一层,下节再详细讨论。

（三）准备金

于是我们进而讨论准备金的问题。

中央发行银行，为要维持银行券的信用，必要有相当的准备金。准备金这东西，是资本主义商品经济的产物，又表现着资本主义的矛盾。

在资本主义的初期时代，准备金那东西，是在货币储藏人手中贮藏着的储藏货币。往后，国家接受货币流通上的技术工作而专办货币铸造的事宜时，那种储藏货币就被集中起来，形成铸币的准备金。其次，支付信用发展起来，各个资本家手中就积蓄一定额度的支付准备金。到了银行出现之时，银行就集中那些在个个资本家手中的支付准备金，使转变为存款准备金。随着世界市场的形成，铸币准备金与存款准备金，又兼营国际支付准备金的作用了。及到中央银行发行兑换券，用以代替铸币而流通之时，铸币准备金变为无用，而存款准备金也可以不用金子，于是这两部分准备金就被合并而形成兑换准备金。随着国际贸易的发展，国际支付的准备金的重要性就增大起来。

所以中央银行所保存的准备金的机能，大概可以分为下述三个方面：

第一，世界货币的准备金即国际支付准备金；

第二，伸缩无常的国内流通的准备金；

第三，存款的支付与银行券兑换的准备金。

若把以上三项再简括起来，当作保证金看的中央银行的准备金，可以包括于下述两项：即国内流通的准备金与世界货币的准备金。这种准备金，发挥内在的两种货币机能，同时又保证银行券的兑换，保证银行券的国内的流通，保证银行券（通过兑换）转变为国际支付手段的可能性。实际上所谓国内流通的准备金与世界货币的准备金，并不是各别的分任两种机能的准备金，而实是同时发挥其内在的两种机能的同一的准备金，即中央银行的准备金。中央银行的准备金，一面发挥其国内流通准备金的机能，一面又发挥其世界货币准备金的机能。

中央银行准备金的上述两个机能是互相矛盾的。当作国内流通的准备金看，它是国内货币，它属于一国的政府或中央银行所有，即属于一国的集团的资本家所有；当作世界货币的准备金看，它是国际的支付手段，它会被移出于外国，即被支付于外国资本家。当它从一国流出于他国时，当作国内流通准备金看的部分就被减少；反之，如要使国内流通准备金的部分变得丰富，那当作世界货币准备金看的部分就减少。

就上述情形考察起来,只要一国的准备金总额充足,上述两种机能都能够充分发挥,在表面上好像不会发生问题。但在国民经济与国民经济互相斗争的今日世界经济中,任何国家的资产阶级都努力要取得丰富的准备金,因而资本主义各国间就演出争夺金子的战争。这种争夺金子的战争,表现了货币这东西本身的矛盾,而货币的这种矛盾原是资本主义商品生产的矛盾的产物。资本主义生产的这种矛盾,必然的产生恐慌与战争,因而争夺金子的战争就不能不日趋于尖锐化。关于这一层,后面再加以详细的说明。

三、银行券的纸币化

(一)不兑现银行券

流通的银行券之所以能够成为应当流通的金属货币的全价值的表章,而发挥流通手段的机能,是由于银行券的流通量与没有银行券之时应当流通的金属货币量相一致。这样的一致,只在银行券通过前述的信用关系而代表金属货币时才能发生。例如在一定的时候,有 10 亿元的银行券流通着,而每元的银行券代表着二分的金子,在这种场合,10 亿元的银行券,就代表着 2000 万两的金子。如果这时没有银行券,现实上就必须有 2000 万两金子流通着。照这样,流通着的 10 亿元银行券,就与流通所必要的 2000 万两金子相一致。但这样的一致,只有在银行券能够成为金属货币本身的代表的那种特殊信用存在的场合,才能发生。只有在这种场合,银行券才是信用的表章。

如果银行券丧失上述那种信用时,银行券就变为不能如数兑换现金的纸券,就不能与金属货币同样的发挥货币的各种机能。于是银行券的流通量与货币流通的必要量相一致的保证就不存在了,于是兑换的银行券变为不兑现银行券了。

但是,不兑现银行券是否转变为不兑现的纸币而受纸币流通法则所支配,这不由停兑与否的事实所决定,而是由信用丧失与否的事实所决定。只要是银行券的信用还没有丧失,它纵然丧失了法律上的兑换性,而经济上的兑换性却仍旧存在。所谓经济上的兑换性,即是没有丧失信用的银行券与它所代表的金量同样流通的性质,即是它能够和金银相交换的性质。在这种经济上的兑换性没有丧失的场合,银行券纵然在法律上被宣告停兑,纵然变为法律上的不兑现银行券,它仍然能够发挥与兑换券相同的机能,其流通量仍能与必要量相一致。

所以银行券的经济上的兑换性,由银行券的信用所决定。只要是这种经济上的兑换性没有丧失,法律上的不兑现银行券,不能转变为不兑现纸币。像这样的不兑现银行券,当作一个经济的范畴看,仍是银行券,不是纸币;它仍受银行券流通法则所支配,不受纸币流通法则所支配。例如18世纪末叶与19世纪初期,英伦银行虽曾实行停兑,而银行券的信用并未丧失。又如第一次世界大战期中及其以后的各资本主义国家,都曾实行停兑,而在相当期间内仍能维持其信用。

银行券也有在被宣告停兑以前,先丧失其信用的可能性。在这种场合,政府或发行银行为预防银行券的信用丧失,事先实行宣告停兑,宁愿牺牲法律上的兑换性而保存经济上的兑换性。这是过去资本主义国家所常用的方法。

(二)银行券的纸币化

但是不兑现银行券一旦丧失其信用,即丧失其经济上的兑换性,就转变为不兑现的纸币,而受纸币流通法则所支配。

银行券怎样丧失其信用呢? 一般地说来,这是由于兑换的准备金减少到一定比率以下的事实发生的。

前面说过,为维持银行券的信用,虽然没有保持与其流通总额相等的准备金的必要,但某种最小限度的准备金却是必要的。这最小限度的准备金,是发行银行的经验上所知道的事实。所谓"准备金减少到一定比率以下",就是"准备金减少到最小限度以下"的意思。不过,准备金的最小限度,常由信用制度的发展程度所决定,有时减少,有时增加;并且在正常的状态之下,这最小限度的准备金较少,反之,在危机的状态下较多。

准备金减少到一定比率以下的事实,大体上是在下述两种场合发生的:第一是危机的状态下大量黄金继续流出的场合。所以资本主义国家之禁止黄金出口,主要是为了预防兑换准备金的减少及由此而生的银行券信用的丧失。至于在禁止现金出口时而实行停兑,主要的是为了防止黄金的秘密出口。第二是银行券的发行量及流通量激剧增加的场合。在禁止现金出口及停兑的条件之下,如果发生继续的强度的信用的通货膨胀,兑换准备金的比率当然大幅度减少。例如在特别紧急状态之下,或因与短期公债券相交换而发行的银行券,或因国家财政的必要而发行的银行券,都属于这种场合。所以银行券流通量的激剧增加与准备金之绝对的减少,两个原因同时发生作用,准备金的比率就激剧的减低。

准备金之绝对的减少与银行券信用之丧失,主要地由于是在上述两种场合发生的。这种事实,大都与资本主义社会中的恐慌、战争及内乱等事实相关联。

兑换准备率异常减少,而银行券与金子相兑换的可能性,在现实上消灭的时候,银行券就转变为纸币。纸币化了的银行券,就受纸币流通的法则所支配。于是银行券就势必减价,因为银行券在其信用丧失之时,从前被储藏着的部分,就重新被投入于流通,而其流通量必然超过货币流通的必要量,必然开始减价。如果由于财政上的目的,发生了信用的通货膨胀,以致引起银行券的信用丧失时,这信用的通货膨胀就转变为纸币的通货膨胀(后章另有说明)。一般说来,决定纸币化的银行券的减价程度的东西,不是对于流通的银行券的比率,而是流通的银行券超过现实的货币流通的必要量。

银行券的减价,与纸币的减价稍有不同。在纸币一方面,由于它的流通量超过了必要量而开始。由于纸币的减价,引起纸币的信用丧失;由于纸币信用的丧失,更促进纸币的减价。在银行券一方面,由于信用的丧失,它的流通量才超过必要量;由于流通量超过必要量,它才开始减价。因而这种减价程度,从最初起,比较超过纸券流通量的比率还更激烈。纸币与银行券的减价过程的差异,是由于两者的性质的差异而发生的。

概括起来,在国内的流通上,货币的流通手段的机能,虽能由纸券所代理,而国家纸币只是辅助的流通手段,银行券只有依存于一定比率以上的准备金之时,才能完全代理流通手段的机能。所以国内流通的内部,纵令看不见一分的金子,却绝不是国内流通完全不要金子。在资本主义的国家,无论怎样,为了国内流通本身,必得保有一定量的金子,否则流通的混乱就绝不能避免。

第三节　资本主义各国的银行券统制

一、资产阶级的银行券统制的原理

（一）通货统制原理的根据

前面说过，银行券流通法则，是离开发行银行的意思而独立的客观的自然法则。资本主义国家的政府或发行银行对于银行券流通所施行的一切人工统制，如果违反了这个法则，结果只有遭到悲惨的失败。

资本主义国家统制通货的制度，是在19世纪前半期开始的。而首先实施的国家，是资本主义老前辈的英国。当时英国的议会，曾制定许多统制货币流通的法律，规定了银行券发行的制度。英国关于货币流通的立法，在资本主义的货币体制创设的原理与实际的发展上，发挥了许多作用。这些立法，往后就变为其他许多资本主义国家通货统制的典型。

资本主义国家通货统制的原理，是由许多资产阶级经济学者所树立的。19世纪前半期的正统派经济学者（后来的俗流经济学者更不消说），不能理解资本主义的发展法则，也不能完全理解周期的产业恐慌的原因。这类经济学者，根本否认资本主义生产的无政府状态，否认一般的过剩生产的可能性。他们只知道在表面的现象中，在货币流通及银行业方面，去探求恐慌发生的原因。他们认为恐慌的发生，是流通的货币量变动的结果，即货币制度紊乱的结果。因此，他们以为要防止恐慌的发生，必须使本位货币得到绝对的安定；为要使本位货币得到绝对的安定，就必须有合理的货币制度：依据合理的立法发行银行券。他们以为只要本位货币能够绝对的安定，经济恐慌等现象就不至于发生。在他们看来，本位货币的绝对安定，就是资本主义的绝对安定。这便是资产阶级的通货统制原理的根据。

资产阶级经济学者的货币理论问题的提出方法，本来已经是错误的。经济恐慌原是资本主义生产的内在矛盾发展的结果，它只是在流通过程中显现出来的东西。货币数量的变动，并不是经济恐慌的原因。例如货币的支付手段的机能中的矛盾，虽也潜藏着恐慌的可能性，但这种可能性，只是资本主义生产的矛盾发展的表现。至于本位货币的绝对安定，原是不能有的事情。金子本身的价值也是不断变动的,它的变动也影响于价格的变动,因而要使价格安定也是不可能的事情。

关于银行券流通的问题,只能提起相对的安定的问题,即银行券对于金子的关系的安定的问题,绝不能提起它的绝对安定的问题。因而银行券流通的统制,只有在银行券流通的法则的限度以内才得实现,只有在这个法则的支配之下才有可能。在资本主义的统制之下,货币流通的现实统制是一件不可能的事情;发行银行不能现实的统制它的准备金,也不能统制流通的银行券的分量。资本主义国家的货币流通的统制,无论如何绝不能克服货币流通的根本法则,反而要受这个法则所克服。

(二)通货主义与银行主义

资本主义的通货统制的原理,可以分为两派:一是通货主义,一是银行主义。

通货主义最大的理论家是李嘉图。依据李嘉图的主张,当货币数量与交易的商品量及价格保持正比例时,货币(金属货币)的价值,由货币中所体现的劳动时间所决定。货币的数量如果超过这个比例而增大之时,货币的价值就低落,而商品的价格就增高。又货币的数量如果不及于这个比例而减少之时,货币的价值就增高,而商品的价格就低落。在前者的场合,金子过剩的国家,跌了价的金子就流出国外,而国外的商品就输入于国内。在后者的场合,金子流入于金价较高的国家,而跌了价的商品就从那一国输出于价格较高的国外市场。所以商品价格之增高或低落,是流通金币数量的过多或过少的结果。但流通的金币的价值之低落或增高,又由金子之国际的流通所调剂,因而商品之一般的价格自然得到平衡。这是李嘉图所发现的货币(金币)流通的法则。

李嘉图认为上述的法则,也支配着银行券的流通。银行券是可与金子相兑换的东西,纵然它的现实价值与名目价值相一致,而金子与银行券的流通总量,由于上述的理由,其价值也能增加或减少(这不是银行券对金子的价值减少,而是银行券与金子两者的总量的价值减少)。如果在金子以外,超过金子的现有量而发行不由金子所保证的银行券,纵令这种银行券能够兑换,而金子和银行券两者对于商品的价值就低落下去。通货主义者在货币流通的领域内部之中,看出恐慌的原因。所以为要调剂商品价格的变动,使银行券的流通不影响于价格的运动,发行银行就只能发行与现有金量相当的银行券,而对于没有金子作保证的银行券发行额,就不能不加以一定的限制。这便是通货主义的原理。

至于银行主义,最大的理论家是托喀(Thomos Tooke)。银行主义的主张,与通货主义相反。银行主义者主张流通中不能发生银行券过剩的现象,流通过程也不能吸收必要量以上的银行券。如果银行券过剩之时,那多余的银行券就因请求兑换而复归于银行。银行券如果不回到银行,那就是商品流通需要银行券的证据。因而不由金子所保证的银行券,不能进入到流通界。如果对于不由金子所保证的银行券,加以人工的限制,就会引起恐慌而妨碍经济的发展。所以银行主义者主张银行券的发行应委诸银行自由处理,对于准备金无需加以严重的限制。

以上是通货主义与银行主义的理论的要点。通货主义理论的根据,是货币数量学说与货币金属学说;银行主义理论的根据是货币名目学说。通货主义不承认货币的代用物(因为以十足准备金而发行的银行券,只是金子的收据,不是货币代用物),也不理解货币代用物的本质及其流通法则。银行主义不理解货币代用物与现实货币的关系,不知道纸表章是金表章和商品表章,因而不理解银行券与金子相结托的关系。

在19世纪前半期的英国,通货主义战胜了银行主义,而通货主义的原理,就被英国议会所采用,成为1844年的银行立法的一个根本原则。这个银行立法,就是历史上有名的《皮尔条例》。

《皮尔条例》,在最大的国民的规模上被实验了之后,理论上与实际上,都引起了显著的失败,英国的资本主义,仍然不曾脱离经济的恐慌。关于这一层,我们在下段之中稍微详细的加以说明。

二、各国的银行券发行制度

(一)英国的通货统制

1844年的《皮尔条例》(*Bank Acts of Peel*),对于银行券发行的规定,其要点如下:

第一，英伦银行分发行部与营业部的两大部门。英伦银行以1400万镑的证券（其中一一、〇一五、一〇〇镑，是政府对于英伦银行的债务）及营业所不需要的金币及生金，交付于发行部。发行部就把与所收证券、金币及生金总额相当的英伦银行银行券交付于营业部。发行部往后（除其他银行丧失发行权时）除以同额的金币及生金做准备以外，不得发行超过1400万镑的银行券。换句话说，可用证券做准备的银行券，以1400万镑为限。如超出这个限额以外，必须有生金及金币做准备才能发行银行券。

第二，截至1844年5月6日，凡有发行权的银行，往后如放弃其发行权之时，英伦银行得继承此项发行权，但以不超过这种停发银行券总额的三分之二为限。

《皮尔条例》的目的，在于把发行权统一于英伦银行，保障银行券兑现的确实，以期稳定本位货币，调剂商品的价格，借以杜绝恐慌的发生。

关于《皮尔条例》的批判，《资本论》第三卷第三十四章中，曾有详细的说明。《皮尔条例》的基础理论，原是肤浅的错误的货币数量学说。这个条例的特征，如恩格斯所说："要之，英伦银行的结构是这样：每逢银行准备金中有一个五镑金币流出时，一张五镑银行券就回到发行部而被销毁；每逢一个五镑金币回到银行时，新的五镑银行券就进到流通界。"通货主义者以为只有这样去统制银行券的流通，恐慌就永远不能发生。

事实上，《皮尔条例》实施以后的经验，不但不能避免恐慌，反而使恐慌激化了。在资本主义的生产体制中，再生产过程的全部关联都依据于信用。信用如果突然停止而专用现金实行支付时，人们就猛烈地争取支付手段，恐慌就必然地发生出来。在这种处所，全部的恐慌好像只是信用恐慌及金融恐慌，并且实际上也只是票据兑现一事成为问题。但这类票据，多是代表现实的买卖的东西，所以只有现实的买卖太过于超出社会的要求而扩大的事实，结局才是全部恐慌的根本事实。同时，那些被要求兑现的票据之中，有很多只是代表欺诈的营业的东西。到了不能兑现时，那些欺诈的营业就现出真相而崩溃。此外，还有用别人的资本做投机事业而失败的事情，也有因商品资本的价值减少或完全不能售出，以致资本不能如期收回的事情。这些都是恐慌发生的原因。在这种场合，如果要使英伦银行对一切欺诈的营业者们用纸券供给所要的资本,使以原来的名目价值购买价值已经减少的一切商品,像这样的措施,当然不能救济早已决定要扩张再生产过程的人为的全部体制。这是很明白的事情。

在《皮尔条例》的束缚之下,银行券的发行,被限制于准备金量的范围之内,因而银行券流通大受限制。但在另一方面,私人间的信用流通(如票据与支票)却同时都很广泛地发展起来。信用一旦破坏,就需要现金做支付手段,在这种场合,大受限制的银行券的流通量,只有使恐慌更趋于复杂,更趋于激化。

《皮尔条例》的实施的期间,截至 1928 年,约经历了 84 年之久。这 84 年间的经验,证明了《皮尔条例》的"背理和无知",招致了理论上及实际上的失败。这八十余年之中,英伦银行所发行的银行券,其百分之九十五,概由现金所准备,银行券在事实上变为现金的收据。但英国虽有这样的货币体制,而恐慌不但不能避免,反而结果助长了金融恐慌。这是《皮尔条例》所以在 1928 年被宣告废弃的由来。关于 1928 年的新条例,留待后章说明。

(二)美法德日各国的通货统制

美国的银行券发行制度,在 1913 年以前,是颇为特别的东西。美国银行券的发行,采取极端的地方分权主义(在 1912 年,29000 个银行中,有 7000 个是发行银行)。银行券的保证,用公债不用现金。银行券发行,由公债的现有额所限制。英国的制度,用金子束缚银行券的发行,借以保证货币制度的金子的基础;至于美国的旧制度,却没有必要的金子做基础。银行当增发银行券之时,必须加购公债。但公债的数量有限,所以公债涨价时,银行发行的利益就减少。于是银行停购公债、停发银行券之时,放贷利息就特别提高。结果,银行与银行资本家就操纵货币市场,从事于投机及交易所的事业,并且通过股份组织及提供信用等事而支配生产。反之,国债的偿还,银行券就从流通界被吸收出去,因而使流通搅乱。像美国这样的银行券统制,也只有依靠私人的信用流通,才能在相当程度上维持下去。但信用关系一经破坏时,这种统制就反而助长恐慌的激化。例如 1907 年的大恐慌,其原因就在这种地方。

法国的发行银行,法律上不受一定的金子的保证所拘束。其银行券的发行,有一般最高限度。但随着生产的发展与战争时的需要等等,银行券的发行量也不断地增加,由 1878 年的 3 亿 5 千万法郎增加到欧战前的 58 亿法郎。金子的保证准备,在法制上虽未规定,但发行银行必须兑换,因而也要设置一定的准备金,这项准备金在第一次大战前达到了发行额约 70%。

德国在第一次大战以前的发行制度,也和英国一样,没有金子做保证的银行券的发行有一定的限制。在限制以外的发行,对于政府要缴纳百分之五的发行税,发行总量的 1/3 以上用金子做保证,其 2/3 用短期票据做保证。但这种制度,和英美的稍有不同,发行额不受限制,富有伸缩性。

日本的银行券统制,依据明治十七年所颁布及其后数年所修正的兑换券银行条例,发行权属于中央银行之日本银行,其要点可分三项:一、日本银行对于银行券发行额,要储备同额的金银币及金银块,以作兑换的准备;二、日本银行在前项规定以外,以 12000 万元为限,得用政府公债、大藏省证券及其他可靠之证券、商业票据作保证,而发行银行券;三、日本银行依据市场的状况,得大藏大臣的允许,在前两项的发行以外,更得为额外的保证发行,但须缴纳年率百分之五以上的发行税。日本的这种制度,比较的富于伸缩性。

以上所列举的各种发行制度,都是第一次世界大战以前各主要资本主义国家的通货统制制度,即是资本主义的一般危机时代以前的货币制度。在那一类制度之下,代表货币的银行券,与现实的价值充足的金币一同流通着。政府或人民如要取得金币,只要缴纳铸造费,都可以把金子交给造币局请求铸造。在银行券能自由兑换价值充足的金币的时候,流通中就不能有过剩的银行券(国库所发行的兑换库券,也是一样)。银行券回到银行,金子就被储藏起来,或者流出国外。这是第一次世界大战以前各资本主义国家中货币流通的基本的普通的制度。而构成这种制度的基础的东西,是特殊商品的金子。这样的制度,如前面所说,是以金为本位而承认银行券自由兑换的金本位制度。

(三)银行券间接兑换制

但是,金本位制度,原是资本主义的矛盾的产物,它本身并不能排除这个矛盾。这个矛盾的螺旋状的运动,表现为周期袭来的恐慌。恐慌的必然性,就必然地引起金子的国际的移动,因现金准备的减少而银行券的兑换就陷于危机。所以随着资本主义的矛盾的发展,银行券的安定就越发不能维持,所以各资本主义国家就停止金币的流通而只以货币的代用物投入流通。于是银行券的间接兑换制就出现。这样的制度,也和货币立法无关,它的基础中仍存有现实货币,即存有当作价值尺度、储藏手段、世界货币看的金子。

银行券之相对的安定,只有在它自由兑换金子的条件之下,才是可能的。但银行券之与金子自由兑换,也不限定于与金铸币相兑换。银行券与金块相兑换,甚至于与外国汇票相兑换,也是可以的。这样的制度叫做间接兑换制。

间接兑换制,有金块本位制与金汇兑本位制两种。

金块本位制的要点,可分以下数项:第一,金币为本位币,但在国内却不流通;第二,银行券不能兑换金币,金币不许自由铸造;第三,国际贸易结账时,用金块支付。这种制度,是第一次大战以后英国所采用了的兑换制度。这个制度的目的,在于防止金子的垄断和储藏,以维持银行券的安定。但金子的垄断或储藏,在资本主义之下是必然的社会现象,因而要防止金子的垄断或储藏的这种制度,也不能达到预定的目的。如果要彻底实行而严格地限制金块的交付,银行券对于金子来说势必贬价,因而失掉它为银行券的性质。

金汇兑本位制是以外汇统制汇市的制度。在这个制度之下,金币不在国内流通,国内也没有现金准备的必要,只是使本位货币对于金本位国的外汇保持一定的比率。这样的制度,在其机能上,仍是采用金本位制的制度,所以又叫做虚金本位制。这种兑换制度,把外国金汇票的一定量作为本国银行券的保证准备,在本国银行券与外国金币之间,设定一定的比率。譬如日本的货币1000元(每元含纯金2分),表现20两金子的价值,便与相当于20两金子的美国金元相交换,借以维持本国的汇市,即其一例。采用金汇兑本位制的国家,利用这种方法,在本国银行券跌价时,卖出外汇,以提高其所欲维持的行市;反之,在本国银行券涨价时,就买进外汇。依照这样的办法,本国银行券可依据较为安定的汇市,以与外国货币或外汇相交换。

金汇兑本位制,在第一次世界大战以前,曾经荷兰、俄罗斯、奥地利、匈牙利、菲律宾、墨西哥等采用过,但到大战以后,却更加普及了。这种间接兑换制,在所谓"世界货币"(金镑、金元)代替金子而成为金汇兑本位国的本位货币的保证准备的限度内,是主要帝国主义国家的货币领导权的形态。

但是这种间接兑换制,对于本国银行券的安定的维持,也只是暂时的、相对的。因为金汇兑本位制度下的金币,同时能流用于金本位国与金汇兑本位国,足以引起信用的膨胀。尤其在恐慌发生时,金汇兑本位国的银行券,比较金本位国的银行券,更蒙受激剧的动摇。因为在这种场合,外汇的买进卖出都是大量的,外汇市场不易维持,并且外汇大量的金兑换要求跟着发生,同时短期信用之大量收回也接踵而起,于是金融中心国就必然卷入于恐慌的漩涡(在这种场合,金本位国的现金准备骤然减少,而本国的货币流通也发生危机)。

帝国主义时代货币关系之国际的错综,对于国际关系及少数国家的货币领导权之发展固有关系,但到资本主义的一般危机开始时,本位货币的动摇之世界的性质,就从这里发生(关于这一层,后面再说)。频繁的、大量的世界货币(金子)的移动,是资本主义现阶段的货币流通的特征。由帝国主义的诸矛盾所产生的这种移动,更促使这些矛盾的尖锐化。

(四)资本主义国家通货统制的效果如何

前面所考察的各主要资本主义国家过去的通货统制的经过(资本主义一般危机时代的通货统制,留待后章讨论),展开了理论上及实践上的失败的历史。

就英国的制度与美国的旧制度来说,这两个国家,应用了种种立法的手段,对于资本主义的银行,实行了种种现实的统制。但是那些统制的效果,毕竟不曾绝对的安定本位货币,也不曾逃避资本主义的恐慌,反而使恐慌愈趋于激化。这是我们在前面已经考察了的事情。

资本主义国家统制通货的企图,至多只是便利于一定的资本家集团靠统制以取得不当的利润。例如有名的《皮尔条例》,实际上只变成了银行业者取得利润的手段。不过银行业也不是由于有意识的统制而取得利润的。因为银行券及一般的信用的流通手段,在一定限度以内能够完全代替现金而流通,所以能引起经济资源之大量的节约。银行业者就利用这种信用制度的体制,利用信用的流通手段,不但赚得利息,并且积蓄了自己的资本。关于这一层,《资本论》第 3 卷第 5 篇第 33 章中,有一段详细的说明,这里特为摘要的叙述出来。

英伦银行,是伦敦最大的资本权力,它是半官方的机关,其支配还不怎样凶暴。但这个银行,依据 1844 年的《皮尔条例》,得到了致富的手段和方法。它拥有 1455.3 万千镑的资本,还有约 300 万镑的"余额"(不分配的利润);又有政府所收租税等项的货币,也存入该行;此外有平时存款 3000 万镑,又加上无保证银行券总额。当时充用于金融市场的货币总额约 1.2 亿镑,其中约有 15%—20% 被该行所支配。

英伦银行在不用现金准备发行银行券的限度内,这些银行券不但形成流通手段,并且形成与无保证发行额相当的追加空资本。这项追加资本,就能招来一个追加利润。

银行所发行的银行券总额之中,其流通的一部分(即平均留在公众手中的一部分)就成为银行的有效资本的一个追加部分。银行从这样的流通中所得到的一切利润,是由信用得来的利润,并不是由所有的现实资本得到的利润。

至于发行银行券的私人银行,也有同样的利益。私人银行所发银行券总额中,其 1/3 有现金准备,其余 2/3,就替该行造成与之相当的资本,因为这项银行券节约了硬币。由于硬币的这种国民的节约,利润就回到银行业者手中。利润这东西,原是国民的劳动之占有。

此外,政府有用公债或其他证券向中央银行抵借银行券的事实。在这种场合,公债利息就归入银行。

银行业者利用发行制度取得额外利润而蓄积资本的法门甚多,以上只就其大处加以指摘而已。

所以资本主义的货币制度,结果只是替资产阶级制造出剥削剩余劳动的有利条件。

至于货币流通的统制,在资本主义之下是不可能的事情。在资本主义商品经济之中,货币流通的根本法则是客观的本源的法则,资本主义国家的货币制度本身必须受这个根本法则所支配。所以资本主义货币制度本身中有货币流通的根本法则发挥作用;金子之流入或流出于流通,不是任何人工统制所能干预的。资本主义货币制度,只有在它不违反货币流通的根本法则的限度内,本位货币才能得到相对地暂时的安定,流通的货币量才能与流通的要求相适应(反之,如果货币之人工的统制违反货币的法则而破坏货币之本源的机构时,它就助长恐慌的激化)。

所以,为要使银行券与流通的要求相适应,只有在它不超过在特定条件下所代表的金子的流通必要量的范围以内,才是可能的。在这种场合,银行券必须自由的与金子相兑换,而过剩的银行券必须因兑换而复归于发行银行。在这种场合,不论是直接兑换制(金本位制)或间接兑换制(金块本位制或金汇兑本位制),都是可以的。因为这类制度的基础中,都存有当作价值尺度、储藏货币、世界货币看的金子。

资本主义各国一切统制通货的制度,都受货币流通的根本法则所支配,而其实行统制的终极目的,是在于保持现有的金子,夺取多量的金子,以期稳定本国的本位货币,借以取得榨取殖民地或独立国人民与一切劳苦大众的有利条件。于是资本主义各国相互间的斗争,显现于争夺金子的战争。而争夺金子的战争,必须以金子做武器。金子在现在已经变成了帝国主义宰割世界弱小民族及劳苦大众的一个最重要的手段了。资本主义发展的不平衡的法则,显现于现金准备的分布的不平衡的事实之中。几个少数主要帝国主义国家,保有着世界现金准备的大部分,削弱了其他一切国家的货币制度的基础。因此,本位货币的动摇,在世界的规模上显现出来。现阶段的金本位制之普遍的崩溃,反映了这种事实。

习题五

一、试举出货币的定义,并加以说明。

二、何谓金本位制?

三、试述复本位制与跛行本位制之区别。

四、试说明金镑、金元及金法郎之由来。

五、试说明银行券流通的法则。

六、银行券通常是在什么条件之下发行的? 又,中央银行因政府的赤字预算而发行大量银行券之时,在社会上能发生什么影响?

七、银行券的流通,不受发行银行的意志所左右,其理由如何?

八、准备金的机能有几种,其相互关系如何?

九、试说明银行券之法律的兑换性与经济的兑换性之差异。

一〇、试说明银行券转变为纸币的过程。

一一、银行券减价与纸币减价的过程,有无区别?

一二、通货主义与银行主义之区别何在?

一三、何谓金块本位制?

一四、何谓金汇兑本位制?

一五、货币政策能解决恐慌问题么?试详论之。

第六章　金融恐慌与货币流通

第一节　产业恐慌

一、恐慌的原因

（一）恐慌的可能性与现实性

本章说明货币流通与金融恐慌的关系。

金融恐慌，是产业恐慌的发现形态。为要说明金融恐慌，必先说明一般的产业恐慌。

恐慌是资本主义再生产的特征的形相。资本主义的再生产，呈现某种周期性，通过繁荣、恐慌和萧条等生产状态的阶段。萧条的状态之后，渐渐地开始活跃，其次进到繁荣状况，最后以恐慌而终结。恐慌用可怕的力量，撼动资本主义经济的基础。

恐慌这种特征的现象，是商品流通与资本流通的中断；商品不能变形为货币；滞货山积；物价低落；商业停滞；工厂关门；银行破产；劳动者被驱逐于街头。

资本主义恐慌的原因，究竟存在于什么地方呢？这是我们首先要说明的问题。

在使用价值与价值的矛盾发展为商品与货币的矛盾中，已经含有恐慌的可能性。所以，恐慌的可能性，在单纯商品流通及货币形态中已经潜伏着。我们已经知道，商品流通以商品交换分裂为贩卖与购买两个阶段的事实为前提。这两个阶段，原是互相补充而形成一个统一。但在交换被分裂为贩卖与购买两个阶段时，这两个阶段就能够互相隔离。因为一切商品都是具体的个别的劳动之体现，而货币是抽象的社会的劳动之体现，所以人们能用货币去换取任何商品。因此,商品生产者在卖出商品取得货币之后,无须立刻用所得的货币换取别的商品。贩卖与购买这两个阶段的分裂与隔离,在直接交换中是不能发生的。

在贩卖与购买的分裂和隔离的过程中,已经潜伏着恐慌的可能性。这种可能性,是从货币的流通手段的机能发生的。

其次,考察货币的支付手段的机能时,贩卖与购买的分离就更加扩大了。我们已经知道,在对于已经卖出的商品延期支付的场合,货币发挥着支付手段的机能。所以当商品由贩卖人移交于购买人之时,货币不出现为流通手段;当支付期限到来之时,货币虽被交到贩卖人手中,而商品却不被交到购买人手中(因为购买人在付出货币以前早已领取了商品)。

所以在货币的支付手段的机能中,含有直接的矛盾。在各种支付互相抵消时,货币只成为计算货币和价值尺度而发挥其观念的机能。又在实行现实的支付时,货币也不出现为流通手段,而出现为交换价值之独立的存在,出现为绝对的商品。这种矛盾,孕育着恐慌的可能性。

以上所述,正是说明:恐慌的可能性,在单纯商品经济之中早已潜伏着。在商品交换未分裂为贩卖与购买的处所,货币不表现为支付手段,因而也不存有恐慌的可能性。另一方面,单只有上述那些条件存在,恐慌的可能性还不能转变为现实性。这种可能性转变为现实性,必须有资本主义经济的诸条件。

因为资本主义的生产,是商品经济的最发达的形态,所以商品与货币流通的一切矛盾,在资本主义经济的诸条件之上,更趋于发展而深刻。现实上,发展了的商品流通与货币流通,只有在资本的基础上才能显现,所以在商品流通与货币流通上发展了的诸矛盾以及恐慌的可能性,都是在资本上再生产出来的。

可能的恐慌,从资本形态的各种规定发生,而这些规定是当作资本看的资本所固有的东西,并不是包含于单只成为商品与货币的资本中的东西。至于现实的恐慌,只有在资本主义生产之现实的运动、竞争及信用的基础上,才能表现出来。所以,为要理解恐慌的可能性的转变,不能不考察资本主义再生产的诸条件。

(二)生产与消费的矛盾

恐慌的根本原因,是生产的社会性与占有的个人性之间的矛盾。这种矛盾,在单纯商品经济中原是已经存在的东西。随着单纯商品经济到资本主义经济的转变,上述的矛盾就转变为社会的生产与资本家的占有之间的矛盾,而成为资本主义经济的根本矛盾了。所以要说明恐慌的根本原因,不能不分析社会的生产与资本家的占有的矛盾。

资本主义的发展之根本倾向,是生产的集积与集中。而生产的集积与集中,引起社会劳动的专门化、各产业部门中资本家数目的减少,以及特殊产业部门的数目的增加;于是多数分化的生产过程,融合为一个社会的生产过程。所谓资本主义生产的社会性,就显现于这种地方。例如在资本主义之下,棉布、棉纱、棉花等的生产,铁矿、铁、机器等的生产,都分化为许多特殊产业部门,因而各种生产过程都被分散了。但在另一方面,各个特殊产业部门又互相依存,如棉布↔棉纱↔棉花以及铁矿↔铁↔机器等各种生产过程,都互相依存,而统一为总体的社会的生产过程。所以资本主义的生产过程采取社会的性质,因而生产物也成为多数生产者的社会的劳动的结果。

但资本主义的生产,本质上虽早已获得了社会的生产的性质,而占有的形式仍然采取个人的性质,即生产手段及生产物仍归属于资本家所有。这是一个很大的矛盾,又是资本主义经济的根本矛盾。

实际上,资本主义生产的社会化的过程,以少数大资本家的使用日趋增大的大量劳动力为基础。生产的社会化越是成长,剩余价值的率与量也越发增大。所以资本主义下社会化的生产,形成了追求最大限度的利润的倾向。为了追求最大限度的利润,资本家不断地采用新式的技术,扩大生产的规模,提高社会的劳动的生产性,以期于自由竞争中制胜。于是生产的社会化,显现为生产的集积,助长企业内部的组织性的成长。但在社会的占有的条件之下,日趋增大的劳动的社会化,反而加强生产的社会的无政府状态,加强资本家相互间的斗争。于是资本主义的生产的社会化,在其发展过程中,就与占有的个人性质相冲突。

一方面,生产的社会化越是成长,使用价值的量就越发增大,因而形成了最完全的满足社会需要的前提条件。但在另一方面,资本的蓄积,由于它的有机构成的增高,对于劳动力的相对的需要就减少,中小资本家在竞争过程中没落下去,手工业者与农民失去生活手段,因而形成产业预备军,降低劳动者的生活水准,使他们陷入于贫困状态。于是劳苦大众的消费能力,即有支付能力的需要,就越发相对的减低下去。于是社会化的生产与资本家的占有之间的矛盾,出现为生产与消费之间的矛盾。这个矛盾,必然地引起生产过剩的恐慌,卖不出去的商品的洪水就弥漫于市场了。

(三)生产诸部门间的不平衡

资本主义榨取的诸条件,与实现榨取的诸条件,是不相一致的。榨取上的诸条件,由社会的生产力所限制,并表现于社会化的生产之中。至于实现榨取的诸条件,一方面由社会的消费力所限制,表现于生产与消费的不平衡之中;一方面由生产诸部门间的相互比例所限制,表现于生产部门间的不平衡之中。社会的消费力与生产诸部门间的相互比例,都是由占有的资本主义形态所产生的。所以,社会化的生产与资本家的占有之间的矛盾,一方面出现为生产与消费的不平衡,另一方面又出现为生产诸部门间的不平衡。

前面说过,资本主义的各种生产部门,都互相依存而统一为总体的社会的生产过程。在这总体的社会的生产过程中,生产的各个部门之间,存有一定的相互比例。如果某一生产部门的生产扩张了,而其他生产部门的生产不能以相同比例随着扩张时,就会发生过剩的生产。例如棉纱的生产扩张了,而棉布的生产不能依相同比例扩张时,就会发生棉纱生产过剩的现象。

资本主义的生产,可大致为两个部门:一是生产手段的生产部门,一是消费资料的生产部门。这两个部门,互相依存,互相渗透,而形成一个统一。但在私有制之下,两者却又互相分离而独立。在两者互相分离而独立的事实之中,显现出社会化的生产与资本家的占有之间的矛盾,潜伏着两者的不平衡的可能性。

生产手段部门中的一切生产物,都是当作不变资本使用的。所以这一部门的生产物,只与资本相交换。但消费资料部门中的一切生产物,都是当作个人的消费品使用的,所以它们只能和消费所得相交换。这种消费所得,在资本家方面,是所得的剩余价值的一部分(即充当消费的部分),在劳动者方面是工钱。

　　但是,随着资本的蓄积与有机构成的增高,劳动力的使用相对地减少下去,而不变资本比较可变资本却大大增加起来。因而资本越发集中于生产手段的生产部门,而投入于消费资料的生产部门的资本却相对的减少了。于是这两部门间的不平衡的发展,必然地引起种种生产部门的过剩生产。

　　所以,社会的消费力与生产诸部门的相互比例,是互相关联的。社会的消费力的某种状态,是生产诸部门的相互比例的一个要素。

　　总起来说,恐慌的原因,是社会化的生产与资本家的占有之间的根本矛盾。这个根本矛盾,出现为资本家无限地扩大生产的要求与勤劳大众有支付能力的需要的减少两者之间的矛盾。所以恐慌的原因,必须在资本主义的再生产过程之中去探求。

二、资本主义再生产的循环性与恐慌

(一)恐慌的循环性

　　资本主义的发展,通过活跃、繁荣、恐慌和萧条等生产状态的阶段,而呈现一种循环性。所谓恐慌的循环性,就是基于资本主义再生产的循环性而发生的。

　　资本主义产业的繁荣,是从固定资本的更新开始的。为了于自由竞争中制胜而取得超额利润,资本家不能不努力采用新式的技术,变更企业的装置,更新自己的固定资本。并且创办新企业的资本家,也同样采用新式的技术,购入新式的机械,雇用多数的劳动者。在这种场合,生产手段的诸部门呈现出活跃的气象。这种活跃的气象,由一部门透入于他部门,而普及于资本主义市场的全部。于是商业活跃,商品的需要增加,资本的周转迅速,物价腾贵,利润增大。制造业者很快地把自己的商品贩卖于商人,而商人也很快地把商品换成货币。

　　日趋发展的工商业,对于信用的需要也日益增加。通常在产业活跃期的初期,市场上的放款资本较多,而放款利息也较低。当工商业狂热的发展之时,银行很愿意把信用供给各种企业,大胆地实行放款,因而不断地发行多量银行券。银行的方面,因为所得的利润日趋增加,都竞争着扩张信用,对于商业及证券交易所方面,也不断地供给信用,以至超过存款总额以上。在这种欣欣向荣的状况之下,物价高涨,资本的周转迅速,资本家能够得到大宗的利润。任何资本家都想增加货币资本,扩大企业,以期取得更多的利润。由于货币资本的需要的增加,利率就逐渐增高。资本家们好像发狂一般,都尽量利用这种繁荣状况,生产大量的商品,对于市场的需要是不愿考虑的。这时候投机狂热病支配了一切资本家,而过剩生产的趋势早已潜伏着了。

但是这种繁荣状况一旦发展到最高顶点时,那种潜伏的过剩生产,不能不在表面上爆发出来,而恐慌终于到来了。于是卖不出去的商品充斥于市场,商品的市场价格不断地减低下去,银行开始警戒,利率突然增高。于是力量薄弱的企业,露出破绽。信用的连锁,由于薄弱的一环的中断,就立即影响于全部。一切资本家都拼命的争取支付手段。于是银行业、商业以及工业方面的破产,陆续出现。于是工厂停工,工人失业,一切都顺次的出现。

在激剧的破产与没落时期之后,是多少持久的萧条时期。社会对于商品的需要不见起色,物价停滞于低廉的水准,失业变为支配的社会现象。

经过相当时期之后,工商业又开始呈现活跃的气象。休息资本渐渐地形成起来。这种休息资本被储蓄于银行之中,渐渐地形成为大量的放款资本,利率是很低廉的。卷土重来的资本家,为了减低生产费以期于自由竞争中制胜,就竞争的采用改良的新式技术,再行更新其固定资本,而开始产业的活跃期。于是又由活跃期而进到繁荣期,又不可避免的进到恐慌。由活跃到繁荣,由繁荣到恐慌,再由恐慌到萧条,——这是资本主义再生产的循环性。所谓恐慌的循环性,就是这样形成的。

不过,恐慌的循环性,并不是单纯的圆运动,而是螺旋式的运动。每一次的恐慌,自有其特殊的形相。而这种特殊的形相,与资本主义经济的发展各阶段的现实性相适应。

(二)恐慌循环性之物质基础

如前面所说,恐慌的根本原因,是社会化的生产与资本家的占有之间的矛盾。这个基本矛盾的发现形态,是生产超过消费的不平衡与生产诸部门间的不平衡。这样的不平衡,必然引起生产的过剩,必然引起一般恐慌。恐慌具有再建新的平衡的强力的作用。这就是说,在资本主义再生产的诸条件之下,只有恐慌的暴风雨,能够破坏那些过剩的商品,处分那些过剩的资本(比较弱小的资本破产而被强大的资本所吞并），因而再建生产与消费的暂时的新平衡和生产诸部门间暂时的比例，同时又再生产出新的矛盾，而准备卷入于新的循环。

资本主义再生产的循环性，恐慌的循环性，具有其物质的基础。这物质的基础，就是固定资本之周期的更新。在非商品生产的社会之中，生产手段（如机器）之周期的更新，绝不引起恐慌。但在资本主义的条件之下，在社会化的生产与资本家的占有间的矛盾存在着的场合，固定资本之周期的更新，就成为恐慌循环性之物质的基础。

在资本主义的诸条件之下，固定资本那东西，有两种意义的消耗：即物质的消耗与道德的消耗。所谓物质的消耗，即是固定资本之自然消耗。例如机器及工场建筑物之类，在其自然消耗下去而变为废物的限度以内，这类固定资本中的价值，就完全被移入于生产物的价值之中。在这种场合，固定资本的更新，对于生产的昂扬，当然给以强力的刺激。

所谓道德的消耗，是在机器或建筑物的价值，未完全移入于生产物的价值中以前而废弃不用的那种性质的消耗。在这种场合，固定资本还没有变成无用的废物，而资本家为了制胜于自由竞争，以期取得超额的利润，却采用新的东西去代替它们。固定资本这种道德的消耗，通常在恐慌以后的萧条时期中，特别强烈。因为在这种时期，资本家为了提高劳动的生产性，不能不采用新的技术，因而不能不废弃那些还可以使用的固定资本。

事实上，在萧条时期中，商品的价格特别低廉，只有那些采用高级技术的企业，才能支撑下去。所以资本家为谋有利的发展，就不复顾虑固定资本之道德的消耗，决然采用新式技术，更新其固定资本。至于创办新企业的资本家，当然也是一样采用进步的技术。于是这种固定资本的更新，必然地引起新的产业的活跃，更由繁荣而趋向于恐慌。

所以，对于资本主义生产之周期的昂扬给以直接刺激的原因，就是固定资本之周期的更新。

恐慌的循环性，大体上追随于固定资本之周期的更新，这在工业资本主义时代与帝国主义时代，都是适合的。不过，随着自由竞争到独占的转变，恐慌的循环性的进行，采取某种变形。一般地说来，帝国主义时代的恐慌，范围广大,时间较长。因为大独占的形成,在市场的商品过剩之时,多少能够限制生产,对于物价的低落,也比较能够耐久地支撑下去。但恐慌并不因大独占的形成而废除,反而使恐慌的时期延长。在帝国主义的恐慌时期中,大独占者的阶级,把恐慌的负担转嫁于一般劳苦大众与殖民地人民,并使中小资本家日趋于没落而变为无产者。这个时代的恐慌的规模是世界的。这种世界规模的大恐慌,促使一般经济的危机转变为政治的总危机。

第二节　金融恐慌

一、金融恐慌的种类

(一)一般的金融恐慌、特殊的金融恐慌

前面已经说过,恐慌的可能性虽潜伏于货币流通之中,而恐慌的必然性(即转变为现实性的必然性),却与资本主义的生产方法相结合。所以产业恐慌,必然的成为资本主义生产方法的恐慌。

资本主义生产的内在矛盾,必然地在流通方面出现为达到绝对矛盾阶段的商品与货币的对立,因而由于过剩生产而发生的产业恐慌,必然地在流通方面出现为金融恐慌。这金融恐慌,是产业恐慌的必然的现象形态。

金融恐慌,可分为一般的金融恐慌与特殊的金融恐慌两大类:

一般的金融恐慌,是金融——信用恐慌,是产业恐慌的现象形态。这种金融恐慌,是我们在本节要详细展开的东西。

至于特殊的金融恐慌,是以货币资本为运动中心,以银行、交易所及财政等方面为活动范围的恐慌。例如资本主义国家的政府,对于货币流通的根本法则,施以人工的统制,使银行券的发行固结于狭隘的准备金,每逢有些少现金流出之时,就立即提高利率,限制放款,以期保持定额的现金准备。在这种场合,生产过剩的现象尚未流露,却用人工的方法阻碍流通必要量的银行券的流通,因而引起货币恐慌、银行恐慌与交易所恐慌等。这样的金融恐慌,是违反货币流通法则而统制通货的结果,它并不是产业恐慌的必然的现象形态。这样的金融恐慌,可说是货币资本的恐慌,是货币资本的运动与现实的资本运动相乖离的结果,往往是从银行及交易所的机构发生出来的东西。但这种特

殊的金融恐慌,虽不是产业恐慌的现象形态,而对于生产方面却给以反动的影响,搅乱再生产过程。

上述一般的金融恐慌与特殊的金融恐慌,我们必须明白地区别出来。我们在本节所注意研究的,是一般的金融恐慌即金融—信用恐慌,是当作产业恐慌的现象形态看的金融恐慌。

(二)信用恐慌与银行恐慌

金融——信用恐慌,大概可以分为信用恐慌、银行恐慌、货币恐慌、交易所恐慌、货币本位恐慌等几种,我们在下面分别加以说明。先说信用恐慌。由生产过剩而发生的产业恐慌,首先出现为信用恐慌。当商品的生产过剩之时,信用的膨胀已经达到最高点。银行实行大量信用放款的结果,对于存款的支付准备金不能不设法保持。而保持最低限度的准备金的方法,就是提高利率,减少信用放款。但在企业资本家方面,正在不断地要求多量的信用以扩张事业,如今忽然得不到信用,势必停止事业的进行。于是多数感到资金缺乏的许多资本家企业,首先露出了破绽。

当过剩生产的现象出现时,市场上商品的销路大减,那些感到资本周转不灵的资本家,势必大量的抛售商品,以期取得现金作为支付手段。在这种场合,商品的价格势必大跌,企业资本家取得信用的能力大减,银行也不给他信用了。这时候,一切资金薄弱的资本家企业都露出窘相,而专事投机的各种事业都现出了原形。于是银行留心警戒,纷纷收回放款。

在这种时候,支付的连锁势必中断,支付的连锁一旦中断之时,货币就由价值的单纯的观念的形态转变为绝对的价值形态。一切资本企业,都努力的抛售商品以取得支付手段,而商品的价格就惨落。商品价格惨落的结果,资本家没有偿还债务的货币,于是票据到处不能兑现,利率继续增高,放款资本家只知道追回已经放出的资本,决不愿把资本贷给他人。于是,由于信用之急剧地收缩,形成信用之全面的崩溃。这是信用恐慌爆发的景象。

信用恐慌如果发展起来,必然引起银行恐慌。因为银行在产业繁荣期中所实行了的大量的信用放款,到了信用崩溃的时候,很难收回,如果债务者的资本家企业崩溃了,就根本没有收回的希望。在另一方面,银行所欠他人的债务,又不能不实行支付。尤其在这种场合,任何资本家都要求支付手段,有银行存款的人们不能不向银行提取。而银行在繁荣期中的放款,大都超过存款总额,即使还保存着一点最低限的支付准备金,也不能应付存户的大批提取。这时候银行如果周转不灵,风声传播出来,一切的存户都一齐拥来提取存款,银行势必实行停业。如果有一个银行关门,其他银行的存户也必照样拥到那些银行提取。在这种场合,一个银行的停业,就会影响到别的银行也跟着停业。这样由一银行波及其他许多银行,由一地方波及全国,爆发为全国的银行恐慌。

(三)货币恐慌与货币本位恐慌

在恐慌发生的时候,货币的各种机能的作用就发生变动,当作购买手段(流通手段)的货币的流通能够收缩,而当作支付手段的货币的流通能够扩大。在这种时候,资本家努力取得银行券作为支付手段,而当作购买手段的部分就势必减少。若就流通界全体看来,当作购买手段与支付手段而发挥机能的流通总量即银行券总量,或者不变,或者减少。但在一定的恐慌的瞬间,当作支付手段的通货的增加率,高出于当作购买手段的通货的减少率,因而这时发挥购买手段的机能的货币量虽然减少,而通货的总额却能够增大起来。

在恐慌爆发以前,资产阶级为产业繁荣所陶醉,以为只有商品才是货币。但到恐慌爆发之时,他们就大呼只有货币才是商品了。"正如鹿子喘求新鲜水一样,现在资产阶级喘求唯一财富的货币了。"现在是信用结冰而现金制度复活了。资本家廉价的抛售商品,是为了取得现款,信用买卖已不成问题。拿着票据的人们,赶快地要求兑取银行券,或者用来实行支付,或者拿来储藏起来。在市场最迫切的要求银行券之时,而银行券却越发从流通界退了出去,转变为储藏货币。于是形成了货币恐慌。

货币恐慌,是信用恐慌发生时所常见的现象。在这种时候,如果还没有丧失信用的发行银行,采取扩张担保范围的方法,多发行一些银行券,用作信用的救济,也未尝不可以缓和货币恐慌。但资本主义国家对于银行券的发行,有很多法律上的限制,不能随便发行多量银行券,并且事实上又害怕影响于现金准备,也不敢发行。所以货币恐慌很不容易避免。

在货币恐慌爆发的时候,表面上所出现的现象,好像是资本家感到货币的缺乏,因而恐慌的原因好像并不是大众购买力的降低。这是混淆资本与货币的见解,把所得的货币形态与资本的货币形态看成同一的东西了。实际上,这时资本家所感到缺乏的货币,是资本形态上的货币即货币资本,其原因是由于不能在资本形态上收回货币,所以这是恐慌的现象之一。至于大众购买力的降低,是由于大众所取得的货币总额低于为大众消费而生产的商品总价格,这是恐慌的原因,也是恐慌的本质。这两个是不能混同的。

还有,在货币恐慌发生的时候,也能影响于货币本位,而引起货币本位的恐慌。因为在信用恐慌发生的时候,还有一种"取得金子的狂热病"蔓延于资本主义世界。这时的存款人,不但努力把存款提出换得银行券,还努力把银行券换得金子。这种货币恐慌的现象,是货币——支付手段、货币——价值尺度、货币——绝对的商品。所以,在恐慌时期中,资本家不但要求把一切的票据、一切的有价证券、一切的商品,都换取银行券,还进一步要求把一切银行券换取金子。这就是突然地要求把一切现实的财富转变为金子。这样的狂热的要求,是信用制度本身中所必然发生的东西。

在信用崩溃的时候,发行银行也往往卷入混乱的漩涡。资本家拿银行券到发行银行兑取金子,不但用作储藏手段,并且还作为国际贸易上的支付手段。尤其是在这种场合,商品的输出停滞,国际借贷上的差额不能不用金子去支付。于是引起金子流出的现象。但发行银行是信用制度的台柱,而现金准备又是发行银行的台柱,所以现金准备是银行券兑换的保证,又是全信用制度的台柱。当产业繁荣的时候,一切信用营业和银行营业,都驱使一切货币资本去为资本家服务,但在一定的循环阶段上,现金准备就逐渐减少,到了减少到一定的最低限度时,就不能发挥其所应发挥的机能。在这种时候,银行券的信用就有丧失的危险。如果发行银行实行停止兑现,禁止现金出口,本位货币就丧失其为本位的机能。这就是所谓停止金本位的那种货币本位的恐慌现象。关于资本主义各国放弃金本位的问题,留待后章说明。

(四)交易所恐慌

当信用逼迫的时候,常首先爆发交易所恐慌。

在说明交易所恐慌时,先应简单地说明交易所本身。交易所一般的分为证券交易所与商品交易所两种,所以包括这两者的交易所,是以有代替性的商品为买卖交易的投机市场。我们在这里所说的交易所恐慌,只以证券交易所的恐慌为范围。

证券交易所是以有价证券（股票或债券）为买卖交易的投机市场。这种交易所，一般的又以股票为主要的买卖对象，所以通常又叫做股票交易所。股票交易所最重要的经济的机能，是实行资本的动员，实现股份的代替性，并取得投机的利得。这就是实行利润的利息化及资本的平等化，并奖励投机，而借以实现资本的动员、虚拟资本及创业利润的东西。

原来，股票这东西，是有特殊的价格变动及价格决定的商品。股票的现实价值决定的方法与其名目价值决定的方法不同。股票的市场价值，因其所收利益的大小及安全程度不同而有所变动。通常股票的名目价值，就是它最初所代表的实收资本额。现在假定一张股票的名目价值是 100 镑，而其企业所生的利益为 5%，即 5 镑。这时银行利率如果也是 5%，于是拿 100 镑买进这张股票，就等于拿这 100 镑存入银行（利息也是 5 镑）。但拿钱买股票的人还抱有一种希望，就是希望那个企业的发达，将来能够分受比五镑更多的利益。假如那张股票从企业所分受的利益由 5% 变为 10%（即 10 镑），这时的银行的利率如果还是 5%，于是这股票的名目价值虽为 100 镑，而其市场价值变为 200 镑了。它的价格，大体上等于 $\dfrac{红利}{平均利率}$。在这种场合，那股票就表现 200 镑的虚拟资本了。股票的市场价值，一部分变成投机的对象。因为这股票的市场价值，不单由现实收入所决定，并且还由预想的期待收入所决定。但现实资本的价值增殖如果没有变化，股票的价格就相反的比例于利率的变化而涨落。如果利率由 5% 涨到 10%，确实的产出五镑利益的股票，就只表现 50 镑的资本。又如利率由 5% 低到 2.5% 时，这股票就表现 200 镑的资本。所以有价证券的价值，常只是把收益化为资本的东西，即只是依据当时的利率把幻想资本做基础去计算利益的东西。到了货币市场发生窘迫的现象时，有价证券的价格就在二重的形态上低落下来：第一是因利率的增高而低落，第二是因证券的大量抛售而低落。

以上是证券交易的投机事业本身的内容，现在再说明交易所恐慌的由来。

在产业繁荣的时期，股券交易所非常兴旺，股券的红利，随着公司企业利润的增加而增大。于是这种投机事业就更趋发达，银行对于这种投机业者就不断地实行信用放款。投机资金的需要的增大,固然能引起利率的增加,但是产业上的繁荣状态依然如旧,由股票所分受的红利,依然增大,人们都看到股票生意赚钱,都争着拿钱出来购买股票,而职业的投机业者就以他们为对象,扩大其投机的买卖。在这种时候纵令利率提高而借钱做投机事业的人仍是有利可图,仍是不断地要求信用。同时,投机信用的需要,又不断的促进利率的增高。于是股票价格的变动异常激烈,而用高利借钱的投机业者,就渐渐地觉得不大合算了。恰恰在这种时候,过剩生产的局面已经展现,已经露出破绽,有些商品的价格开始低落,银行开始警戒而投机资金的供给开始减少,因而交易所中买卖双方的对抗愈加强烈,股票价格的变动也愈加激剧。

在信用紧迫的场合,买方的投机者如果得不到信用,股票势必跌价。股票跌价时,从前以高价计算股票的担保品而放款的银行,就不能不向债务人要求增加担保品,可是投机业的债务人大都不能办到,于是银行不能不强制性地卖去那些担保品的股票。于是股票的供给突然增加,价格更趋低落。这种低落的趋势,更因卖方的大量抛售而加强。于是股票的狂跌,引起新的信用的限制,转而又引起股票的从新抛售。股票的价格一落千丈,就形成了交易所恐慌。

交易所恐慌,直接地由货币市场的变化所诱致,而这种恐慌的爆发,直接的只是由于利率的提高而促成。所以这种恐慌,也能在过剩生产的恐慌之前爆发出来,而变为过剩生产恐慌的先导。

以上所列举的在流通方面出现的各种恐慌的现象,即信用恐慌、银行恐慌、货币恐慌、货币本位恐慌及交易所恐慌等,都是通过货币与信用而互相关联的恐慌现象。这些恐慌现象的综合,是所谓金融—信用恐慌。换句话说,这些恐慌现象,是金融恐慌的内容和征象。不过上述各种恐慌现象,也不一定都一齐出现,有一种现象单独出现的场合,有几种现象同时出现的场合,也有某一种现象(如信用恐慌)先出现而其他诸现象随着发生的场合。

以上所述的金融恐慌,是单就一国国内的流通方面所发生的现象说明的,但在国民经济间互相结合着的资本主义世界,金融恐慌常发展为国际金融恐慌。所以我们接下来说明国际金融恐慌。

二、国际金融恐慌

(一)国际金融恐慌形成的过程

在资本主义世界中,一切国民经济,形成一个有机的链子,这链子中的一环如果发生破绽,就立即影响于全体。一国或两国爆发了产业恐慌时,势必牵动其他诸国,演出国际规模的产业恐慌,因而一国或两国发生金融恐慌时,也必波及其他各国,而演出国际规模的金融恐慌。

国际规模的金融恐慌,其本质是各国的生产过剩,而其现象形态,是一切国家的输出入太多以及支付差额的反调。我们知道,资本主义各国的国民经济的发展,是不相均衡的。恐慌的爆发,当然从一国(或两国)开始。

《资本论》第3卷第5篇第30章,分析了英国的金融恐慌发展为国际金融恐慌的过程,这里特依据这个分析作下述简括的说明:

就主要资本主义国家的英国来看。在繁荣期的初期,国内的商品价格,一般的比较低廉,输出占据优势,而输入却比较不旺,甚至有价证券也都输出于国外。这时的对外贸易呈现顺调,金子的输入很旺。这时国内的放款资本原来很多,利率原在平均水准以下,而金子却不断地输入,放款资本就更加丰富了。这是促进繁荣的进行的动因。

但到繁荣期的顶点,却呈现相反的现象:商品过剩的事实虽已存在,而信用的膨胀却反衬外观上的景气,放款资本供不应求,利率已超出平均水准。商品价格的腾贵,表示着国内的销路很旺,而国外的价格比较低廉的商品不断地输入于国内。于是输入超过输出,对外贸易呈现反调,而金子继续流出于国外。在信用异常紧张的时期,金子的流出,就影响于中央银行的现金准备,中央银行为谋银行券的兑换准备的安全,不能不设法预防。而预防的方法之一,是提高利率。利率的提高,就影响于信用关系,成为信用恐慌的征兆。

在繁荣期的顶点,国内的利率高涨与投机流行,能引起那些景气较差的国家的资本的流入(因为放款资本多而利率低),但这些国家不久也要进到繁荣期,也逐渐达到繁荣的顶点,利率与投机也要进到较高的阶段。于是这些国家就要收回那些从前投出于那最初繁荣的国家(如英国)的资本,于是这一国家(如英国)的金子,在两种形态上流出于国外,一是在对外贸易的支付差额形态的流出，一是在货币资本形态上的流出（外国资本家在国内收买的有价证券也就变卖为金子而提回本国）。于是这一国家的信用恐慌与交易所恐慌势必更加严重。

这一国家，由于金子的流出，揭开了恐慌的火盖，使恐慌爆发出来，因而更促进金子的流出。于是对外贸易的支付超过，就由恐慌所清算。物价暴落，有价证券狂跌，一切交易和投机都崩溃，许多企业都破产。于是输入的贸易相对的逐渐减少，而国内的剩余的商品大量的用低价倾销于国外，此外再抛售外国的有价证券，购买本国的有价证券，借以清算从前贸易上的支付差额。于是对外贸易逐渐好转，而金子的流出也停止了。

现在，同样的事情，轮流地在第二个国家发生了。这第二个国家，受了前一个首先发生恐慌的国家大批廉价商品倾销的影响，以及廉价的外国有价证券倾销的影响，对外贸易也转成反调了。于是这个国家的金子也开始流出了。同样的，信用恐慌、交易所恐慌、银行恐慌等，也必然地发生出来，其对外贸易的支付超过额，也同样的由恐慌来清算。

照上述那样，一国发生了恐慌，就顺次通过输出入的贸易，由一国波及于他国，而一切国家都顺次卷入恐慌的漩涡。例如"一八五七年，美国爆发了恐慌。随着，英国的金子流入于美国。但美国的膨胀一旦破裂时，接着恐慌就袭到英国，金子又由美国流入英国了。英国与欧洲大陆各国之间，也显现了同样的事情"。

以上是国际金融恐慌的形成过程。

（二）恐慌与金子流出的意义

像上面所说那样，金子流出的现象，顺次由一国推及于他国。这种现象的普遍性，正是证明如下的事实：第一，金子的流出，只是恐慌的现象，不是恐慌的原因；第二，金子的流出推及于各国的顺序，只表示各国生产过剩的恐慌的爆发的顺序即各国的总结算的顺序。

由于对外贸易呈现反调而引起的金子的流出，是货币形态的资本即货币资本的输出，而不是生产资本或商业资本的输出。所以恐慌时期中的金子的流出，是货币问题即货币流通问题，而不是资本问题。但同时这货币流通及信用的现象，完全由产业—商业恐慌所规定。

如上所述,恐慌时期中的金子的流通,是货币问题。但所谓货币问题,不是国内货币流通的问题。而是国际间货币流通的问题。这时的货币,是特殊的一种机能的货币,即当作世界货币的货币。因而这种时候所要求的东西,不是当作资本的资本,而是当作货币的资本,即货币所据以成为国际支付手段的形态上的货币,是货币所据以成为一般的世界市场的商品的形态上的资本。因为在这种时候,本国的商品早以廉价输出于外国,若再输出商品,势必蒙受非常的损失,所以不能不以贵金属的形态去输送资本。

所以恐慌的特征虽是金子的流出,而金子的流出是货币资本的流出,不是单纯的资本的流出,这是要严加分别的事情。

恐慌发展过程中的金子的流出,是助长恐慌的激烈化的契机。因为输出入的贵金属的分量,有两种作用:一方面,它通过当作货币资本的特质而起作用;另一方面,正如载在天平的两端秤盘中的铜码一样,可以上下移动,流出的重量比较流入的重量,如果加上分毫,它就有向下倾斜的作用。所以当金子的流出引起现金准备的减少时,很敏感的影响于工商业,并使恐慌激化。

在平常的时期,少量的金子的流出,不会引起重大的影响。例如 19 世纪后半期的"英国国内,有七千万镑的金币流通着",少量的资本的增减,"在英国那样大规模的生产之下,不过是若有若无的大小",当然不会引起什么问题。但在恐慌袭来的时期,金子的继续流出,会使现金准备减少到不能完成其应尽的机能的地步,所以发达了的信用营业与银行营业,造出了"全组织体的过度的感受性"。由于这种过度的感受性,恐慌就愈趋于激化。

我们在第五章第一节之中已经说过,现金准备有同时充用于国内流通及国际流通的两种作用。在恐慌时期中,现金准备如果完成其国际借贷的清算的作用时,充用于国内流通的作用势必缩小。换句话说,一国的准备金如果尽量发挥其世界货币的机能时,那当作储藏手段看的机能势必缩小。所以当恐慌发生之时,准备金的这两种机能,就陷于"危险的冲突"。这种"危险的冲突",在生产力比较发达而准备金比较丰富的国家,还不致引起严重的危机,但在生产力比较落后而准备金比较缺乏的国家,就必然促进恐慌的激化。

恐慌时金子的流出,能够削弱或消灭金融与信用制度之金属的基础,或引起金融及信用制度的破产与银行券的贬价。所以政府或中央银行不能不讲求非常的手段挽救自己的危机,无暇顾及私人企业的破产。例如停止银行券兑现以及禁止金子的出口,就是在这种条件之下实行的。

(三)当作产业恐慌的现象形态看的金融恐慌

基于前面的说明,我们可以知道,金融恐慌实是一般的产业恐慌的现象形态。所以产业恐慌虽常是在货币流通与信用的方面显现出来,而周期的恐慌的原因却决不存在于这个方面,而是存在于资本主义再生产的内在矛盾之中。

原来"在再生产过程的相互关系一切都依据于信用的生产制度之中,当信用突然停止而专用现金实行支付时,就发生对于支付手段的激烈的竞争而引起恐慌,这是明白的事情。于是,全部恐慌,乍看好像是信用恐慌及金融恐慌。实际上,也只是票据能否兑现一事成为问题。但这类票据,多是代表现实买卖的东西,所以现实买卖扩张到太过于超出社会的要求的事实,结局正是存在于全部恐慌的基础中的事实"。

恐慌的现象,虽是商品到货币的变形的停滞,但这种停滞,与流通本身无关,流通只是表示现象,而其本质却隐藏于现象之中。

俗流经济学者拘泥于这种现象,不能更进一层的去考察其本质。他们在恐慌的时候,只看到货币流通的迟缓及货币出没不如从前的繁多,便认为恐慌是由流通手段分量的缺少而发生的。因此,他们把产业恐慌归着于金融恐慌,并从流通方面探求恐慌的原因,而借以讲求救济的方法。他们依据这样的诊断,去疗治资本主义的恐慌,因而提出种种企图杜绝金融—信用恐慌的理论,作为银行立法的根据。事实上,例如英国"一八四四年及一八四五年的银行立法,那样无知的偏见的立法,反而使金融恐慌更加厉害。任何种类的银行立法,都不能排除恐慌"。因为金融恐慌是产业恐慌的必然的现象形态,产业恐慌如果存在,金融—信用恐慌就绝不能消灭。

再就国际方面来看,金子的急剧的外流以及汇兑市价的低落,虽是金融恐慌的内容,但这也只是一种现象而不是恐慌本身的原因。

习题六

一、试说明一般恐慌的可能性与现实性。

二、恐慌的根本原因如何?

三、试分析恐慌发生的过程。

四、金融恐慌与产业恐慌之关系如何？

五、何谓信用恐慌？

六、何谓货币恐慌？

七、货币本位恐慌与货币恐慌之区别。

八、试说明交易所恐慌发生的过程。

九、试略述国际金融恐慌发生的过程。

第七章　世界货币的运动与汇价

第一节　汇价之形成

一、汇兑发生的原因

（一）金银之国际的移动

我们在论述货币机能一章中,已经说过:随着国际交换的发展,货币就超出国内流通的领域,转化为世界货币。而成为世界货币的东西,即成为一切种类的商品的一般等价物的东西,即是贵金属;发挥这种机能的货币,最初是金和银,往后就只是金子。

金银这种世界货币的机能,能使金银从一个国家转移于别的国家。商品资本主义的各国,都保有准备金,准备着金银的国际的移动。关于准备金的使命,我们在前面也已经说过了。我们在本章中所要研究的问题,是金银之国际的移动与汇兑市价的关系。

金银之国际的移动,分为两个潮流:第一是金银从生产金银的国家流通于不生产金银国家去的潮流。因为不生产金银的国家,为了要保存多少准备金,不能不从生产金银的国家输入金银。在这种场合,不生产金银的国家,拿本国的商品与生产金银国家的金银块相交换。这时商品与金银块,是以生产价格为比例而交换的。照这样,金银就从原产地的国家流出于国外,而为其他各国所吸收,充当各国的准备金,或者补充已经磨损的铸币,或者充作其他种种的用途(装饰品或化学原料等)。但在生产金银的国家与不生产金银的国家之间,金银之国际的移动,不一定常是商品的输出入的结果。金银之国际的移动的第二个潮流,是金银在那些不生产金银的各国相互间的流通。同一的国家,不断地输入金银,又不断的输出金银。金银的这样的国际的移动不单反映出商品的买卖的结果,并且反映出货币形态上的放款资本的输出与单纯资本的国外移动。

金银之国际的移动,大概不外乎上述两个潮流。这两个潮流中,对于汇价(rate of exchange),发生影响的东西,是第二个潮流,即不产金银的各国相互间的金银的流通。但在现实上,这两个潮流也常是错综着,第一种潮流的金银之国际的移动,也有反映商品和资本之国际流通的,不过不必常是伴随着商品与资本之国际的流通而已。所以金银之国际的移动,有与商品及资本的流通相关联的,也有不与商品及资本的流通相关联的。至于影响于汇价的东西,却只是与商品及资本的国际流通有关系的金银之国际的流通。

所以我们为要理解汇价的形成及其变动的原因,不能不说明金银之国际的移动,更不能不先说明商品及资本之国际的流通。

(二)国际的商品流通

金银这种世界货币,原是国际的商品流通的产物。金银的国际移动的重要原因,是商品之国际的流通。所以,为要理解金银之国际的移动及其对于汇价的影响,首先要说明商品的国际流通。

商品的国际流通,是资本主义生产方法的存在条件。资本主义这东西,原是超越国境而发展了商品流通的结果。

国际的商品流通,在先资本主义时代也是存在的。但在先资本主义时代的各国,大都建筑在自给自足的经济基础之上,国际间流通的商品多是各国的特产物,如农产品、畜产品及工艺品之类。所以,当时成为国际贸易的前提条件的国际的分工,是受自然条件所限制的自然的分工。

随着资本主义工业(最初是工场手工业,往后是机械工业)的发生与发展,市场中出现了大量的商品,而国际的商品流通,就变为资本主义的不可缺的条件了。资本主义的内在矛盾的发展,引起国内的个个生产部门的不平衡。于是迅速发展了的特定生产部门,便陷于生产过剩,不能不向国外扩张商品市场。不但一个资本主义国家是这样,其他许多资本主义国家也是这样,同样有各种产业部门的发展的不平衡。同样要向国外扩张商品的市场。于是,随着资本主义的发展,全世界都要卷入于资本主义体系之中。

于是,国际商品流通的前提,已不是由自然条件所限制的自然的分工,而是由经济的技术的条件所规定的生产力发展的差异，即生产力的不平衡的发展了。在生产力发展的国家，已不受自然条件所限制，而能够输入本国所不生产的原料。制成商品输出于国外了。至于生产力水准较低的国家，无论自然的资源如何丰富，也只能输出原料，而变为先进国的销售资本主义商品的市场了。于是，资本主义国家，就破坏落后民族的小工业，使这些落后民族变为它销售商品和采集原料的场所了。于是世界各国被分裂为工业国与农业国，而形成为国际商品流通的前提了。各个资本主义国家，只有依靠国际的商品流通，才能维持本国的资本主义并促进其发展，因而各国的相互依存的关系就愈趋于紧密。于是各个资本主义国家，都转变为世界经济的一个一份子。这是生产的社会性发展到世界规模的表现。

但是另一对立的契机之资本主义所有的个人性，也在世界经济体系中显现出来，各资本主义国家之间展开了争取商品市场与原料产地的斗争，而这个斗争，结局转变为武力斗争。这种国际斗争的目的，就在于开扩本国商品的市场及原料产地，以保障剩余价值的源泉，取得大量的利润。于是各个资本主义国家虽各自成为世界经济的一环而互相联系，同时却又互相对立，互相斗争。所以世界经济，即是发展到国际规模上的资本主义的所有与生产的社会性之对立的统一。

世界的一切可能的市场，早已由各国产业资本所夺取，及到帝国主义时代的初期，世界早已由各大资本主义国家所瓜分净尽了。

到了帝国主义时代，世界经济的矛盾，更趋于尖锐。因为独占资本的形成，加强了各个国家中工农业的各产业部门的不平衡的发展，及各个国家之间的不平衡的发展。这种不平衡的发展，在世界经济中的帝国主义国家相互间的联结上反映出来，在帝国主义国家与落后的农业国家之间的联结上反映出来，越发把多数的国家卷入于国际商品流通的领域，使一切国民经济都结成紧密的联系。这种趋势，又影响于各国的不平衡的发展，引起利润率低落的倾向。各帝国主义者为阻止利润率低落的倾向，就只有努力独占商品市场与原料产地，因而引起激烈的斗争。这是帝国主义者企图从新分割世界的战争的由来。

帝国主义列强，在前次世界大战以前的十余年之间，强有力的发展了商品的输出。这种商品输出的增加率，在英国是 80%，在德国是 72%，在美国是 68.5%，在法国是 67.4%，在日本是 21%，在意国是 57%。

在第一次大战以后，帝国主义列强间夺取商品市场的斗争，在近东及远东方面，是英德的斗争，在地中海的亚细亚及非洲方面，是英法的斗争，在拉丁美洲方面，是德英美之间的斗争，在太平洋方面，是英美日之间的斗争。

第一次世界大战，中断了交战各国的世界经济的联系，改变了国际商品流通的路线。美国与日本成就了长足的发展。大战结束以后，帝国主义列强的商品的国际流通与势力关系，都改变了。

帝国主义列强，为了争夺国外市场与原料产地，又采用新的斗争方法与新的工具——资本的输出。

（三）国际的资本流通

资本的输出，与商品的输出不同，具有特别重要的意义。资本的输出，是为了要榨取在外国所造出的剩余价值而实行的价值的输出。

资本的输出，在产业资本主义时代也是实行着的，但帝国主义时代的资本的输出，在量的及质的方面，却成就了新的发展。帝国主义时代资本输出的特质，是在于少数最富足的国家对于世界大多数的民族和国家，实行帝国主义的压迫与剥削，以巩固其资本主义的寄生主义的基础。所以现代的资本输出，包含着颓废的垂死的资本主义的一切特殊性。

资本主义发展的不平衡的结果，在国内形成了过剩的资本，引起利润率的一般的低落。随着独占的成长与国内市场的缩小，过剩的资本在国内不能供作比较有利的投资，所以不能不向国外探求有利的用途而输出于国外。

资本的输出，采取两个形态，一是取得利息的放款资本的形态，例如购买国外发行的公债、股票等的投资；一是取得企业收入的产业资本的形态，例如在国外组织产业的企业的投资。

放款资本的输出，在帝国主义阶段上，常常和产业资本的输出相结合，成为商品输出的前提。这就是在最初当作金融资本输出于国外的投资。例如国内银行，在外国设立支行，通过支行以操纵所在国的金融，并支配其产业，就是这种性质的投资。这样的投资，主要的是在殖民地或半殖民地实行的。帝国主义者有力的银行支店，在殖民地或半殖民地，对于本国商品的销售与所在地的原料的采集,成为融通资金的机关。

放款资本,又常采取借款的形式,贷给外国政府。这种形态的资本输出,常含有政治的作用,利率通常是较高的。即使不榨取高利,也必伴有其他条件,如取得某种权利或购用该国商品之类。这种性质的借款,在中国是很多的,这里不必列举。

至于采取产业资本形态的资本的输出,当然是以榨取超额利润为目的,但此外也有其他的目的。输出国的贩卖市场、原料市场和势力范围的扩大,都依存于这种形态的资本输出。譬如各帝国主义国家在中国设立各种工厂,即是实例。

第一次世界大战以后,资本的输出,有一种特征的现象,就是短期放款资本的输出,占据重要的地位。这是因为战后资本主义的一般危机与恐慌,搅乱经济的政治的安定,使货币资本不能供作生产上的利用。所以,帝国主义各国,充斥了慢性的过剩的休息资本,而短期放款的利率,也空前地低落下去。这类过剩的休息资本,就变为颓废的资本,只有寻求安全利用的途径,以短期而安全的条件,按照利率的高低而浮浪于各国之间。

短期放款的资本的输出,目前在输出国家是常常当作政治的压迫的武器去利用的。例如第一次世界大战后的德国的国内企业的金融,大部分依靠外国的短期放款资本,但输出这种资本的国家,可用收回这种资本的方法,使德国陷于政治的经济的危机。任何国家,对于外国请求偿还短期放款资本的事实,没有不感到窘迫的。甚至流入金融中心地的这类放款资本,一旦被债权者迅速收回之时,就是金融中心的国家的本位货币,也不免要遇到危机。

总括上面的说明,我们已经知道,资本是采取各种形态而流通于国际间的。其中采取货币形态的资本之国际的流通,我们把它叫做国际金融市场。国际金融市场中,有金融中心地。金融中心地,同时是汇兑中心地。金融中心地,在第一次世界大战以前,是伦敦与巴黎;在大战以后,伦敦的地位降低,而纽约与巴黎成为目前世界的两大金融中心地了。

金融中心地,是以世界各国的信用的支持而形成的。所以成为金融中心地的国家的本位货币,必须基础稳固,而对外放款的资本也必须是很丰富的。战后的纽约和巴黎,很适合于这种条件,所以能成为世界金融的中心地。

各国的资本,都向着金融中心地流动。各国大资本家,首先要在安全的金融中心地存款,准备乘机使资本出动于各国。其次,各国的交易,习惯上也是把金融中心地国家的本位货币作为计算货币而清算其支付差额的,所以为了准备实行支付,就要在金融中心地的银行存款。正因为这样,货币资本就很丰富的流入于金融中心地。还有,各国的公债及公司债,也多是在金融中心地募集的,所以中心地的各银行能够获得大宗的发行的利益。为了取得这样的利益,在指导的帝国主义诸国之间,就展开了为要造成或巩固金融中心地的夺取霸权的斗争。

(四)国际借贷的清算与金银

如上所述,商品的输出入与资本的输出入,是在一切的国家与国家之间实行着。于是国际借贷或国际收支(international indebtedness)就必然地发生出来。从一个国家的立场看来,一国对于其余各国,有两大项目的借贷,即商品输出入的借贷与资本输出入的借贷。

商品输出入的借贷,称为贸易借贷。在一定时期(例如一年),就一个国家说来,必有输出输入的差额。这个差额,如表示出超或收入超过(就收入金银而言)时,叫做顺调;反之,如表示入超或支出超过(就支出金银而言)时,叫做反调。

至于资本输出输入的借贷,较为复杂。就一定期间观察其输出入之时,输入的项目,由借入的资本、收回的资本及放款资本的利润和利息等三项构成;输出的项目,由放款的资本、被收回的资本及借入资本的利润和利息等三项构成。

但这些输出入项目,并不一定都用现金输出或输入。例如放款的资本被充用为改换旧债权为新债权时,或以利息和利润充用为新的投资时,在这种场合,现金的输出就减少如许的数目;又如借入的资本被充用为改换旧债务为新债务时,或以借入资本的利息和利润充用为新借的资本时,在这种场合,现金的收入就减少如许的数目。把这些部分抵消以后,一定期间中的资本借贷,也出现输出入的差额。

这些贸易借贷的差额与资本借贷的差额之和,大体上决定一国的国际借贷的差额的顺调与反调。这里所以要用"大体上"三个字的意思,是因为在上述国际借贷的两大项目之外,还有一种收支的项目。这种收支项目,包括运费与保险费的收支、海外侨民的汇款或捎回款项、海外旅行者及滞留者(使领馆及留学生费用等)三项。

如上所述,一国的国际借贷,是由下述各项目构成的:

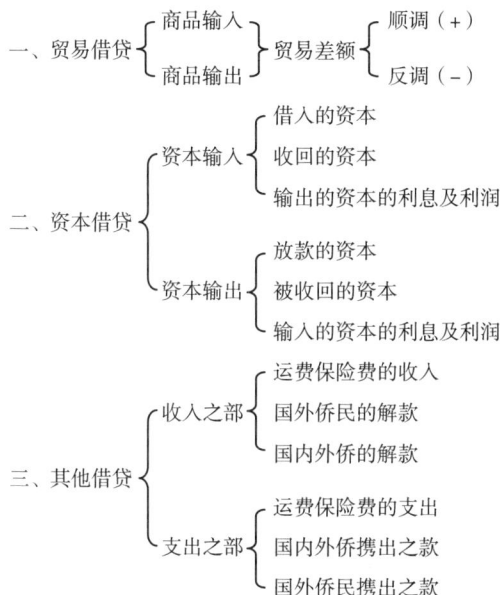

```
                        ┌ 商品输入           ┌ 顺调(+)
一、贸易借贷 ┤            ├ 贸易差额 ┤
                        └ 商品输出           └ 反调(-)

                        ┌                   ┌ 借入的资本
                        │ 资本输入 ┤            收回的资本
                        │                   └ 输出的资本的利息及利润
二、资本借贷 ┤
                        │                   ┌ 放款的资本
                        │ 资本输出 ┤            被收回的资本
                        └                   └ 输入的资本的利息及利润

                        ┌                   ┌ 运费保险费的收入
                        │ 收入之部 ┤            国外侨民的解款
                        │                   └ 国内外侨的解款
三、其他借贷 ┤
                        │                   ┌ 运费保险费的支出
                        │ 支出之部 ┤            国内外侨携出之款
                        └                   └ 国外侨民携出之款
```

上述三种借贷的各项目中,往往有一项目**转换**为他项目的。例如输出商品所得的收入被充用为对外的放款资本,或者向外国借入的资本被用以支付输入的商品的代价,即其一例。

像上述的收支一概抵消之后,其余的借贷,决定一定期间的国与国之间的国际借贷,并表现出国际收支的差额。

这些借贷,究竟是怎样清算的呢? 这是要说明的问题。

国际借贷的清算,并不一一使用现金,清算的大部分,可以依靠信用关系来实行。随着商品流通的发展,商业信用关系也趋于发展。一国的收入与支出,可通过信用来抵消,只有不能抵消之余额(即国际借贷的差额),才使用现金来支付。所以一定时期中一国的输出入差额,大体上反映那时期的该国的国际借贷的差额。但是这也不一定正确的反映出来。因为通过信用而互相抵消的事情,不一定能够完全实现,并且这种互相抵消的事情,也有因为一国的信用的动摇而不能实现的。但是,除去从金银产地的直接流入的金银以外,一般地说来,国际借贷的差额,决定一国的金银的输出入的差额。

但是,国际信用如果更趋于发展,国际借贷的差额,也可以不使用现金来填补。因为一国与他国的银行互相授受信用,相互间可以发送支票及汇票。不过,这种办法,也只限于一国的欠款是偶然的暂时的场合,才是可能的。这种关系,在一国银行给他国银行以长期信用时也能发生。但这类的关系,当帝国主义诸国把那种信用当作政治的经济的斗争手段来利用之时,例如突然把信用收回之时,就容易破坏,所以上述的清算方法,也不是怎样可靠的。因而国际借贷差额的清算,无论怎样,结局仍必须用现金来支付。

在使用现金来清算国际借贷的差额时,可以采用输送现金的方法,也可以采用汇票或支票清算的方法。所谓汇兑市场与汇价,就是在这种情形中发生的。

于是我们更进而说明汇价的形成。

二、汇价的形成

(一)汇票与汇兑机关

如上所述,国际借贷,错综复杂,收支的清算自然也很繁难。商品与资本的输出入,若一一输送现金,不但费用过大,手续麻烦,并且还有盗难纷失的危险。于是为免除这种不便,就发生汇兑的方法。

例如,伦敦入口商某甲,向纽约出口商某乙买进商品10万元美金,而纽约入口商某丙又向伦敦出口商某丁买进商品10万元美金。于是伦敦某甲应解送10万元美金于纽约某乙,而纽约某丙应解送10万元美金于伦敦某丁。假如甲乙丙丁4人互相认识,又知道彼此的信用时,现金的收付就非常简便。伦敦某甲可直接付伦敦某丁10万元美金,并通知纽约某丙直接付纽约某乙10万美金,一举而清结双方的债权债务,并免除了输送现金的种种不便。但是,假如甲仅与丙相识或乙仅与丁相识,或者这4人并不互相认识又不知道彼此的信用时,双方的债权债务若要照这样拨划,就不能不有信用的凭证。这种信用凭证,就是汇票。

例如纽约债权者某乙,向伦敦某甲发出汇票,叫甲把票面金额支付于指定人或持票人。某乙可以把这张汇票出卖。恰好纽约某丙要汇款于伦敦某丁,就趁此机会买进这张汇票,寄交伦敦某丁。某丁即凭汇票向某甲领取此款,于是甲乙丙丁4人间之债权债务,就依靠一张汇票的证明而清算了。所以汇票是用以清算国际借贷的凭证(汇票可依背书而当作信用货币通用,前面已经说明)。

但是,依照上述方法,私人间直接地自行买卖汇票,以清算国际借贷,仍有许多不便。因为:第一,出卖汇票的人未必就能遇到买主;想买进汇票的人,也未必就能遇到卖主。第二,纵令出卖汇票的人遇到买主,而买进汇票的人也遇到卖主,而票面上的金额与兑款期限,却不一定能够合适,因此汇票的买卖就不易成立。第三,单只汇票上的金额与期间能够适合,但若付款人的地址与收款人的地址不在一处,汇票的买卖也不易成立。第四,纵令上述各点都不成问题,而出卖汇票的人与付款人的信用如何,也不容易调查,假使信用上发生问题,买进汇票的人势必蒙受损失。

因为有上述的种种不便,所以汇兑机关就发生出来。汇兑机关为汇票的买卖人居间介绍,可以免除上述种种的不便。于是买卖汇票的人,都以汇兑机关为对象,使它代为清算债权和债务。发出汇票的人,把汇票卖给汇兑机关,借以收取他的债权;反之,想买进汇票以了结他的债务的人,就向汇兑机关买进汇票,寄交于他的债权人。所以国际借贷的清算,由于汇兑机关的存在,就非常便利的进行了。

汇兑机关通常是指各国的银行说的。因为汇兑以信用为主,而银行是信用的机关,所以各国的银行都兼营汇兑的业务。随着商品与资本的国际流通的发展,各国都设有专营国际汇兑的银行(如英国的汇丰银行、日本的正金银行、美国在第一次世界大战以后各海外贸易银行、中国的中国银行等)。

(二)外汇的法定平价与相对平价

外国汇兑即是国际汇兑。如我们所知,世界货币主要的是金,其次是银。目前的世界,绝大多数都是用金的国家(如第五章,金或银是货币体制的基础,无论其已经放弃金本位或银本位,而这个基础仍是不变)。所以国际汇兑实是用金的诸国间相互的汇兑,及用金国与用银国间的汇兑两种。为便于说明汇价的内容起见,仍以各国未放弃金本位和银本位以前的状态,作为说明汇价的根据。

在说明汇价之时,应先说明金本位诸国间的货币的法定平价,及金本位国与银本位国间的货币的相对平价。

所谓法定平价,就是由各金本位国的货币条例所规定的货币单位的纯金量互相比较的比价。详细的说来,法定平价就是用一国的本位货币中所含的纯金量与他国本位货币中所含的纯金量互相比较而算出的定率。这种法定比价,是各国资本家为清偿国外债务而输送现金时的计算的标准。

先就各主要金本位国的货币条例所规定的本位货币的纯金量,列表说明如下:

国别	本位货币名称	纯金量(格兰姆)
英国	镑	113.0016
美国	元	23.2200
法国	法郎	4.4802
日本	元	11.5742

就上表所列各国本位货币的纯金量实行换算,就可以求得两国本位货币间的法定平价。例如就金镑求其与美元的法定比价,可以美元纯金量 23.22 格令除英镑纯金量 113.0016 格令,即 $\frac{113.0016}{23.22} = 4.8665$,即英金一镑合美金 4.8665 元。又如就日金百元求其与美元的法定比价,可以美元纯金量 23.22 格令除日金百元纯金量 1157.42 格令,即 $\frac{1157.42}{23.22} = 49.84$,即日金百元合美金 49.84 元。其他英法及美法等本位货币间的法定平价,都可用上法求出来。

以上所述,是金本位诸国的本位货币间的法定平价(至于各国放弃金本位以后,各国法币间的法定平价,时有变动,而其比较的基础仍是金子)。

至于金本位国与银本位国之间的本位货币间,却没有法定平价。金币与银币间的平价,事实上是金银比价。金银比价随金银两者的价值的变动而变动,当然没有一定不变的比价。不过,两种本位之间的汇兑,所据以为换算的标准的东西,是暂时的金银比价,又叫做相对平价(relative parity)。例如以前中国之本位币为银元,银元中含有纯银 23.493448 公分,而大条银每盎司合际准制 31.1035 公分,其成色为 0.925。于是可以求得 1 元银币的纯银量与 0.925 成色大条银一盎司,即 31.1035 分之比为 $\dfrac{23.493448}{31.1035 \times 0.925} = 0.816574$,是一银元与大条银的比较数,若加上运费、保险费、卸岸费、佣金及加铸费等,这比较数合计约为 0.844。

求得 1 银元与大条银每盎司的那种比较数之后,就可以求得 1 银元折合英币的数目。例如伦敦当时大条银的行市若为 20 便士,银元 1 元就应折合英币为:

$$0.84 \times 20 = 16.88 \text{ 便士},即约 1 \text{ 先令 } 4\dfrac{7}{8} \text{ 便士}$$

即银本位币一元合英币一先令四又八分之七便士。这是当时上海对英汇兑的暂时的平价(以上见商务印书馆出版的《中国之汇兑》一书)。

若银价日趋低落,金银比价变动无常,金银两种本位币间之相对平价,也变动无常。

以上所述,法定平价与相对平价,是国际间输送金银时用以换算的标准,并不是办理国外汇兑时所用的汇价。因为汇价还含有国际贷借的差额与利息及其他种种的关系。但汇价的形成,以法定平价与相对平价为中心,下面另行说明。

(三)现款输送点、现款输出点与现款输入点

汇兑的功用,在于节省运送金银的种种费用(如包装费、运费、保险费、佣金及金银输送期间中的利息等),并避免盗难纷失的危险。如果汇价的涨落太大,不能节省上述诸费用甚至还有亏损的事情,资本家就不愿用汇兑而宁肯输送金银了。所以汇价虽常有变动,却也有一定的范围。除了少数特殊的例外,汇价的涨落大概不超过这个范围,这个范围就是法定平价(或相对平价)与现金输送费。汇价以法定平价(或相对平价)为中心,而现金输送费是摆动于这个中心的左右的界限。在这个范围以内,汇价常依国际借贷关系而变动。

汇价如果超出上述的范围而上涨之时,债务者的资本家就不愿买进汇票,而宁肯直接把现金输送于国外债权人,于自己较为有利。反之,汇票如果跌过

这个范围而下落之时，债权者的资本家就不愿发出汇票售给他人，宁肯自认运费而要求他的国外债务人直接输送现金给他，于自己较为有利。这个范围的界限，叫做现金输送点（specie or gold point）。就某一国家来说，当汇价涨到现金输送点以上时，现金就从国内输出于国外，这叫做现金输出点（outgoing or exporting gold point）；当汇价跌到现金输送点以下时，现金就从国外输入于国内，这叫做现金输入点（incoming or importing gold point）。

所谓现金输送点，就是法定平价与现金输送费之和。例如 1925 年 4 月 29 日至 1931 年 9 月 30 日之间，英镑折合美元的法定平价为 4.86656 元。从纽约到伦敦的现金输送费，每镑为 0.0395 五元（包括输送现金时的包装费、运费、保险费，现金输送期间的利息、货币铸造费、货币搜集费、经手人的佣金等）。于是美国对英国的现金输送点为 4.90606 元。若汇价高出 4.90606 元，就达到现金输出点；若汇价跌过 4.90606 元，就达到现金输入点。

在金本位国与银本位国的汇兑上，现银输送点计算方法略有不同，但仍以相对平价和现银输送费为准。例如中国银币一元中之纯银，折合英国旧标准银 0.8165744 盎司，若运到伦敦出卖，应扣去现银输送费（包含运费、保险费、卸岸费、佣金、出口税及利息等）0.0334795 盎司，结果每一银元运到伦敦约折合旧标准银 0.7831 盎司。假定伦敦大条银价为 $20\frac{1}{8}$ 便士，于是 0.7831 盎司之银在伦敦可换得一先令 $3\frac{3}{4}$ 便士。即每一银元运到英国，可换得一先令 $3\frac{3}{4}$ 便士。这就是中国对英国的现银输送点，即现银输出点。反之，汇价若每元折合一先令 $5\frac{1}{8}$ 便士，就是中国的现银输入点（其计算法可参看《中国之汇兑》一书）。不过伦敦大条银市价时有变动，所以中国的现银输送点，常随银价而变动。

要之，在金银自由输出入的两国间，汇价的变动，大都以汇兑平价为中心而上下动摇于现金输出点与现金输入点之间。这样的汇价，由当时该国的国际借贷的差额所决定。支付差额若是顺调，向外国开出的汇票的需要就超过供给，这种汇票的市价就低落下去，该国的汇价就高涨，但若涨到现金输送点以后，现金的输入就开始。反之，支付差额若是反调，就呈现相反的现象。

（四）汇价的本质

由于上面的说明，我们可以知道，汇价是用本国货币折算的汇票的价格，它适应于汇票的供求的变动而在一定范围中变动的东西。现在更进一步说明汇价的本质。汇价首先是把汇票折算为本国货币的价格。

为什么要用本国的货币去计算汇票的价格呢？这是因为世界经济没有统一的价格标准，甲国移转价值于乙国之时，首先要用甲国的价值尺度的单位把它表现出来，使它具有甲国的价格；其次要用乙国的价值尺度的单位把它表现出来，使它具有乙国的价格。这样的价格折算的必然性，原是世界经济的矛盾的产物。

这样的折算，必须有折算的标准。这个折算的标准，就是甲国本位货币与他国本位货币间的金量的价值的比率（即法定平价或相对平价）。假如国际交易一切都授受现金，于是现金的授受就只是一国本位货币与他国本位货币的直接的现实的交换。这种折算率当然与本位货币间的价值比率相一致。

但是汇价是以信用交易为前提而发生的。汇兑的交易，以支付的抵消为目的而实行，而达到这个目的的手段，是购买外国汇票。于是，交易的对象，是用外国本位货币表现于汇票上的观念的货币额。其供给有量的限制，其需要由支付于外国的货币额所限制。通常供给予需要是不能平衡的。所以汇票的买卖当事人，对于汇票上所表示的外国货币额，总是用本国货币去实行评价，估计能够折合多少的本国货币。而作为评价的标准的东西，即是本位货币间的价值的比率。由于供求难于一致，那样的评价常与那个基准的价值比率（平价）相乖离，或在其上，或在其下。但乖离的最大限度，由现金输送点所决定，这是上面已经说过的。

由于上述的评价过程而形成的折算率，即是汇价。在评价过程中不断的从新形成的折算率的变动，表现为汇价的变动。

但是在现实中，汇价的算定，还需考虑汇票满期的时期及支付国家的贴现率的大小。例如贴现率较高而汇票支付的期限较长，那个汇票的评价就较低，汇价的水准就降低。所以一定时期，对于同一国家，由于汇票期限的长短，形成各种的汇价。并且，汇票的交易不是直接在需要者与供给者之间实行的，而是以汇兑银行为居间人而实行的，银行直接与需要者或供给者相对立，所以有卖汇价与买汇价两种区别。卖汇价是银行卖出汇票的价格，买汇价是银行买进汇票的价格。卖汇价较高于买汇价,两者的差额,是银行的利益。

汇价的种类,分电汇、即期、定期三种;电汇价最高,即期汇价较低,定期更低。这都是可以从每日的报端看到的。

第二节　汇价的变动

一、汇价的变动与支付差额

(一)汇价变动与贸易差额

汇价是金银的国际运动的晴雨表。为要说明金银的国际运动的法则,不能不进而分析汇价变动的原因。我们在前节已经说过,汇价是动摇于现金输出点与现金输入点之间的。在现金输出点与现金输入点之间变动的原因,可以分为三个方面来说明:

汇价变动的第一个原因,是国际借贷的支付差额;第二个原因,是一国的货币价值的减少;第三个原因,是金银的相对平价的变动。

以下我们先就金银自由输出入的状态,分别说明汇价变动的三个原因。这里先说汇价的变动与支付差额的关系。

汇价的变动,首先依存于支付差额。当一国的支付差额呈现顺调时,外国向该国发出的汇票就减少,因而这种汇票的需要就超过供给。在这种场合,汇价高涨,达到现金输送点以后,现金就流入于该国。反之,当一国的支付差额呈现反调时,外国向该国开出的汇票就增多,因而这种汇票的供给就超过需要。在这种场合,汇价低落,达到现金输送点以后,现金就流出于国外。

所以直接规定汇价变动的契机,是外国汇票的供求关系,而这种供求关系,又依存于国际贷借的支付差额。

然则支付差额究竟反映着什么东西? 为要说明这一点,不能不详细地观察支付差额。

国际借贷完全平衡的场合,通常是极少的。因而各国的支付差额,在某种程度上总常是积极的或是消极的。支付差额,在一年之中,对于一定的国家,能够呈现顺调,而在一年的各月季之中,也能呈现反调;反之,对于别的国家,就整整的一年说,虽是反调,而在一年中的某一月季却也能呈现顺调。例如一定月季的农产物的大宗的输出入,能在国际间造出巨额的出超和入超。

每年的支付差额,分为四季,每月的支付差额,又分为日日的差额。日日的差额的变动,或是积极的,或是消极的,必然引起汇价的变动。支付差额的积极性,使得汇价高涨;支付差额的消极性,使得汇价低落。

关于支付差额的内容,我们在前节之中,已经列举了三大项目:第一是贸易差额,即输出入商品的价值的差额;第二是资本差额,即输出入的资本的价值的差额;第三是其他各种收入及支出的差额。

支付差额的三大项目之中,贸易差额——基于商品——商业资本的运动而生的差额,——是支付差额的基本的契机,它影响于支付差额的全部。因为,资本主义的国家,在争夺贩卖市场的诸条件之下,商品的贩卖,是在信用的基础上实行的。在以信用卖出商品时,货币主要的出现为支付手段。

但是,信用形态的国际贸易,集中于参加输出入业的融通的银行的信用的中心。所以银行业的内部,有专门处理关于贸易的国际信用的部门。这种信用关系,对于国际间错综的支付差额,演着很大的作用。

基于汇票(即信用证券)而实行的国际贸易,是商业信用,它与银行信用有区别(因为银行信用基因于放款资本的运动)。但这种信用,却由银行所媒介。因而基于信用的国际贸易的发展,同时引起放款资本的运动。于是,由银行所媒介的商业信用的错综,又含有放款资本(即货币资本)的运动。所以贸易差额中的一部分,反映放款资本的运动。

例如,甲国出口商人,把自己的商品换取乙国本位货币的商业票据而出卖与乙国。这种票据是从乙国输入商品的入口商人所需要的对象,可以当作支付手段来支付于乙国的。受票人当然照例支付。如果支付被集中于银行,不用票据而由银行电汇,事实上还是一样。所以,若把支付差额的别的契机除外来加以考察,就可以看到,一国的债权与他国的债权的差额,完全依存于当时的贸易差额。于是,支付手段的市场,对于支出超过的国家就变为不利,而支付手段的价格即票据的贴现率就增高起来。汇价在支付超过的国家就变为反调。这种反调如果继续下去,该国的现金就继续流出于国外,而该国就势必破产。为要克服贸易差额的反调,就只有请求外国的信用,或借入资本,才能缓和国际的支付手段的需要。但这种国家,只有积极发展生产力,才能积极地挽回颓势。

(二)汇价变动与资本输出入的差额

至于贸易差额以外的支付差额,是资本输出入的差额与运费、保险费及解款等的差额。

运费、保险费等收入,如果在流通界反映生产过程的运动,它就根源于产业资本的周转。因而这种场合的支付差额,是由商业信用发生的。至于旅行者所携的款项与种种解款等项,却只反映国际的支付手段的运动,而与商业资本的运动无关。

至于资本输出入的支付差额,是影响于汇价的契机,我们在这里要稍为详细的加以分析。

资本的输出,采取两种形态:一是商品形态上的资本输出,一是货币形态上的资本输出。

在资本采取商品形态而被输出的场合,"只有在这些输出商品的生产需要其他外国商品的特别输入时",才能影响于汇价。在这种场合,输出商品的生产,并不以清算那种特别输入为目的。因而商品形态的资本输出,不能直接的影响于汇价。它并不立刻影响支付差额的状态,而是在日后实行支付的时候才起影响的。

至于资本采取货币形态而被输出的场合,性质却不相同。在这种场合,资本的输出,"直接影响于金融市场,也影响于输出贵金属的国家的利息率,又直接影响于汇价"。在以货币形态输出资本的国家,汇价呈现反调,这就是说,在资本输出的场合,只有在资本的输出影响于该国的金融市场时,汇价才受资本输出所影响。

放款资本的移动,平均化的影响于贴现率的运动。当汇价的低落引起贴现率的高涨之时,放款资本就从外国流入,可以阻止国内贴现率的高涨。这样发生的暂时的条件,可以阻止汇价的低落,使金银不致流出于国外。因而各国间的利息率就趋于平均,各国的现金准备也得以保障。

由上面的说明看来,我们可以知道,国际间的贷借关系,通常是建筑在贸易的支付差额之上的。即是说,产业资本的运动,首先筑成信用关系的强固的基础,在一定限度以内,并不需要金银的广泛的移动与放款资本的流入。但是信用关系发达起来,而许多国家转变为高利贷帝国主义者以后,贸易的支付差额的均衡一旦破坏,金银和放款资本,就在国际上运动了(金银的运动与放款资本的运动不必一致)。

例如英国,原是世界第一个工业国家,是世界第一个输出国家,但从第一次世界大战前数年以来,对外贸易却呈现反调了。这是英国生产力发展相对降低的表现。从前英国贸易差额的反调,由贸易以外的差额的顺调所弥补而有余,所以当时的英国是寄生虫的帝国主义者。不过近年以来,贸易差额的反调增加,而资本借贷的差额的顺调也减退,因而呈现出全部国际借贷的差额的反调。例如1929年的全部支付差额的负数为1亿300万镑;1930年的负数为2800万镑;1931年的负数为1亿1000万镑。

又如日本,从第一次世界大战以后,贸易差额均呈现反调,而贸易以外的支付差额却呈现顺调。不过后者的顺调弥补前者的反调,还是不够。这是表示日本帝国主义的幼稚性。但到1930至1931年,贸易以外的差额也呈现反调,于是在全部支付差额上,都成为借方。例如1930年的全部支付差额的负数为9100万元,在1931年的负数为2亿3800万元。所以日本货币的对外汇价就趋于低落。

综合上面的说明,可以作如下的结论:

(一)汇价适应于支付差额的积极性(顺调)与消极性,以法定平价为中心而上下运动;当支付差额由现金所清算而汇票的供求趋于平衡时,汇价就接近于法定平价。

(二)当汇票的供求完全平衡时,汇价与法定平价相一致;供求失其平衡时,汇价离开法定平价而运动于现金输送点的范围之内。

(三)汇价的运动,受现金输送点的范围所限制,这是在国际的商品流通上,从世界货币的一般等价物的机能所必然引出的合法则性。但这个运动法则,只有在金子自由输出入的条件之下,才能完全的显现。

如果金子不能自由输出入之时,那个运动法则就被完全破坏,而汇价就丧失了规定其运动范围的契机而变动无常了。

二、汇价的变动与通货贬价及金银比价的变动

（一）汇价的变动与通货贬价

我们在前面说明支付差额是汇价变动的原因时,是以两国的金本位货币的法定价值比率不变为前提的。但是当这个法定价值比率发生变化时,汇价究竟怎样变动,这是我们在这里研究的问题。

两国金本位货币间的法定平价的变动,是由通货的贬价发生的。通货的贬价,大体上可以分为三个场合:第一是由于贬低平价而引起的价值减少,即由于一国本位币的法定金量减少,而引起的货币本身价值的减少;第二是由于铸币的磨损而引起的价值减少,第三是不兑换纸币或变为不兑换纸币的银行券的流通量因超过必要量而引起的价值减少。

先就通货贬价的第一个场合来说:法定平价的变化,必然出现为汇价的变动。因为汇价原是以法定平价为标准而形成的两种本位货币间的现实的折算率。成为折算的标准的法定平价如果发生变化时,纵令支付差额能够保持平衡,汇价也必变动。

例如日本本位币一元的法定金量原是二分,假使现在另用法律改定每元的金量为一分,这时日元的汇价,当然变动了。从前日金百元代表金量二两,其对美汇价为 50 美元(每一美元代表金量四分)。现在日元的法定金量改定为一分,百元的对美汇价,当然变为 25 美元。这个时候,纵令日美间的支付差额是平衡的,而以美元所表现的日元的汇价,就降低二分之一,即每百元只有 25 美元的汇价了。

其次,就第二种场合来说。当一国的本位铸币因为受了磨损而丧失其金量时,这种已经丧失一定金量的本位货币,其对外汇价必然降低,这是不待多说的。

末了,就第三种场合来说:不兑换纸币或变成不兑换纸币的银行券,如果超过流通必要量之时,纸币必然减价,其汇价也必随着低落。例如纸币流通量增加到必要量的两倍之时,一单位的纸币,只代表本位币的二分之一的金量。这时纸币的减价,使物价增高为二倍,并且一单位金币就有一单位纸币的两倍的价值。于是这种纸币的对外汇价,就必然低落到从前的汇价的二分之

一了。

在第一、第二两种场合,因为货币的金属实体的减价,才发生当作计算货币看的机能上的减价。至于第三种场合,货币的金属实体上的价值还没有减少(因为法定的价格标准并没有改变),但货币在其流通手段的机能上,却是减价了。这在事实上也和法定金量的贬低的场合,显出同样效果,也发生当作计算货币看的机能上的减价。即是说:每一本位货币的名称,在法律上虽表现着原来的法定分量的金子,而现实上却只代表着法定金量的一半,所以在价值比率上发生变化,其汇价必然也减低一半。

(二)汇价的变动与金银比价的变动

如前所述,汇价变动的第三个原因,是金银比价的变动。"在以用银为货币与用金为货币的国家间的汇价为问题之时,汇价的变动,依存于金银的相对价值的变动。"因为这个变动,明明是由于金银的相对价值的变动。

金银的比价由生产金与银所必要的劳动时间所决定。如果金与银的生产所必要的劳动时间不变或者循同一比例向着相同的方向变化时,两者的比价当然不变。但两者的生产所必要的劳动时间不循着同一比例或同一方向而变动时,或者一方变动而他方不变时,两者的比价必然有变动。

但是从 19 世纪 70 年代以来,生产银子的生产力比较金子的生产力,却大大的发达了。因而从那个年代起,金银比价的变动就非常剧烈。在 1870 年以前,金银的比价为 1∶15.5,到 1890 年就变为 1.22 了。从那时起银价更趋低落,而金银比价就更加向前变动了。这里简单地分为三个时期来说明。

第一是 1870 到 1914 年大战的时期。伦敦市场的银一盎司的价格,在 1833—1871 年的期间,在 59 便士与 61 便士之间动摇着;在 1871—1878 年的期间,就从 61 便士低落到 52.25 便士;在 1878—1891 年的期间,从 52.25 便士低落到 49 便士;以后一直低落,到 1900 年低落到 $28\frac{7}{16}$ 便士,到 1914 年更低落到 25 便士。

银价的低落,由于银的生产力的发展,这是不需絮说的。此外,使用银子制造日用品和奢侈品的需要之相对地减少(因为多用镀银品和铝制品代替银制品),也是一个原因。

这个时期中银价的低落，摇动欧美各国的金银复本位的基础，使得许多采用金银复本位的国家都放弃复本位而采用金本位。

其次是世界大战时期中的银价问题。大战爆发以后，银价突然高涨，因为交战各国都购用白银铸造了大宗的小额货币，交战各国对于东洋的商品的需要激增，所以世界各国对于白银的需要呈现空前的状况。而对于白银的供给方面，又因为墨西哥的内乱的结果，以致白银的生产量大见减少。这是大战期中银价高涨的主要原因。在大战以前，金银的比价为 1：37. 37，大战以后，因为银价增高的结果，金银的比价在 1917 年为 1：23. 09，在 1918 年为 1：19. 84，到 1920 年变为 1：15. 32，终于低落到所谓"神圣比率"1：15. 5 以下，这年的一月，达到 1：14. 7 的空前的低度：这是大战期中的银荒的状况。

但是到了 1921 年以后，银价却忽然一落千丈了。1920 年的银价，在伦敦市场每盎司为 61. 4 便士，在纽约市场每盎司为 1. 0194 美元，但到 1921 年，每盎司却突然低落 36. 7 便士或 0. 6309 美元。往后陆续跌价，除 1924 年以外，都是逐年看跌：到 1931 年，竟跌到 14. 69 便士或 0. 2870 美元的空前低价。

1921 年以来，银价低落的原因，大概不出下列两项：第一是白银产量的增加，而放弃了银本位采用金本位或金汇兑本位的国家都抛售白银。第二是一切用银的国家（当时中国除外），都放弃银本位而采用金本位或金汇兑本位，并大量抛售白银。于是白银的供给大大地超过需要，这是银价低落的原因。

当时维持银本位的国家，只有中国。截至 1929 年世界恐慌爆发时为止，中国的输入世界产银额约 50%，在 1929—1930 年间，输入达 56% 以上。这大宗的白银输入，主要的依存于国际借贷的平衡状态。中国到世界恐慌发生时为止，每年都是入超，消极的支付差额，都靠海外侨民的解款及国内外侨的解款所弥补。但世界恐慌爆发以后，银价的低落，引起银元的跌价，比较的相对的增加了输出，减少了输入，而国际支付差额，暂时呈现顺调，结果在 1930 年输入了 7500 万元、1931 年输入 2000 万元的金和银。但到 1932 年，因为英镑与日元低落的结果，中国银元就相对的腾贵，汇价除对美元继续低落外，而对金镑与日元却增高了。于是商品的输出减少，国际支付差额呈现反调，而金银外流，其输出额达 1 亿 2100 万元。1933 年，美元跌价，中国的贸易平衡更趋恶化，白银在对于黄金的关系上虽趋于低落，而在对于美元，英镑与日元的关系上,中国银元却腾贵了。于是输出减少,以致这一年的入超额达 7 亿 3400 万元。同时海外侨民的解款大见减少,结果全部支付差额的负数为 8500 万元 (以金银的形态流出于国外)。于是中国由输入白银的国家转变为输出白银的国家。美国白银政策实施的结果,银价提高,引起中国银元的腾贵,使中国的输出恶化,而白银流出于国外。中国政府为了贬低汇价的目的,实行课征白银出口税,并征收关税。其税率以中国银元与伦敦银价为标准,这是中国放弃银本位的先声(放弃银本位的经过情形,后篇再详细说明)。

以上由于金银比价的变动而引起的汇价的变动,常与汇价变动的其他原因相错综。由金银比价的变动而发生的汇价的变动,如果与由于其他原因而发生的汇价的变动,向着相同的方向而运动之时,汇价的变动就是两种变动的总和;反之,两者如果向着相反的方向变动之时,汇价的变动就变为两种变动的差额。但在现实上,白银的价值呈现低落的倾向,而在银本位国的支付差额大概是消极的,所以银本位国的汇价,由二重的原因而低落。白银完全受黄金支配着,所以银本位国必然受金本位国所支配。

三、禁止现金出口与汇价的变动

(一)金子的自由输出入与禁止现金出口

前段我们就很单纯的状态,考察了汇价变动的 3 个原因。在现实上这 3 个原因常是错综着,使汇价的变动呈现极复杂的现象。

前段说明汇价变动的诸原因时,我们是以现金的自由输出入一事为前提的。但在现实上,银行券流通着的国家的通货贬价,是在银行券变为不兑换纸币时才发生的现象,而银行券之转变为不兑换纸币,又是实行禁止现金出口与停止兑现时才发生的现象。所以汇价因通货贬价而变动的现象,现实上只有在禁止现金出口与停止兑现的前提之下才发生的。于是我们更进而研究禁止现金出口的国家的汇价变动的过程。

国际支付准备金,要在它能够自由地从一国流入他国之时,才能充分发挥其为世界货币的机能,否则汇价就首先失其安定。汇价如果失其安定,而汇价不断的大见动摇,国际的商品流通与资本流通,就大受阻碍,不但国际贸易失其常态,国际信用趋于萎缩,并且还发生其他种种的困难和混乱。

但是,资本主义的矛盾的发展的结果,却被逼迫着禁止现金出口,人工的限制世界货币的金子的机能了。

通常资本主义各国禁止现金出口的契机,是防阻恐慌与准备战争,这是准备金的各种机能互相冲突的结果。但到最近数年间,各国禁止现金出口,却增加了许多新的契机。在第一次世界大战以前,各资本主义国家国际借贷大体上还能设法保持平衡,而汇价也处于安定状态。在恐慌爆发的时候,虽然金子的出入出现异常的状态,而汇价也有异常的变动,但到一般的恐慌终息以后,金子仍能按照从前平衡状态下的各国特殊准备金的比例,再被分配于各国之间。但是到了大战以后,国际贸易的平衡大受破坏,金子的国际间的分配大起变化了:第一,第一次世界大战以后,德国的金融枯竭,被强制着实行"饥饿的输出",占世界六分之一领土的苏联脱离了资本主义世界市场,广大的殖民地及半殖民地国家的生产力的发展,缩小了帝国主义列强的商品市场。这是战后国际平衡大受破坏的原因。第二,战后政治的不安,落后民族解放运动的激烈,使得帝国主义者长期的资本输出变成不可能。结果,资本输出只能采取短期借贷的流通形态,因而资本不能转变为机能资本,而只能充当为投机的资本,成为恐慌的源泉。

基于上述的原因,各国所保有的现金准备,已不能按照它在世界市场中所演的作用而被分配于各国之间。国际的商品流通与资本流通已经逸出常轨,因而国际贷借就不能反映世界经济各构成部分的相互间的正常的新陈代谢作用。于是伴随于国际收支的变化而流通于各国间的金子,就不适应于世界市场上的作用而分配于各国之间,而金子的流通与分配就大起混乱了。于是各帝国主义国家(如英、美、法)就越发感到争夺金子的必要性,而演出争夺金子的猛烈的战争。它们都想夺取大量的金子,作为对付他国的竞争的武器与压迫的工具。夺取金子的战争是加深战争危机的原因,而战争危机的增进更加促进夺取金子的战争的激化。大战以后的各帝国主义国家间的"现金偏在"的现象,就是在这种情形中发生的。

各国争夺金子的战争虽然异常激烈,而金子的流出仍然是不能避免的。这种状态下的金子的流出,采取资本逃避与投机资本的两种形态。资本的逃避,是为了避免政治的经济的不安(如恐慌、战争、革命等),常从比较不安全的国家逃避到比较安全的国家(如金子由巴黎流到纽约,即其一例)。投机资本的流出,是为了安全而有利的目的,以短期放款形态而从一国移到他国的。

总括起来,金子的流出,大概可以分为两种形态:第一,是由于继续的入超(支付差额的反调)而引起的金子的流出。在这种场合,一国的现金准备激剧的减少下去,这种趋势如果无法挽回,国家就陷于破产。在这种场合,一国的准备金,为了发挥其国际支付的准备的机能,就不能发挥其国内兑换准备的机能。第二,是由于资本的脱逃与投机而引起的异常的金子的流出。在这种场合,以逃避资本或输出投机资本为目的的资本家,必利用兑换以取得现金输出于国外,以致引起一国的现金准备的急剧的减少。在这种场合,一国的现金准备,为了发挥国内兑换准备的机能,就不能发挥其国际支付准备的机能了。

现金准备的两个机能,于是互相冲突,结果准备的机能就陷于危机的状态,为限制现金准备的机能并免除危机,其唯一的方法就是实行禁止现金出口,这是各国所以实行禁止现金出口的由来。

禁止现金出口的目的,是为了限制并阻止准备金的准备机能的危机的,所以当实行禁止现金出口时,势必同时实行停止兑现,才能得到积极的效果(固然禁止现金出口也不一定必实行停止兑现)。如果单是禁止现金出口而不停止兑现,就不能杜绝现金的秘密输出,所以禁止现金出口的国家,必同时实行停止兑现的银行券,并不立即丧失其经济上的兑换性,这是前面已经说过的。

(二)禁金出口与汇价变动

现在这里要研究的问题,是禁止现金出口的国家的汇价如何变动的问题。为要说明这个问题,我们首先从该国的通货未曾贬价时的状况出发。因为禁止现金出口不一定同时停止兑现,并且即令停止兑现,也不一定立即丧失其经济的兑换性,所以上述的前提在事实上是可以成立的。

禁止现金出口,是停止现金输送的一种形态,所以在禁止现金出口之时,汇价的变动由现金输送点所限制的事实已不存在。在这种场合,汇价因支付差额的变动而无限的扩大其运动的范围。在这种场合,汇价的变动,有下述三种倾向:

第一种倾向,是禁止现金出口国家的国际借贷呈现顺调。当支付差额呈现顺调时,汇价势必腾贵,现金会从未实行禁止现金出口的国家流入于该国。

第二种倾向,是禁止现金出口国家的国际借贷保持平衡的状态。在这种情形,该国的汇价就停留于法定平价的标准,这是很明白的。

第三种倾向,是禁止现金出口国家的国际借贷呈现反调。当支付差额呈现反调时,该国的汇价势必低落。这种倾向如果继续下去,汇价也势必继续低落。因为在支付差额呈现反调之时,外国汇票求过于供,外国汇票的价格势必腾贵。可是该国所欠外国的债务,必须用外国汇票支付,而不能用输送现金的方法去偿还。于是在支付差额继续呈现反调时,外国汇票的价格的腾贵,就因竞争法则的作用而漫无限制。于是该国的通货就无限制的低落,在这种场合,通货的贬价,根本的原因是支付差额的反调,而直接的原因是禁止现金出口。否则如果输出现金以偿还债务,通货贬价的趋势是可以阻止的。但现在已禁止输送现金,通货自然继续贬价。于是禁止现金出口这个政策的本身,已没有阻止支出超过的能力,也没有阻止汇价低落的能力了。照这样,汇价的低落就是表示着禁止现金出口国家的通货,是在国际的支付抵消时的计算货币的机能上贬低价值了。

我们就日本实行禁止现金出口与停止兑现以后的情形,举例来说明上述的原则。日元对美元的汇价,在日本未禁止现金出口以前,日金百元折合美金50元(依日本重量名计算,日元的金量为二分,美元的金量为四分〇一二,为便于说明起见,姑假定如上述的比率)。但日本禁止现金出口并停止兑现以后,由于支付差额的反调,日元贬价,今假定用美元表现了的日元的价格降低了40%,于是日币百元只能折合美币30元了。在这种场合,若从美国输入与美金300元的金量(12两)相当的1000斤棉花,若用日元来折算,在从前只是600元,到现在就折合日币1000元了。又,从日本输出与美金300元相当的生丝100斤于美国,在从前折合日币600元,现在却折合日币1000元了。于是与12两金子相等的商品,其价格合现在日币1000元。这就是说,现在的日金1000元是与12两金子相等,即每一日元只与一分二厘的金子相当了(即日元贬价40%)。这就是说,日元在国际市场的计算货币的机能上贬价了。

日元的贬价,在日本国内出现为商品的涨价,必然引起日元在国内的流通的机能上的贬价。

在国际市场中贬价40%的日元,对于输出入的商品,给予了66%的腾贵了的名目价格(即从前 600 元的商品的价格,现在提高为 1000 元)。于是,输出入的商品,在日本国内的市场中就得到了这种提高了的名目价格。于是,以输出入商品为原料的商品以及与输出入商品相类似的日本所生产的诸商品,也依照这种比率而涨价。价格的腾贵,迟早就波及一切商品。如果输出入的商品,在日本国内商品市场中所占的比率越是增高,价格腾贵的波澜就越发以急速的速度而前进。

由输出入商品开始的一般商品价格的腾贵,与汇价低落的比率相适应。就前例说,日元贬价 40%,其国内商品的价格必会涨高到 66%。因为如果不是这样,输入就变为不利,输入量就会减少。而输出特别有利,输出量就会增加。结果,国内市场中的商品的供给量就减少了。国内商品的供给减少,引起商品价格的腾贵,在输入无利而输出有利的状态继续进行之时,国内商品涨价的过程也不停止。但到国内商品价格腾贵的比率,赶上汇价低落的比率时,输入的不利与输出的有利,就会两相抵消,而商品的输出入之量,就会回复到汇价低落以前的状态,国内的商品的供给量也会回复到以前的状态。例如,从前棉花千斤以 300 美元的价格输入于日本,收得日币 600 元,在日元未贬价时,双方的金量是相等的,现在日元贬价 40%,每元的金量为一分二厘,于是值美金 300 元的棉花千斤,名目上虽仍是 600 元,而实际上 600 元只与美金 180 元相当,输入商人决不把棉花输入,这是很明白的。所以输入棉花的商人,必定要等到棉花千斤折合日币 1000 元之时,才从美国把棉花输入于日本。其次,在一般物价没有增高 66% 以前,日本输出生丝的商人是很有利可图的。但是到了日本的一般物价涨高 66% 的时候,输出有利与输入无利的事实就消灭,而输出入之量就回复到原来的状态了。

当国内商品的价格腾贵与汇价低落率相一致,而输出入的量也回复到从前的状态时,那种成为汇价贬低的根本原因之支付超过,现在又显现出来。这种支付差额的负数,按照一般物价的腾贵率,也增高 66%。假如在禁止现金出口以前,国际借贷的债务为 12 亿日元,债权为 10 亿日元,结果负债 2 亿元。现在因为物价增高 66%,其债务应为 19 亿 9000 万元,其债权应为 16 亿 6000 万元。结果,负债应为 3 亿 3000 万元。

如果支付差额的反调继续存在,汇价势必更趋低落。这种反调不消灭,汇价就无限制的贬低,国内物价也无限制的高涨。这种情形,和纸币的通货膨胀时的物价腾贵与纸币流通量的情形是相同的(关于纸币的通货膨胀,下章另行说明)。不过,与汇价的低落成反比例而上涨的物价运动,在现实上并不如前面所述那样,以纯粹的姿态而出现。因为禁止现金出口是在恐慌或战争的场合实行的,所以由于恐慌与战争的作用,物价上涨的过程采取极复杂的姿态。

(三)购买力平价说及其批判

关于纸本位国与金本位国之间或两个纸本位国之间的汇价的形成及其变动的说明,有所谓购买力平价说(Pur Chasing Power Parity)。

购买力平价说,是现代货币数量学说大家卡瑟尔所倡导(由凯衍斯等所支持)的、两纸本位国间的汇价决定的理论,即两纸本位国间的汇价由两国通货的购买力所决定的理论。

卡瑟尔说:"对于外国货物支付若干货币这件事实,结局依据于这一国的货币对于外国的财货和劳务所有的购买力。一方面,提供本国货币若干的事实,实际上就是提供对于本国的财货和劳务的购买力。因而外国货币之由本国货币所评价(即汇价),主要的由两种货币在各该国所有的购买力之比所决定。如果甲国的通货发生膨胀因而减低其购买力时,甲国通货在乙国的价值,也会以同一程度而低落。如果乙国通货也同时发生膨胀而减低其购买力时,甲国通货在乙国的评价,结局就在与其通货膨胀相当的程度上腾贵起来。……在两国的通货发生膨胀时,就成立下述的规则,即新汇价等于旧汇价乘两国间通货膨胀率之比。当然,现实的汇价常离开这新的正常的汇价,而隔离的程度在过渡期更甚。但由上述方法算出的汇价,要看作是两国通货间的新平价,即汇价所常要归着于它的平衡点。这个平价,我们叫做购买力平价。"(见卡瑟尔著《经济学上的新思想》一书)。这就是所谓购买力平价说的概要。

关于购买力平价的计算,这派学者曾发明下述方程式:

$$购买力平价 = \frac{甲国物价指数}{乙国物价指数} \times 旧法定平价$$

上述方程式中的物价指数是表现各该国的通货购买力的,因为如果不用物价指数来比较,就不能测知各该国的通货的购买力。

购买力平价说的要点,就是认定汇票由甲乙两国间的一般的物价水准之差所决定,因而汇票的价格仅由两国的物价水准所决定,与金融市场的供求关系无关,与国际借贷的贸易差额及支付差额无关。所以卡瑟尔认定货币的价值由物价水准所决定,因而他主张"汇价之决定的变动,只在一国的一般物价水准在其与他国物价水准的关系上起了变动时,才能发生"。在这种场合,数量论者所考察的货币价值的问题,只是货币购买力平价的问题;而汇价的变动是两国物价之差的结果,即物价的变动是汇价变动的原因。

购买力平价说的根本意义,就在于主张安定物价是安定汇价的直接方法这一点。所以这派学者,想在纸本位状态之下,用购买力平价说作为安定汇价的根据,这种思想,本质上是所谓"有组织的资本主义"的思想。

物价不但在纸本位制之下不能安定,就是在金本位制之下,也不能安定。在金本位制之下,汇价的安定与平价,建筑在同位货币的平价之上;在纸本位制之下,汇价反映纸本位币对于金子的关系。在其他条件不变的场合,纸币的发行量越是增多,代表一定单位金量的纸币额也越是增多。所以基于纸本位币的汇价,最是脆弱,它受货币方面的原因所左右,最不安定。

在我们的研究上,代替同位货币的纸表章,依从于同位货币的平价,但在数量论者的研究上,汇价却由货币的购买力所决定,即物价对于任何本位货币都是决定的原因。但是当一国具有坚固本位货币(金子或直接间接与金子相兑换的纸表章)的时候,商品的价格究竟由什么东西去决定呢?商品的价格,当然是由它当中所包含的劳动量来决定的。商品价格的差别,是社会的必要劳动的生产性的程度的差别之结果。因而两个国家的劳动生产性,如果向着正反面的方向变动时,两国的商品之间,必然发生价格的差别。所以,如要使两国商品的价格接近起来,就只有使劳动生产性的两个不同的水准相接近,才有可能。因为各国的生产力的发展原是不平衡的。要排除这种不平衡,只是一个空想,因而想依靠安定物价以安定汇价那种购买力平价说,根本上是不能成立的。

价格是依存于社会劳动,依存于金子的生产所费的社会劳动,依存于该商品的生产所费的社会劳动的现象。因而价格的运动,局限于二重的依存关系,即对于货币与商品的依存关系之中。但资本主义的生产常与大众有支付能力的需要相矛盾，所以价格常背离于自己的价值。数量论者不能理解这一点，却主张用货币对于商品的数量的关系来衡量货币的价值。他们不知道价格是生产力的运动之表现，反而主张价格是通货膨胀和平价贬低的结果，因而创造所谓价格的差别是汇价变动的唯一原因的购买力平价说，这显然是汇价之庸俗的说明。所以购买力平价说，可说是从不能成立的前提出发的假定的理论。

四、汇兑政策

（一）汇兑政策的种类

在说明了汇价变动的诸原因以后，我们再进而说明资本主义各国所实行过的汇兑政策。不过，这里只是就第一次世界大战以前的各国所曾实行的几种汇兑政策，简单地加以说明，并借以指出外国汇兑上这种国际信用所依存的金子的基础。至于目前所喧嚣的所谓"汇兑管理"，留在最后各章中去说明。这里先检讨贴现政策。

贴现政策是大战以前各国中央银行的金融政策。贴现政策的目的，在于利用贴现率而自动地阻止现金的流出，引致现金的流入，借以调剂金融，安定汇价。

利率能影响于汇价，汇价也能影响于利率。在以两国相互间的汇价为问题时，两国间的利率的差异，能够影响于汇价。在这种场合，汇票贴现率的问题，即是金融市场的关系的问题。所以贴现率的变动，能影响金融市场。如果甲国贴现率和乙国贴现率比较起来，有了变动之时，这种贴现率就反作用于放款资本的运动，而影响于汇价。

贴现政策的根本目的，在于使支付差额平衡，以改善汇价。为谋实行改善汇价，就必须使贴现政策适合于金融市场的状况。因为支付差额，是影响于金融市场的一般状况的东西。所以英伦银行，通常每年变更贴现率六次，在恐慌期中，每年变更 10 次至 12 次。

贴现政策对于特定资本主义国家，是巩固现金准备、平衡支付差额及改良汇价的武器。贴现政策，对于外汇政策及放款资本管理的政策也是有效的武器。不过贴现政策也不是放款资本的唯一武器。因为银行利率提高，即是放款资本的利率提高，使生产资本的活动感到困难；反之，银行利率减低，即是放款资本的利率减低，在恐慌的条件之下，就反映出流通界的资本的过剩，表现出产业资本前利益的恶化。

利率政策在恐慌严重化的时候，很难收得上述的效果，因为在危机的时期，各国中央银行不能专靠利率政策以阻止金子的流出或流入。有时利率虽低而金子仍能流入，利率虽高而金子仍能流出。所以资本主义诸国，除了贴现政策以外，还利用外汇政策，以谋汇价的安定。

外汇政策有买卖有价证券及买卖外汇两种：有价证券的买卖，是中央银行出动于金融市场买卖有价证券借以影响利率而安定汇价的方法。有价证券的价格的差额，在结成一定支付关系的国与国之间，是由于利率的不平衡的运动而发生的，由于两国间利率的不平衡，就发生攫取这个差额的行为，这种行为的目的，在于取得两国或数国所有的信用证券及放款资本的市场价格的差额。通常放款资本的目的物，是种种产业的股票。如果甲地金融市场的股票价格比较乙地的股票价格低廉之时，资本家就从甲地买进股票送到乙地市场，借以攫取可能的利润。结果两地市场股票价格就会平衡。股票的市场价格的平衡化，就引起放款资本的再分配，而反作用于支付差额与汇价。至于要向着什么方向攫取那一个差额，这要看谁是债权者，要看放款资本向着哪一方面移动的。

各国中央银行为谋平衡支付差额以安定汇价。或者卖出证券，或者买进证券。第一次世界大战以前首先实行这种政策的是英伦银行。又如奥匈帝国，在1892年至1902年之间，每年有2000万克伦的消极的支付差额，银行为平衡这个支付差额，曾售出1亿7000万克伦的有价证券于外国。

外汇政策的另一种是外汇供需调剂政策。外汇的买卖能够预防汇价的剧烈的变动。通常外汇买卖的中心是银行。银行定期买卖外汇，在贴现率较高之时，卖出大量汇票，在贴现率较低之时买进来。换句话说，在本国货币的对外汇价低落时，银行卖出汇票，在对外汇价高涨时，银行买进汇票。所以这种政策，可以平衡支付差额，把汇价维持在一定的标准。为要实行这种政策，必须有相当巨额的调剂汇兑的资金。但汇价变动的根本原因是支付差额，如果支付差额继续的呈现反调，仅有大宗调剂汇兑的资金以买卖外汇，金子仍然继续流出于国外。

(二)汇兑政策之金子的基础

汇兑政策是安定汇价的政策。而安定汇价的政策,决定各资本主义国家间为着安定的本位货币而实行的斗争的必然性。但是,安定汇价的政策,如果没有金子做基础,其效力是很小的。所以各国的发行银行,都以争取金子而巩固本位货币一事,作为中心的任务。

发行银行是信用制度的枢纽,而金子又是发行银行的枢纽。如果没有现金准备,一切资本主义的信用(国际的信用在内)的基础就被颠覆。当作一般的货币商品看,金子出现为具有"全世界的商品"的形态的商品。当作"全世界的商品"看的金子,是"一般的商品流通的产物,是扩张其范围的手段"。

人们都知道,信用能逐出现金而夺取现金的地位。但信用一旦动摇,一切现实的财富,都突然被要求转变为金子。资本主义的信用之被拘束于金子,这是很明白的事情。

我们要理解资本主义的信用,就必须理解当作一般的货币商品的金子。当作一般的货币商品的金子,不仅是资本主义信用的基础,并且是强固的通货的基础。金子之成为信用经济的唯一强固的基础,就是说明金子是把货币经济的一切代用物都还原于自己的价值的契机。更进一步说,任何商品的价值,都要靠金子来表现。

所以,当作一般的货币商品的金子的一般性,是资本主义诸国间的一般关系的表现。

准备金的运动反映由一国推及他国的再生产过程。资本主义的扩大再生产过程,造出各国准备金之间的变动的相互关系。准备金通常是由于恐慌而从一国到他国再被分配的。贴现率的变动,就表示着黄色金属的准备金的去向。

汇价不单是黄色金属的国际运动的晴雨表,又是一切资本主义的再生产过程的晴雨表。我们已经知道,资本主义的信用,有两个形态,即商业信用与银行信用。这两种信用同是国际的,汇兑原是在这国际信用之下发生的。所以我们要理解国际信用与汇价的运动原因的关系,在根本上就必须理解资本主义信用的两个形态。在这种关系上,金子的流动与贴现率的运动,反映着适应于资本主义的循环各阶段的一般状况与银行信用及商业信用。

国际金子与支付差额的认识,只有依据资本主义之信用的认识才有可能。因而汇价的运动,不单反映准备金的状态,并且反映信用本身的状况。这一层,在金子是资本主义的信用基础的范围内,是非常明白的。

一切汇兑政策,都包含着短期信用,而信用的基础是金子,所以任何汇兑政策都以金子为基础。

第一次世界大战以后,准备金再度地被分配于各国之间,出现了不平衡的现象,因此人们都想从金子的锁链中解放出来,各国之放弃金本位,或许是这样的一种尝试。但在商品生产存在的限度以内,商品必然的采取货币形态。这种事情,客观上就是表明着:一切商品价值靠它表现的货币商品之存在,常是必要的。而这种货币商品,是从一切商品中抽取出来的商品,即金子。在现代资本主义的范围中,金子之国际的移动以及与它相照应的汇价的运动,是反映金子之本源的货币商品的本质。

附注:本章第一节第一段与第二节第三段中的一部分,主要地参考了宫田保郎所著的《货币的实际知识》。

习题七

一、试简述国际汇兑发生的原因。

二、试说明汇价的本质。

三、试说明汇价变动与贸易差额的关系。

四、试说明汇价变动与资本输出入差额的关系。

五、试说明汇价变动与通货贬价的关系。

六、国家禁止金银出口对于汇价有什么影响?

七、试说明购买力平价说的内容并加以批判。

八、试评论贴现政策、有价证券买卖政策及外汇买卖政策。

九、试说明汇兑之金子的基础。

第八章　通货膨胀

第一节　纸币的通货膨胀

一、纸币运动法则

（一）货币的流通法则

货币的运动的根本法则，我们在前七章中已经详细地阐明了。从本章起，我们更进而研究资本主义各国用人工方法破坏货币运动法则而引起的货币现象（货币与商品的联系的运动形态）。本章先研究通货膨胀。

通货膨胀是资本主义国家破坏货币运动法则而滥发通货所引起的通货混乱的现象。通货膨胀采取三种形态，即纸币的通货膨胀、汇兑的通货膨胀与信用的通货膨胀。这三种形态之中，纸币的通货膨胀，是本来意义上的通货膨胀，对其他两种形态来说，可说是狭义的通货膨胀，而汇兑的通货膨胀与信用的通货膨胀，可说是广义的通货膨胀。这三种形态的通货膨胀，是同一的而又是有差别的，我们要分别地研究了它们之后，才能得到通货膨胀的一般概念。本节先研究纸币的通货膨胀。

当研究纸币的通货膨胀时，应先理解纸币的运动法则。关于纸币的发生及纸币发行的条件，我们在前面已经说起，这里再进一层的阐明纸币的运动法则。

纸币是从货币的流通手段的机能发生的，只在发挥流通手段的机能时才代理金银货币。所以纸币是金银的表章，是当作金银表章看的价值表章。纸币之成为金银表章而发挥流通手段的机能，最初是因为它当作金银之象征的存在，由商品生产者的一般承认所保证，即因为它得到国家法律的承认而取得强制通用力。

"具有强制通用力的国家纸币,是价值表章的完成形态,是从金属流通以及商品流通本身直接生长而来的纸币的唯一形态。"所以国家的这种任务,并不能创造出纸币出现的可能性。因为价值表章或货币表章的机能及其成立的可能性,是从流通手段的本质发生的,是从金银货币发挥机能时的流通过程发生的。

因为货币表章是从货币自身的本质发生,不是从国家的法律本身发生的,所以国家的活动,至多也只能在一定经济条件之下去利用纸币发行的可能性,却绝不能创造出纸币代表金银发挥流通手段的机能的可能性。这一层是必须特别加以注意的。

纸币原是没有价值的纸片,只有在它于流通过程中代表金银货币时才有交换价值。纸币之相对的价值,由流通所必要的同名金银铸币量所规定。而流通所必要的金子(或银)的分量,由流通的商品价格总额所决定,所以纸币代表基于一定商品价格总额而应当流通的金币分量。如果纸币量比较流通所必要的金币量增加了几倍,纸币的价值就低落,每一单位的纸币就只能代表每一单位金币的几分之一。例如流通所必要的金币量为 1 亿金镑,现在如果发行 2 亿镑的纸币,每镑纸币就只能代表每镑金币的二分之一的价值;如果发行 3 亿镑纸币,每镑纸币就只能代表每镑金币的三分之一的价值。所以纸币的价值并不是直接的由纸币数量所决定,而是由它所代表的同名金币的金量所决定。

所以纸币没有固有的价值,也不直接的代表商品价值,而是代表一定的金量,是金子的表章。纸币不能成为价值尺度。就是在纸币流通的场合,金子仍是价值尺度。在这种场合,金子现实的流通与否,都不成问题。就是在纸币流通发生的场合,金子仍旧通过由金子所表现的商品价格而起作用。即是说,金子在其生产的源泉(或贸易)上,通过它与其他商品的经常交换而起作用。一般的等价物、一般的财富的具体物,仍然是金子。纸币本身,原没有任何价值,它当然不能充当一般等价物。纸币在其机能上,只成为一般等价物的代用品,只代表一般等价物。

正因为纸币没有固有的价值而只是代表一定金量的价值,所以发行纸币的国家机关在纸币运动法则上所起的作用,是很受限制的。"国家是可以把任意的纸币数量加上任意的名称而投入于流通的。但这种机械的行为一完结,其支配也随着完结。不论是价值表章或是纸币,在被拘束于流通之时,就受自身的内在法则所支配。"

纸币的名称与其现实所代表的金子价值的乖离,反映于商品价格的变动之中。当一定的纸片不代表它上面所记载的一金镑而只代表半金镑之时,商品的价格就随着发生变动,即从前与一镑金币等价的商品,现在有两镑纸币的价格了。商品经济中价格的变动,是强硬的贯彻货币运动法则的本源的行为,是使纸币的名目结合于其现实的金量的行为。就前例说,当 2 亿镑纸币代替1 亿镑金币而流通之时,价格必随着增加为两倍。所以国家虽然可以把任意的纸币量投入于流通,但在其他条件不变之时,纸币量仅能代表必要的金子同一分量。纸币的增加,只能使商品的价格适应于它而腾贵。

金子是因为具有价值而流通的,而纸币是因为流通了的缘故,因为它在流通中代表金子的缘故才具有价值的。当纸币现实的代表同名金币的流通必要量而流通之时,纸币的现实的运动法则,人们还不会感觉到,每一纸币单位是会代表那名目的金量的。但到了纸币量与流通所必要的同名的金币量不相一致之时,纸币的运动法则,就被人们所感觉到了。

在纸币的流通量不超过现实的金币流通的必要量的范围以内,纸币的发行还是健全的。照这样发行的纸币,确是国家收入的源泉。例如第一次世界大战以前,德国有少量的国家纸币与有准备金的银行券一同流通着,这时的纸币的发行,并不曾发生问题。一般地说来,在第一次世界大战以前,即在资本主义的一般危机时代以前,资本主义国家的纯粹的纸币流通是异常稀少的。当时所谓正常的生产、正常的商业,要求着确实的货币。生产与商业上的国际关系的发展与国际信用的增大,要求着确实的货币。所以从前许多资本主义国家的工商业,是很顺利的发展着,而这种顺利的发展,与向着确实的金本位币的推移相结合。这正是所谓自由的资本主义时代与战前帝国主义阶段的各国所以在极有限制的范围内发行纸币的理由。当时的纸币是与金子一同流通着,一同发生作用,并与金子相兑换。只有偶然在激烈的危机(如战争)发生时,资产阶级才实行纸币流通。并且也只有贫穷的国家才完全实行纸币流通(例如奥国)。

关于纸币的运动法则,上面已经详细的说明过了。再简括的说来,纸币的数量在不超过它所代表的同名金币的流通必要量的场合,纸币能够代表它票面所记载的同名金币的价值,——这就是纸币的运动法则。所以纸币运动法则,只是金银—货币运动法则的反映。

(二)货币运动法则的破坏与通货膨胀

纸币是由国家在一定商品经济的条件之下发行,给以强制通用力而投入于流通中的东西。但资本主义的国家是资产阶级的国家,资产阶级国家所发行的纸币,必然具有一种阶级性。在发行的纸币量不超过它所代表的金币流通必要量的场合,纸币能代表同名金币的价值,这时纸币发行的利益,归属于资产阶级国家,这是很明白的。在这种场合,纸币与金币一同流通,一同发生作用,有时还能与金币相兑换,所以纸币的阶级性还是隐藏着。但到了完全的不兑换纸币流通出现时,纸币的阶级性就明白的在表面上暴露了。

超过了限度的纸币的发行,是恶性的强制借款,是非常的课税手段,是不须偿还的借用证书,是大众生活的恶化与财政紊乱的祸根。像这样超出限度的纸币的发行,大都是在恐慌、战争或其他非常时期的现象。因为现代资产阶级国家遇到财政的极端穷乏而无法课征赋税时,总是要利用纸币发行的可能性。纸币流通的广泛的利用的可能性,包含于独占资本的发达过程中。少数独占资本家,在各国都占着枢要的政治地位,所以更能够现实的广泛的利用纸币的流通。

超过了限度的纸币的发行,能够提高一切商品的价格,促进资本家的投机,减少劳动力的价值以增加剩余价值。所以各国资产阶级在所谓自由资本主义时代和战前帝国主义时代,每逢遇到非常时期,常利用这种方法以减低劳动力的价值而增加剩余价值。在 19 世纪初期,首先实行纸币流通的是英国,其次是美国。至于奥地利却是特别,常常流通了纸币。但到了资本主义的一般危机的时代、大战时期及战后的时代,资产阶级国家却在空前的规模上利用纸币的发行,作为再分配收入的手段,作为恐慌及战争时的筹款手段,以资本的再分配及筹集大资本为目的而加强大众的剥削了。

英国的纸币流通,是在 1797—1821 年之间实行的。纸币最跌价的时期,是 1812—1815 年,其减价率低到 25%—30%。纸币的分量,在 1814—1815 年达到最大限,较以前增加为 3 倍。其次,英国的纸币流通期,是在 1914—1925 年,这时期纸币的分量很大。1920 年,纸币流通的发展,达到最高点,这一年纸币的分量增加到战前银行券的 16 倍,物价指数涨到 3 倍以上。1931 年,英国实行了停止兑现,镑价低落 25%。

法国在第一次大战时期,把货币流通量增加到 6 倍以上。物价指数涨到 3 倍以上。其后大战虽然终熄,而法国却从 1924 年起实行通货膨胀,通货数量由战前的 60 亿法郎增加到 510 亿法郎,物价指数比较战前涨到 5.4 倍。

德国在第一次大战时期及战后的流通量,达到令人非常可惊的数字。列表如下:

单位:百万马克

	中央银行财政部证券保存额	中央银行券流通额
1914 年	未详	3500
1920 年	60634	68805
1921 年	132330	113639
1922 年	1184464	1280094
1923 年	6578650938818	2496823909038

如上表,德国纸币马克在 1914 年为 35 亿,到战后 1923 年 11 月竟达到 2496823909038 百万马克的天文学的数字,与战前比较,增加了 7 亿倍,每一美元合 4 兆 2000 万亿马克。在这里,我们可以看到德国资产阶级政府利用纸币印刷机的阴谋,可以想见无数印刷机昼夜不停留的在印刷着纸马克。可是这种阴谋的结果,使得一个纸马克的价值仅等于一个金马克的几百千万分之一,即等于废纸。这就是所谓纸币通货膨胀的现象。

在达到世界恐慌顶点的今日,资产阶级差不多到处都向着纸币的通货膨胀的途径前进着。

二、纸币通货膨胀的法则

(一)纸币减价与物价腾贵

当纸币流通量超过它所代表的同名金币的必要流通量之时,纸币的运动法则就明白的为人们所感觉到。在这种场合,纸币名与它现实的所代表着的金币价值的不一致,首先反映于商品价格变动之中。例如就德国说,流通所必要的金马克之量,假定为 35 亿,这时发行 35 亿马克纸币,每一马克纸币恰恰代表着一马克金币的价值。如果发行 70 亿马克纸币投入于流通时,每一纸马克只代表半个金马克,于是从前与一个金马克的价值相当的商品,必然的取得两个纸马克的价格,即价格提高为 2 倍了。

这样的物价腾贵,是对于多余分量的纸币流通的事实的反动。所以物价腾贵表现纸币的减价,并不是商品的金价格的腾贵,而是纸币减价的现象形态。这种现象并不是商品真正的增加了价值,而实是纸币价值的低落。

纸币本身原是没有价值的纸片,它只有在流通中代表金币时才具有价值。所谓纸币的减价,实是它所代表的金量的价值的减少。这就是说,纸币比较从前只代表着少量金子的价值。所以纸币的价值并不直接的由纸币本身的分量所决定,而是由它所代表的若干金量所决定。就前例说,两个纸马克代表一个金马克时,一切与一金马克价值相等的商品,必然有两个纸马克的价格。物价腾贵虽是必然的,却也只是名目的。

但是物价腾贵的过程,在现实上并不是正确的适应于多余的流通纸币量而腾贵的过程。现实上物价腾贵的过程,大致可以看出下述四个倾向:

第一,商品价格的高低,不单由货币方面的原因所左右,并且还由商品方面的原因所左右。譬如有少数的生产部门,如果劳动生产性增了了,每一单位商品所体现的劳动量就减少,因而它本身的价值减低了。在这种场合,即令纸币的流通量增加为 2 倍,而这些部门的商品的价格比较的当不至腾贵到 2 倍。

第二,物价腾贵的过程常是不平衡的。当多余的纸币量流通时,常是直接的、需要比较迫切的商品首先涨价,以后才逐渐波及一般商品的世界。而需要最大的商品常是很快的大涨价。

第三,纸币的发行虽然不断地增加着,但物价腾贵的趋势,有时偏重于某些部门的商品群,有时偏重于另一些部门的商品群。一般地说来,独占的商品比较非独占的商品很快的涨价,工业品比较农业品很快的涨价。劳动力这种商品比较其他一切商品涨价的步骤很迟缓。这些事实更加促进物价腾贵的不平衡。

第四,发行纸币的过程越是迅速,物价的腾贵就越是不平衡。

所以物价腾贵的倾向,原则上虽然由纸币代表金币单位的若干分量的事实所决定,但这种倾向现实上常与其他许多倾向相对立,因而全商品世界的价格腾贵,现实上并不直接的、正确的适应于多余纸币流通量。

如上所述,物价腾贵由于纸币的减价,即由于纸币的通货膨胀。随着纸币的通货膨胀的成长,物价就不断的高涨。在这种情形之下,"有纸币的人,谁都想赶快的把纸币换成商品;有商品的人,谁都想看着商品价格的高涨,想努力延长一点时候去保存自己的商品。前途暗淡,物价疯狂似的高涨。谁都想把跌价的纸币推到别人手里,因而形成了投机家牺牲别人以攫取不劳而获的财货的地盘"。在这种时候,物价究竟怎样变动,纸币所代表的价值究竟怎样变动,都是不能预测的,所以资本主义的一切经济生活,都陷入于不可名状的混乱。我们试图追溯德国在战时及战后的通货膨胀的经过,就可以明白当时德国经济大混乱的情形。

纸币的减价不单出现为物价腾贵,并且出现为现金的纸币价格。现金的纸币价格,即是纸币对于金币的贴水。

(二)现金的纸币价格=纸币对于现金的贴水

我们已经知道,金子是表现全部商品世界的价值的东西,它本身并没有什么价格。金子是一般等价物。就是在纸币流通的场合,金子仍是一般等价物。但是在这种场合,由金子所秤量的一切商品的价值,现在好像是由纸币单位所秤量了,因为金标准的大小变得好像由纸币所左右,因而金单位被同名的纸币单位所表现了。于是金子好像在纸币之中得到价格了。就前例说,一个纸马克早已代表半个金马克,因而要代表一个金马克,必须要有两个纸马克。这就是说,一个金马克的价格是两个纸马克,即纸马克对金马克,要实行百分之百的贴水。但在法律上,德国的价格的本位仍是马克,仍是与原来的金马克同样的称呼,但在经济上,一马克(即纸马克)只与半个金马克相等,即是对于半个马克的称呼。因而德国的价格本位,在事实上已经贬低了(即贬低了一半)。照这样价格标准的贬低,不单是在法律上显现的,而且是在经济上显现的。一般地说来,法律上的平价贬低,比较经济上的平价贬低要落后。今日所宣称的平价贬低,是指法律上的平价贬低说的(后面另有说明)。

现在我们来说明金子的纸币价格及贴水(贴水是对于名目的涨价)的合法则性。我们姑先假定金子的买卖完全自由,而金子的生产与贩卖的条件是不受国家拘束的。在这种假定的场合,贴水程度的高低,按照纸币减价的程度来决定(这时国际关系姑不涉及)。换句话说,金子的纸币价格与商品的纸币价格,其腾贵的程度一致。因为贴水与物价腾贵,只是同一本质之不同的现象形态。但如上所述,价格腾贵过程,在现实上是不平衡的,所以贴水过程与物价腾贵过程两者是各不相同的,这一点对于两者的关系也发生影响。在纸币发行速度迟缓(因而纸币的减价比较迟缓)的场合,商品的需要超过金子的需要,因而物价腾贵比较金价腾贵更快。反之,在纸币发行速度迅速(因而纸币减价比较迅速)的场合,金子的需要超出商品的需要,因而金价腾贵比较物价腾贵更快。因为金子在纸币流通时期中,仍是一般等价物而与一切商品相对立。纸币的急速减价,能刺激货币储藏人对于金子的需要。并且,纸币量之社会的分布,在这里也是一个决定的契机。如果纸币的减价步骤比较迟缓,小资产阶级层还肯储藏纸币,投机也比较的少。如果纸币减价步骤比较迅速,就没有人储藏纸币,投机盛行,投机利润也很快的增加起来,资产阶级努力使纸币转化为现实的价值。于是贴水也比较商品价格更急速的增高。

但是,贴水的腾贵与物价的腾贵的差异,造出平均化的倾向。在物价比较贴水急速腾贵时,金生产企业的生产费就增加起来,金生产企业家势必抬高金子的纸币价格。如果贴水比较物价急速腾贵时金价势必影响于物价的腾贵。又,如果贴水受了纸币减价与现金藏匿的影响而腾贵之时,在这种条件之下,纸币的"秤量单位"就被排除,所以贴水直接促进物价的腾贵。于是金子开始直接地自行出现为价值尺度,直接的发挥价格标准的机能。当金子的纸币价格如果增高了 20 倍而商品的纸币价格只增高 15 倍之时,一切商品生产者为保存自己的商品的金价格,就要努力用 20 倍的纸币价格出卖。在这种条件之下,物价的腾贵比较纸币量的增加更为迅速,就会呈现金融紧急的现象。不过在纸币增加的步骤比较纸币减价的步骤还少的时候,就会发生压抑物价而使其低落的倾向。

在另一方面,贴水的腾贵如果比较物价腾贵还迅速之时,物价就比较低廉,对于金子的生产较为有利,于是从前因为成本过高而未曾开采的金矿,到这时就可以实行开采了。在这种情形之下,金子的供给可以增加,而金子的纸币价格就会低落。反之,在物价腾贵超越于金价腾贵时,就会提高金子的生产费,因而促进金子的纸币价格的高涨。

以上所述,是从前面所假定的前提出发的,并且还没有涉及国际关系。但在现实上,任何资本主义国家,无论其本位货币如何惨跌,经济如何混乱,仍是世界经济中的一环。并且,在纸币减价时期中,国家对于金子的自由的生产,金子的买卖与输出入,总不能不加以相当的限制。所以贴水虽是纸币流通的减价时期中的内在现象,是与其铸币名必然不一致的金子的纸币价格的现象,可是在国际关系的领域中,贴水仍然受到对外关系的反作用,而反映于汇价之中,显出更复杂的现象。这一层,在前面研究汇价的变动时已经说及,后面研究汇兑的通货膨胀时再行讨论。

(三)纸币通货膨胀本身的发展过程

现在我们研究纸币通货膨胀的过程及其法则。我们已经知道,所谓纸币通货膨胀,就是纸币流通量超过流通必要量之时所引起的纸币减价及物价腾贵的现象。

这里我们首先要问:纸币流通量究竟是怎样的超过流通必要量呢?我们已经知道:货币的流通必要量,是由流通的商品价格总额与同位货币的平均速度的诸契机所决定的,即是由商品的生产及流通诸条件所决定的。所以货币流通必要量,不由人们的意志所决定,国家的任务,至多也只是估计商品的流通所必要的货币量,大体上适应于这种状态而发行纸币。不过这种估计,是很困难的事情。在无政府状态的商品经济中,商品的流通额,今天和昨天不同,明天和今天不同,本月与下月不同,这一季节和另一季节又不同,因而流通所必要的货币量就不易估计,国家所发行的纸币量与流通必要量,总难期其一致。

发行纸币与发行银行券不同。银行券发行过多时,多余的银行券自然的退出流通界,银行券的发行太少时,货币就从流通的贮水池流入于流通界。至于纸币的发行,却缺乏这种调剂作用。纸币如果发行过多,那多余的纸币不会退出流通界,因为它只有在流通界才代表现实的金币的价值,它不能因兑现而归还于纸币发行机关,也很少被人们储藏。所以国家要维持纸币的价值,就只有使发行量不超过流通必要量。但要使纸币发行量不超过流通必要量,如上面所述,在平日也是困难的事情。例如在特定的季节,农产物大量的流通于市场,农民们大量的卖出农产品买进工业品之时,流通的必要货币量,比较平时是显然增加的。国家为适应这种必要,可以多发行一些纸币,去代替现实的货币而流通。但等到这种特殊季节过去以后,流通的必要货币量虽然较前减少,而从前已经发出的多余的纸币,仍旧停留于流通界。所以超过必要量的纸币流通量,在寻常时期也是有可能的。

不过我们要说明的,不是那种寻常的场合,而是国家当着恐慌或战争的非常时期而滥发纸币的场合。在这种场合,国家因为财政困难,又不能另辟财源,其唯一的方法就只有不断的增发纸币,作为课税的手段,借以应付财政上的需要。在这种场合,纸币流通量必然超过必要量,必然引起纸币的减价与商品的涨价。纸币的过剩发行越是增多,纸币在流通中所代表的金量的价值就比例于纸币过剩的程度而减少,物价也适应于纸币减价的程度而腾高。纸币的洪水一经奔腾于流通界,物价的腾贵就漫无限制。

例如德国在1914年当时流通着的纸马克是35亿。姑且假定这时纸马克未曾超过流通的必要货币量,即一纸马克现实的代表一金马克的价值。往后因为战费的无着落,在一定期间发行了17.5亿纸马克。于是流通必要的35亿金马克,由52.5亿纸马克所代表,即一纸马克只代表0.666金马克的价值,物价因而涨高50%。因而德国政府增发17.5亿纸币的结果,取得了与11.66亿金马克相等的价值。往后如再要取得与11.66亿金马克相等的价值,就非再增发26.25亿纸马克不可。于是流通中的纸币量就膨胀为78.75亿纸马克,每一纸马克只代表0.444金马克的价值。物价因而涨高为225%了。照这样的步骤去增发纸币,只要实行几十次,就会达到天文学的数字。于是纸币信用完全丧失,物价自然随着涨高几百千万倍。

以上只是就单纯的抽象的形态说明纸币通货膨胀本身的发展过程。在现实上,纸币通货膨胀,不一定是政府机关(如财政部)本身滥发纸币的结果。当政府通过发行银行而不断的发行银行券,以致银行券丧失信用而转变为纸币之时,也同样发生纸币化的银行券减价与物价腾贵的现象,即纸币通货膨胀的现象。关于这一层,在前面论述银行券的纸币化一节中已经说过,后面考察信用的通货膨胀时,还有详细的说明。

(四)纸币通货膨胀的法则

总之,纸币通货膨胀,是国家在恐慌或战争等非常时期中基于财政上的目的而滥发纸币的结果。当政府凭借纸币印刷机筹款时,纸币通货膨胀,就采取加速度而发展:第一,因为政府从前依靠征税等方法以取得收入的事实,就更趋困难,国家的总支出,就越发不能不利用纸币。第一次大战后德国的通货膨胀,从1919年起变得更为厉害,到了1923年,国费的80%—90%,都依靠纸币印刷机去筹措,即其一例。第二,纸币减价,比较纸币增发的速度更快。因为纸币减价,很敏感的影响于汇价,使纸币的对外汇价低落到纸币的时价以下。并且,减了价的纸币,由于负担的转嫁,很迅速地从这手移到那手,使纸币流通速度加快,而纸币就更加迅速的减价,而物价就随着很迅速的高涨。

以上所述纸币通货膨胀过程,在现实上常受许多人工的或自然的诸作用所影响,不一定采取上述单纯的步骤。例如纸币流通量虽然超过流通必要量1倍,而少数生产部门劳动生产性增加的结果,却能够相对的阻止物价的高涨,因而物价不一定涨高1倍。又如,政府在一定时期增发了若干纸币以后,实行增加课税或卖出公债以收回一部分纸币时,也能阻止纸币减价及物价腾贵的速度。所以纸币通货膨胀这种特殊规则的纸币运动,在现实上常受人工的自然的作用,而变更其运动形态。

纸币通货膨胀的过程,是人工的破坏纸币运动法则而不断的滥发纸币投入流通的过程。在这个过程中的纸币之有规则的运动,形成纸币通货膨胀的法则。纸币通货膨胀的法则,即是因破坏纸币运动法则以后的纸币流通法则。换句话说,纸币通货膨胀,由于破坏纸币运动法则以后而发生发展,到最后终于破裂,这种发生、发展及破裂的倾向,即是纸币通货膨胀的法则。

所以纸币通货膨胀的过程,可以分为三个阶段:第一阶段,是纸币通货膨胀发生的阶段,也可以说是"潜伏的通货膨胀"的阶段。在这个阶段上,纸币流通量已经超过流通必要量,纸币的减价和物价的腾贵已经开始。但多数的人们还以为物价腾贵是起伏不定的暂时的现象,还以为是通货价值不会减低的异常的现象,因而对于纸币的信用还不曾丧失,还愿意照旧的把纸币暂时储藏着,但大资产阶级及银行,基于过去的恐慌或战争的经验,感到自己的财产的价值,将因信用恐慌或银行恐慌的爆发的危机而受损失,就开始变卖自己的股票、土地等,用现金形态保持财富。在这种时候,纸币之退出流通界而转变为储藏手段的部分,反而异常的增加起来。

第二个阶段,是通货膨胀发展的阶段,也可以说是通货膨胀的假繁荣的阶段。因为,随着纸币流通量的增加,物价的腾贵与汇价的低落,就达到显著的程度。于是情势大变,资产阶级首先把所储藏的大宗纸币投入于流通,其后小资产阶级大众也照样投出所储藏的纸币。于是"潜伏的通货膨胀"就突然的在表面上暴露。在这种时候,通货的安定完全丧失,物价继续上涨。人们都实行"纸币的实物化"的运动,都出现为购买者,形成通货膨胀的虚伪的繁荣,于是投机特别流行,生产也有增大的倾向,消费也随着增加。在这投机的过程中,产生了许多通货膨胀的富翁。可是在另一方面,大众的生活水准逐渐降低,小资产阶级层大部分必然的没落下去。于是大众被掠夺被吞没的过程,就在这个阶段中发展下去,终于要进到最后的阶段。

第三个阶段,是通货膨胀破裂的阶段。因为大众被掠夺被吞并的过程,在纸币洪水横流的时候,就遇到了最后的障碍。通货膨胀的虚伪繁荣已经衰落下去,因而以通货膨胀为利益的大资产阶级,到这时也感到通货膨胀失其意义。于是纸币的价值几等于零。商品的生产和流通,虽然还在可怜的状态下继续着,而等于废纸的纸币,不能发挥流通手段的机能。这时供给社会必需品的小商品生产者大众,对于无价值的纸币深恶痛绝,宁肯回到自给自足的物物交换的状态。大资产阶级虽能日食几千万马克的咖啡,而一般大众却很难得到一点生活资料。社会的生产与资本家的占有的矛盾,就必然会发展为阶级拮抗。于是由于通货膨胀的破裂,就会引起经济的政治的总危机。

第二节　汇兑通货膨胀与信用通货膨胀

一、汇兑通货膨胀

(一)汇兑通货膨胀的过程

前节已经说明了本来意义上的通货膨胀,即纸币通货膨胀,本节进而说明汇兑通货膨胀与信用通货膨胀。先说明汇兑通货膨胀。

我们在前章研究汇价时,曾经说明了汇价变动与禁止现金出口的关系,这里特就那种场合出发,说明汇兑通货膨胀的过程。

当一国的国际借贷的差额继续呈现反调时,该国本位货币的对外汇价,势必继续低落。汇价低落到现金输出点时,现金必然继续流出国外。于是为谋防止准备金的准备机能的危殆,该国就只有实行禁止现金出口。这里我们先假定该国禁止现金出口并不曾同时停止兑现(因为禁止现金出口并不一定同时停止兑现)。在这种场合,汇价的低落势必反映于国内的物价腾贵之中。物价的腾贵当然首先从输出入的商品开始,然后才逐渐推及于其他一切商品。例如汇价如果比较从前减低了 40%,国内的物价就涨高 66%,这是很明白的。

物价这样的腾贵,就是表明该国本位货币在世界市场的计算货币的机能上已经减价,而该国的价格标准在事实上已经贬低了。这价格标准的贬低,当然只是名目上的东西。因为原来与 100 金镑的价值相等的商品,现在得到了 166 镑的价格。可是,依照前面的假定,这一国的金镑仍在国内流通着,于是叫做一镑的铸币,被当作 3/5 的金镑通用了。因为金镑这时已不是在其金子的纯量上流通,而是在其面额的计算上当作一般等价物。从前与 100 个金镑相交换的商品,其价值现在虽然不变,却有 166 镑的价格了。这就是说,金镑本身所含的金量虽然照旧,而在流通中却被当作 3/5 的金镑通用了。这就是说,金镑在流通手段的机能上,已经减价 40%(即 2/5)。

为什么一个金镑被当作 3/5 的金镑通用呢? 这是因为由于汇价低落,同时引起了价格标准之事实上的贬低。不过这种情形,只限于禁止现金出口而金镑仍在国内流通的场合,才是这样的。在现实上,汇价不会突然低落 40%(这是为了便于说明才这样假定的),并且禁止现金出口时,也不会放任金本位币在国内贬价流通。因为价值充足的金币若在国内减价流通,人们势必要把这种金币秘密的输出于国外。所以禁止现金出口的国家必同时停止兑现,把金币保存起来,而单只流通银行券。不过这种不兑换银行券,虽然有转变为不兑换纸币的可能性,但在它没有丧失信用以前,仍是银行券,不是不兑换纸币。

当银行券代表流通所必要的金币量而流通之时,如果代表一个金镑的一镑银行券只当作 3/5 的金镑而通用之时,这一镑的银行券所代表的价值,就只和 3/5 的金镑的金量相等。于是一镑银行券对于一金镑,要贴水 66%,即每一百金镑的银行券价格为 166 镑。

银行券对于金子的贴水,好像和前面所说的纸币对于金子的贴水,是相同的现象,但实际上却不相同。金子的纸币价格是纸币减价的现象。而纸币的减价,是由于纸币流通量超过了流通必要量,这是前面已经说过的。至于银行券对于金子的贴水,却是由于汇价低落所引起的金价格标准之事实上的贬低,而物价与金价格标准的贬低成反比例而腾贵;在这种场合,金币与物价腾贵成反比例而减价,而代表已减价的金币的银行券,又反映出金币的减价,发生出对于金子的贴水。所以银行券对于金子的贴水,与纸币对于金子的贴水,两者发生的原因不同,发生的过程也不同。

当物价因汇价低落而涨高 66% 时,为实现这腾贵的价格所必要的金币量,也要增加 66%,因而代表这金币量的银行券,也要增加 66%。在这种场合,通货膨胀是根源于流通必要量而来的膨胀,并不是超过流通必要量的纸表章的膨胀。但在纸表章代表减了价的金币而流通的范围以内,纸表章的减价在事实上已经发生了。

如果支付差额继续呈现反调而汇价再继续低落时,与它成比例的物价腾贵就漫无限制,因而通货也无限制地膨胀。这种由于汇价低落和物价腾贵而发生的通货膨胀,叫做汇兑的通货膨胀。

汇兑通货膨胀,在外观上好像和前述纸币通货膨胀相同,但两者的发生原因和发展的经过,却是不同的:

第一,汇兑通货膨胀发生的原因,是支付差额的继续呈现反调。因为支付差额的反调,就实行禁止现金出口并停止兑现。于是汇价继续低落,价格标准在事实上必然贬低,物价一般必然地随着上涨,通货在流通手段的机能上随着减价,于是银行券流通量随着增大,发生了汇兑的通货膨胀。

第二,纸币通货膨胀发生的原因,是纸币流通量超过流通必要量。由于纸币流通量的增大,就形成通货膨胀,于是纸币在流通手段的机能上减价,物价一般随着腾贵,最后价格标准在事实上贬低。

上述两种通货膨胀的发生原因及发展经过,是各不相同的。可是这两种通货膨胀,虽有差别,却又互相联系,互相推移。

汇兑通货膨胀可以转变为纸币通货膨胀,纸币通货膨胀也可以转变为汇兑通货膨胀。现在我们来说明这种转变过程。

(二)汇兑通货膨胀与纸币通货膨胀的关系

汇兑通货膨胀发生的原因,如上面所说,是由于国际借贷的差额继续呈现反调,因而实行禁止现金出口,并停止兑现。但若支付差额的逆势不能挽回,汇价势必继续低落,物价也必继续腾贵,而汇兑通货膨胀就必然继续发展。当银行券继续发行之时,银行券的流通量就大大增加,就不能不影响于准备金。如果准备金不能增加,其准备金对于增大了的银行券的比率就相对地减少。银行券如果继续增发,准备金相对的比率就不断的愈趋于减少,因而银行券的信用就必然的不能维持。银行券一经丧失信用,就转变为纸币,就受纸币的运动法则所支配,这是在第五章已经说明了的。所以,当着纸币化了的银行券的流通量超过它所代表的金币流通必要量之时,汇兑的通货膨胀就必然转变为纸币通货膨胀。这种转变的过程,固然在现实的发展上,要受恐慌或战争的作用所影响,不一定采取上述单纯的形态,而这种转变的必然性却是确实存在的。

当汇兑通货膨胀转变为纸币通货膨胀,这两种形态的通货膨胀就重叠起来,而物价的腾贵的倾向也是重叠的。物价一方面由于汇价低落而腾贵,另一方面又由于纸币减价而腾贵。同时,汇价的低落也是重叠的,即一方面由于支付超过与禁止现金出口所引起的平价的变动而低落,另一方面由于纸币减价的原因而低落。

以上是由汇兑通货膨胀到纸币通货膨胀的转变过程。其次再说明纸币通货膨胀到汇兑通货膨胀的转变过程。

我们先假定某国在发生纸币通货膨胀时,并不曾禁止现金出口。在这种场合,该国的纸币减价,纸币对于金子要实行贴水。于是金子势必继续流出于国外。这时,该国为保持准备金起见,就不能不实行禁止现金出口。于是该国的汇价就因二重的原因而低落,即一方面因纸币的减价的原因而低落,一方面又因为禁止现金出口的原因而低落。在这种场合,纸币通货膨胀就转变为汇兑通货膨胀了。

当纸币通货膨胀转变为汇兑通货膨胀时,这两种形态的通货膨胀就重叠起来,物价腾贵的倾向,汇价低落的倾向也是重叠的。

所以这两种形态的通货膨胀,其发生原因与发展经过虽然各不相同,而两者却有互相推移的必然性。这种互相推移的必然性,同是准备金两种机能的危险冲突的表现。

我们在第五章中已经说过,准备金有两种互相矛盾的机能:一是国内兑换准备的机能,一是国际支付准备的机能。如果一国的准备金减低到必要量以下之时,这两种准备机能,就会陷于危险冲突的状态,一种机能如被阻害,其他各种机能也大受影响。当准备金的国内兑换准备机能首先被阻害之时,国内的流通就发生障碍,到了丧失信用之时,结果要引起纸币通货膨胀。到了纸币通货膨胀发生以后,准备金的国际支付准备机能,就大受影响,而国际的流通就发生障碍,结果要引起汇兑通货膨胀。反之,当国际支付准备机能首先被阻害之时,也同样要影响于国内兑换准备机能,也会经由汇兑通货膨胀而引起纸币通货膨胀。

二、信用通货膨胀

(一)繁荣期的信用通货膨胀

现在我们说明信用通货膨胀。

信用通货膨胀,与普通所说的信用膨胀不同。信用通货膨胀,是信用膨胀的特殊形态,而一切信用膨胀,并不一定都变为信用通货膨胀。所以在研究信用通货膨胀之时,先简单的说明信用膨胀。

信用膨胀是直接或间接扩大机能资本的信用的状态。在信用膨胀的场合,商品的需要增大,一般物价有上涨的倾向,因而通货的流通量就随着增大。这时物价腾贵的倾向,是机能资本因信用膨胀而扩大的结果,并不是通货膨胀的结果。所以信用膨胀,是由休息资本转变为机能资本的比率如何而定的。在一定时期,如果休息资本转变为机能资本的比率,比较平时显著的增大了,或者一切休息资本几乎都转变为机能资本了,这样的状态都可说是信用膨胀。信用原是由实在的休息资本的放借而发生的,只要那种信用是授予于有支付能力的债务人的,无论信用怎样膨胀,都只是普通的现象,不能说是信用通货膨胀。

但是,信用膨胀如果在特定条件之下漫无限制地扩大下去,就有转变为信用通货膨胀的可能性。例如一般银行的放款如超过其存款总额,或者中央银行的放款如超过其准备金额,因而发行过多的银行券,会造出巨额的空头资本,并将信用大部分授予无支付能力者之时,这时因信用的过大的膨胀而引起的物价腾贵的现象,就形成信用的通货膨胀。

信用通货膨胀大概可以分为三个方面来说明:其一是在产业繁荣期发生的信用通货膨胀,其二是在经济恐慌时期发生的信用通货膨胀,其三是在战争时期中发生的信用通货膨胀。这三个方面的信用通货膨胀,是各不相同的,同时也有共通性。这里特分别地加以说明。先说繁荣期的信用通货膨胀。

信用通货膨胀在经济的周期的繁荣期,是很容易发生的。因为产业相当的繁荣之时,过剩的生产已经潜伏着,不过还没有表面化。资本家们只知道不断地受求信用以扩大再生产。在这种时候,物价的水准较高,企业的利润也增高,所以资本家热烈的要求货币资本,而银行也很安心地大批放款。其实在这种时候,企业家所生产的商品的大部分,已经快要不能出售,他们不久就会失掉其支付能力。可是这种预兆,不但借款的资本家本人不知道,就是放款的银行也不知道。他们只狂热地追求着利润。于是银行就超过存款的总额而放款,发行银行也超过准备金额而增发银行券贷给于一般的银行与资本家。信用这样过大地膨胀,更加速物价的腾贵率,以致产生出所谓繁荣期的信用通货膨胀。

这种繁荣期的信用通货膨胀,更加助长商品的生产过剩,终于引起产业恐慌的爆发,而出现信用=金融恐慌。这样的信用通货膨胀,在资本主义还没有发展到独占资本主义阶段以前,还不致引起无穷的后患。因为在恐慌时期中,过大的信用终被清算,即过剩的生产必然使得物价狂跌,丧失支付能力的企业,一律破产。于是再开始新的循环。

(二)恐慌期的信用通货膨胀

可是资本主义发展到了独占阶段,信用通货膨胀一旦发生以后,即令恐慌爆发出来,它不但不会完全被清算,不会就回到平衡的状态,并且,还会接二连三地再发生信用通货膨胀。因为独占阶段上过大的信用,大部分都采取固定资本信用的状态。所以当恐慌爆发以后,应当作过剩资本而处分的部分,不但是很大量的东西,并且还是固定资本(如高价的机器、建筑材料与土地等)。如果要处分这大量的固定资本时,支配的独占资本家就不能不想法缓和金融—信用恐慌的发展。金融——信用恐慌原是一般恐慌的必然的现象形态，当然是不能阻止的，可是要在潜伏的形态上暂时缓和它，却是可能的。这种缓和的方法，就是支配的独占资本家通过政府去设法救济。救济的方法有两种：第一是对将要破产的企业再给以信用的直接救济方法。第二是政府向中央银行领受信用兴办事业以期阻止物价低落的方法。于是在繁荣期的信用通货膨胀之后，又造出恐慌期的信用通货膨胀。

现在我们来检讨恐慌期中的信用通货膨胀的作用及其效果。

上述第一种救济方法的信用通货膨胀，其目的在于救济破产企业。这是支配的独占资本家所常常利用的方法。例如当恐慌爆发以后，有若干大企业濒临破产状态时，对于这些大企业授予了过大信用的诸银行，也随着濒临破产状态，不能应付存户提取存款，甚至发生挤提存款的事情。于是政府就直接通过中央银行，或间接通过其他银行，对那些濒临破产的企业和银行再给以过大的信用。那些企业和银行取得了那些银行券之后，就将够清偿债务，得以免除破产。于是已经破产的信用连锁，从新修理起来，而金融恐慌之全面的发展趋势也可以阻止了。

但是这种救济的信用通货膨胀，虽然能够暂时救济濒临破产的企业和银行，却不能终结产业恐慌。不但不能终结产业恐慌，反而使它延长，使它慢性化。因为中央银行为救济而增发的银行券，是以信用贷出于破产的企业和银行的。破产的企业把那些银行券偿付于债权者或银行；破产的银行也把那些银行券偿付于存户或大银行。可是这大量的银行券，大都不回到发行银行，而流入其他各大银行，采取存款的形态（因为大银行信用巩固）。于是休息的货币资本过剩，利率低落，现出变态的金融停滞的现象。利率的低落首先会引起对于有价证券的投机，因而引起有价证券的涨价。有价证券涨价时，各种公司与银行就认为有利可图，因而恐慌期中所应当收缩的信用和交易，就不会收缩了。但在另一方面，休息资本不易转变为机能资本，因为在恐慌期中，利率虽然低落，而利润却也是很低的。因为过剩的放款资本不易转变为机能资本，所以对于商品与劳动力的需要就不能增加。结果，这种性质的信用通货膨胀，不能促进物价的腾贵，至多也只能抑制物价的急性的低落。于是过剩的商品仍旧卖不出去，恐慌的时期也因而延长了。

再就上述第二种救济方法的信用通货膨胀,加以考察。这种由国家取得过大信用以兴办事业的方法,在产业资本主义时代,也是常常使用的,但到独占资本主义时代,却尽着很重要的作用。这种救济方法,通常是由政府发行公债,向发行银行换取银行券,兴办土木事业或扩张军需工业,直接的救济失业劳动者,间接的救济资本家。国家为实行这种救济方法而兴办土木事业或扩张军需工业时,其经费的一小部分是作为雇用工人的工资,大部分是作为购买材料的用途的。在这种场合,过剩的商品一部分得到销路,因而物价的下落,暂时的可以缓和,甚至有反涨的可能性。但是这类劳动者的劳动的机会,时间是很短的,所得的工资完全充作购买过剩商品之用。至于卖出了土木材料或军需材料的资本家,在恐慌时期中,通常是不肯把所得的资金来扩充生产设备,反而宁愿把生产设备的一部分空闲着。每逢有主顾定造商品时,也只是用加强原有工人的劳动或延长劳动时间等合理化的方法,来赶造那些商品,决不愿添雇工人。于是政府因举办救济事业而发行的公债,直接间接地变形为通货而流入资本家的金库,形成休息资本。至于政府本身,在恐慌时期中,由于恐慌的激浪,财政上已经现出赤字,现在又因为借入过大的信用,赤字的位数增多,其减少赤字的方法,只有实行增税。这项增税结局仍转嫁于劳苦大众,因而大众的消费力就绝对的减少。

一般地说来,在恐慌时期中,特别是在独占资本阶段的恐慌时期中,过剩的商品太多,失业的工人太多,生产与消费的悬隔太大。在这种场合,因恐慌的激浪而现出赤字财政的政府,纵令接二连三地实行信用通货膨胀,也不能完全的销纳那些过剩商品和救济失业工人,以恢复生产与消费的平衡,至多也只是缓和物价的急性下落,延长恐慌的时期。1929 年以来美国胡佛总统所实行过的那种救济的通货膨胀,并不曾得到克服恐慌的效果,这便是最显著的实例。

上述大恐慌时期中的那种信用通货膨胀政策,其主要的理论根据,仍是货币数量学说。例如现代数量学说大家卡瑟尔、凯衍斯及休姆拍特(Joseph Shumpeter)等人,都认为恐慌的原因是放款资本的缺乏,因而主张用信用通货膨胀政策以克服恐慌。这种理论的错误,我们已经分析过,这里单就上述的说明一看,也可以明白知道。

恐慌期中的信用通货膨胀,固然有造出生产与消费的可能性。但这种事情,只有在由信用所给予的放款资本能够发现生产的用途而转变为机能资本时,才是可能的。换句话说,这种可能性,只有产业繁荣时期才是实在的。所以繁荣时期的信用通货膨胀,能促进物价的腾贵,而造出过剩的生产。所谓恐慌,即是过剩生产的爆发,过剩的生产,生产与消费的不平衡,只有由恐慌来清算,才能恢复暂时的平衡。现在为要阻止恐慌的强力的清算作用,而由集体的独占资本家的政府,实行救济的通货膨胀,其效果至多也只能暂时停止过剩的资本及商品的处分,暂时的救济破产的企业与银行,而恐慌不但不能克服,反而把期间延长,至于国家因实行这种信用政策而加增的负债,结局仍转嫁于大众,而生产与消费的不平衡就更趋发展。

(三)战争时期的信用通货膨胀

现在我们再研究战时的信用通货膨胀。

战时信用通货膨胀,主要的由于国家在战时领受过大的信用而发生的通货膨胀。资本主义国家实行战争的目的,在于打破敌国的抵抗,以占领敌国,使它屈服;战争的主要手段,是人命与财富之大量的牺牲及两者相互间的破坏。所以战时国民经济与平时国民经济大不相同。战时的需要,是一切破坏的消费品的需要,并且这种需要是继续扩大,漫无止境,其最大的需要者是作战国家。所以作战国的一切生产机构,都转变为战时的生产机构。平时的生产手段与消费资料的再生产,真是积极地扩大的再生产;到了战时,生产手段与消费资料的再生产,都变为破坏的消费品的再生产的条件,变为消极地扩大再生产。因为战时的军需品的生产,已不能成为再生产的条件,而消费资料的生产,也只是供作生产破坏的消费品的劳动力的再生产手段之用的,所以一切生产手段和消费资料,都变为生产破坏的消费品的手段。所以战时国民经济的根本特征,是庞大的破坏的消费品之生产与再生产。

破坏的消费品的唯一需要者,是作战国家。作战国家为要继续取得庞大的破坏的消费品,就继续需要庞大的经费,而这宗庞大的经费,是绝不能靠课税手段来筹措的。筹措战费的唯一的方法是发行公债,或者向中立国或同盟国借入外债。这些公债或外债,都得通过中央银行,增发大批银行券,交给政府作为购买破坏的消费品的手段。这是由于国家领受过大的信用而发生的信用通货膨胀。

其次,在私人资本家的企业方面,因为不断地扩大破坏的消费品的再生产,以供给国家的大需要,就取得了大宗的利润,因而为实行极度的生产的扩张,必然要向一般的银行要求莫大的信用,同时一般银行也必然把过大的信用授给企业的资本家。于是在国家所实行的信用通货膨胀之下,又重叠着私人资本家方面的过大的信用,形成了全面的信用通货膨胀。随着战争的继续与扩大,破坏的消费品之需要就漫无限制,政府与私人所领受的过大信用越发增大,因而信用通货膨胀也越发扩大,越发强烈。一般的物价也随着飞快地上涨。

作战的国家当然的早就实行禁止现金出口,停止兑换。银行券的发行也与平时不同,并不估计到资本流通与商品流通,也不按照什么现金准备的比率,而只是不断地扩大发行。但在战争的疯狂的时期,银行券虽然远远地超出了对于现金准备的比率,却还不至于丧失信用。因为这是战争时期,是全体的资产阶级生死存亡的关键,必然地要维持银行券的信用,并且还要诉诸国民的爱国心来从精神上维持它。所以这时银行券不至于变成纸币,而战时信用通货膨胀也不至于转变为纸币通货膨胀。

在大战时期,交战国一旦发生信用通货膨胀,其他中立国家,也势必卷入信用通货膨胀的漩涡。因为交战国向中立国或同盟国购入商品,必然诉诸信用,决不让现金外流,而以战时景气为利益的国家,也必然的扩大其生产,扩大其信用,也不能不卷入于强烈的世界信用通货膨胀的漩涡。不过非交战国家所受的影响较小,这是应当留意的。

这里再来说明战时物价腾贵与通货膨胀的关系,说明战时资本家的利润。

在战时经济的状态下,首先是破坏的消费品的需要超过供给,其次是其他生活品的需要超过供给,因而形成不断地全面的需要超过供给。并且,供给无论如何是赶不上需要的。当需要不断的扩大的超过供给时,价格就由在最劣等条件下生产的商品的价值所规定,并且这种价值决定着市场价值(因为这时的需要已经超过了普通的需要)。这就是说,商品的市场价值,由其最高的个别价值所决定。所以在这种时候,纵令是在最劣等条件下生产商品的资本家企业,也能够得到平均利润;如果生产条件较优的企业,就能够得到超越利润。所以一切资本家,都趁着战时的景气,努力的扩大其生产。

破坏的消费品的需要既然继续的扩大,无论怎样扩张生产也不能赶上需要。需要超过供给的程度既然强烈,商品的市场价格必然大大的高出于市场价值。于是价格不断地高涨,资本家企业的利润随着不断地增大,一切的资本在其名目上也不断地增大。

可是,在战争的时期,物价的腾贵,实际上并不是由于商品价值的增大,也不是由于货币价值的低落。同时,资本的增大,实际上也不完全是由于实质价值的增殖,而是因为求过于供,致使市场价格超过价值而腾贵。所以资本的价值增殖,一部分只是名目上的增殖,即是用本位货币的名目单位来计算的价值增殖,即是在观念的计算货币形态上的增殖。

但是战时资本家所得的累积的大利润,也不仅是名目上的价值增大,同时也还有实质上的价值增大。这实质上的价值增殖的源泉,是劳动者的实质的工资的降低。单从外表上来看,战时的一般物价腾贵的结果,劳动力的价格必然也随着增高。并且在就业劳动者与产业预备军的一部分都去从军的战时状况中,劳动市场的供求关系比较平时不同,所以劳动力价格的增高是不可避免的。战时工资之一般的提高,原是显著的事实。但工资的提高,和一般物价腾贵的程度比较起来,还只是名目的东西。所以工资在名目上虽然相对的增加,而实质的工资却必然的低落,因而社会的消费力也相对的降低了。这是企业利润增殖的重要原因。因为实质工资的减低,制造品涨价的程度就超出生产费增高的程度,这个差额是企业家在战时所榨取的特殊的利润。这种特殊的利润是形成资本的实质的价值增殖的部分。

所以在战时信用通货膨胀的条件之下,资本的增大,不单是名目上的价值增殖,并且又是实质上的价值增殖。战时的许多大资本,是在这种条件下发生发展的。

但是,在上述扩大了的企业利润的基础上,又加上过大信用的作用,生产诸力的利用,就达到极度紧张的状态,因而引起生产手段的毁损与劳动力的衰竭。破坏的消费品之不断地扩大的再生产,终至于引起生产诸力的大损耗。同时,在另一方面,过大信用的连锁也逐渐的腐朽下去,一经达到极限时,就有大破坏的危险。

(四)三种信用通货膨胀的差别及其推移

信用通货膨胀的 3 种形态,上面已经说明了。这 3 种信用通货膨胀,有一个共通的特征。这共通的特征就是通货的安定,即通货没有减价的现象。这一点是信用通货膨胀与汇兑通货膨胀及纸币通货膨胀不同的地方。

但是,这3种信用通货膨胀,各有其固有的特征,简单地说来,可以作如下的概括:

第一,繁荣期的信用通货膨胀,是由于私人资本家及银行间的过大信用而发生的,它能够促进物价的腾贵。

第二,恐慌期的信用通货膨胀,是由于国家的过大信用而发生的,它能够阻止物价的急性低落,有时反而能使物价微涨。

第三,战争期的信用通货膨胀,是由于国家与私人资本家及银行的过大信用而发生的,它能促速物价的高涨。

以上是3种信用通货膨胀的差别。

这3种信用通货膨胀,在其发展的过程中,有推移于他种通货膨胀的可能性。

繁荣期的信用通货膨胀的结果,能爆发为表现一般恐慌的金融恐慌。但若一般恐慌已经发生,而国家却应用人工的方法,弥补这种信用通货膨胀的破裂,再度地造出信用通货膨胀,于是繁荣期的信用通货膨胀就转变为恐慌期的信用通货膨胀了。

恐慌期的信用通货膨胀,是国家所实行的救济的膨胀。这种救济的膨胀,使银行券对于准备金的比率相对的低落下去。如果国家这种过大信用阻止物价的低落,或者在某种程度上还使物价反涨,在这种场合,本国的物价水准就相对的增高,就能够加增本国的输入,引起现金的外流。在另一方面,恐慌期的过大信用,能增加本国的休息资本,引起利润的低落,本国的资本就会流出于利率较高的外国,形成资本脱逃的现象。还有,恐慌期中的国家财政已经现出赤字,如果发行过多的救济公债,国家也会陷于穷境。赤字的增加与公债的积累,由于促进资本的脱逃与现金的外流,就引起准备金的锐减。准备金如果减少到一定程度,两个准备机能(国内兑换准备机能与国外支付准备机能)就陷于危险冲突状态。所以恐慌期的信用通货膨胀如果继续发展,国家势必禁止现金出口并停止兑现。结果,恐慌期的信用通货膨胀就会转变为汇兑通货膨胀,甚至转变为纸币通货膨胀。

至于战时信用通货膨胀,在原则上不一定是继承繁荣期及恐慌期的信用通货膨胀而发生的,不过就今日帝国主义世界的总危机加以考察,战时的信用通货膨胀与恐慌期的信用通货膨胀也能有连续性(因为世界恐慌是世界战争的原因之一)。这里姑且不说这样的连续性,而只是说明战时通货膨胀的发展及其转变为他种通货膨胀的过程。

在战时信用通货膨胀发展到最高限度时,生产与社会的消费(不是国家对于破坏的手段的消费)之间的矛盾就趋于深刻化。到了战争结束之时,从前一切生产破坏的手段的生产部门,就突然地完全地找不到需要者。于是生产与消费之间的尖锐的矛盾,就爆发为激烈的恐慌。在战争结束之时,国家与国家之间的胜负已经判明,国与国之间总体的资本家的利害斗争已经告一段落,资本家相互间的利害斗争就更趋于激化。所以战时腐朽的过大信用连锁的崩坏,就成为一般恐慌的必然的现象形态。

停战以后,国家的过大信用必须清算。国家在战时用非常手段,在国内发行大批公债,向外国借入大量的信用,停战以后,不但战败国要被强制地清算,就是战胜国也必然的被清算。从前国家银行所保存的准备金,或因从外国购入破坏手段而有一部分流出国外,以致准备金的涸竭,即令用禁止现金出口与停止兑现的手段而保持其准备金,而准备金总是有限的。以有限的准备金来偿还极度扩大的信用,无论如何总是不可能的。在这种场合,国家财政上的大破绽完全显露,如今又遭逢那种必然随战争而来的大恐慌的袭击,银行券的信用,无论如何是绝不能维持住的。于是超过了流通必要量而又丧失了信用的巨额银行券,就不断地减价,而物价又不断的高涨。于是战时信用通货膨胀就转变为汇兑通货膨胀与纸币通货膨胀。

第三节 通货膨胀的影响及其到通货紧缩的推移

一、通货膨胀之社会的影响

(一)3 种形态的通货膨胀的区别与关联

通货膨胀的 3 种形态,上面已经分别说明了,这里再指出三者的区别及其关联。

上面说过,纸币通货膨胀,是本来意义上的通货膨胀。这种形态的通货膨胀,是由于不兑换纸币或变成不兑换纸币的银行券的流通量超过必要量才发生的通货混乱的现象。在这种场合,纸币流通量超过必要量,它在流通中所代表的金子的价值已经减少,所以引起物价的腾贵,这是纸币先减价,物价才随着腾贵的。

其次,汇兑通货膨胀是由于国际借贷的差额呈现反调,因而禁止现金出口并停止兑现的事实才发生的货币现象。在这种场合,汇价首先低落,然后物价随着腾贵。而物价的腾贵并不是由于纸币的减价才发生的。在这种场合,通货的减价,由于汇价的低落,并且,价值的减少,是通货一般,不论是纸币或银行券,甚至不论是金铸币,都一律减价。所以,在这种场合,通货一般的减价,不是因为通货的流通量超过必要量的事实才发生的,而是由于汇价的低落才发生的。正因为通货因汇价低落而减价,所以不能不有更多的通货被投入于流通。换句话说,在汇价低落的情况下,由于通货先减价,然后才发生通货的流通量超过必要量的现象(即通货膨胀)。这一点,是与纸币通货膨胀不相同的。因为在纸币通货膨胀方面,先有纸币流通量超过必要量的现象(即通货膨胀),然后纸币才减价。

至于信用通货膨胀,却与前两种通货膨胀都不相同:信用通货膨胀,是由于国家或私人间的过大信用而发生的通货流通量增大的现象。在这种场合,机能资本直接或间接的增加起来,商品的需要也增大起来,所以物价或者腾贵,或者停滞。在这种场合,通货的流通量增多,应收缩的流通量不收缩,所以物价的腾贵或物价低落的停滞,是机能资本增加的结果,不是通货膨胀的结果,而物价的腾贵反而是通货膨胀的原因。在这种场合,通货减价的事实不至于发生(如果不转变为别种形态的通货膨胀)。这一点是信用通货膨胀与纸币通货膨胀及汇兑通货膨胀不同的重要特征。

简括起来,三种形态的通货膨胀的区别如下:

纸币通货膨胀:国家基于财政上的目的,滥发纸币——纸币流通量超过必要量——纸币减价——物价腾贵。

汇兑通货膨胀:国际借贷的反调——禁止现金出口,停止兑现——汇价低落——物价腾贵——通货一般减价。

信用通货膨胀：过大的信用膨胀，银行券流通量增大——机能资本或休息资本增加——物价腾贵或物价停止低落。

上述 3 种形态的通货膨胀，是互有区别同时又互相关联的。汇兑通货膨胀在其发展过程中，能转变为纸币通货膨胀；信用通货膨胀在其发展过程中，能转变为汇兑通货膨胀，为纸币通货膨胀；又纸币通货膨胀在其发展过程中，也能转变为汇兑通货膨胀。

在现实上，3 种形态的通货膨胀，常常互相错综着，如纸币通货膨胀与汇兑通货膨胀的错综；汇兑通货膨胀与信用通货膨胀的错综，而发展为潜伏的纸币通货膨胀。

为要正确地理解现实的通货膨胀，就必须分别的把握住上述 3 种通货膨胀的特质，理解其区别与关联。如果把 3 种通货膨胀混淆起来，看到了物价腾贵、信用膨胀、通货增加或物价腾贵的现象，即认为是通货膨胀，就必然会犯严重的错误。资产阶级的通货政策，大都与这种错误的理解有关联。譬如一个国家，发生了信用通货膨胀与汇兑通货膨胀的交错现象时，如果单靠收缩银行券的流通量以阻止通货膨胀，仍是无效的。因为这种方法，至多只能救治信用通货膨胀，而汇兑通货膨胀仍然存在。汇兑通货膨胀是基于支付差额的反调而发生的，如要救治这种通货膨胀，只有输出现金才能有效。又如在纸币通货膨胀与汇兑通货膨胀一同发生时，单只输出现金也不能挽回汇价的低落。因为纸币通货膨胀的存在，纸币的减价仍然引起汇价的低落。在这种场合，只有恢复纸币的运动法则才能有效。

（二）通货膨胀与资产阶级

关于通货膨胀的 3 种形态的特征及其关联，上述已经大致的说明了。现在我们应当把这 3 种通货膨胀的概念再行综合起来，造出一般通货膨胀的普遍化的概念。

为要构成一般通货膨胀的普遍化的概念，就必须暴露通货膨胀之社会的根源。我们已经知道，通货膨胀是人工的破坏货币的本源的运动法则而滥发通货的通货混乱的现象。通货膨胀的弊害，上文中也已经说明了。可是我们要问，为什么现代各国在过去实行通货膨胀，而现在正还在实行着呢？为要说明这个问题，就不能不就第二章所述的货币的阶级性及本章第一节所说的纸币的阶级性,再度加以考察。

通货膨胀,是由现代国家机关所实行的,而掌握国家权力的是资产阶级,因而国家之实行通货膨胀,显然是以资产阶级利益为前提。对于资产阶级有利的通货政策,对于资产阶级以外的各阶级必是不利的。我们在这里特以纸币通货膨胀为前提,来说明它对于社会各阶级的影响。

纸币通货膨胀,在某种限度以内,对于资产阶级的一部分是有利的,而占据最有利的地位的,是大独占资本家。

第一,大独占资本家,利用国家权力,实行通货膨胀,攫取独占的利润,以增加自己的资本。因为在通货膨胀的过程中,流通中的货币已不能发挥一般等价物的机能。纸币不断地减价,物价疯狂似的高涨,一切人们都争着把纸币换取商品,企图把损失转嫁于他人,因而造出虚伪的繁荣。在这种时候,比较长久地保存纸币的人,无论怎样劳苦,仍不免于贫穷;而比较迅速地把纸币换成商品的人,无论怎样懒惰,也可以变成暴富。在一般的中小资本家方面,由于资本流通的搅乱,已经不能明白知道自己的生产费的价格。譬如在一个月以前用 1 万元买进的材料,到现在也许涨到 2 万元,因而就不能不把这部分制品的价格,增高一倍卖出去。并且现在用 2 万元买进的原料,在一个月以后,也许会涨到 4 万元,那时这一部分的制品的价格,又必再提高一倍,否则他们就必会没落下去。所以,流通的搅乱,在中小资本家方面,必有一部分受损失,一部分占胜利。一方的损失便是他方的利益。这样的利益,一部分是由于收夺他人的资本而来的,一部分是由于这种虚伪的繁荣而实现的利润。但无论怎样,资本家的财产,如土地、房屋、工厂、股票、利润等,在用减价的纸币计算价值时,都已增高数倍,或数十倍,或数百倍了。

在这种时候,占据最有利地位的,是大独占资本家。他们是一国的产业中最大的、决定的部分的所有者。他们支配着市场,一面用提高了的独占价格贩卖商品,一面又用压低了的价格买进原料,把负担转嫁于原料生产者。并且纸币的发行是由他们的徒党所实行的,关于纸币减价程度的预测,也比较一般中小资本家更为明白。所以大独占资本更因为这种大独占的利润而增殖,而加强。

第二,大独占资本家,利用通货膨胀而贬低劳动者的实质的工资。因为在通货膨胀过程中,工资腾贵的步骤比较物价一般是落后的,并且腾贵的比率也是很小的。结局,名目工资的腾贵,无论如何决赶不上生活资料的腾贵。实质工资这样的贬低,正是一般资本家,特别是独占资本家的利润增大的源泉。所以大独占资本家之利用通货膨胀,对于实质工资的贬低,是具有最大的关心的。

第三,在通货膨胀过程中,因为价格不断地高涨,商品的生产费的计算就很感困难,所以资本家就大大地干投机的买卖,如商品投机、土地投机、汇兑投机、证券投机之类。但是最能够实行比较可靠的投机的人,还是大资本。大资本能决定投机的方向,只要略施手腕,就可以吞灭许多中小资本,因而攫取莫大的投机利得。

第四,大独占资本,在通货膨胀过程中,收夺一般非独占资本,造出大规模的资本的集中,例如第一次世界大战时及战后的德国通货膨胀过程中,产生了好几十个大规模的独占资本。其中最有名的一个,是斯丁奈斯康采恩(Stinnes konzern)。这个康采恩,包含着大矿山业、金属工业、人工奶油场,烟草工场、铁路公司以及沙糖、煤油、造纸与新闻社等许多企业。这个康采因是利用外国货币以搅乱德国马克借以渔利的,德国政府曾直接的予以援助。

第五,大资本在通货膨胀过程中,利用减价的通货偿还债务,因而攫取因纸币减价所得的利益。因为投资的盛行与投机的狂热,信用的需要就特别增大。人们都想借取大宗资金以收买大批商品或土地、证券之类,希图攫取大宗的利润,往后却用减价的通货来偿还。这时借款的利率固然是很高的,但债务者的利益常是债权者的损失。这种利用减价纸币偿还债务的事情,是一般资本家与地主在通货膨胀时期中所惯为的。但利用这种手段以取得大宗利润的人,还是大独占的企业与银行(独占的企业与银行是互相融合的)。大企业从中央银行领取大批的信用,往后用减价的通货来清偿,大银行也使用减价的通货支付于存款者。大独占资本在这种情形下利用信用的授受而取得的利得,是其他资本家所不能企及的。

总起来说:在通货膨胀过程中,大独占资本所得的利益最大,其他中小资本,有的能发展为较大的资本,有的便没落下去。地主、农业资本家与富农,也能得到相当大的利益。

（三）通货膨胀与小生产者及薪给生活者

现在再考察通货膨胀对于小生产者与薪给生活者的影响。

先就都市中的小生产者来看：上面说过，一国产业中的最大的决定部分，归独占资本所掌握着。小生产者们制造商品的原料的价格，都由独占资本所决定，他们不能不依照独占价格去买进那些原料。在通货膨胀过程中，小生产者要用很高的价格买进原料来制造商品，到了制成商品拿出贩卖时，那些商品的购买者（大众）的购买力，已经是大大地减少了。这种情势，对于小生产者是非常不利的。例如就一个制袜业者来说，他所用的原料是棉纱。假定他拿1000元纸币买进了可以组成250打袜子的棉纱。但等到袜子制成时，物价（特别是纱价）已经高涨1倍，这时他不能不把袜价抬高1倍（从前每打4元现在每打8元）出卖，于是可以收回2000元。这当然是很大的利益。可是等到他的袜子卖完时，纱价已涨高为3倍，于是他这2000元只能买进可以制造166打的棉纱。于是他所制成的这166打袜子，就得把卖价提高3倍（即每打约12元）出卖，因而可以卖得3000元。但这时纱价已涨高为5倍了。于是他这3000元只能买进可以制造150打的袜子的棉纱。照这样，纱价和一般物价不断高涨，由5倍涨到10倍乃至20倍时，制袜业者所有的本钱，结局或者只能制造一打袜子，结果只好留着自用了。总起来说，当纸币跌价到快成废纸之时，小制造业者就完全破产，这是很明白的。

再就农村中的中农以下的农民大众来看，也有同样的情形。他们为了取得一般生活必需品，不能不拿农产物的一部分出卖。这时，农产物的价格虽也高涨，但涨价的步骤总比工业品落后。尤其在产业的大部分被独占资本所操纵之时，农民不能不按照独占企业规定的高价格买进工业品。但他们所卖出的农产物，又受大资本和投机商人所左右，售价总是比较低廉的。他们之横受大资本所剥削，是非常明白的。

农民缴纳地租时，地主绝不能让他们用减价的纸币支付，或者使他们改用农产物支付，或者使他们按照农产物的时价折合当时减了价的纸币来支付。无论如何，地主只有把通货膨胀的损失转嫁于农民，绝不能让农民把损失转嫁于他。在这种时候，地主总是利用种种口实增加地租的。

其次，落到了高利贷手中的农民，这时绝不能用减价的纸币清偿。狡猾的高利贷者,或者趁早向农民索还借款,以免受到通货膨胀的损失,或者改用农产物还债的方法。负债的农民们当然无力还债而听凭高利贷者的剥削,甘受通货膨胀的损失了。

再次,就一般薪俸生活者来考察。薪俸生活者包括一般中等以下的官吏及一切公司、工厂、商店及其他各机关的办事人员等、靠月薪或月俸生活的人们。这类薪俸生活者的收入,当然高于劳动者,平日的生活也是很有余裕的。但在通货膨胀的时期,物价不断地高涨,他们的生活就渐渐露出窘相。他们的薪俸即令一再增加,但薪俸增加的步骤,总比物价的增加落后。并且物价与他们的实质的薪俸的悬殊,随着物价的飞涨而增大。所以他们的生活的困难随着通货膨胀的进展而愈大。

以上是通货膨胀对于小生产者及薪俸生活者的消极的影响。

(四)通货膨胀与劳苦大众

通货膨胀对于劳苦大众的影响特别重大。例如当纸币的洪水横流之时,物价不断地上涨,而劳动力的价格(即工资)比较其他一切商品的价格,其腾贵的步骤是异常迟缓的。因而在纸币通货膨胀的时期中,榨取率特别增大,资本家所得的剩余价值分量特别增加。

在通货膨胀时期,一切资本家,特别是独占资本家,都用外国本位货币规定自己的商品的价格,但一般劳动者,却绝对没有用外国本位货币规定自己的劳动力的价格的权利,资本家也绝对不会加以承认。

支配的大独占资本所以实行通货膨胀的主要目的,是在利用通货贬价以减低劳动力之实质的价格。所以劳动者在通货膨胀时所受的打击常是二重的:第一,他们除了劳动力以外,别无长物,无论如何,不能不出卖其劳动力。尤其在百物腾贵生活极窘的场合,他们不接受雇主的条件而贱卖其劳动力,甚至名目上的工资即令减低,他们也只有忍受。

第二,他们在出卖了劳动力之后,要满了一个月(或至少一星期)才能领取工资。领取工资时的纸币,比开始卖出劳动力时的纸币已经更加跌价,物价已经更趋高涨。在这种场合,劳动者不能不用种种政治斗争和经济斗争的方法,要求增加工资,资本家也不能不酌予增加。在战后通货膨胀时期,各资本主义国家的劳动者,也有用集体的力量,向资方争得了按照生活必需品的物价指数以计算工资的实施方法（但实际上这种方法也不甚普及）。但这种计算工资的方法，表面上对于劳动者是很有利的，而实际上却与资本家按照再生产的价格以贩卖商品的方法不同。他们要在名目工资确定了的一个月之后，才能领取工资。在这一个月之内，物价已经涨十倍或百倍。他们仍不能依靠这种方法保障自己的生活。

通货膨胀期中劳动者的工资，在名目上必然是不断的腾贵的，但名目工资的腾贵决赶不上生活必需品的价格的腾贵，名目工资与物价的距离不断地增大，实质工资就不断的减低，劳动者的生活就更加困苦。就德国在第一次世界大战时期及战后的通货膨胀时的状态举例来说：1923 年 4 月，德国建筑工人的工资，增加到了战前的 2041 倍；印刷工人的工资，增加到了 2160 倍；化学工业的工人的工资，增加到了 2610 倍。但是工人的生活费，比较战前却涨高到5216 倍。这便是说明德国工人的实质工资，比较战前减低了二分之一以上。从这一点可以看出德国资产阶级利用通货膨胀剥削劳动者的实例。如道渥莱兹基所著《1923 年的德国》一书所说，用纸币剥削劳动者最厉害的一年，德国劳动者担负了国家全部租税收入的 94%，这当然是可以相信的。

在通货膨胀的时期，由于实质工资的低落，资本家的利润就特别增大。因为劳动力的低廉，资本家就可以把所取得的大量剩余价值，划出一部分送给货币价值较高的国家，借以卖出商品以实现其剩余价值。这种贩卖商品的方法，就是倾销。因为实质工资的低廉，造出了金子的低价的基础，对于输出是有利的。资本家可以用比较本国物价更低的价格，把商品倾销于货币未曾减价或减价比率较小的国家，以收回特殊的利润。所以倾销是以劳动者为条件的。

二、通货膨胀的界限

（一）通货膨胀的破裂

通货膨胀虽是支配的独占资本所利用以增殖价值的手段，但达到一定的高度时，这膨胀就必然地终于破裂。因为纸币的减价到了一定限度时，对于大资本就呈现不利的状态。采取货币形态的一切资本，就会逐渐的减价。于是通货膨胀的发展，呈现出下列的各种现象：

第一，由于货币形态的资本的减价，一国的资本就必然地流出于具有强固的本位货币的外国,因而引起资本的逃亡。

第二,由于货币形态的资本的减价,资本就必然停止流动而转变为具有一定价值的财产,如不动产或宝石之类,因而引起资本的凝固的现象。

第三,由于资本的逃亡和资本的凝固,国内的流动资本就相对地减少,并且那些流动资本也很迅速地集中于周转速度很快的部门,主要的集中于流通部面。因而仅有的流动资本之生产的性质也相对地减少。

第四,商品交易变为投机事业,国内的商品大受搅乱。日趋减少的流动资本,又有一部分由生产活动移到投机活动的领域。

第五,减价过程中的本位货币的信用失其意义。因为借款满期之时的货币价值低落率,常是大于放款利息率,债务人所还的债比所借的债还要少。利息那东西,反而于债务人有利,于债权人无利。因而信用关系就大受破坏,而对于平衡利润率与分配生产力两者演着很大作用的资本主义信用,就趋于停滞。由于信用的停滞,更引起了流动资本的涸竭。

第六,由于纸币价值的低落,而调剂物价与生产力的生产价格就大受损害。于是榨取剩余价值的普通方法,就受到限制。

第七,当纸币减价太厉害的时候,农村的农民,也尽可能地自给自足,至多也只能把一小部分的农产物贩卖出去,借以买进自己所不能生产的必需品。

以上那些现象,表现着资本主义的生产的活动受到障碍,由于生产的减缩,商品的供给就逐渐减少。

纸币减价的速度,促进上述诸现象的发展,而这些现象的发展,又加速纸币减价的速度。因为纸币发行速度的增加,固然是纸币减价的原因,但纸币发行的增加,通常引起非生产的需要之增加,因而引起商品供给的减少。而商品供给的减少,也必然加增纸币减价的速度。所以纸币减价速度之加速,常是这两个原因的结果。例如流通的商品价格总额为 34 亿金马克之时,如果发行 68 亿纸马克,这 68 亿纸马克代表着 34 亿金马克,即每一纸马克代表着半个金马克。但到再发行 68 亿纸马克(共为 136 亿纸马克)之时,如果商品价格总额仍旧与 34 亿金马克相等,每一纸马克就只代表 1/4 金马克了;如果商品供给减半,流通的价格总额减至 17 亿金马克,于是每一纸马克就只能代表 1/8 金马克了。一方面政府不断的增发纸币,另一方面社会不断的减缩生产,纸币的减价就会以很快的速度进行了。

于是,日趋减价的纸币,就渐渐不能发挥普通的货币机能。原来,货币之所以成为货币的一切机能,原是现实的货币(即金子)所具有的,不过暂时地在一定界限以内由纸币所代表而已。但在减价速度很快的过程中,纸币就逐渐丧失其成为金子代用物的可能性。

所以当通货膨胀发展到一定程度时,纸币不但不能充用为储藏手段,并且也不能充用为流通手段和价格标准。一般的资本家都要用外国的金本位货币贩卖自己的商品。例如,1921 年德国一个商业公司公然声明顾客当购买商品时,必须交付百分之五十的外国本位货币(以须用外国本位货币购办外国原料为理由)。这不仅一部分资本家是这样,其他各资本家也是这样。

不但资本家拒绝收受减价的纸币,就是发行纸币的政府机关也不信用自己的货币。1923 年德国政府机关曾要求用硬币支付税款,即是一例。

于是纸币已不能成为表现价格标准的计算单位,而仅有的流通手段机能也消失了。于是商品停止流通,而流通全部崩溃,劳苦大众无法取得消费资料,终至于演出大饥馑、大动乱的现象,更引起生产的全部崩溃。这是通货膨胀破裂的现象。

在这种场合,政府发行纸币的利益也等于零,例如 1923 年 1 月至 9 月德国莱西斯银行的发行量及其减价程度,可就下表看出来(单位 1 亿纸马克):

	纸币发行额	每亿马克的美元价格
1 月	7040	3246.70
2 月	15280	4405.30
3 月	20080	4784.70
4 月	10280	3359.10
5 月	20180	1785.70
6 月	88270	714.30
7 月	263030	133.90
8 月	6197520	14.30
9 月	275654650	0.70
合计	282275360	

1923 年 9 月,每亿纸马克只值美金七角,当然不够印刷费,因而通货膨胀就到达于最后的界限了,这最后的界限,就是全部资本主义经济的破产与大众的反抗。

(二)通货膨胀的定义

关于通货膨胀的内容,前面大致已经说明了,现在我们试就通货膨胀来下一个定义。

在许多论货币的书籍中,关于通货膨胀,没有一定的概念,通常是把通货膨胀解释为货币政策的通用语,大都不能就规定了的现象的内容去说明通货膨胀的意义。

首先就现代流行的数量学派的见解来看:一切数量论者都把通货膨胀解释为一般物价腾贵的现象,并认定物价腾贵是货币量与商品量不相一致的结果。他们以为在货币量与商品量相一致之时,绝不能有通货膨胀。就他们的见解推论起来,即令在贵金属货币流通之时,只要是它的数量超过商品的数量时,也能发生通货膨胀。这种场合的通货膨胀,是所谓金子的通货膨胀。金属论的货币学说也和这种见解相接近。例如笛儿(Karl Diehl)这样说:"通货膨胀是由过剩的购买力所引起的一般物价水准的高涨。它在金属本位制之下,例如在金本位制国家的准备金太过于增多的场合,也能够发生。"

在上述的定义中,显然地是把一般物价腾贵、金价低落及纸币贬价等现象,作为通货膨胀的标识了。实际上,通货膨胀并不就是一般物价水准的高涨。如我们在前面所说,价格形成的过程是很复杂的,它和商品方面的原因相交错。这一点是金属论者所不能理解的。至于数量论者,只知道物价的高涨是由于货币数量的增加,这显然是错误的。他们绝对不理解货币的运动隶属于商品的运动。实际上,价格的高低不受货币的数量所左右,反而是货币的数量受价格的高低所左右。

在一定的金价值之下行着金子的流通的场合,物价水准完全由商品方面的原因所左右。这时金子的流通必要量,由流通的价格总额及金币流通的速度两契机所决定,不能有过多的或过少的金子的流通。在金子流通的场合,物价的增高绝不是金子过多的结果;反之,金子流通量的增多是物价增加的结果。所以在金币流通的条件之下,金子的运动法则,正常的发挥着作用,绝不能有通货膨胀的现象。我们已经知道,通货膨胀原是人工的破坏货币的运动法则而滥发通货所引起的货币的混乱现象。在这种场合,流通的货币不是金子,而是不兑换纸币与变为不兑换纸币的银行券。所以当我们考察通货膨胀时,是以这样的纸币和这样的银行券流通为问题的。

上述数量论者与金属论者关于通货膨胀的定义是完全错误的。这样的定义,掩蔽了资本主义生产关系的本质,涂抹了货币的阶级性。

其次,我们再考察站在劳动价值论的经济学立场的经济学者的见解:例如瓦尔加与斯别克达特尔两人,对于通货膨胀的概念,曾企图加以科学的规定。

瓦尔加主张通货膨胀是否定的生产平衡的结果;如果消费超过生产,通货膨胀就必然发生。纸币发行的必然性,是从生产不足的事实发生的。

斯别克达特尔展开了与瓦尔加相同的思想,更进而主张生产不足是非生产的消费之结果。如果这种非生产的消费由增税而实行之时,不发生通货膨胀;如果发行纸币以实行非生产的消费之时,就发生通货膨胀。但若不生产的消费侵蚀基本的资本时,物价腾贵与通货膨胀就不能避免。

瓦尔加与斯别克达特尔两人关于通货膨胀的理解,好像是深刻而正确的。但实际上却不然。他们两人,在从生产之中去说明流通部面的现象这一点,固然是正确的,但他们的见解,却有下述两个重大的错误:第一,他们舍弃了阶级与阶级力的具体相互关系而考察抽象的生产一般,这一点是不正确的;第二,他们忽视了:在一定限度以内,流通部面中的独立的运动是有可能的,并且这种独立的运动,又反作用于生产方面。他们在忽视这种事实的一点上,也是错误的。关于第一点的错误,就是他们忽略了资本主义商品经济的阶级性及货币的阶级性。关于第二点的错误,就是他们忽略了资产阶级利用纸币的可能性、利用纸币运动的某种独立性的可能性。所谓利用纸币运动的独立性的可能性,就是越过流通必要量而发行纸币的可能性。这种滥发纸币的可能性,不论在"生产的平衡"是消极或是积极的场合,或在再生产是否扩张的场合,都是可以利用的。并且所谓非生产的消费引起生产的不足,因而引起通货膨胀的这种见解,也不一定是正确的。固然,当资本主义国家准备作战时,为了筹措庞大的战费(即非生产的消费),不能不实行通货膨胀。但这并不是非生产的消费侵蚀了基本的资本的结果,而通货膨胀反而是非生产的消费侵蚀基本资本的原因。至于在平时或在恐慌时,资产阶级所实行的通货膨胀,却完全是为了自己阶级的利益。恐慌时期中的通货膨胀,并不由于生产的不足,也不是由于非生产的消费侵蚀了基本资本,这是可以从前面的说明去判断的。

所以我们规定一般通货膨胀的概念时,我们必须从货币的本质、货币的运动法则及货币的阶级性之中,探求通货膨胀的特征。关于这些特征,我们在前面大致分别地分析过了,现在再综合起来,试作一个关于通货膨胀的定义如下:

通货膨胀,是居于支配地位的资产阶级为着自己阶级的利益,利用通货的发行以贬低劳动者的实质工资并从新分配国民的收入,以至于使资本主义经济的生产机构和商品流通解体的货币现象。

三、通货膨胀的清算＝通货紧缩

(一)从通货膨胀到通货紧缩

当通货膨胀发展到最高程度之时,纸币会变成废纸,物价涨高到极点,于是由于流通部面之全面的崩溃,更促进生产之全面的崩溃。到了这种时候,资产阶级虽能拥有大批的生活资料,或者逃到国外或向外国购进高价的物品,而一般劳苦大众却因为得不到生活资料而陷入于饥饿的状况。于是劳苦大众为饥饿所迫,就到处发生大暴动。于是由于经济的大危机,就引起政治的大危机。在这种大危机的状态之下,资产阶级为要维持自己的权利,就不能不自行设法肃清通货膨胀,厉行通货紧缩(Deflation),以谋通货的安定。资本主义国家肃清通货膨胀的方法,大概不外下列 3 种:

第一种方法是纸币作废(Nullification):所谓纸币作废,就是把已经发行的旧纸币作废,或者把减价到一定低度的旧纸币价值钉住于一定标准,而从新发行与金币相兑换的银行券或新纸币,换取那些等于废纸的旧纸币。例如规定 100 万纸马克换取一个新的金马克银行券之类。这是从新在旧平价上清算通货膨胀以安定通货的方法。

第二种方法是平价贬低(Devaluation):所谓平价贬低,就是把从前金本位货币中所含的金量减少百分之几十,从新发行兑换银行券,与已经减价的通货相兑换,借以收缩流通中过剩的通货,而谋通货的安定。

第三种方法是平价恢复,又叫做复旧(Restoration):所谓平价复旧,就是用金子与过剩的纸币相兑现,使纸币的价值与它所代表的金价值相等,借以安定通货。

以上三种方法,都是肃清通货膨胀的常用的方法。究竟应该采用哪一种方法来稳定通货,这要看那一国家的资本主义经济力的强弱与准备金的多寡来决定。大概采用第一种方法的是经济力很弱而准备金枯竭的国家,如第一次世界大战后的德国便是;采用第二种方法的,是经济力较强而准备金比较充分的国家,如第一次世界大战后的法国便是;而采用第三种方法的,是经济力比较最强而准备金比较最充分的国家,如第一次世界大战后的英国便是(关于这些安定通货方法的实施,下面另行说明)。但无论采用哪一种方法,都必有一个前提条件,就是政府要在发行通货的方法以外,另辟财源,并减少岁出,以期与岁入保持平衡。因而在清算通货膨胀时,政府必须厉行所谓财政紧缩政策。

在清算通货膨胀时,流通中过剩的通货可以减少,通货的价值提高,物价因而低落,——这一系列的现象,就叫做通货紧缩。

通货紧缩这种安定通货的方法,在实行上必然伴随着许多困难。因为在实行清算过剩的通货时,必然要发生通货安定的恐慌与通货紧缩的恐慌。如果在通货膨胀期中造出了过剩的生产时,过剩生产的恐慌就会与通货安定的恐慌或通货紧缩的恐慌相交错。但在信用通货膨胀时,通货还是安定的,这时如实行通货紧缩,只能发生通货紧缩的恐慌,不会有通货安定的恐慌。因为这时物价的低落引起通货的收缩,并不是通货的收缩引起物价的低落。而且在这种场合,恐慌会强烈的清算过大的信用的。至于在纸币通货膨胀时,实行收缩通货,就要发生通货安定的恐慌和通货紧缩的恐慌。

通货安定的恐慌与通货紧缩的恐慌,必然使通货膨胀时期中的过高的物价压低到与价值相一致的程度。于是由于通货的紧缩引起物价惨跌的现象。从前在膨胀过程中造成的过剩生产,就爆发为恐慌而与通货紧缩的恐慌相合流,必然助长恐慌的激化。于是那些过剩的商品和资本,就被这种激烈的恐慌所清算。资产阶级为抑制这种恐慌,就不能不实行救济的通货膨胀。于是恐慌的时期延长,而通货膨胀的规模也会增大,结局要发展为纸币通货膨胀。所以通货膨胀破裂之后,必然地引起通货紧缩,而通货紧缩的恐慌,又会引起再渡的通货膨胀。这是现阶段的资本主义世界的经济现象。

(二)通货膨胀之社会的影响

关于肃清通货膨胀的上述 3 种稳定通货方法的实施的过程,且留在下章详细叙述,这里我们只把通货紧缩之社会的影响说明一下。

通货紧缩是独占资本在通货膨胀破裂以后所能实行的唯一的剥削方法。所以在通货膨胀以后来实行通货紧缩,除了大独占资本以外,其他社会各阶级都要受到消极的影响,而安定通货的一切负担,却都直接或间接的转嫁于劳苦大众。

当通货膨胀继续发展到相当的时期以后,如要实行通货紧缩,势必发生通货稳定的恐慌和通货紧缩的恐慌,这对于资本家阶级当然是不利的。因为一旦实行通货紧缩,通货的价值提高,商品的价格就低落。于是从前在通货膨胀期中所积蓄的财富与扩张的企业,在用减价的纸币计算时,名目上的价格是很高的,现在要提高了价值的货币来计算,其价格当然大大减少了。并且从前用减价的纸币计算的地租、利息、租税等,也仍需算入生产费之中,这在物价低落的过程中,对于资本家显然是不利的。还有最重要的一点,就是通货膨胀期中被提高了的名目工资,如今要用提高了价值的货币去支付。这时资方如果减低工资,势必引起劳方的反抗,这对于资本家是很感困难的事情。但是通货膨胀既然要破裂,无论如何都不能不实行通货紧缩。这是上面已经说过的。

当实行通货紧缩时,物价就迅速地低落。在这种场合,资本家都要求把商品换成货币(与通货膨胀时要求把货币换成商品的情形相反)。债务者借入减价的货币偿付价值充足的货币,债务者的损失,便是债权者的利益。所以银行资本比较产业资本能够得到很大的利益。在这种场合,处于优越地位的,还是大独占资本——金融资本。大独占资本能够及早理清债务,并对其他非独占资本及早收回债权。并且在物价低落的过程中,大独占资本也不会感受大影响,它们支配着国内工农业的大部分,在国内利用独占价格以支配市场,用高价贩卖独占的商品,用低价购买非独占的商品,同时并把商品运到国外去倾销,可以从政府领受所谓输出奖励金。所以在实行通货紧缩时,大独占资本不但不会受到消极的影响,并且还利用通货紧缩以收夺非独占的中小资本,还利用所谓产业合理化的方法,通过劳动者榨取以较多的剩余价值。

至于非独占资本,在通货紧缩时期中,不免要遇到危机。大体上较大的资本,尽量地把负担转嫁于较小的资本及劳苦大众,而比较脆弱的中小资本,就只有沉没于洪涛骇浪之中,被大资本所收夺。

一般地说来,在通货紧缩时期中,强大的资本把负担转嫁于弱小的资本,而全体的资本家与地主,把负担转嫁于劳苦大众。至于转嫁的方法,直接的是利用产业合理化以开除工人或减低工资。间接的方法是用独占价格与非独占价格、工业品价格与农业品价格、批发价格与零卖价格的剪刀形价格之差,分别的把负担转嫁于小生产者与劳苦大众。不过能够实行产业合理化的方法的,只限于独占资本。独占资本一方面限制生产,以阻止贩卖价格的低落,一方面又用低廉价格买进原料与劳动力,因而增殖其价值,借以收夺许多中小的资本。

至于劳苦大众,由于所谓产业合理化的结果,一部分人被解雇而成为失业者,一部分人的工资被减低了(其他薪俸生活者也遭遇到同样的影响)。所以劳苦大众,在通货膨胀期中直接间接地受资本所剥削,到了通货紧缩时期,也直接间接地受资本所剥削,这便是通货紧缩的阶级性。

习题八

一、试说明纸币的运动法则。

二、试说明纸币通货膨胀的过程。

三、试说明汇兑通货膨胀的过程。

四、试说明信用通货膨胀的过程。

五、试说明信用通货膨胀的 3 种时期及其相互的关联。

六、试说明纸币通货膨胀、汇兑通货膨胀及信用通货膨胀三者的区别及其相互的关联。

七、通货膨胀对于社会各阶级的影响如何?

八、通货膨胀的一般概念如何?

九、试说明从通货膨胀到通货紧缩的过程。

十、通货紧缩对于社会各阶级的影响如何?

第九章　金本位制的崩溃

第一节　第一次世界大战时期及
战后各国的货币流通

一、战时的通货膨胀与本位货币恐慌

（一）本位货币恐慌与资本主义一般危机的关系

前面论述货币与信用的理论时,主要地反映了第一次世界大战前帝国主义及自由资本主义时代的货币流通过程,说明了货币运动法则在各种货币现象中所显现的形态。至于第一次世界大战后帝国主义阶段的货币流通现象,还不曾作具体的论究。所以从本章起,我们研究战后资本主义世界的货币流通,说明金本位制崩溃过程即本位货币恐慌过程,考察资本主义世界通货政策与通货斗争的现象,并推测资本主义货币体制的前途。

本位货币恐慌,在第一次世界大战前资本主义世界中也是常有的现象,但这种现象显现的时期很短,并且范围不广,但大战以来的本位货币恐慌,却蔓延于整个资本主义世界,并且时间也特别长久(从 1914 年到第二次世界大战前夜为止,除 1924 — 1928 年的五年之外,都是金融恐慌、本位货币恐慌时期)。本位货币恐慌的这种持续性、严重性与普遍性,是战后帝国主义新阶段的诸特征的显现形态,为要理解资本主义货币制度的危机,就必须先理解战后帝国主义的新阶段。

我们知道:"帝国主义是独占与金融资本的支配成立、资本输出取得显著意义、国际托拉斯的世界分割开始,并且最大资本主义诸国所实行的地球上全领土的分割完竣的那样发展阶段上的资本主义。"帝国主义在其本质上即是独占的资本主义,而帝国主义阶段的诸特征——金融资本的支配、资本的输

出、世界的分割等，——都是由独占资本主义发生发展的。

自从产业资本主义在 20 世纪初进到帝国主义阶段以后，资本主义内在的一切矛盾，——如资本主义的腐败性与寄生性、资本主义不平衡发展的冲突性与破裂性、劳动拮抗的不可调和性等——就达到了尖锐化的程度。所以这一阶段的资本主义是腐败的垂死的资本主义。各国资本主义为谋延长自己的生命，唯有诉诸帝国主义战争，从新分割已经分割完竣的世界领土。1914 年至 1918 年的世界大战，就是在这种企图之下爆发出来的。

但在大战爆发以后，帝国主义却踏进了最后阶段的顶点，即资本主义的一般危机的阶段。

一般危机阶段上的资本主义，仍是独占资本主义、帝国主义。在这个阶段上，资本主义的基本矛盾，仍然继续发生作用，同时上述帝国主义的诸特征，更展开了深刻的严重的扩大的诸姿态。这一般危机的阶段上的资本主义的诸特征，大概可以作如下的概括的规定：

第一，资本主义当作世界经济看，已不是统一的体系。资本主义体系虽然还是残存着，而另一方面却出现了社会主义的体系，而与前者相对立。这两个体系的斗争，使资本主义的内的矛盾更趋激化，因而加速资本主义的没落。

第二，帝国主义内部的阶级对立的尖锐化和社会革命潮流的高涨。

第三，殖民地与半殖民地的反帝国主义运动的发展，威胁着帝国主义支配的基础，使资本的输出遇到严重的障碍。

第四，许多农业国家与落后民族的工业化的急速发展，使得帝国主义的商品市场日趋狭隘。

第五，农业的资本主义化与农业经营的机械化的发展，造出农业的商品生产过剩，使农业恐慌采取慢性的形态。

第六，战时生产力的大破坏、战后生产机关的停顿、新的生产技术（如电气化）的排斥、有机失业的形成、休息资本的浮浪（短期的投资与资本的投机）等，——这一切事实，越发加强了资本主义的寄生性和腐败性。

第七，占世界领土六分之一的苏联脱离了资本主义的范围，落后民族与隶属国家的资本主义化、帝国主义国家内部中小生产者的破产与有机失业的增加、世界劳苦大众的赤贫化——这一切事实,一方面缩小资本主义的世界市场,一方面扩大了生产与消费之消极的不平衡。更由于大战的契机,改变了商品流通与资本流通的通路,欧洲资本主义各国的势力范围,大受美日两国资本主义的侵蚀,因而越发增大了资本主义不平衡发展的冲突性与破裂性。

第八,由于资本主义不平衡发展的冲突性与破裂性的增大,就加速了帝国主义阵营中的相互间的冲突——英美、法德、日美、英法与德意、民主主义各国与法西斯主义各国的冲突。这些冲突随着世界恐慌的发展而发展,终于走向更大的第二次世界大战,结局必然削弱资本主义。

第一次世界大战以来的本位货币恐慌的过程,是资本主义的一般危机的表现。资本主义的一般危机是从世界大战爆发的时间开始的,在战后经过了三个时期。从 1919 年到 1923 年之间为第一期,从 1924 年到 1928 年之间为第二期,1929 年以后为第三期。资本主义货币制度的危机与资本主义的一般危机相适应。在大战期中,一般危机在货币流通领域中的表现,是本位货币的恐慌,在战后第一期,是猛烈的本位货币恐慌;在第二期中,是部分的本位货币的安定;在第三期中,是表现世界恐慌的最激烈最持久最普遍的本位货币恐慌,即金本位制之普遍的崩溃。

(二)大战期中的通货膨胀与金本位停止

以下我们追溯第一次大战以来本位货币恐慌的现实过程。

帝国主义战争消耗了巨额的战费。依据德国经济学者休尔则(Franz Hermaun Von Schulze-Delitzsch)的计算,世界战争的总价值为 7440 亿—8330 亿金马克。几世纪以来所蓄积的财富的大部分和战时四年间所造出的财富的大部分,都供作这次战争的牺牲了。因此,资本主义各国为了筹措战费,尽过最大的努力,而努力的结果,在许多国家引起了货币制度的破坏、汇兑市价的混乱、公然及隐藏的国家的破产。

交战各国筹措战费的方法,一部分是不断的发行巨额的公债,一部分是不断的实行通货膨胀。

就大战爆发以后的英国来说,1914—1918 年之间,英国所发行的国内公债为 44 亿 9500 万镑(其中资本主义企业所发行的部分只占 1 亿 7950 万镑,其余全部都是国家的战时公债)。这些公债都是供作筹措战费之用的。其他如德国与法国也都有同样的情形。金融市场这样大规模的扩大,只有通过通货膨胀才有可能。所以战时各国的通货的发行额,都达到了可惊的数目。

英国银行券的发行额,在战前不过 3000 万镑,到 1914 年底,纸币流通额约为 7500 镑,到 1915 年底为 1 亿 3800 万镑,1916 年底为 1 亿 9000 万镑,1917 年底为 2 亿 5900 万镑,1918 年底为 3 亿 9400 百万镑。

法国银行券发行额,在 1914 年之初约为 60 亿法郎,到 1918 年增加到 280 亿法郎。

德国的货币流通量,在 1913 年为 60 亿马克,但到 1918 年增加到 230 亿马克。

如我们所知,一国的纸币只能在一国内部流通,因而各国政府利用纸币印刷机所能动员的东西,只是本国的商品价值。如果要向国外购买必要的武器和商品,就不能利用纸币,而必须用现金支付。所以大战的当初,各国政府一面利用纸币通货膨胀以征集国内的资源,同时又实行集中金融以巩固现金准备。为要拥护现金准备,就不能不停止金本位制的机能。

德国和法国首先停止兑现,随后并实行禁止现金出口。英国虽然不曾像德法那样停止金本位制,而事实上却禁止金币与金块的输出,并实行停止兑现了。至于美国是在参战的那一年即 1917 年 9 月 9 日实行禁止现金出口,虽不曾停止兑现,而禁止现金出口的事实,在实际上也和停止金本位制一样。此外日本也在 1917 年 9 月实行禁止现金出口了。

这样看来,大战期中各主要资本主义国家,在事实上都停止了金本位制的机能。

由于金本位制的停止与通货不断的发行,通货膨胀就不断地发展。结果纸币的价值低落,物价不断的高涨。以 1913 年的物价指数为 100,到 1918 年,英国物价指数增高到 227,德国的增高到 217,法国的增高到 340,意大利的增高到 409,美国的增高到 194,日本的增高到 196。

欧洲的交战各国虽然用尽方法去拥护现金准备,但因为要向中立各国购入必要的商品和武器,仍不能不用现金支付,结局黄金就由交战国流入于中立国。这一事实,可以从欧洲各中立国的金准备的变动情形看出来。

国名	本位货币名	1913 年底总额	1914 年底总额	1915 年底总额
丹麦	百万克伦	73	227	209
荷兰	百万库尔敦	151	637	414
瑞典	百万克伦	102	287	224
挪威	百万克伦	44	148	147
瑞士	百万法郎	170	517	472

至于在大战期中,利用战争的机会,从欧洲及其他各地吸收了大量黄金的国家,要算是美国。美国在 1913 年底的准备金为 19 亿 2400 万金元,到 1918 年底就增加到 30 亿 8100 万金元。

在战时通货膨胀过程中,物价的腾贵,货币价值的低落,使得资产阶级因战时的投机而致富,而劳苦大众却陷入困厄的深渊。这种普遍于资本主义世界的通货膨胀与战争的混乱,终于引起了世界经济的破产。

二、战后的通货膨胀与本位货币恐慌

(一)战后通货膨胀的一般特征

第一次世界大战终结时,交战各国基于《巴黎和约》,不能不设法实行复员,不能不偿还战时公债以及复兴战时被破坏的区域或支付赔款,因而就不能不筹措大宗的经费。这在当时是各国最紧急最重要的先决问题。

在战后生产力的大破坏及满目疮痍的状况中,各国政府为要筹措大宗的善后经费,在预算的编制上就感到非常的困难。支配的资产阶级在这时所能利用的唯一方法,仍是继续实行通货膨胀,把一切的负担转嫁于劳苦大众。纸币的减价,在大战期中已经达到了相当的程度,现在纵令是相对的小额的支出,也必须发行大量的纸币。于是纸币的继续发行,就越发厉害的促进纸币的减价。

战后的通货膨胀的发展,1922 年在奥国、1923 年在德国,达到了最高的顶点。法国在 1926 年达到最高限度。英国的通货膨胀,在战争终结以后,也不曾实行清算,直到 1920 年 4 月才开始恢复健全状态,而币制的改革到 1925 年才见诸实行。

战后的通货膨胀与战时的通货膨胀,在本质上是不同的。当德国激烈的通货膨胀发展着的时候,战争行为已经终结,世界的经济关系在各国已经复活起来,所以争夺市场的经济战争就异常激烈,而汇兑倾销就在这时候勃发了。在奥国也发生了同样的现象。

当德国通货膨胀发展到最高点之时,外国的资本家们都带着外国货币到德国用廉价收买德国的土地。在德国批准《巴黎和约》以后,外国资本家用非常有利的条件,收买德国的产业证券。如休特里希所说:"货币价值较高的国民,能够从货币价值较低的国家收买所要的一切商品。他们基于货币价值的优越,在价格的竞争上,常站在有利的立场。所以他们在货币价值较低的国家,能够取得于自己有利的一切艺术品、一切的矿山、工厂、房屋及一切事业。""在和约成立以后,柏林及其他德国大都市中,美国、荷兰、捷克等国的银行之设立,是由于上述的原因而来的。"这些国家的资本家,用高价的货币换取德国低价的货币,去收买德国的一切不动产。德国在这个时候,由于货币价值的极度的低落,动产的输出转变为不动产的输出。德国被占领地带中大部分最有价值的不动产,都落到了英国人和法国人的手中。

德国和奥国的商品价值之大量的输出,实际上是所谓"饥饿输出"。这种"饥饿输出",就是用极低的价格倾销于国外。这样的输出,是猛烈的劳动者的榨取,是本国的社会劳动之廉价的倾销。因为德国工人的实质工资,只相当于美国工人的工资的四分之一至七分之一。

德国大资产阶级这样的把大宗财产倾销于国外,使得主要的资本主义国家的产业,感受了破产的影响。同时,货币价值之猛烈的低落,又使得德国劳苦大众及小资产阶级地位愈趋于恶化,引起了他们的反抗。于是德国本位货币恢复的问题,就变成了世界的问题。因为德国的通货膨胀与德国的恐慌,如果再继续发展,英法及其他各国的产业的主要部分,势必也随着破坏,而德国资产阶级的政权也必不能支持。所以德国的币制改革的实行,在当时变成了资本主义世界的共同的要求。

(二)德国战后的通货膨胀

这里暂不说及德国的货币改革,且先说明德国及其他各国战后的通货膨胀的过程。

如前段所述,1918 年德国纸币流通量为 230 亿马克,物价虽增高二倍半,而马克对美元的平价,只减低二分之一。纸币价值低落的速度,比较物价腾贵的速度还算是迟缓的。但到大战终结以后,情势却完全不同了。

由于《巴黎和约》的成立,德国被课取了 1320 亿金马克的赔款。在这个时候,德国的领土的一部分被外国占领着,所有殖民地也完全丧失了,水陆运输机关的大部分也被协约国夺去了。德国这时实在没有支付能力,协约国为着惩罚德国起见,又把富于煤铁的鲁尔区域占领了去。

协约国这样的"和平的"处置,使创巨痛深的德国财政,陷于不可名状的困境(因为战后的复员,也需要大宗的支出)。

1920 年至 1921 年初期,德国政府虽然能够暂时的把马克安定,但到 1921 年 8、9 月支出第一期赔款时,马克的运动就受到空前的打击。一个美金在 8 月还只换到 61 马克,到了 9 月就可换到 197 马克了。

从这个时候起,德国政府为了偿付赔款、军队复员及救济本国破产的大资本,就要求空前巨额的支出。在内忧外患交迫的时候,德国政府就不能不利用纸币印刷机的阴谋了。1923 年初期,财政支出中的百分之七八十,是专靠发行纸币来弥补的,但到 8 月底,支出的 99% 都依靠纸币的发行了。银行券大量的发行,结局使德国货币制度完全破产。1919 年年底的莱西斯银行的发行额仅为 356 亿马克,到 1920 年年底增加到 688 亿,1921 年年底增加为 1136 亿,1922 年底为 1280 亿,最后到 1923 年 10 月底,就出现了天文学的数字(见前章)。纸币的价值不断的减低,到 1923 年 10 月差不多已等于零,物价高涨的速度,比纸币减价的速度更快。人们用美金换马克,再用马克买德国商品,拿到国外贩卖,可以得到百分之百的利润。这种特殊的倾销,不但荒废了德国,同时也摇动了世界贸易的基础,甚至摇动了世界资本主义的基础。

德国在战后通货膨胀时代,1921 年的倾销的景气之后,到 1922 年春天,就出现了通货膨胀的景气。鲁尔区域的占领,使最重要的产业部门陷于停顿。1923 年春季之人工的安定,因鲁尔的反抗虽得暂时的继续下去,却引起了决定性的货币价值的毁灭。德国独占的资产阶级,利用通货膨胀,收夺中小的资本家,并把劳动者的实质的工资减少到最低限度。于是社会的秩序濒临危殆,农民就不把生活必要品送到都市,商业交易陷于停顿。大众之自暴自弃的激昂,逼迫着资产阶级去制定新的本位货币制度。但资产阶级却把负担转嫁于劳苦大众,以谋连登马克的安定。这种安定更引起猛烈的恐慌。资产阶级利用无产阶级十月的败北,巩固自己的地盘,实行限制生产,解雇工人。过半数的工人,或者失业,或者只做半工。资产阶级尽量延长工时,减低工资,借以填偿因通货紧缩而低落的利润。

战后德国的通货膨胀,在国内方面,使得劳动者阶级的生活降低到饥饿线上,引起阶级关系的恶化,而资产阶级的政权也因而陷于崩溃的状态;在对外方面,由于德国资本主义生产力的降低,以及猛烈的汇兑倾销,形成了破坏全世界资本主义的可能性。于是,一方面,德国资产阶级为稳定自己的政权,不能不改革币制以谋通货的安定;他方面,各帝国主义者为了救济全世界贸易与全世界资本主义的破灭,也不能不援助德国去改革币制。由于国内外情势的汇合,德国的币制改革,到 1924 年才得开始实行。

(三)法国战后的通货膨胀

其次说明法国战后的通货膨胀。

法国在战时筹措战费的方法,也和德英两国一样。法兰西银行由于法律的规定,取得了增发银行券的权利,大量的发行银行券供给战费。

法国的纸币发行额,如前面所述,在 1914 年为 60 亿法郎,到 1918 年增加到 270 亿法郎,约增加了四倍半。

大战终结以后,政府为了筹措善后的经费,仍不能不继续实行通货膨胀。1920 年,货币量增加到 380 亿法郎,即增加到 6 倍以上,物价指数差不多也增加为 5 倍。

从 1920 年到 1923 年,纸币量略见减少:即在 1921 年为 37 亿 6000 万法郎;在 1922 年为 36 亿 3000 万法郎;在 1923 年为 37 亿 3000 万法郎。在这个期间通货比较安定,但物价指数却仍增高,即在 1921 年为 345(战前的 1913年为 100);在 1922 年为 327,在 1923 年为 411。法郎价值低落的百分率:在 1921 年为 38.63;在 1922 年为 42.41;在 1923 年为 31.46。物价指数的增高比较法郎价值低落率还大。

法国的通货膨胀,在 1923 年以后,仍然继续着。这个原因大概可以作如下的说明:

法国战胜了德国以后,政府和资产阶级,满以为一切物质的、显著而且直接的损失,即因战争而发生的动产及不动产的损失,都要德国完全赔偿。所以法国政府,就以预定的德国赔款为基础,从1919年初期,即着手于荒废区域的复兴。至于复兴事业所需要的特别经费,就准备以德国所偿付的赔款来抵补。因此,政府就发行大量的纸币投入于流通,而投机的资本家也因此从国库取得巨额的货币。但在德国签署《巴黎和约》(时在1919年4月17日)以后,德国支付赔款的能力,事实上几等于零,法国也因而不能从德国榨取预定的资金。于是法国为牵制德国起见,就实行占领鲁尔区域,但占领的结果,只得到消极的影响。因为德国在鲁尔被占领以后,实行"消极的反抗",而德国金融经济反陷于破产,越发没有偿付赔款的能力。当1924年《道威斯案》实行时,法国复兴事业的大部分已经终结。这些事业的经费,有一部分依靠于纸币的发行。所以法国在1921年到1926年之间,关于损害赔偿的支出,达到1300亿法郎,而战时死伤者的遗族的年金支付,不在其内。所以1926年的纸币发行额,由1923年的370亿3000万法郎,增加到520亿5000万法郎。

法国战后的通货膨胀时期之延长,其理由约如上述。但在通货膨胀时期中,法郎虽然一再跌价,物价虽然一再高涨,而大量的法国资本,仍然输出于本位货币比较安定的国家,这是值得注意的。

法国通货膨胀的肃清,是在1926年以后开始,到1928年才实现的(关于这一点,下面另行说明)。

(四)英国战后的通货膨胀

其次说明英国战后的通货膨胀。

前段说过,英国在战前时代流通着的银行券总额约为3000万镑。但到1914年年底,流通额增加为两倍半,1915年年底增加为四倍半,1916年年底为六倍又三分之一,1917年年底为八倍以上,1918年年底为13倍。同时,英国政府因为采用的方法得宜,英伦银行的准备金,事实上确是增加了。即准备金在1913年年底为3496万镑,到1914年年底增加为6949万镑,其后到1917年年底为5830万镑,1918年年底为7911万镑。但英伦银行的准备金虽然增加了一倍多,而银行券发行额却增加为十三倍。银行券发行额与准备金额之间的悬隔,愈离愈远,那些增加了一倍多的准备金,也只能供用以维持英镑对外的价值。

所以物价的腾贵与英镑的金价之间,就有了相当的距离。以 1913 年的价格为 100,1915 年增加为 112;1916 年为 143;1917 年为 184;1918 年为 227,1919 年为 242;1920 年为 295。

1920 年 4 月,币价的低落达到最高点,物价涨到三倍以上。

但是英镑的金价的运动,却显现出另一种状态。战争的初期,英镑的金价坚挺,在平价以上。到了 1915 年中期,才降低了 25.5%。英镑的价值低落最显著的一年,是战后的 1921 年 3 月,降低了 32.2%。物价虽然增高为三倍,而货币价值最多只降低了 32%。

英镑之所以能维持那样高的价值,不仅是准备金增加了的作用,而是政府买卖外国有价证券的作用。战时英国政府,在国内买进美国的有价证券,把它拿到美国市场卖出去。这样,政府就能取得美元(这时美元还可以自由兑现),再通过摩根系的美国银行,以对于英镑较高的价格,把美元卖出去。这种牵制汇价的方法,也是缓和英镑跌价的速度的原因。所以英镑减价速度能够缓和的原因,第一是由于英国能从债务者取回债权,第二是借助于美国的力量维持了世界金融中心地的英国的威信。但是等到美国觉悟到自己的力量时,就不再支持英镑了。所以英国在 1920 年与 1921 年,又实行了相当的通货膨胀,即 1919 年底银行券发行额增加到 4 亿 4350 万镑,1920 年底增加到 4 亿 8100 万镑。不过从 1921 年起,英国决定的开始转到通货安定的方向,到 1922 年通货已收缩到 3 亿 9700 万镑了。至于恢复战前的镑价的方策是在 1925 年才实现的。

(五)美国战时战后的货币流通

美国政府在 1913 年 12 月 23 日,颁布《联邦准备条例》(*Federal Reserve Act*),清算了从前杂乱无章的货币制度,对于货币流通与银行事业,实行了一番彻底的改革。

依据联邦准备制度的组织,美国全国分为 12 个联邦准备区,每区设立一个联邦准备银行。各该银行的股本,最低限度为四百万金元。凡属本区的国立银行,都要把它的资本及公债金的百分之六入股,而州立银行和信托公司,如果基础巩固而愿遵约束的,都可以加入。

联邦准备银行由特设的董事会所管理。又每一准备银行,由联邦准备委员会就该行董事会中指定一人担任,同时兼充该董事会的主席,其任务在于沟通银行与联邦准备委员会的关系。

联邦准备委员会是联邦准备银行的监督机关,委员为 8 人,除财政部长及通货监督为当然委员外,其余都由大总统咨询参议院的同意任命。这委员会的主要的权力,是随时检查联邦准备银行,罢免联邦准备银行的董事及职员,取缔或整理违反《联邦准备条例》的联邦准备银行,监督并支配联邦准备银行的一切事务。此外,联邦准备委员会还有一个联邦咨询会作为咨询机关,由 12 个准备银行的董事各选委员一名组织而成。

《联邦准备条例》的目的,在于集中关于全国的银行及金融制度的指导,以确立金融的统制。

联邦准备银行的主要业务,是发行银行券,收受会员银行及政府的存款,对会员银行实行票据再贴现或担保放款,代收票据并办理票据交换事务,代理国库以及经营公共市场的交易等等。

联邦准备银行得发行联邦准备券及联邦准备银行银行券。联邦准备券(Federal reserve note)以十成指定种类的票据与四成现金或十成准备金币为准备,它虽不是无限法币,却可以支付任何国税。联邦准备券发行的目的,在于补救国立银行的银行券缺乏弹力的流弊。

联邦准备银行券(Federal reserve bank note)的发行,由联邦准备银行固有资本的规模所规定。

关于银行券的发行,依据《联邦准备条例》,须有 40%的现金准备(确立银行券与金子的联络),与 60%的保证准备(可用商业银行票据)。如果现金准备低落到 40%以下时,联邦准备银行依据保证准备率的低减,须缴纳累进税于国家(现金准备额减至 32.5%时,每年须纳 1%的发行税;减至 32.5%以下时,每降低 2.5%,税率即增 1.5%。但这种重税,在普通的货币流通制度之下,事实上不啻是直接的禁止发行)。这种银行券发行主义,在 1924 年为德国所采用,以后其他欧洲各国也都采用的。

《联邦准备条例》的显著的特质,就在于不但限制无保证银行券的发行,并且对于诸银行的总额即存款,也设有确实的限制(规定会员银行须以其支付准备金存入联邦准备银行)。所以,银行券的发行与会员银行的准备金,也构成联邦准备银行的最主要项目。联邦准备银行,其由债务(银行券与存款)与全部现金所构成的保证准备额很高,在 1929—1931 年的世界恐慌以前,达到 70%以上。

以上只是略述《联邦准备条例》的大要。这《联邦准备条例》,在金融市场的统制上,确实具有其特色,但这个条例,并不像美国经济学者及实际家所宣称的那样,资本主义可以依据这个条例而进到合理的有组织的时代,可以安定物价并杜绝恐慌。根本上如我们在前面所述,这样的幻想并无根据。在资本主义存在的限度以内,恐慌绝不能根绝。1929—1931 年的世界恐慌,表明了《联邦准备条例》并没有统制资本主义的能力,也没有救济美国银行破产的能力。

《联邦准备条例》,从 1914 年起,开始发挥了它的机能。世界大战的时代,是美国的货币的财富因牺牲欧洲各国而猛烈的增加的时代,在这个时期中,美国因供给交战各国以粮食武器及其他商品,并夺取交战各国的海外市场,输出贸易空前发展,因而引起巨额的黄金的流入,我们看了下表(见卡斯洛夫著《货币与信用》)就可知道:

年底	单位百万金元	年底	单位百万金元
1913	1924	1919	2788
1914	1816	1920	2929
1915	2312	1921	3657
1916	2865	1922	3933
1917	3040	1923	4247
1918	3081	1925	4409

美国在 1873 年之时,只拥有全世界的黄金 3.7%,到了 1925 年,几乎拥有全世界的黄金的一半(当时全世界的存金量为九十五亿金元)。在这种巨额黄金量之下,美国的货币—信用的金子基础,当然是异常坚固的。

美国在第一次世界大战以前,是输入资本的国家,如今变成输出资本的国家了。大战的结果,欧洲变成了美国的债务人,欧洲各国对于美国的负债额,单只国家公债一项,就有 221 亿金元(其中英国占一半)。其他美国私人企业的对外投资额,单只1927年,就超过了11亿金元。战后欧洲各国的破产状态,多半是靠美国去救济的。特别是德国(《道威斯案》)的货币—信用的改革,是全靠美国金子的助力才实现的。

美国在第一次世界大战以来,已经变成了世界金融市场的中心地。这是使美国与资本主义各国的矛盾趋于激化的重要原因。美国那种强有力的金子的基础,越发成为斗争的有效武器。而美国的货币及银行制度,实是美国帝国主义的台柱。但这个台柱,往后对于资本主义的安定仍不能有多大的效力,1929年的世界恐慌还是在美国爆发的。

(六)日本战时战后的货币流通

日本在第一次世界大战时期中,成就了飞跃的发展。如猪俣津南雄所说,公司资本在1913年还只是20亿元,到1919年增加到60亿元。生产由32亿元增加到130亿元,对外贸易由12亿元增加到42亿元(这单是由商品的价格来计算的。若单就商品的数量计算,增加率较少,23种重要商品的生产增加率仅为60%)。因此日本货币的财富,激剧的增加起来。在1914年时,日本银行的准备金仅有2亿1800万元,到1919年却增加为9亿5100万元(4倍以上)。

日本从1917年九月起,用大藏省令禁止金银货币及金银块出口。银行券的流通,基于上述生产及贸易的发展也不断地增加起来,呈现出信用通货膨胀的状态。在1914年当时银行券流通量仅为3亿8000万元,到1919年增加到15亿1500万元。这期间的银行券流通量及准备金的增加步骤,有如下表(见宫田保郎著《货币的实际知识》):

年底	日本银行券流通额(单位百万元)	准备金(单位百万元)
1914	380	218
1915	420	248
1916	586	410
1917	796	649
1918	1087	712
1919	1515	951

准备金除上表所列的部分之外,再加上存在外国的13亿元,在1919年年

底达到 22 亿以上。日本的货币—信用之金子的基础,在当时是特别强固的。

但是大战终结以后的 1920 年,从前由战时经济所激成的异常深大的矛盾,却爆发为过剩生产的恐慌了。但是进到了帝国主义阶段的独占资本,不易被恐慌所清算,支配的日本独占的资产阶级,就实行救济的通货膨胀,而日本资本主义的体制就陷入于慢性的恐慌过程中,丧失了准备金的大部分。

日本战时及战后的通货膨胀,主要的是信用通货膨胀,但随着汇价的低落,又伴随着汇兑通货膨胀。由于战后欧洲各国资本主义的复兴以及对于日本在战时所独占的东西洋及南洋市场的竞争,日本的对外贸易呈现反调。在 1920 年到 1929 年的 10 年之间,日本贸易差额约有 30 亿元的支付超过。其中一部分约九亿元,是靠贸易以外的收入超过的部分弥补的,而其余的大部分是靠存在国外的存金,外资收入及输送现金来抵消的。结果,日本的准备金比较战时减少了一半。即,从前国外的存金 13 亿元减为 1 亿元,而日本银行的准备金,由 1920 年的 12 亿 4700 万元减为 1928 年的 10 亿 6200 万元。

日本战后的通货膨胀发展的结果,呈现出通货膨胀末期的症状。例如,庞大的过剩资本的集积、非独占资本之大量的没落、工业品与农业品的剪刀形价格差别之扩大、中小产业及银行企业的破产、农业恐慌的严重、劳动者失业的增多等等。由于通货膨胀的继续进行,国内市场日趋狭隘,而阻止物价低落的信用通货膨胀的作用,使日本商品价格维持较高的水准,削弱了日本资本家对外竞争的能力。因而日本资本主义的危机就日趋严重。所以日本资产阶级,在一九二九年不能不肃清通货膨胀而实行通货紧缩。

(七)战后通货膨胀之世界的影响

第一次世界大战后各国通货膨胀,使得战前时代那种一国通货与他国通货之间的安定的比率,发生了根本上的分解,几乎把世界经济的关联都切断了。我们可以说,在这个时期中,世界资本主义的机构是完全崩坏了。在资本主义之下,取得原料与贩卖制品的商业诸关系,已没有继续的可能性。任何富裕的国家,没有存在的可能性,也没有经商的可能性。因为任何国家都不能贩卖自己的商品,也不能买到自己所需要的原料。

从 1918 年到 1923 年的期间,是革命最高潮的战后革命运动发展的第一期。而通货的减价、货币价值之不断的变动,当然也是激起大众革命的诸原因之一,同时也是威胁资产阶级政权的诸原因之一。如德国经济学者休尔则所说:"诸君是在一国通货变为他国手中的圆球那样的国家之中生活着。诸君自身的运命每日都被威胁着——这样的思想,使得生活非常安稳的人们,也不能不作革命的奋发。一磅谷物、一匙白糖、一卷纱,以及其他生活必需品,都因通货的减价而不断腾贵;无论你怎样克勤克俭,也不能阻止贫困的发展。陷于这种状态中的数百千万的人们,难免不陷入于盲目的绝望状态。"

所以,资产阶级把安定通货看作经济的及政治的安定的第一前提,这并不是没有理由的。甚至夸张通货膨胀的意义的资产阶级经济学者,也是这样的主张着。例如美国经济学者费雪,在美国参议院委员会的报告中,引用英国政治家达巴龙的话,这样说着:"英国这个问题的权威达巴龙,在上院中这样说着:我相信欧洲布尔塞维主义的成功,百分之九十,可由通货缺乏安定的事实来说明。"费雪引用了这句深刻的话之后,又附加了这样一句:"我以为这是随便说的话,但我却想这样来说,像那样威胁着我们的阶级斗争,仍然主要的由通货缺乏安定的事实来说明。"

三、战后各国本位货币的安定

(一)战后金本位制的恢复

当第一次世界大战终结时,资本主义各国,都把通货安定的问题列上了日程。美国首先在 1919 年 6 月 3 日,解除禁止现金出口的禁令,恢复了金本位制。在英国方面,1918 年 1 月,政府为调查币制的问题,任命了以康里夫为首席的康里夫委员会(Cunliffe Committee)。康里夫在他的报告中,力说金本位恢复的必要,他说:"货币流通的不安定,给工业以有害的影响。世界金融中心地的伦敦的立场已经困难了,商业国的英国的威信,在全世界上已经降低了。"事实上,伦敦确是世界商业的金融中心地。世界商业交易总额的约百分之六十,是通过英国各银行而融通资金的。所以,英国的通货如果不能安定,英国就不能扮演金融中心地的角色。并且英国资本家也绝不会忘记他们投在海外的 40 亿镑的金子。如果英镑的价值低落,海外投资的价值也必随着低落。大战当时英国的窘况与美国对于金融市场的势力,威胁着金融中心地的伦敦。所以关于金融市场的斗争,即成为帝国主义霸权最重要的杠杆的斗争,使得英国资产阶级努力地去恢复战前的金镑的价值了。

至于其他主要的资本主义各国，对于通货的安定，也感到很重大的利害关系。战后所召集的世界经济会议，很注意的考察了通货安定的问题。1922年日内瓦会议的财政委员会，对于世界各国金本位制恢复的问题，造出了远大的计划。这委员会的议长（英国代表）曾经这样演说着："不论什么国家，如果没有充分坚固的本位货币，……就不能秤量劳动的价值及其生产物。因而要把她的生产物（不管需要怎样多）和他国生产物作商业的交换，这也是不可能的。……这样的两国间的交易关系就变为投机的，甚至变为定期交易。我们在报告书中推奖金本位制之一般的采用。"

战后金本位制的恢复，大体上在1924年以后才开始进行。这通货的安定，变成了从这时开始的资本主义之部分的安定时期的前提。

通货的安定化，是在1924—1928年的期间逐渐实现的。据约尔逊著《资本主义货币制度论》所述，在1924年有两个国家首先安定本国的通货；1925年有7国；1926年有两国；1927年有5国；1928年有4国，都陆续的实现了通货的安定。到了1929年，主要的资本主义各国，事实上都已安定了本国的通货和本国的货币制度了。

但是，战后恢复了的金本位制度，与战前的金本位制度大不相同。资本主义的一般危机的时期，资本主义的诸关系的不安定的时期，必然的反映于资本主义的货币制度之中。大多数资本主义国家，表面上虽然和战前一样，虽然安定本国通货对于金子的关系，而实际上金币之自由的流通却已停止了。这种币制虽也叫做金本位制度，而实际上却是与战前的金流通制度不同的新制度。因为大多数资本主义国家之恢复金本位制，采取了两种形式，即所谓金块本位制与金汇兑本位制。采取金块本位制的国家是英国与法国，采取金汇兑本位制的国家，有德、奥、意、匈、波兰、拉脱维亚与其他欧洲新兴国家以及殖民地、半殖民地国家等，约有三十余国。

金汇兑本位制，如后面所要详说的一样，是资本主义之脆弱的安定在金融方面的反映，它使脆弱的本位货币隶属于强固的本位货币，变为增加货币流通的矛盾的契机。这种制度反映了大多数资本主义国家隶属于极少数资本主义国家的事实。它反映着黄金的偏在，包含着使它自己动摇的矛盾。所以，战后安定的通货制度,并不曾恢复到战前通货制度的状态。所谓安定,实际上并不曾完成,而只是部分的暂时的不健全的安定。本位货币的这样的安定,并不能长久维持,这是后来的世界经济的发展所证明的事实。

战后通货的安定,使劳苦大众更蒙受许多损失。大多数国家,都采用过通货紧缩的方法以安定通货,因而伴随着通货紧缩的恐慌,至少也发生了不景气的现象。在这个过程中,失业的劳动者在各国都增加了,就是幸未失业的劳动者的工资也减少了。饱受了通货膨胀的损害的劳苦大众,现在又要担负着因安定通货而被转嫁的负担。

关于战后恢复的金本位制之特征,且留待后面说明。这里特就几个主要资本主义国家肃清通货膨胀的现实过程,加以研讨。

(二)英国安定通货的过程

英国在 1925 年颁布了《金本位条例》,废除了 1833 年、1870 年和 1914 年的法律,实行了币制的改革。

依据 1925 年的《金本位条例》,英伦银行对于要求金子的人,有按照标准金每盎司三镑十七先令十便士半的价格,卖出金块的义务。但金块的重量,以纯金 400 盎司(即约 1500 镑)为限。这就是对于国民大众用纸镑直接购买金子的能力加以限制,同时,却使得资本家能够以坚固的战前的价格自由的购买金子。这种改革了的币制,叫做金块本位制,它与战前的金本位制是不同的。

1928 年 11 月,为完成上述的币制改革,又颁布了《通货及银行券条例》。这个条例的要点,可概括为以下五项;一、一镑及先令券的发行权,划归英伦银行。这项银行券,同为法币。二、英伦银行,除了按照该行发行部所有的金币及生金准备额发行银行券以外,得以 2 亿 6000 万镑作为保证发行额的最高限度(但遇有必要时,保证发行额得酌量收缩)。三、英伦银行的发行部,应保有与保证发行额相等的有价证券。四、政府纸币即认为英伦银行券,英伦银行负有兑换责任(英伦银行,用同额银行券换回政府移交的政府纸币)。五、遇有紧急必要时,英伦银行经财政部许可,可以发行超过法定保证准备额的银行券,其时期以六个月为限。期限届满得呈请展期,但日期总数不得超过两年。

上述英国在战后所实行的币制改革,在交战国之中(除了美国以外),要算是唯一的国家了。英国这种安定通货的方法,就是前章所说的平价恢复或平价复旧的方法。英国能够依据这种方法实行币制的改革,表示着英国财政经济的力量和通货政策基础的坚固。但英国为了维持国家的威信,为了维持财政的、信用的、通货的"威信",却曾经牺牲了很高的代价。在别的国家中,战时公债的价值或等于零(如德国),或减低了价值的大部分(如法国因平价贬低而减少了五分之四),但英国战时公债,却还能保持全部的价值。这种事实对于英国预算加增了支付战债的重担,使得英国后来的财政编制受到长久的困难。不过这种负担,结局仍是转嫁于劳苦大众的。因为英国恢复货币的价值,采用了猛烈的通货紧缩政策。通货的紧缩,使英国产业遭受严重的打击,不能脱离萧条的状态,因而劳动者失业人数也比较他国加多了。还有,英镑对外的汇价维持在较高的水准,输入变为有利,而输出反变为无利,因而削弱了英国产业在世界市场中竞争的能力,使得国际贸易的支付差额呈现反调。这些事实,确是削弱英国经济财政的基础的契机。

英国资本主义宁愿忍受上述过大的负担,而维持金镑的旧平价,如前面所述,是在于保持从前世界金融中心地的那种地位。在这一点,我们可以看出英帝国主义的利益是由英国金融资本代表着。所以英国所采用的新的通货政策的目的,是在于争取帝国主义的霸权。

但是,英国虽实行了猛烈的通货紧缩政策,而货币流通量,比较战前却非常增大了(改革币制的1925年的流通量为5亿6600万镑,比较战前增加到8倍),并且准备金的比率也显著的减低了(1925年对于银行券的准备金比率,只有35%)。所以新货币制度只采用金块本位制而不能恢复战前那样的金本位制,就是因为财政的困难与准备金存额相对的缩小。资产阶级学者所宣称的"英国新货币政策是最经济的最合理的"那种谀辞,实际上只是一种虚伪的宣传。英国所采用的金块本位制,原是因为维持镑价而不得已才采用的政策,并不是由于什么合理化的思想而来的。

新货币制度实行以后,一方面由于国内金币流通的废除,由储藏货币调剂货币流通的机能,显著的受了限制。另一方面,镑价的恢复,削弱了英国产业在世界市场中竞争的能力,使得支付差额的逆势无法挽救,使得脆弱的准备金愈趋减少,因而加强了准备金的两个机能间的冲突的危机。这个危机,终于因世界恐慌的爆发而更趋严重。于是支出了高价的牺牲而恢复了的英镑的"威信"，终于在 1931 年 9 月 21 日消灭了。

（三）德国通货安定的过程

德国政府为肃清战时战后的通货膨胀，特于 1923 年 10 月 15 日颁布条例，创设连登银（Rentenbank），资本总额定为 32 亿连登马克，其资本筹措的方法，是强制全国工商业、银行业及地主拿出不动产抵押于连登银行，出立抵押证券，交存银行作为银行的资本。连登银行用这类不动产抵押证券做基础，更发行年息五厘的连登债券，作为发行连登马克的担保。连登银行从这年 11 月 15 日起，发行连登马克。每一连登马克的价值，规定与一金马克相等。每一万亿纸马克可换一个连登马克。这种连登马克是用不动产作担保的，所以只能在国内流通。其次，德国为创造强固的流通手段起见，又创设了金贴现银行（也是和连登银行一样的股份组织），用英国的本位货币做基础，发行了可与英镑相兑换的银行券。

但连登马克与贴现银行券的发行，只是德国安定币制的初步，协约国方面并不能认为满意。所以到 1924 年中间，协约国方面作成《道威斯计划》（*Dawes Plan*）强制德国实行，其中一部分是关于德国币制的改革计划。根据《道威斯计划》，于是年 8 月 30 日颁布了经伦敦会议所通过的《新国家银行法案》，并规定在 10 月 11 日起实行。

《新银行法案》规定莱西斯马克（Reichsmark）为本位货币，并规定铸造十莱西斯马克与二十莱西斯马克两种金币。纯金一基罗格令可铸造十莱西斯马克金币 279 枚，其成色为千分之九百。这种莱西斯马克，与战前的金马克，名异而实质相同。

依据《新银行法案》，莱西斯银行发行银行券，需有现金准备与保证准备。现金准备应为 40%，其中四分之三为现金，四分之一为外国汇票（包含外国银行券、短期外国汇票、外国支票及存在外国的即期存款）。保证准备为 60%，可用银行贴现所收到的汇票和支票充用。如遇金融紧急时，可由银行管理会提议，经总理事会核准后，增加银行券的发行额。但额外发行的金准备，如果低落到百分之四十以下时，得课缴累进税。

依据《新银行法案》，每一莱西斯马克，收换一连登马克；旧纸币一万亿马克可兑换一莱西斯马克。

就德国新币制考察起来，我们可以知道：第一，德国是采用废弃旧纸币的方法以肃清通货膨胀的；第二，德国的新币制是金本位制，但在用外国汇票作现金准备及莱西斯银行银行券得与金及外国汇票相兑换的一点上，又与金汇兑本位制相近似（但在采用《杨格计划》以后，原则上承认了依据币制改革所规定的法定比价以出卖金块的义务）。

从上面所说的看来，德国马克的价值，在外国资本的援助之下，总算是安定了。可是对于马克的安定性最有利害关系的，还是债权国。至于德国资本主义，当然也可以在通货安定的条件之下，力谋经济的复兴。在事实上，资本家因通货减价而厉行的剥削过程，已经停止，劳苦大众的最低限度的生活，也比较有点起色。但是马克的稳定，却又引发了新的矛盾。

马克的安定的结果，德国资本家从前那样猛烈的汇兑倾销，已经不能实行。因而对外的输出就陷于停顿了。这时德国为要加强竞争的能力，除实行猛烈的合理化运动以外，再没有别的方法。由于猛烈的合理化运动，德国的资产阶级，就在生产过程中加强对于劳动大众的剥削；在流通过程中加紧对于小生产者的并吞。由于猛烈的合理化运动的发展，生产力确实是异常提高了，但在另一方面失业劳动者人数也特别增多，而就业劳动者的工资也因而减低了。于是生产力与消费力的矛盾日趋激化，德国资产阶级不能不设法用廉价把商品倾销于国外，这就是所谓"饥饿的输出"。饥饿输出的结果，对外贸易的逆势虽然略见好转，但国际支付差额的逆势，却因为偿付赔款的缘故，并不能积极的挽救。

这样看来，德国在新货币制度之下虽然发展了生产力，但剩余价值的大部分却让渡于美法两国的资本，并不曾加强新货币制度的基础。

德国的新货币制度，原处于国际管理之下，所以安定马克的方法，加强了德国对战胜国的隶属性。德国资本主义在新币制之下仅能拥护脆弱的金准备，但不久却卷入了世界恐慌的旋涡。

（四）法国通货安定的过程

法国自从 1926 年 7 月代表大资本利益的普恩赉内阁成立以后，首先对劳苦大众及小资产阶级课征重税（主要的是间接税），以进行其财政计划（因此法国这一年下半年中的生活费，涨高了 30%），并减少法兰西银行的负债，提高其贴现利率,收缩货币量,想把法郎的价值,稳定于 1 美元＝25 法郎、1 英镑＝124 法郎的平价之上。法兰西银行从 1927 年到币制改革之时为止,就依照上述平价,卖出了外国汇票,其对外汇价在战前的平价五分之一以下。所以法国安定通货的方法,是贬低平价。

1928 年 6 月,法国政府颁布了新的货币法。新货币法的要点,可分为下列五项:

第一,废除 1914 年不兑换纸币强制通用的法令;

第二,取消战时禁止现金出口的禁令;

第三,新法郎的金量为 0.065 格令,等于战前五分之一;

第四,新法郎的对外平价,每 124.21 法郎合 1 英镑,每 25.52 法郎合 1 美元;

第五,法兰西银行的银行券发行额及存款额的总数,应保有 35%以上之现金准备。其银行券得与金块自由兑换,最低兑换量以 21 万 5000 法郎为限。这在事实上是采用了金块本位制。

从上述各点看来,法国是用贬低平价的方法安定通货的。法国通货的安定所以能够圆满的进行,第一是由于法国资产阶级大宗对外投资的流回;第二是由于法兰西银行拥有相当丰富的准备金(旧平价法郎 50 亿),而能充分的实行汇兑统制;第三是由于收回的赔款加增了准备金的蓄积。此外,重要的一点,就是法兰西银行购买了大量的外国货币和外国汇票,作为准备金蓄积的手段。这种购买外国货币及外国汇票,事实上就是表明法国对于外国有大宗的短期债权,这是法国威胁外国金准备的强力的政治手段,提高了法国在金融市场中斗争的威力。

但是,依据法国的新币制,法郎的平价比较从前贬低了五分之四即 80%。这种贬低了 80%的价值的新法郎,对于法国社会的各阶级,发生过很大的影响。因为用旧法郎表示了价值的有价证券的所有者,以及存款人和债权人,由于新法郎的出现,就丧失了自己的财产的实质价值的 80%。可是,法国公债的大部分,分散于小所有者阶级,所以因贬低平价而蒙受损失的人,大都是小所有者。至于大资产阶级,早就预闻平价贬低的政策,因而早已把所有的证券换成外国货币,而收得贬低平价的利益了。尤其是法兰西银行所得到的利益更多。该银行原有旧平价法郎 50 亿的准备金,现在因平价贬低而变为从前五倍以上的价格。这个差额当然归法国政府所有,而政府是用这差额偿还该行的信用的,结局,这莫大的利得仍归属于该行。此外,一般劳苦大众及小所有者手中所积蓄的仅有的旧纸法郎,如今丧失了五分之四的价值。至于劳动者的工资,纵令在名目上没有减少或较前略见增加,而其实质工资却大大的贬低了。所以通货安定的负担,结局要转嫁于劳动者。

(五)战后金本位制的变质

总括上面的说明,战后大多数资本主义国家,在形式上都恢复了金本位制。但战后恢复的金本位制,并不是战前帝国主义及自由资本主义时代的那种金本位制,而是采取金块本位制与金汇兑本位制两种形式的金本位制。金块本位制与金汇兑本位制,在质的方面,与战前的金本位制不同。

战后恢复的金本位制的缺点,大概可以分为下列三项:

第一,战后金本位制之存在,表明了实施金汇兑本位制的国家隶属于英镑、美元及法郎的帝国主义国家,表明了其余一切国家的中央银行都隶属于英镑、美元与法郎。因而战后时少数帝国主义者对于其他一切资本主义国家的支配的势力,就在货币制度的诸关系中表现出来。

第二,战后的金本位制度,它本身隐藏着不安定的契机。任何资本主义国家,为了保证本国的通货,都不能不在国内保有外国的通货。单就 1929 年说,各国中央银行所保存的外国货币额,达到 5 亿金镑。通货的这样的蓄积,并不是怎样稳健可靠的事情。因为其中倘有一种主要的通货发生减价的事实时,其他各国所保有的其他通货额也会急剧的低落下去,而这些国家的中央银行维持本国通货安定的必要的健全保证就因而丧失,于是多数国家的货币制度就必然急剧的动摇起来。

第三,采用金汇兑本位制的各国中央银行,为了保证本国的通货,必须在本国保有大宗的现金和外国货币。这种在国内保有的大宗外国通货,是不能挪充别种用途的。所以各国中央银行必须把这些外国货币存放于世界金融中心地的纽约、巴黎及伦敦的诸银行,作为特别即期存款,随时支取。所以战后的纽约、巴黎与伦敦的诸中央银行,都保有着大宗属于外国人所有的货币。这类资金,能够随时存入或支出。每逢有金融不稳的现象出现时,这类资金就立即由一个中心地移动到别的中心地,就立即引起国际金融界的不安。在恐慌发生时,资金的这种急剧的移动,能够引起通货的崩溃。

基于上述各点,世界金融中心地,常是保有着大量的属于外国人的货币手段,而成为纽约、巴黎及伦敦的诸银行的短期资金最主要的蓄积源泉。这种短期资金的蓄积源泉,第一是上面所说的各金汇兑本位国家中央银行的特别即期存款;第二是各金汇兑本位国家的海外贸易的商业资本家为融通资金而暂时存在中心地银行的即期存款;第三是以外国为中心而经营事业的公司和银行,为准备清理国际借贷而存入中心地银行的即期存款;第四是外国政府为支付公债或外债的利息而存入中心地银行的即期存款;第五是通过中心地银行而授予于外国的短期信用;第六是战后最流行的各国交易所投机业者,为买卖外国证券而移动于中心地的资金(这种投机资本的流入与流出,变化莫测)。

像上述那种集中于金融中心地的短期资金、短期信用,在战前资本主义时代也并不是没有,但短期资金额的巨大及其流动的无常,却是战后帝国主义新阶段的特征(因为这是资本主义一般危机时代的特征)。在资本主义一般危机的时代,这批短期资本的运动非常敏感,每逢汇价的低落或银行的倒闭及其他金融不稳的事实发生时,资本家就立即把那些短期资本移到比较安全的处所去避难。例如英国金镑将届崩溃之时,庞大的金额立即由伦敦逃到纽约和巴黎,又如美国的金元将届崩溃之时,又有巨额资本由纽约逃到欧洲各国。

由于上述的诸契机,1929 年的主要金融中心地,集中了外国人所有的随时可以拿走的巨额资金,其数目为 700 亿瑞士法郎(约 20 亿镑)。这巨额的资金,超过了全世界中央银行所保有的金量,其意义的重大,也就可想而知了(参看约尔逊著《资本主义货币制度论》)。并且,这巨额资金中,大部分是投机资本及避难资本,这些资本的所有者,虽然贪图大利益,同时却不忘记保持自己资本的安全。所以每逢有任何小的金融不稳的事实发生,那种短期资金就立即由一国移动到他国。在这种场合,金融中心地的国家就有大量的黄金流出国外,银行就失其健全性,该国的金融制度就大受打击。所以这种巨额的短期资金之存在,变成了战后的币制不安定的主要原因之一。

总括起来说,战后大多数资本主义国家,虽然在形式上恢复了以金为基础的所谓健全的货币制度,而在事实上,这种货币制度却失掉了战前的健全性,内包着新的崩溃的诸条件。因为从世界大战当时开始的资本主义的一般危机，就是在战后资本主义之部分的安定时期，也不能清算，反而更趋于发展。战后的本位货币之部分的安定，只是大战后资本主义之部分的稳定，同时又加强了世界资本主义各国间的矛盾。所以战后主要资本主义各国的货币制度，是很脆弱的东西。这种脆弱的货币制度之崩溃，原是必然的归趋。

第二节　金本位制崩溃的过程

一、第三期本位货币恐慌的诸契机

（一）金本位制崩溃的背景

所谓金本位制的崩溃，即是第三期的激烈的本位货币的恐慌。这种激烈的本位货币恐慌，是第三期世界经济恐慌之必然的现象形态，所以当我们说明金本位制的崩溃过程时，必先理解这第三期的世界经济恐慌。

第三期世界恐慌，是在资本主义的一般危机的地盘之上发生、由一般危机所促进、并反作用于一般危机而使它深化强化的、普遍于整个资本主义世界的大恐慌。

我们在前面说过，战后资本主义在1924年到1928年的5年之间，得到了局部的安定。由于这局部的安定，资本主义商品的生产与流通，逐渐的发展起来，但资本主义的生产技术与生产能力虽然大见发展，而帝国主义的世界市场却比较战前时代大见缩小，因而生产与消费的消极的不平衡就很快的发展起来。所以在战后资本主义的局部的安定时期，并不曾出现世界规模的好景气，就接着爆发了世界规模的大恐慌，而暂时的局部的安定随着消失了。

第三期世界恐慌，正因为是在资本主义一般危机时代发生的，所以它具有和战前时代的恐慌不同的特殊性。世界恐慌的特殊性，大概可以作如下的概括的说明：

第一，恐慌的范围特别广大。它蔓延了整个资本主义世界，一切国家的资本主义，一切的生产部门，都卷入了恐慌的旋涡。这是资本主义一般危机阶段上的、资本主义的基本矛盾在一切方面的暴露。

第二，恐慌的程度特别深化。因为今日的资本主义是独占资本主义，所以过剩的生产虽然发生,而独占资本却必然为维持独占价格而奋斗。独占资本一方面减少工人,限制生产,使大众的消费力更趋缩小,另一方面造成独占价格与自由价格的剪刀形现象,使非独占资本更趋窘困。于是恐慌的程度必然更趋于复杂而深化。

第三,恐慌的期间特别持久。因为独占成就高度的发展,金融资本势力雄厚,所属的诸企业比较能够长久抗拒恐慌的突击。并且独占资本常利用政府机关的援助,一面站住自己的脚跟,一面又进行并吞弱体的企业。于是恐慌的负担,由独占资本转嫁于中小企业与劳苦大众,更由帝国主义者转嫁于殖民地或半殖民地民族。这是恐慌所以能特别持久的原因。

第四,恐慌的发展很不平衡。恐慌的不平衡性,渊源于资本主义发展的不平衡。资本主义发展的不平衡,在战后世界经济变革之后,由于苏联的出现、落后民族与农业国的资本主义化,以及战后资本主义的世界再分割等原因,就更趋于发展。于是资本主义的生产与消费的矛盾,就采取经常的尖锐化的形态,暴露出恐慌的发展的不平衡性(有些国家或某些产业部门的恐慌在慢性的不景气之后爆发的,有些国家或某些产业部门的恐慌是在较好的景气之后爆发的)。

第五,恐慌期中失业人数特别增多。因为大战以来,大多数资本主义国家,都有慢性的企业不振和数百万失业劳动者的存在。产业预备军变成了失业预备军,到了世界性恐慌爆发以后,由于独占企业的强度的生产限制,失业人数越发激剧的增加,工资也随着激剧的低落,因而使危机愈趋于深化。

第六,农业恐慌与工业恐慌互相交错。农业恐慌的深刻化与普遍化,使农产品的价格比较工业品的价格,尤见低落。农业恐慌的结果,使得农业生产力发展的国家的农业资本家陷于破产状态,使农业生产力落后的国家的农业退化,农地抛荒,使得资本主义世界中的农业劳动者与农民,简直无法生活。农业的恐慌,必然的使工业恐慌更趋于激化。

第七,世界恐慌最强烈的爆发于战后第一名帝国主义的美国,这也是一个大特征。正因为恐慌在美国爆发,所以它迅速地通过美国的投资网和贸易网,波及于全世界,诱起全世界早已潜伏着的生产过剩恐慌。

上述各点是第三期世界恐慌的特殊性。具有这些特殊性的世界恐慌,必然的爆发为第三期的国际的激烈的本位货币恐慌。

本位货币恐慌，是在银行券停止兑现、禁止现金出口、本位货币减价、纸币通货膨胀的各种形态中表现的。"本位货币恐慌，与货币和信用的恐慌，在原则上并不是不同的现象。本位货币恐慌，只是货币与信用恐慌的极端激化的形态。本位货币恐慌，是基于一般经济恐慌的、引起信用流通手段减价的、激烈的信用制度恐慌的一个阶段。"

（二）金本位制崩溃的诸契机

本位货币恐慌，如上所述，是在战后资本主义一般危机的基础之上发生的，所以要理解本位货币恐慌的发生过程，必须从一般危机的基础中去探求它的契机。

关于本位货币恐慌发生的契机，可以分为下列几项来说明：

第一个契机，是战后信用构成的变化。大战以后，国际的短期信用的总量增加，长期信用相对的减少了。这是因为战后资本主义的不安定，金融资本不敢实行长期投资，所以选择短期投资的形态（如银行存款、汇票、公债、股券等）。短期资本的所有者，能够很迅速的移动自己的资本，每逢政治的、经济的危机将要发生时，他就急速地提出自己的资本再投入于其他安全的市场。有时，一国的金融资本家为要扰乱他国的金融时，就能够利用这批短期资本。例如德国就常受前一种短期资本移动的威胁，英国常受后一种短期资本移动的威胁。并且，短期资本的那种投机性与浮动性，使得拥有外国短期资本的中央银行，感受到准备金急剧变动的影响，甚至于引起本位货币的动摇。

第二个契机，是资本主义各国货币体制的金基础的脆弱。战后资本主义发展的不平衡，表现为世界金准备的分配的不平衡，即表现为世界币制的金基础的不平衡。

上面已经说过，世界大战的结果，使巨大的金准备集中于美国，而欧洲几个中立国的金准备也非常的增加了。在金子的再分配与集中的过程中，丧失了金准备的国家，由于金基础削弱的结果，币制的改革很感困难，因此加重了国际的负债与安定通货的负债，财政陷于窘境，支付差额继续呈现反调。

从此以后，又开始了金准备的再分配的过程。在一般危机的第三期，法国的金准备也大大地增加了。金准备再分配的结果，全世界金准备的 70%—

550

80%，集中于美法两国，不但落后国家丧失了金准备，甚至英国币制的金基础也因而削弱了。所以世界金准备分配的不平衡，变成了资本主义安定的崩溃过程的一个要素。

金准备分配的不平衡，削弱了许多国家的币制的金基础，因而产生了战后许多国家的货币制度及通货政策的特殊形态，即金基础很脆弱的金块本位制，特别是金汇兑本位制。金汇兑本位制，如我们在前面所述，是促进今日恐慌的一个契机，它是能使普通货币恐慌发展为本位货币恐慌的契机。

第三个契机，是凡尔赛体制的诸矛盾，引起国际的货币与信用关系的动摇。《凡尔赛条约》，对于德奥两国的经济、财政与金融诸方面，加上了不堪担负的重压。这种事实，一般的对于恐慌发展过程，特殊的对于本位货币恐慌发展过程，都演着很大的作用。依据《凡尔赛条约》，德国赔款的总额，是1320亿金马克。德国是不产金子的国家，为要支付赔款，就只有把商品倾销于国外。但商品的向外倾销，就会影响于英、法、美等国的输出。譬如《道威斯案》的实行，德国煤炭的大量输出，加重了英国煤业的恐慌，即其一例。所以《道威斯案》，激化了一切国家的恐慌。但等到战胜国方面采用对抗手段时，德国的输出贸易便萎缩不振了。

可是德国每年除了支付大宗赔款以外（1924年采用《道威斯案》时，每年支付25亿金马克，1930年采用《杨格案》时，每年支付额改为20亿金马克），并且还要支付国债的利息以及流入国内的外国资本的利润。合计德国每年要筹措30亿到40亿金马克的剩余金，才能够开销上列各项的付债。德国既没有金矿，而商品的输出又遭到上述的障碍，当然无力支付上项的债务。于是唯一的方法，德国只有向外国（例如英国）借款，但借款太多，更加没有支付能力。于是德国的债权国，就不能从德国收回债权，因而自己也不能偿还从外国借入的短期信用。当时的英国，对外国负着很大的短期信用，而英国自己却以长期信用形态投资于德国、奥国及其他殖民地、半殖民地国家。在长期信用债权与短期信用债务的天平不相平衡的时候，长期信用债权如果一旦冻结，短期信用债务，就会陷于不能清偿的状态。这是后来英国所经验过的事实。所以当德国没有还债的能力时，就影响世界经济恐慌的发展过程，不但引起信用恐慌，并且还引起本位货币恐慌。

第四个契机,是战后各国财政的困难。因为战后各国的财政都很感困难,为要筹措善后的经费,除了加重课税的方法之外,就是增发国内公债。各国战后的预算中,战争善后的经费,在二分之一以上。据 1930 及 1931 年的报告,"军事费"、"军事年金"及"国债付息还本"诸项目,在英国占 65.4%,在法国占 57%,在美国占 66.1%,在德国占 62.7%。随着世界恐慌的发生,各国内债更趋增加,岁入的源泉既日就涸竭,而恐慌救济费却日益增大。在这种情势之下,为了填补赤字的预算,势不能不利用纸币印刷机,而引起本位货币的恐慌,

以上各种契机,是在资本主义一般危机的基础上引起本位货币恐慌的原因。这些契机表示着:今日世界的本位货币恐慌的诸原因,根源于资本主义的一般危机;而世界资本主义的矛盾,是在由从前的一切恐慌所规定的形态上更激烈的爆发着。总括地说:世界的本位货币恐慌,是全部资本主义制度的激烈的危机的结果。

以下,我们分析世界的金本位制崩溃的现实过程。

二、金本位制崩溃的开端

(一)农业国家与殖民地的本位货币恐慌

在世界经济恐慌的发展过程中,世界的本位货币恐慌,首先是在货币与信用关系最弱的一环爆发的。前面已经说过,第三期世界恐慌是工业恐慌与农业恐慌的交错,而农业恐慌比较工业恐慌更为严重,农产品价格的低落比较工业品价格的低落更为厉害。农产品价格之急剧的低落与工业品和农业品的剪刀形价格的存在,使得农业恐慌愈趋深化,使得世界的农业国家与农业国家的农民,陷于破产的境地。所以当世界恐慌的暴风雨袭入于农业国家时,农业国家就受到异常重大的打击,而资本主义的货币与信用的连锁,首先就在那最弱的各环挣断了。

恐慌爆发以后,帝国主义诸国对于工业的原料的需要就激剧的减少,因而落后的农业国家主要输出品的原料,就特别急剧的低落下去,它在世界市场中贩卖原料所得的收入当然也激剧的减少了。例如澳洲输出的总价格,在1928—1929 年,为 1 亿 4100 万镑,但到 1930—1931 年,名目上减为 8900 万镑(减低了平价 20%)。不但澳洲是这样,其他的农业国家,如阿根廷、巴西、

秘鲁、智利、新西兰等地,也有同样的情形。这些国家的国家预算与支付差额的健全化,以及本位货币的安定,在从前资本主义的安定的时代,原是靠着帝国主义列强的金子的助力才得成就的。如今资本主义的安定已经消失,从前列强所给予的财政的援助,徒然诱起激烈的农业恐慌,并且还使得国家的租税收入和支付差额,受到严重的影响。农业恐慌的损失,已不能用国家的租税收入和输出所得的利益来弥补。并且,这些国家在国际上负着很多的债务。单就澳洲来说,外债的利息,每年就要支付 3600 万镑,差不多与一年的输出总价格的一半相当。在农业恐慌深化的状况之下,这些国家要想取得新的借款是不容易的。于是金融恐慌勃发,国家收入锐减,预算赤字增加,支付差额恶化。于是金子就急速的流出于国外。

从 1929 年 1 月 1 日到 1931 年 1 月 1 日这两年之间,那些债务国家移交于债权国家的金子,约有 30 亿马克,相当于当时世界金子保存总额的 10%。金子这样急性的流出的结果,债务国的汇价就一致低落了。就 1931 年 1 月 15 日的汇价来说,和 1929 年底的汇价比较起来,其低落的百分率,在澳洲为14.5%,在阿根廷为 25.7%,在巴西为 18.1%,在秘鲁为 25.7%,在乌拉圭为29.5%,在委内瑞拉为 6.6%,在新西兰为 6.1%。在这种趋势之下,这些国家的准备金必然很快的涸竭下去。金准备涸竭的结果,使得许多国家如巴西、智利、乌拉圭,公然宣告停止对外支付,即宣告国家破产,金本位制之崩溃,更是必然的过程了。

上述诸国本位货币安定的期间,比较欧洲各国更为短促。这是农业恐慌比较工业恐慌更为严重,而独占资本主义国家对于农业国家实行过度剥削的结果。法律上本位货币的安定,澳洲与新西兰是在 1925 年、智利是在 1926年、阿根廷是在 1929 年,才开始实现的。可是这安定期很短促的本位货币,到了 1929 年和 1930 年终于很快的破产了。这本位货币的破产,当然只带有局部的性质,但这些国家的金子的急性流出与本位货币的破产,必然地要影响于债权国。因为债权国在 1929 年 1 月至 1931 年 1 月之间,虽然从债务国夺取了约 1 亿 5000 万镑的金子,而债权国本身的信用恐慌也快要到爆发的时期。所以当它们感受到债务国的破产状态的影响时,债权国相互间也有急性的金子的流出,而成为信用恐慌爆发的导火线。这样看来,上述南美及澳洲、新西兰的本位货币恐慌,是世界的本位货币恐慌的前提和最初的征兆。

(二)奥国与德国的本位货币恐慌

1931年,一切资本主义国家都揭出了危险的信号,潜在的信用恐慌到处都表面化了,国家财政的危机到处都成熟了。主要资本主义国家都有急性的大量的金子的流出与流入,都有大量的浮浪的短期资金的避难。金子的大量的急性的流出,不但扩大了主要资本主义国家的信用恐慌,并且逐次引起了本位货币恐慌。

主要诸资本主义国家间的货币与信用的连锁,首先是奥国与德国切断的。

奥国所受世界恐慌的打击,最为深刻。因为奥国在欧战以后,金融资本的集中,达到最高的阶段。奥国全部经济生活权,都掌握在奥国信用银行的手中,它支配了奥国全部产业的80%。可是这个银行,并不是奥国资产阶级的自由的银行,而只是英、美、法的金融资本的工具,它直属于英伦银行的康采因。

世界恐慌爆发以后,奥国的产业陷于破产状态,到了1931年,奥国信用银行已完全丧失了活动能力,因而欧洲的信用恐慌,就从奥国开始,而奥国信用银行的崩坏,变成了袭击世界资本主义中心地的金融恐慌的导火线。

奥国信用银行的危机,一方面影响于英国(英国为了供给这个银行的五百万镑信用放款,曾引起法国的报复,以致影响于英国的本位货币),一方面又影响于德国,以致诱发德国的本位货币恐慌。

德国在世界恐慌过程中发生的本位货币恐慌,根源于战后德国资本主义的发展。战后德国的资本主义,由于厉行产业合理化运动,工业的生产量,很快地恢复了战前的水平。但到了1929年世界恐慌爆发以后,工业生产指数就很快的降低,以1928年为100,到1931年就降低到69.2,到1932年7月更降低到54.5。工业生产量从1929年的最高点起,到1931年12月,减少了45.9%,比较恐慌以前的生产量,差不多减少了一半,同时物价也低落了25.8%。1931年底,失业人数比较1929年的最低点,增加了353%,达到566万7000人(到1932年1月,更增加到604万人)。

生产缩小,利润降低,投资减少,失业增加,对外贸易衰落,——这一系列的现象,表现了德国恐慌的严重性。

当时美国有些银行宣告了破产,奥国信用银行濒临崩溃,德国的许多银行也继续跟着破产。在这种时候,对德投资的外国资本家,一方面迫于巩固本国保证准备的必要,一方面又感到投在德国的资本的不安全,都纷纷从德国收回自己的短期信用。同时,德国本国的资本家,也准备自己的资本的避难,也纷纷的向本国银行提取存款,准备运出国外。在恐慌严重的时候,德国又要支出赔款,榨取了国内蓄积资本的大部分。并且,德国各大银行的财产,有百分之三四十是由外国短期信用构成的,为了拯救国内产业的危机,又不能不利用这类外国短期信用以融通资金,因而使这种短期债务变为长期债权而固定化了。德国现在为要偿还国外的短期信用,又不能向国外取得新短期信用(因为列强自身也处于窘境)。德国金融恐慌的严重性,也就可想而知了。

基于上述的诸契机,货币资本越发大量的流出于国外(其最大的部分是外国存款的流通)。当时外国投资者,对于德国的银行制度,已经不信任了。这个原因,完全由于德国产业的恐慌。这个产业恐慌,结局在资本主义一般危机的基础上,引起了德国空前未有的激烈的信用恐慌与货币制度的恐慌。1931年最初的7个月中,外国向德国提回的短期信用,达到29亿马克。

当时德国资本的流出与赔款的支出,其总额共为72亿马克。这大量资本的流出,单靠德国对外贸易的积极部分、德国银行对外信用的收回部分及借入新信用的部分,无论如何是不能填补的。结果,金子仍是外流。在这种情势之下,德国的金准备,如果没有国际金融资本的救济,早已在1931年完全丧失了。

可是,德国的破产,也会给其他帝国主义列强以很大的恶影响,所以1931年7月洛桑会议的结果,列强允许德国将赔款的支出延迟一年,并在一定条件之下,暂不收回短期信用。于是德国由于国际金融资本的援助,暂时停止对外债务的支付,并实行强度的汇兑管理,总算是把马克稳定了。由于强度的汇兑管理,一切汇兑交易都必须通过莱西斯银行而实行,一切以外国通货或贵金属而实行的交易,一律禁止;一切以超过柏林交易所行市的高价格而实行的外国汇兑的交易,一律禁止(但政府的官吏及其代理人除外)。违反这个布告的人,并科禁锢与罚金,没收其通货与财货。照这样看来,德国在事实上已经放弃金本位了。

三、金镑崩溃的现实过程

（一）金镑崩溃的诸原因

现在，我们来说明世界金融中心地的英国本位货币恐慌。

英国在世界恐慌爆发以后，生产是激剧地收缩了（例如 1931 年钢铁的生产，比较 1929 年减少了一半），由于生产的收缩与物价的下落，就引起了利润的低落。大多数的企业，只能依靠从前所蓄积的准备资本来维持。失业人数逐渐增多，1924 年还只是 126 万 3000 人，到 1930 年却增加为 199 万 1000 人，1931 年更增加为 271 万 6000 人。失业人数增加的结果，国内的消费市场大见缩小，而以国内消费为对象的产业部门，其恐慌更加严重了。

至于对外贸易方面，如我们所知，英国向来是贸易入超的国家。但贸易上的入超额，是由所谓"无形的输出"（Invisible Exports）的收入即贸易以外的收入来平衡的。这些贸易以外的收入，包括着海外投资的收入、利息及手续费、海运业收入、政府海外收入及其他各项目。

但是随着世界恐慌的发展，输出贸易减少，贸易上的入超逐渐增大，而所谓贸易以外的收入诸项目却反而逐渐减少了。英国国际收支的逆转的趋势，可以从下表看出来（参见宫田著《货币的实际知识》）：

		1929年	1930年	1931年
贸易差额的支付超过额		381	386	411
贸易外差额的收入超过额	国外投资收入	250	220	165
	利息及手续费	65	55	30
	海运业的收入	130	105	80
	政府海外收入	24	19	16
	其他	15	15	10
	合计	484	414	301
国际支付差额		103（＋）	28（＋）	110（－）

如上表所列，经济恐慌以后的第一年，英国国际收支急转直下。庞大的外

国投资,由于债务国银行的破产与在外企业收益减少的结果,收入逐渐减少,并且因为世界贸易的衰落,不但海运业的收入锐减,而世界商业金融方面的收入也跟着减少了。结果,到了 1931 年,国际收支变成借方(1 亿 1000 万镑)。单只国际差额的恶化这一点,也能威胁金镑的安定的。不过,若在正常的状态之下,这个差额,还可以利用英伦银行的金准备和英国在外资金的实现来弥补的。可是在世界恐慌的过程中,情势却特别不同了。

上面曾经说过,伦敦存有许多外国中央银行的短期资金(是各该国的通货的保证准备),还有外国资本家的许多存款(因为信任金镑的安定性)。特别是法国的资本,有大批存在伦敦,这是因为法国资本家在法国战后通货膨胀时代运到伦敦避难的资本。依据官厅的资料,恐慌以前的英国,存有随时可以提取的外国资金,在五亿镑以上。而当时英国对外投下的短期资本,只相当于上述数目的一半。自从 1931 年夏季中欧各国的信用恐慌及德奥银行的恐慌勃发以后,大多数的外国中央银行,都急速的提回在伦敦存着的存款,借以保障本国的通货。同时,法国为了对英国加以政治的压迫,也向伦敦提回本国的存款。在这种时候,英国的金融状态已趋恶化,麦唐纳政府又欲厉行减俸政策,以致引起英国舰队的动摇,事实上在经济的不安之上,又重叠着政治的不安。因此,英国本国的资本家,也把自己的资本移到外国去避难了。由于这种种原因,英伦银行的金子,就大量的流出于国外,1931 年 7 月中旬到 9 月 19 日为止,从英国提回的短期资金,总额达到 2 亿镑。7 月间英伦银行的存金总额,仅有 1 亿 6400 万镑,到了 1931 年 8 月中旬,更减为 1 亿 3200 万镑。像这样的金子之大量的流出,英国为要防止金镑的破产,是很困难的,虽然麦唐纳政府曾经要求美法两国供给了 1 亿 3000 万镑的信用借款,可是无论如何是不济于事的。

英国资产阶级为了维持金镑的地位,为了维持世界金融中心地的伦敦的地位,对于金本位制的放弃是逡巡不决的煞费了苦心。可是在逡巡不决的那几日之中,金子逐日流向于外国,在金本位制放弃以前的三日中,资本的流出达 4000 万镑。英国资产阶级的一部分,在当时为着通货膨胀,为着贬低镑价,曾经拼命的斗争过。但在资本主义的基础上解决上述问题的方法,终于在1931 年 9 月 21 日发表了。这就是放弃金本位,停止金子的卖出。这就是说,英国用放弃金本位的方法,在事实上停止了政府及银行对于全部债务的支付。

金镑的破产,在英国一切银行与英伦银行停止用现金还债这一点上,也就是表明着英国全部银行的破产。

(二)金镑崩溃以后的影响

英国的金融恐慌,是世界金融恐慌的连锁中最重要最重大的一环,这一环的破裂,意味着全环的总崩溃。因为金镑在全部资本主义的历史过程中,是世界的国际商业、海运业、银行业以及保险业等等的主要本位货币。金镑的崩溃,从世界经济的结果来看,是资本主义全部历史中最大的破局的事件之一。我们可以说,世界各主要资本主义国家的放弃金本位,都是受了金镑崩溃的影响。

所以金镑的崩溃,并不是英国一国的大事变,而是轰动全世界的大事变,是牵连着一切资本主义国家金本位制都随着一同崩溃的大事变(以下我们将分别说明)。这里我们先分析金镑崩溃以后所发生的影响:

第一,金镑的崩溃,使全世界发生了大恐慌。9 月 21 日,伦敦交易所停市,接着柏林、维也纳、布鲁塞尔、阿姆斯特丹、哥本哈根、奥斯陆、东京、加尔各答、斯特克霍尔、安特瓦等都市的交易所,都跟着停市了。英镑行市和有价证券行市,立即下落了。

金镑的崩溃,引起世界本位货币的破产,不但引起镑价低落,并且引起物价的暴涨。英国政府与大资产阶级,还进一步地为了力谋预算的平衡,挽救支付差额的逆势,减低劳动者的名目工资和失业津贴。

第二,金镑崩溃以后,首先追随英国而放弃金本位的国家,是英国的属国以及与英国有最密切的经济关系的国家。例如爱尔兰及其他英国的属国,其本位货币都依存于金镑的,所以都不能不随着放弃金本位。

第三,与英国在贸易上有特别关系的国家,如丹麦及其他斯堪的纳维亚等国,也不能不跟着英国放弃金本位。因为这些国家,都保有很多英镑的贴现票据,英镑的贬价,引起了很大的损失。所以丹麦、挪威各发行银行,就在金镑崩溃后一星期停止金本位的效力了。至于芬兰,不但和英国有密切的贸易关系,并且芬兰银行的银行券的保证准备还是英镑,所以也不得不跟着放弃金本位。

第四,用金镑票据作为保证准备一部分的各国发行银行,因为金镑的崩溃,就立即把金镑票据改换为金法郎与金元的票据了。把金镑票据改换为金元或金法郎票据的这种现象,在许多国家都可以看到。例如爱沙尼亚,在1931年9月就离开金镑而与金元相结托了。

第五,流通着纸币的国家,如拉脱维亚与西班牙,从这年9月起,也离开金镑而与金法郎相结托了。此外土耳其也是一样。伊朗和阿富汗,也随着金镑的崩溃,改造了国际结账的制度。

第六,凡是在英国存有大部分资金或保有金镑汇票的外国资本家和银行,由于金镑的崩溃,蒙受了莫大的损失。例如法兰西银行存在英国的资金,在金镑崩溃以前未曾提出的部分还有77亿法郎,在金镑崩溃后,只值52亿法郎,一共损失了25亿法郎。

第七,在金准备已经涸竭而资本向外逃亡的国家,在金镑崩溃以后,本国资本家盛行汇兑的投机和资本的脱逃,因而引起金子的急剧的流出,使得准备金更趋于减少。这样的国家,必然也跟着放弃金本位(例如日本)。

第八,金镑丧失其霸权的这种过程,表现着英帝国主义危机发展的过程。

金镑的崩溃,加强国际间的货币战争。就英国本身说,在一般的方面,利用金镑的崩溃,加强其帝国主义的地位,在特殊的方面,利用以加强其在通货领域中的地位。一方面利用贬价的金镑,对外实行汇兑倾销,并利用保护贸易政策,以期挽救支付差额的逆势。但别的国家,也讲求对抗的手段,或者维持金本位,或者放弃金本位,实行汇兑管理或反倾销关税。因此,英国的产业和支付差额的地位,不但不能改善,反而愈趋于恶化。同时,国际政治的形势,由于关税斗争与汇兑斗争,反而愈形险恶。

在另一方面,英国金本位制的放弃,引起了许多国家本位货币的破产,因此,英国努力要使这些减价的本位货币与纸镑相结托。所谓"英镑集团"的思想,就从这种处所发生的。但是对抗"英镑集团"的势力,有"美元集团"与"金集团",因而货币集团的斗争就更趋激烈。关于这点,下章另有说明。

第九,金镑的崩溃,加速了资本之国际的移动与金子的移动,助长了黄金偏在的倾向,加强了金子的斗争。

英国放弃金本位制以后,各国发行银行及私立银行,都急速的把外国票据换成金子。例如荷兰、比利时及瑞士的中央银行,都把美元的信用券换成金子,使金准备急剧增加了(从 1931 年 9 月 19 日到 10 月 17 日的期间,尼德兰银行的准备金,由 2 亿 6400 万美元增加为 3 亿 2100 万美元;比利时国立银行的准备金,由 2 亿 2400 万增加为 3 亿 6600 万;瑞士国立银行的准备金,由 2 亿 3400 万增加为 4 亿 500 万)。在这个期间,金子流入于法国与瑞士的数量,特别增多。法兰西银行的准备金,1928 年平均为 290 亿法郎,1930 年平均为 440 亿法郎,1931 年平均为 550 亿法郎,特别是金镑崩溃以后,更是急速的增加,到 1932 年 8 月,达到了 830 亿法郎。

黄金的偏在,在经济恐慌与本位货币恐慌的过程中更加厉害,可是黄金偏在的趋势,往后更有显著的变化,争夺金子的斗争愈趋激烈(下章另行说明)。

四、日元崩溃的现实过程

(一)通货紧缩恐慌与世界恐慌的交织

现在,我们说明日本放弃金本位制的过程(根据宫田著《货币的实际知识》)。如前节所述,战后日本的本位货币恐慌特别长久。直到 1929 年(昭和四年),世界恐慌爆发的那一年的 6 月,滨口内阁才实行通货紧缩政策,宣言恢复旧金币本位制,同时表明"非募债主义",不再增发纸券。

可是采用恢复旧平价以清算通货膨胀的方法,对于日本资本主义经济,是一个痛烈的打击。

在滨口内阁声明通货紧缩政策的当时,日本物价水准,比较英美的约增高 20%,比较战前水准增高 74%。对美汇价,每日金百元合美金 44.5 元,比平价约低 12%。

平价之复旧,使日元价值提高 12%。这就表明清算通货膨胀的价格,物价至少要低落 12%。可是,由于潜伏的过剩生产的压力,已经处于物价低落过程中的当时产业企业,如果物价再低落 12%,就不能不受到痛烈的打击。

在各种产业部门之间,卡迭尔强化的倾向,特别显著。一方面实行高度的生产限制,以阻止物价的低落,另一方面更实行产业合理化,减低工资,减雇工人,极力的减低生产费(如生丝、棉纱、人造丝、洋灰、制纸等部门)。由于这种种的强烈的对策,物价水准,在声明通货紧缩以后 5 个月之间,只减低了 5%。可是日元对外汇价,由于购买日元的投机,与政府提高平价的方策,在这时早已涨高了约 12%。

恰当这个时候,世界恐慌袭来了。这恐慌的影响,早已在贸易商品上显现了。在平均减低了 5% 的物价低落期中,棉纱、棉布、洋灰的价格,却低落了15%—20%(虽然实行着高度的生产限制)。随着世界恐慌的深化,恐慌的压力越发采取尖锐的形态,全面地笼罩着日本的经济。1930 年 1 月金解禁(即取消禁止现金出口与停兑的禁令)以后的过程,就在通货紧缩恐慌与世界恐慌交织的过程中进行了。

从此,一切商品的价格都低落了(虽然是不平衡的低落)。在金解禁的一年之后,日元超过其腾贵率(12%)而低落 20%,并且在金再禁(即再行禁止现金出口并停兑)以前不到两年的期间,竟低落了 40%。1932 年 11 月的物价水准,比较战前只高出 17%。

独占组织,更加高度的限制生产,以抵抗物价急剧的低落(例如 1931 年,纺纱业为 30.6%,人造丝业为 30%,制纸业为 45%)。一切工业的操业率,比较 1926 年低落为 82%;到 1931 年底,更低落为 75%。这就是说,日本劳苦大众,在这个期间,丧失了就业率的 25%。

但是,恐慌更严重的袭入农村。金解禁以后的两年之间,米价约减低一半,茧价低落了 60%,小麦、蔬菜、果实等,也低落了一半以上。这便是表明着日本农民的收入,在这两年中减少了一半。这样严重化的农业恐慌,更与工业恐慌相交错,终于爆发为一般的恐慌了。

随着一般恐慌的深化,其重点就移到了金融信用的部面。

农业恐慌的尖锐化,首先使地方的中小银行陷于窘迫的境地,信用放款的僵滞,激起存款者的不安,因而大量的存款就从地方的中小银行被移到都市的大银行了。所以银行恐慌的浪涛就波及于各地方了。但是都市方面的银行的存款,也逐渐减少了。因为金解禁以后,由于贸易的入超与资本的逃亡,金子大量的流出于国外。所以信用异常紧张,利率随而增高,其结果,大企业之中,也有许多陆续的陷于破产状态。

(二)金融—信用恐慌与金本位的放弃

如上所述,日本自从转换到通货紧缩以后,大约一年之中,就发生了波及全国的金融—信用恐慌。一般的经济恐慌与金融—信用恐慌(特别是银行恐慌)的严重,引起了救济的通货膨胀。日本政府为了实行救济,通过兴业银行与劝业银行,对于濒临危机的企业,放出了救济资金,并且为防止公债跌价而救济银行,又从市场买进了巨额的公债。像这样放出去的资金,约有 3 亿元。这是表明通货紧缩政策的破绽。这种破绽,由于赤字预算(岁入因恐慌而锐减)而放弃非募债主义时,表现得非常明白。于是日本政府,在种种名目之下,加发了约二亿元的公债。这种事实,增加了资本家对于日元的不信任,促进了资本的逃亡。

金解禁以后,贸易不曾好转,反而更呈逆势。1930 年度的输出入额,比较前年度减少了 30%,而入超额只减少 7%。贸易以外的收入,如海运与保险关系的收入已经锐减。至于日本资本家的海外投资,不但收回的部分大减,并且新的海外投资反而增加(这是表明日本资本的逃亡),同时外国资本家在日本的投资又被收回了去。因此贸易以外的支付差额也呈现逆势。下面就恐慌期中的 1929 年与 1930 年日本国际收支情形,列表说明:

		1929年	1930年
贸易收支	输出额	2218	1519
	输入额	2389	1680
	贸易差额	172（-）	161（-）
贸易以外的收支	收入	976	955
	内日本海外投资的收回	209	149
	支出	882	970
	内日本对海外投资	225	269
	外国从日本收回投资	235	309
	贸易以外的差额	94（+）	15（-）
国际支付差额		78（+）	176（-）

(单位百万元)

如上表,这两年中的支付差额都是逆势。若在平常时期,这是可以借助于外债以防止现金的外流的,但当时欧美市场都为恐慌所苦,资本的输出是不可能的。所以日本在这两年中流出了 2 亿 8600 万元的黄金。同时,日本银行的准备金,由 1929 年年底的 10 亿 7200 万元,减到 1930 年年底的 8 亿 2500 万元。这两年中日本的金子的移动与准备金的情形,有如下表:

		1929年	1930年
金子的移动	流入	0.54	22
	流出	——	308
	差额	0.54	286
金准备(年底)	金准备	1072	825
	银行券发行额	1642	1436

(1930银行券的收缩,是物价低落当然的结果)　　　　　　　（单位百万元）

通货紧缩政策的破绽、国际支付差额的恶化、大量黄金的输出,影响了日元的信用。首先,日本用外币发行的公债,在外国市场跌价了。国内各大银行,正苦于短期资金的过剩,现在借口这种外币公债的利息好转,把日元换成美元,使资本逃避于国外。当时英镑崩溃的波澜,的确是暂时阻止了。但由于英镑的贬价,日本的海外市场,受了很大的威胁。再加以"九一八"事变的发生,日本的贸易差额更趋逆势。日元的破产早已成为必然的趋势。

当时金融资本,公然卖出日元,买进美元,实行汇兑投机。贸易业资本家也通过商品的买卖,实行汇兑投机(例如买进大量的美棉,输出大量的生丝)。于是日本银行的准备金,眼见得逐日减少了(1931 年 9 月底为 8 亿 1800 万元,10 月底为 6 亿 8600 万元,11 月底为 5 亿 4200 万元)。

准备金的锐减,更加损及日元的信用。存款之大量的提出与银行券的兑换请求,情势非常迫切。存款锐减,金利暴涨,公债大跌。于是金融恐慌非常严重,由银行恐慌发展为货币恐慌,更发展为本位货币恐慌。日本银行虽曾三次提高公定利率,却仍不能阻止金子的流出。

于是,恐慌期中金准备的机能,显然陷于"危险的冲突"。日本政府与日本银行,曾经讲求一切的方法,阻止大众的兑现要求。可是银行券突然减价30%,发生了对于金子的贴水。

及到这年 12 月,若槻内阁倒后,公然宣布禁止现金出口并停止兑现时,日元立即大跌,低到平价以下30%—35%。于是日本的金融恐慌,踏入世界本位货币恐慌的阶段,变成它的明了的一环了。

五、金元崩溃的现实过程

(一)金融恐慌的发展

自从金镑的崩溃以及其他各资本主义国家跟着英国放弃金本位以后,国际金融恐慌的恶涛继续增高,到了 1933 年 3 月,终于袭击世界资本主义的王座,而世界的货币与信用体制的最强的一环的美国的金元也终于崩溃了。

美国金本位制的崩溃,也和其他资本主义国家一样,是由于战后资本主义的一般危机、及由它所规定的货币与信用领域的诸现象所诱发的必然的过程。在说明这个过程时,我们应当从 1929 年美国交易所的恐慌开始。

1929 年夏季,美国的繁荣,在一切生产部门中已经达到最高的顶点。从那时起,在狂热的投机的现象之后,一切生产部门的过剩生产恐慌的征兆,——如生产之急剧的减退、价格的低落、失业者的增加的现象,已经显露出来,因而已经达到最高水准的企业的股票和债票的惨跌,只是时间的问题。到了这年 10 月,交易所恐慌果然爆发了(世界恐慌就从这时开始)。

当时美国各银行,贷出于有价证券事业的信用,占全部信用的 2/3。有价证券惨跌的结果,以有价证券作担保的信用,就完全冻结起来,因而引起多数银行的破产。在交易所恐慌爆发以后,1930 年破产银行数,有 1305 家,这些银行的存款总额,为 8 亿 6500 万元。这是发展为本位货币恐慌的美国金融恐慌的端绪。

在上述事实中,可以看出银行机能的投机性。银行机能的各种投机性,是由于放款资本的过剩。美国放款资本的过剩,第一是由于美国经济的剩余价值的蓄积速度,比较再生产的速度更为迅速;第二是由于美国资产阶级利用战债与资本的输出,从他国剥削了大宗的利润;第三是由于银行集中达到了高度的阶段。放款资本的过剩,原是战后帝国主义的一般特征,是美国战后资本所以富有寄生性与投机性的重要契机。放款资本的投机性,浸透于各地方的小银行,所以交易所恐慌一旦爆发,那些小银行就破产了。

随着交易所的恐慌与地方小银行的破产,金融恐慌就趋于深化。

首先,联邦准备银行利用 20 亿的放款资本支持交易所,暂时的阻止证券惨跌的趋向,以期把证券惨跌的必然的损失转嫁于第二流的股东们。其后,各大银行也不时放出一定的金额,阻止证券的低落。于是,那些投资托拉斯、大股东和经纪人商会,乘机把那些证券卖给许多分散的小资本家,把损失转嫁于他们。并且,大银行对于将届破产的中小银行和企业,延期收回所贷出的资本,或者再贷以新的信用,使它们苟延残喘,而在合并的名目之下,并吞那些中小银行与企业。

可是,金融资本由于吞并中小银行与企业,就负担了过剩的死资本,因而包含了使金融恐慌更趋深化的矛盾。因为一般的恐慌日趋严重,1931 年秋季,全部生产量,比较 1929 年已经缩小一半。事业的收益,股价与贸易额等,在这个期间,都减低了 40%—60%。特别是农业恐慌更为严重。当时,南美、澳洲与中央欧罗巴,已经爆发了尖锐的信用恐慌,其次英国的金本位制也崩溃了,于是,美国的股份惨跌到空前的程度。存款提出的数额显然增加,货币的储藏与金子的流出,达到显著的程度。于是银行就不能不抛售有价证券,因而有价证券就更趋于低落。信用收缩,利率高涨,银行的破产数,共有 2298 家,其存款总额为 16 亿 9100 万元。其他各种中小企业的破产,不可胜记。中小企业与银行的破产,终至于影响于大企业与大银行,摇动了金融资本的最高部。这是金融恐慌的新局面。

拥有庞大的死资本的大独占资本,现在遭受着深化的金融恐慌的袭击,自己已经没有支撑的能力,于是不能不仰仗国家的救济。所以胡佛总统在 1931 年 10 月,资助国民信用公司的设立,以期救济将近破产的银行,并限制存款的提出。但这个公司,终于因贷出信用的冻结而失败了。往后,1932 年 1 月,创设了国立金融复兴公司,由国库拨给资金 5 亿元,并授以 15 亿元(后为 30 亿元)的发行权。国立金融复兴公司以补充"破产银行、工业及铁路企业"为目的,其活动范围很大,截至金元崩溃以前为止,放出了资金 16 亿元。

同时,政府又实行改革联邦准备银行的银行券保证准备制(银行券 60%,得以政府证券作保证),实行大规模的救济的通货膨胀。

金融资本,利用国家机构和国库的援助,果然收回了已经冻结的资本。可是国家财政却因此陷于窘境。1931—1932 年的会计年度,由于恐慌的影响,关税及其他租税收入锐减,现出了 30 亿元的赤字。为了填补赤字,只有发行公债。于是金元的信用就大受影响。

金元信用的动摇，与国际收支状态的逆势，也有不少的关系。

（二）金元的崩溃

金融恐慌的发展，引起了金元的崩溃。金元崩溃的过程，从 1931 年秋季起，大约经历了三个不同的时期。

第一个时期，是 1931 年 8 月到 1932 年 7 月的时期。从 1931 年 8 月起，金融恐慌已经发展到新阶段。英国放弃金本位（是年 9 月）以后，美国金融恐慌更趋发展。由于一般恐慌的深化，到金镑崩溃之时，更引起金元的动摇。存款锐减，金子的流出与退藏，显著的增大，银行的破产数也急剧的增加了。

英国金子的保存量，在金镑崩溃以前的 8 月底，约达 50 亿元的巨额，但到金镑崩溃的 9 月底，却减少了 2 亿 5000 万元，10 月底更减少了 4 亿 5000 万元。单只 10 月 1 个月，金子流出部分比较流入部分超过 3 亿 3000 万元。金子的出超，与法国资本的攻击大有关系。当时法国因为德国赔款问题、军缩问题、战债问题等，愤恨美国不承认法国的立场，所以对美国实行金子的攻击，作为报复手段。法国各银行，在金镑崩溃以后，立即把保存的外国信用券换成金子，从美国收回巨额的信用。法国资本的攻击，对于美国各银行是一个压迫。同时，美国国内的存户，也向银行提回存款，把银行券储藏起来。结果，许多银行因而破产，破产数在 8 月有 158 家，9 月有 305 家，10 月有 522 家。

1931 年底，由于南美与日本方面金子的流入，美国金子的保存量多少恢复了。可是到了 1932 年，金子仍从美国流出，从 1 月到 7 月，大约丧失了 6 亿元。金子大量丧失的原因，一方面是由于通货膨胀，影响于金元的减价，使人们发生恐惧的心理；一方面还是因为法国资本的攻击。当时法国与比利时、荷兰、瑞士、英国等，都向美国吸收金子。在这个时间，金子之大量的流出，威胁了金元的安定。

第二个时期，是 1932 年 8 月到年底为止的时期。这时期中金子的移动，于美国比较有利，可说是金元暂时稳定的时期。8 月以后，金子的流入量超过流出量，在 7 月底的最低量为 39 亿元，到年底增加到 45 亿元，而破产银行数，到 11 月为止，也呈现了减少的倾向。同时，国民把金子储藏起来的事实也减少了。货币用的金子保存量，在 7 月为 39 亿元，到年底增加为 44 亿元；货币流通量,在这个期间,也由 57 亿减少为 56 亿了。

像上述金融的恐慌,表面上似乎缓和了,所以当时经济学者们,都说美国的景气已经好转了。可是上述的现象,主要的是大规模的救济的通货膨胀的结果。由于大规模的救济的通货膨胀,破产企业能够利用国库的负担代替冻结的信用,所以能够呈现活气。于是暂时间出现了通货膨胀的景气,物价微见上涨,而有价证券的投机事业就首先活跃起来,这是 8 月以后金子流入较多的一个原因。

可是通货膨胀的景气,毕竟不能持久,到了 10 月,物价就急剧的低落了。生产的方面,从 10 月到年底,已趋于缩小。特别是年底贸易的总结算,表现出恶化的倾向,输出额比较上年度减少 8 亿元,输入额减少 7 亿元,贸易差额呈现逆势。加以 1933 年度预算的庞大赤字,预算中所列入的战债的难于收回,以及金融复兴公司的资金难于筹措等等,更加促起金元的动摇,于是踏进了第三时期。

第三时期,是从 1933 年 1 月到 4 月 17 日为止的时期。从上年底开始,金元动摇的现象,首先在汇价上表现出金元的减价。于是美国国内外的资本家,都感到金元的动摇,大量的提取存款,而金子的退藏量与流出量也大见增加了。

金子的保存量,从 1 月底到 2 月底,减少了 2 亿元,准备局存金量,减少了 6 亿元。准备比率从 89.7% 减为 49.1%。这种情势,越发减少了金元的信用,存款的提取与金子的退藏及流出,越发增加。许多银行突然倒闭,就是没有倒闭的银行也限制支付了。

2 月 24 日,敏甘州——美国北部农工业中心地——全州的银行都一齐关了门。这种波涛立即波及于全美,而金融恐慌就达到最高顶点。到了 3 月 5 日,美国政府不得已实行停付存款,并禁止兑现。这在事实上表明了脱离金本位。从这时以后,银行恐慌暂时终熄,大多数银行也开门营业,但到一个月以后的 4 月 17 日,美国政府实行宣布放弃金本位制,停止银行券兑换金子。这种宣布的理由,一方面是因为政府虽然想利用通货膨胀以逃避恐慌,却又考虑着流通纸币的过度发行会从新引起金子的外流;另一方面,是因为政府决心贬低平价以谋输出状态的改善(详细的经过,下章另行说明)。

六、金法郎崩溃的现实过程

（一）生产及贸易的萎缩

自从金镑与金元的崩溃而其他各国随着放弃金本位以后，资本主义世界中仍然支持着金本位制的国家，只有法国及其他几个国家了。可是到了1936年9月29日，金本位制的最后的最强的堡垒的法国终于宣布法郎贬值，而其他同属于金集团的几个国家也接着放弃了金本位。从那时起，直到现在，世界再也没有实行金本位制的国家，同时金本位制那东西，也变成了历史的范畴。所以金法郎的崩溃，完成了世界本位货币恐慌的全环。现在我们来分析金法郎崩溃的现实过程。

法国经济恐慌的征候，是在世界恐慌爆发了一年以后的1930年后半期才开始出现的，而恐慌的激化，还是进到1931年以后的事情（在这里，我们可以看出世界恐慌发展的不平衡性）。

法国是战后世界金融霸权第一位的国家，由于拥有雄厚的金融资本，所以比较的能够暂时维持其优越地位。法国这种优越地位，正是它在世界恐慌过程中能成为各国资本避难所的原因。可是，自从1930年后半期起，受了世界恐慌的打击而自国的恐慌日趋于深化以后，法国的金融争霸的过程，同时又变为扩大其自身帝国主义诸矛盾的过程。这些矛盾的扩大，表现于下述各项事实之中：

首先，就生产方面说，从1931年起，是逐渐地萎缩了。恐慌过程中生产的萎缩，原是资本主义世界共通的现象，但法国却比较特别。这里且就法国与英美两国同期间的生产指数，作成如下的比较表（以1929年为100）：

	法国	英国	美国
1929	100.0	100.0	100.0
1930	100.4	92.3	80.7
1931	88.9	83.8	68.1
1932	68.8	83.5	53.8
1933	76.7	88.2	63.9
1934	71.0	98.8	66.4

	法国	英国	美国
1935	67.4	105.7	75.6
1936 年 1 月	69.5	114.7	82.4
2 月	71.0	114.7	79.0
3 月	72.4	114.7	78.2
4 月	73.1	114.7	84.0
5 月	73.1	114.5	84.9
6 月	70.3	114.5	86.6
7 月	70.3	113.4	90.8
8 月	66.7	113.4	90.8
9 月	68.1	113.4	91.6

从上表看来,法国生产的萎缩,比较英美都迟了一年。英美都从 1934 年起已开始恢复,而法国除了在 1933 年略见恢复以外,到 1935 年又趋萎缩,直到 1936 年 1 月起才稍有起色但比较英美却相差太远。

法国生产的萎缩,引起恐慌过程中失业人数的增加。1931 年。完全失业者 70 万人,半失业者在外;1934 年,为 1375386 人;1935 年,为 1464040 人(系官厅统计,当然不可靠)。

失业人数的增多,大众购买力必然减少。生产与消费之消极的不平衡更趋发展,恐慌就更趋于深化,因而物价就更趋于低落。就物价指数降低的趋势来说,1929 年为 100,1930 年为 88.4,1931 年为 88.0,1932 年为 68.2,1933 年为 63.6,1934 年为 60.0,1935 年为 54.0(最低),1936 年 1 月至 6 月,平均为 64.3。恐慌深化的程度,在物价方面也是明白的表现着。

法国的物价虽然逐年低落,而在恐慌过程中,国际市场上的竞争非常剧烈,输出的贸易大受影响。特别是放弃了金本位的各国,货币一再贬值,而法国却仍旧维持法郎平价,在市场的竞争上,处于很不利的地位。各国可以压低汇价,对法国实行汇兑倾销,而法国却缺乏这种条件。所以法国虽然增高关税壁垒并施行比额输入制,而对外贸易,比较英美各国,更为不振。例如以 1929年为基年,英国 1932 年的输出指数为 50,到 1935 年已增至 57,1932 年之输入指数为 55,到 1935 年增至 62;美国 1932 年的输出指数为 30,到 1935 年增至

47;输入指数由 30 增至 47。但法国的输出指数,在相同期间,却由 61 减至 36,输入指数由 51 减至 40。至于入超,也是逐年增加,1930 年入超额为 96 亿法郎,1931 年为 117 亿法郎,1932 年为 100 亿,1933 年为 99 亿,1934 年为 52 亿,1935 年为 54 亿,1936 年 1 月至 7 月,入超已达 55 亿。贸易的入超,固然不是放弃金本位的条件,但在紧缩政策继续着的限度以内,贸易的萎缩很难挽救,反而成为放弃金本位的前提。

法国贸易上的入超额,向来是靠贸易以外的收入余额来弥补,并且还有多余的。可是到了 1931 年,国际收支上,却现出了 30 亿法郎的支付超过,1932 年更增为 48 亿法郎,1933 年为 29 亿法郎。支付差额恶化的原因,主要的由于贸易以外的收入的减少,例如到法国游历的外客的减少(在 1929 年及 1930 年,单只从来游的外客所得的收入,就达到 85 亿法郎),法国在外的短期资本大部分已经收回,长期资本大部分已经冻结,利息收入因而减少等。法国支付差额既然这样继续恶化,黄金随着就流出于国外。

(二)财政的困难与赤字的增加

在恐慌的过程中,由于生产与贸易的萎缩,以及德国停付赔款等原因,法国国家的收入逐年锐减,但在支出方面,却因为要救济国内破产的企业与银行,以及扩张军需工业及其他与国防有关的事业,却反而使岁出更加膨胀了。

法国国家财政,在恐慌袭来以前,每年约有 30 亿法郎的剩余金,但到 1930 年以后,赤字却逐渐上升了。这些赤字,在 1930—1931 年为 26 亿法郎,在 1931—1932 为 55 亿,在 1933 年为 70 亿,在 1934 年为 80 亿,在 1935 年为 90 亿。赤字的克服,在法国财政上是特别困难的问题。因为岁出的半额是军事费与国债利息,这是不能削减的。其余部分大半是官僚的俸给予年金。要厉行减俸,必须与官僚斗争,这是内阁的第一难关。所以结果只能减少那些无抵抗力的大众的年金(养老年金、兵士及寡妇的年金),及其他社会政策的费用。至于增加课税,在恐慌期中常遇各阶层的困难,这几乎成了历任内阁崩溃的原因。所以,为要填补赤字,只有发行公债的方法。

发行的公债额,在 1931 年为 46 亿法郎,1932 年为 176 亿,1933 年为 91 亿,1934 年为 202 亿,1935 年为 180 亿。4 年之间,共发行了公债 700 亿法郎。国家的负债额,截至 1935 年 8 月为止,已有 3330 亿法郎。

关于法国财政困难的情形,1936 年 6 月 19 日,勃鲁姆内阁的财长奥里沃尔曾经有下述的说明:

> 预算在 1934 年,不足 80 亿法郎,1935 年不足 90 亿至百亿法郎。在本年(即 1936 年)6 月以前,岁出已超过 60 亿至 70 亿,在年底以前,为偿还英国借款,需要 30 亿法郎。所以支出超过额大概为 709 亿法郎。如果再实行目下政府所计划的大规模的公共事业,赤字将更见增加。……政府在本年中,授权发行财部证券 227 亿 8000 万法郎,其中 219 亿 4000 万,已在 6 月中旬以前发行竣事,所余无多。……并且国债总额愈益增加,现在确在危险状态之中。过去 4 年中永久债务虽减少 440 亿,却另外又增加要偿还的债务 750 亿。其中短期债增加 160 亿,现已达到 325 亿。这是今后两三年以内要偿还的。又借款在这期间增加 200 亿,已达 660 亿。此外,还要追加 85 亿的支出以维持邮政事业及小麦市价。……

法国当时财政困难的情形,从上段说明中可以看出。在这样的财政困难情形之下,勃鲁姆政府为了安定国民生活和扩张军备的经济生活起见,还决定了实行下述四大政策;即(一)军需工业的国有化;(二)煤矿业的国家管理;(三)农业统制;(四)法兰西银行改组。这些政策显然的含有矛盾:因为要实行这些政策,需要大宗经费,在财政困难已极的状态之下,为了筹措这大宗经费,势必诉诸通货膨胀。但通货膨胀与从来的通货紧缩政策是不能两立的。并且,勃鲁姆政府,为了防备国际局势的不安,不但要厉行上述的经济的设施,同时还要扩充军事的设施。勃鲁姆政府在九月间已经拟定了四年计划的 130 亿法郎的追加军事预算,其中有 42 亿法郎是必须在 1936 年内支出的。

由于厉行国防的强化与国民生活的保障诸政策,国库的支出就越发大大的膨胀起来。而这部分追加的支出,至少有一半是靠借债来筹措的。但如上文中所述,数年来国债的发行过多,已经扰乱着货币的流通,并且国债的销售也已经达到饱和状态。如果要筹措上述的经费,结局就不能不动员法兰西银行的资金。这种情势,直接的诱起通货膨胀,当然是与金本位的维持背道而驰的。

（三）资本的逃匿与金准备的减少

在上述情形之下，金法郎的信用的动摇，实是必然的趋势。

金法郎从 1935 年起，到 1936 年放弃金本位之时为止，经过了三次的危机：第一次危机，是在 1935 年 4 月比利时放弃金本位而法国国库穷乏的时候开始，到了 5 月，达到危机的顶点。7 月中旬，赖伐尔内阁向众院提出拥护法郎的紧急议案，由众院授以所谓财政独裁权，以防止法郎的暴跌。于是赖伐尔内阁用大刀阔斧的手段，削减去了 109 亿有余的预算，并颁布了减低官俸、停止年金以及增加课税等五百余通的法令，总算减了岁出的 10%，使预算得以保持平衡，借以拯救了法郎的危机。

法郎的第二次危机，是在 1935 年 10 月，义阿战争开始而法国 1936 年度预算编制困难之时发生的，当时纽约华尔街呈现繁荣，法国的黄金有很多流到纽约。11 月底，法郎的信用动摇，法兰西银行把贴现率提高 6%，同时又因国际局势缓和，预算案也经议会通过，才算度过了危机。

法郎第三次危机，是在 1936 年 4 月德国出兵莱因及法国总选举前后开始的。选举结果，左派占得胜利，人民阵线的勃鲁姆内阁成立，但右派及大资产阶级对此却感到不安，因而又引起法郎信用的动摇，资本逃避到外国的，达 50 余亿法郎。法兰西银行又把贴现率提高到 6%。6 月勃鲁姆内阁财长奥里沃尔声明反对法郎贬值政策，法郎的危机才算安稳的渡过。但法郎崩溃的时机，由于上述种种原因，早已成熟，以后只要欧洲及法国发生政治的不安，金本位就不能维持。

如上所述，法郎从 1935 年以来，信用已经动摇不定，其结果必然引起资本的逃匿。所谓逃匿，就是一部分逃避到外国，一部分藏匿于国内。关于资本逃匿的数字，勃鲁姆内阁财长奥里沃尔在议会中也曾报告过。依据调查，在过去一年半之间，属于法国资本的金币、外币及证券输出海外的部分，总计达 260 亿法郎。民间的金块及金币储藏额，从 1933 年以来，由 45 亿增加到 60 亿（一说是 100 亿）。至于法兰西银行的银行券的储藏额，据说达到了 200 亿。照这样看来，当时金子和银行券之被民间所藏匿的部分，计有 400 亿法郎，加上逃避于国外的 260 亿，逃匿的资本共达 660 亿了。

资本逃匿的过程，在法兰西银行金子移动的统计中也可以看得出来。从

1929 年起,法兰西银行金子移动的情形,有如下表:

1929 年底	41668
1930 年底	53578
1931 年底	68863
1932 年底	83017
1933 年底	77098
1934 年底	82124
1935 年底	66296
1936 年 1 月底	65223
2 月底	65789
3 月底	65587
4 月底	61937
5 月底	57022
6 月底	53999
7 月底	54942
8 月底	54511
9 月 18 日	52692
	(单位百万法郎)

在上表中,我们可以看出,法兰西银行的金准备额,以 1932 年底为最多,达到 830 亿法郎,这是英国放弃金本位以后,各国资本多以法国为避难所,而法国的金融制霸权的斗争,也得到了积极的效果。其后 1933 年虽略见减少,而到 1934 年又大约恢复到 1932 年底的水准。但从 1935 年起,因为遭遇到三次法郎的危机,每经一次危机,黄金就逃避到英国和美国一次。直到 1936 年 5 月底,法兰西银行的存金量竟降低到 600 亿法郎以下。法兰西银行的金准备额,以 600 亿法郎为"死线"。所谓"死线",就是说,在军事上,600 亿的准备金是法国对德作战所必要的最低限度的数目。可是准备金额,从 5 月底起已降低到所谓"死线"以下,到 9 月 18 日更是减低为 520 亿法郎了。

不过,所谓"死线"的意思,也只是就国防的范围去解释的,若就经济的领域考察起来,存金量虽然减少到 520 亿,对于金本位的维持全无影响。因为当时银行券流通量虽然多至 850 亿法郎,但按照法定准备比率 35% 计算,仍是绰有余裕的。并且,准备金的丧失,如果只是由于贸易的逆势与人心对于法郎的不安,法国也不致放弃金本位。法国放弃金本位的主要原因,除了支付差额的恶化一点以外,就是财政的困难。而财政的困难,又与军备的强力的扩充有密切关系。在帝国主义战云弥漫着的今日,金子的保存,是应付战争危机的最重要的经济准备。

(四)法郎贬值与英美法货币协定

以上所述,是法郎贬值的各种经济的契机。单就这些契机加以考察,也可以知道法郎贬值的时机早已成熟,其实现只是时间上的问题。事实上如前面所说:从1935年4月比利时放弃金本位之时起,直到1936年总选举前后为止,法郎经历了三次的危机。这便是说,法国的金本位早就应该放弃了。可是在这个期间中,前仆后继的各内阁,都努力维持金本位,使法郎安全渡过那几次的危机。这个原因,当然是由于历任内阁顾虑国内金融资本家的利益,不敢贸然实行贬值,以致遭受金融资本的打击。但是随着国内的、国际的政治经济的情势的变迁,那种维持金本位的努力,也就达到了最高限度,而不能不实行放弃它了。

前面所说的各种经济的契机,固然是金法郎崩溃的原因,但那些还不是最后的决定的原因,这最后的决定的原因,要算是法国准战时经济体制的编成及其扩大。

其后由于德国的军备之继续的扩张、义阿战争的爆发、《法苏条约》的缔结,以及德国撕毁《罗迦诺公约》和西班牙内乱的发生等事件之陆续出现,欧洲的政局呈现了空前紧张的不安的局势。第二次世界大战的爆发,迫在眉睫。法国处在这种险恶的欧洲情势之下,除了加紧备战绝不足以应付危机。本来,法国岁出中,军事费的支出,占有很大的比重,及到当时,这军事费的支出更不能不扩大起来。不但军事费的支出要扩大,而其他与军备有关的事业的支出,也要随着扩大。简单点说,在这准备战争的阶段中,一切都要按照战时的体制,实行改编国民经济,才能应付战争。所以人民阵线的勃鲁姆内阁登台以后,就决定了扩充军备及保障国民生活的诸政策(如上文所述"军需工业国有化"、"煤矿业的国家管理"、"农业统制"、"法兰西银行改组"等),以编成准备战争时的经济体制。在准战时的经济体制之下,法国必然要放弃金本位,实行管理通货。

以上是金法郎崩溃的政治经济的诸契机。

法国金本位之放弃与法郎贬值,在国际的经济的、政治的斗争上,也有密切的联系。法苏的协定与德意的联合,是国际的人民阵线与法西斯阵线的对立。这个对立逐渐的扩大了范围。大体上,英、美、法、苏是国际人民阵线的基干,德、意、日是国际法西斯阵线的基干。在英、美、法、苏的阵线中,除了苏联是社会主义经济体制以外,英、美、法都是最强的帝国主义的国家,都是世界金融的霸权者,有操纵国际金融的力量。英、美、法三国的相互间,固然有许多矛盾与冲突,但在对抗法西斯阵线这一层上,却有不少的共通点。法国对于英美,在金融争霸斗争中,曾经发挥过可惊的力量。但到后来,法国金融斗争的力量也逐渐减弱了(如上文所述)。同时又因为上述国际阵线的情形,相互间的金融斗争暂时休战的机运也趋于成熟了。所以法国之放弃金本位,固有其内在的必然的契机,而法郎贬值之与《英美法货币协定》同时宣布,就说明了法国与英美在国际金融领域中成立了妥协,说明了法郎贬值不致引起激烈的通货战争(当然是暂时的),说明了三国可因这种协定而共同操纵全资本主义世界的金融,并对国际法西斯阵线表示金力的示威。

法国之放弃金本位,是在 1936 年 9 月 25 日宣布的,而《新货币法案》是在 29 日通过于国会的。依据《新货币法案》:(一)废止 1928 年货币法;(二)黄金一律收归国有;(三)新法郎的平价,决定于九成金 0.043 公分至 0.049 公分之间,与旧法郎比较,约贬低 25.19% 至 34.35%;(四)设立汇兑平准基金,由法兰西银行买卖外汇。由于这《新货币法案》,法国也和英美一样,从这时起实行通货管理了。

法国之放弃金本位,意味着全资本主义世界金本位制之普遍的完全的崩溃(荷兰和瑞士追随了法国的后尘),从此再也没有采行金本位的国家了。

习题九

一、第一次世界大战后本位货币恐慌的根本原因如何?

二、第一次世界大战后德国安定通货的方法如何?

三、第一次世界大战后法国安定通货的方法如何?

四、第一次世界大战后英国安定通货的方法如何？

五、第一次世界大战后金汇兑本位制之缺点安在？

六、试说明金本位制崩溃的诸契机。

七、简述金镑崩溃的过程。

八、简述美元崩溃的过程。

九、简述法郎崩溃的过程。

附录:李公辅仁八十自序^①

（1936.5）

曩予年登古稀,戚友公制屏章为寿,转瞬十年,老夫耄矣。丁兹时会,岂宜复戚友,届期当榜门谢客,为儿孙勉举一樽也。

予生于前清咸丰七年丁巳,少贫,家无立锥地,幸赖先伯光明公之力,得从名儒王绶先生习举业,然小试辄不售,弱冠未能掇一芹。甲戌岁大旱,人民艰食,伯家中落。仰事俯蓄,彷徨无计,予乃弃其所学,改课农桑,偕先配胡氏,田家作苦,克俭克勤,家始少有,儿曹亦踵出,其得以育成者,有荣、盛、锡、吉、瑜五人,爰本既庶斯教之义,遣令就学,比其长也。因其性习,使各择一业以自给。惟悲夫胡氏于庚戌岁以五十四岁龄而先逝,未见及诸子之成立耳。迨继配唐氏来归,家计已裕矣。予素性淡泊、无声色货利、饮酒博奕之好,居恒手一卷,自随经史子集,以迄时务家言,无不浏览,所以适吾性,益吾智也。律己甚严,每念不欺暗室,族党交游,悉准于情,而酌于义,凡济困扶危利众诸事,罔不竭心力以促其成。乡绅以公务相免,则持平以处之。里人以纠纷相告,则苦口以解之,是皆分所当为,非以市惠,生平未尝一字入公门,亦愿人之如我也。今儿辈皆克自树立,有恒产,斯有恒心,故尚能循规蹈矩,私衷身慰。三子鹤鸣,学而能成其名,教授于大学,垂二十年,著述盈箧,桃李满天下,而自持不阿,绝意仕进,学者立身行世,固当如是,报国之道岂止一端哉! 世变日亟,民生凋敝,百业萧条。就农而言,昔也斗米百钱,布衣一袭,亦仅二百,夫有余粟,女有余布。今农耕而妇不能织,日用之需,均仰给予洋货,物力维艰,徭役赋税,数

---

① 据考证,这是1936年5月李达为其父李辅仁80寿诞代作的自序文。李达曾请其好友陆和九将"自序"全文书丹于寿屏上,该寿屏现存共8块。——编者注

倍于他日,业此者,往往不能得一饱;就工言,昔所入,能赡一家,今儿不能糊一口;就士言,求学之难,易大相径庭,农家子入大学者,不数观。生今之世,为今之人,诚大不易,要在持以勤俭,济以忍让,去浮嚣之习,汰骄奢之风,自食其力,不依傍于他人。庶无忝于所生,邀天之幸,孙曾辈出,眼观四代,年至八旬,日策杖履优游于山野间,与亲知父老同话田家故事,语笑于稚子群牛,晚景诚足以自娱矣。去冬不幸,二子永盛丧于痨疾,卒年五十,予哭之恸,左目失明,自悟老之将至也。倘天能愍遗,当益存心养性,修身以候之。兹仿古人自序之例,综我生平,书此以自证,并示儿孙焉。

中华民国二十五年五月一日

(原载 2001 年天马出版公司出版、马伯良和蒋正洁主编的《怀念李达》)

责任编辑:赵圣涛

图书在版编目(CIP)数据

李达全集.第十五卷/汪信砚 主编. —北京:人民出版社,2016.12
ISBN 978－7－01－016668－1

Ⅰ.①李…　Ⅱ.①汪…　Ⅲ.①李达(1890—1966)-全集　Ⅳ.①C52

中国版本图书馆 CIP 数据核字(2016)第 214274 号

李达全集
LIDA QUANJI
第十五卷

汪信砚　主编

人民出版社 出版发行
(100706　北京市东城区隆福寺街 99 号)

北京新华印刷有限公司印刷　新华书店经销

2016 年 12 月第 1 版　2016 年 12 月北京第 1 次印刷
开本:710 毫米×1000 毫米 1/16　印张:36.5
字数:590 千字

ISBN 978－7－01－016668－1　定价:189.00 元

邮购地址 100706　北京市东城区隆福寺街 99 号
人民东方图书销售中心　电话 (010)65250042　65289539